CW01023327

NOUVEAU MANUEL DE L'ANGLICISTE

Vocabulaire du thème, de la version
et de la rédaction

Patrick RAFROIDI

Professeur à la Sorbonne-Nouvelle

Michèle PLAISANT

Professeur à l'Université de Lille III

Douglas J. SHOTT, B.A.

*Sometime Head of the Modern Languages
Department, Bexhill County Grammar-School*

NOUVEAU MANUEL DE L'ANGLICISTE

Vocabulaire du thème, de la version et de la rédaction

OPHRYS

Enseignement

supérieur

ISBN 978-2-7080-0567-9

La loi du 11 mars 1957 n'autorisant, aux termes des alinéas 2 et 3 de l'Article 41, d'une part, que les « copies ou reproductions strictement réservées à l'usage privé du copiste et non destinées à une utilisation collective » et, d'autre part, que les analyses et les courtes citations dans un but d'exemple et d'illustration, « toute représentation ou reproduction intégrale, ou partielle, faite sans le consentement de l'auteur ou de ses ayants-droit ou ayants-cause, est illicite » (alinéa 1ᵉʳ de l'article 40).

Cette représentation ou reproduction, par quelque procédé que ce soit, constituerait donc une contrefaçon sanctionnée par les Articles 425 et suivants du Code pénal.

© Editions Ophrys, 1986

Éditions OPHRYS, 25 rue Ginoux, 75015 Paris
www.ophrys.fr

AVANT-PROPOS

On peut dire du MANUEL DE L'ANGLICISTE — si l'on veut bien nous pardonner de céder un instant au « franglais », contrairement à nos conseils — qu'il a été, littéralement, un « best-seller ». Il n'a quitté la devanture des libraires, quelque vingt ans après son lancement, qu'avec la disparition de son éditeur original et l'épuisement du stock.

Nous aurions laissé les choses en l'état, cédant l'initiative à de plus jeunes, n'eussent été les sollicitations pressantes et renouvelées d'amis, d'étudiants, de collègues qui se seraient même contentés d'une simple réimpression.

Il était néanmoins impossible de ressortir l'ouvrage tel quel.

Le TOME I, conçu et réalisé entre 1958 et 1962, publié en 1965, pouvait à l'époque se présenter comme une « Grammaire », au moins de la langue écrite : les travaux des linguistes, désormais seuls arbitres en la matière, n'étaient pas encore largement diffusés. Il serait bouffon, aujourd'hui, de vouloir entrer en compétition avec eux. *Nous avons donc choisi de n'en conserver, après l'avoir remaniée quelque peu, que la section pratique*, réintitulée VARIATIONS LEXICA-LES ET PROCÉDÉS DE TRADUCTION. Un guide du thème, de la version et de la rédaction ne se conçoit pas, en effet, sans une liste de SYNONYMES, une liste de FAUX-AMIS, une illustration des MÉCANISMES à utiliser au passage de la langue-source à la langue-cible.

Le TOME II *n'appelait pas, par contre, de refonte majeure et ses habitués le reconnaîtront donc aisément ici.*

Son maintien était un devoir de fidélité à la mémoire du regretté Douglas SHOTT, auteur de toutes les traductions anglaises dont chacun a pu admirer le talent. C'était aussi la seule manière de redonner à ses usagers un recueil de VOCABULAIRE conservant les principes qui lui ont valu son succès antérieur : RASSEMBLEMENT LOGIQUE DES MOTS sous des rubriques éprouvées, PRÉSENTATION DE CES MOTS EN CONTEXTE, en deux colonnes, etc.

Le regroupement en un seul volume auquel il fallait maintenir sa maniabilité, l'augmentation du coût des livres, les variations d'intérêt pour telle ou telle zone lexicale nous ont, pourtant, contraint à supprimer quelques citations, à en raccourcir bon nombre d'autres et à faire disparaître la plupart des dessins non essentiels à notre propos, tandis que l'évolution des mœurs, des institutions et des techniques nous amenait, çà et là, à une inévitable MISE À JOUR.

La dette contractée, au départ, à des ouvrages ou à des collègues (Maurice Berland, Paul-Gabriel Boucé, Jean-Paul Hulin, Françoise Looten, Maurice Pagnoux, Margaret Stanley), demeure bien évidemment et notre gratitude leur reste acquise, ainsi qu'à Mary WOOD qui a bien voulu relire la nouvelle version et suggérer d'utiles amendements.

Patrick RAFROIDI

I — Variations lexicales et procédés de traduction

PUNCH, 1st June, 1955

DIFFÉRENCES D'EXTENSION : LA PARTICULARISATION, LA GÉNÉRALISATION [1]

I — Inégalité statistique des lexiques français et anglais

Statistiquement, le lexique anglais est plus étendu de beaucoup que le français.

1. On cherchera la raison première de cet état de choses dans la **PLUS GRANDE DISPARITÉ D'ORIGINES** de la langue anglaise. Laissant de côté les emprunts de hasard, ou de nécessités commerciales, ou destinés à exprimer une notion foncièrement étrangère (il est évident que la présence, en anglais comme en français, des mots *fakir* et *ananas* n'est pas la preuve d'une influence arabe ou péruvienne profonde), on trouve pour l'anglais trois grandes origines :

1) indigène,
2) française (populaire),
3) latine (savante),

contre une seule majeure en français.

Deux origines romanes contre une germanique (et pas complètement) expliquent la prédominance, en valeur absolue, de termes issus directement ou indirectement du latin. Mais cela n'est pas vrai du VOCABULAIRE ACTIF, car l'élément indigène, pour ne représenter qu'1/5 du « stock », n'en est pas moins le plus utilisé : à 94 % dans le meilleur des cas (la Bible de 1611), à 60 % dans les ouvrages techniques récents.

Les trois origines de l'anglais y expliquent le foisonnement des SYNONYMES de rameau linguistique différent.

Ex. : (nom)

1) (indigène)	: *boldness,*	
2) (français)	: *courage,*	*courage*
3) (latin)	: *fortitude.*	

Ex. : (adjectif)

1) (indigène)	: *weary,*	
2) (français)	: *fatigued,*	*fatigué*
3) (latin)	: *exhausted.*	

Ex. : (verbe)

1) (indigène)	: *to live (dwell),*	
2) (français)	: *to reside,*	*habiter*
3) (latin)	: *to inhabit.*	

---

(1) Une partie importante de la terminologie et des démarches théoriques qui sous-tendent notre exposé pratique dans ce chapitre et dans les trois suivants est empruntée à l'ouvrage désormais classique de J.P. VINAY et J. DARBELNET : *Stylistique comparée du français et de l'anglais*, Paris, Didier, 1958.

2. La **PLUS GRANDE EXTENSION SPATIALE** de la langue anglaise nous fournit une deuxième explication de l'étendue du lexique anglais.

Certains mots canadiens, australiens, américains n'ont, il est vrai, de valeur que dialectale.

Sauf lorsqu'on parle de réalités américaines, il reste sans doute préférable, dans l'université française, d'éviter en thème les AMÉRICANISMES.

appartement
 doit rester : *flat*
 et pas   : *apartment*

automne
 doit rester : *Autumn*
 et pas   : *Fall*

camion
 doit rester : *lorry*
 et pas   : *truck*

capot
 doit rester : *bonnet*
 et pas   : *hood*

essence
 doit rester : *petrol*
 et pas   : *gasoline*

métro
 doit rester : *underground*
       (ou *tube* dans certains cas)
 et pas   : *subway*

réparer
 doit rester : *to repair*
 et pas   : *to fix*

smoking
 doit rester : *dinner-jacket*
 et pas   : *tuxedo*

tomber (prix)
 doit rester : *to fall*
 et pas   : *to toboggan*

tramway
 doit rester : *tram*
 et pas   : *street-car*

pour nous en tenir à un échantillonnage de dix mots courants.

La remarque vaut évidemment aussi pour l'orthographe :

defence et pas : *défense*
humour et pas : *humor*
plough et pas : *plow*

4

theatre et pas : *theater*
traveller et pas : *traveler*,

et pour les termes grammaticaux :

all right et pas : *O.K.*
got et pas : *gotten*
perhaps et pas : *maybe.*

En ce qui concerne le vocabulaire américain, néanmoins, il ne sert à rien de fermer les yeux sur la réalité. Les moyens de diffusion (cf. le cinéma et les séries télévisées) de l'Amérique sont tels que l'anglais d'Angleterre en est de plus en plus affecté, spécialement dans son argot, ses termes techniques, ses néologismes de tout genre.

Ex. : *boss, cafeteria, juke-box, motel, movies, teenager, wisecrack* (plaisanterie).

3. Une troisième et dernière source de richesse du vocabulaire anglais est **LA PLUS GRANDE FACILITÉ DE CONVERSION** de cette langue où un même mot peut changer aisément de catégorie, d'adjectif devenir adverbe ou nom, de nom se transformer en verbe, ce que le français peut difficilement imiter.

Exemple (ancien) :

— *Voici venir sa grâce, mon noble oncle, en personne.*
— **Laissons là, je vous prie, les oncles et les grâces.**

— *Here comes his Grace in person, my noble uncle.*
— *Tut, tut,* **grace** *me no grace, nor* **uncle** *me no uncle.*
(W. Shakespeare)

Exemple (moderne) :

Ne me **donnez** *pas* **du Monsieur***, cela ne se fait pas en Angleterre.*

Don't **sir** *me, it's hardly English.*
(ex. de Zandvoort)

4. A l'inégalité statistique que nous venons d'indiquer, est liée une différence d'extension dans le sens qui implique normalement une **PARTICULARISATION** au passage du français à l'anglais (encore que le phénomène inverse puisse exister dans certains cas).

5. Inversement, une **GÉNÉRALISATION** se produit fréquemment de l'anglais au français, dont on peut prendre son parti ou qu'on peut pallier par un procédé de **COMPENSATION.**

Ex. : *sheep* : mouton sur pied ;
mutton : viande de mouton.

II — Particularisation lexicale

6. PARTICULARISATION DU FRANÇAIS À L'ANGLAIS

6.A — Il y a d'abord particularisation du français à l'anglais lorsque ce dernier possède un ou plusieurs TERMES VOISINS contre un seul mot français POUR DIFFÉRENCIER LES NUANCES D'UN MÊME SENS CONCRET.

— A —

abri
- *shelter* (général)
- *dug-out* (militaire)

affiche
- *poster* (avec image)
- *bill* (non illustrée)

air (avoir l'air)
- *to look* (à la vue)
- *to sound* (à l'ouïe)
- *to taste* (au goût)
- *to feel* (au toucher)

apprendre
- *to learn* (soi-même)
- *to teach* (à quelqu'un)

argent
- *silver* (métal)
- *money* (espèces sonnantes).

— B —

bec
- *beak* (grand oiseau)
- *bill* (petit oiseau)

bœuf
- *ox* (sur pied)
- *beef* (viande)

bois
- *wood* (général)
- *timber* (de construction)
- *lumber* (de charpente)

bord
- *edge* (général)
- *bank* (de rivière)
- *brim* (de chapeau)

- *brink* (de précipice)
- *hem* (vêtement)
- *kerb* (trottoir)
- *margin* (de lac)
- *rim* (d'objet rond)
- *shore* (de mer)

boucle
- *loop* (général)
- *buckle* (de ceinture)
- *curl*
- *lock* (de cheveux)

boue
- *mud* (sur terre)
- *slime* (vase)

bouquet
- *bunch* (de fleurs)
- *cluster* (d'arbres)

branche
- *branch* (général)
- *bough* (grande)
- *twig* (petite)

bruissement
- *rustle* (feuilles)
- *whir* (ailes)

brûler
- *to burn* (général)
- *to smoulder* (sans flammes)
- *to scorch* (peau, etc.)

bureau
- *writing-table*
- *desk* (meuble)
- *study* (pièce chez soi)
- *office* (lieu de travail).

– C –

chance
- *odds* (mathématique)
- *chance* (hasard)
- *luck* (favorable, sauf adjectif contraire)

château
- château fort : *castle*

Tout, dans ce **château** *gigantesque* (i.e. : le château féodal de Coucy)... *semblait surhumain.*

(L. Gillet)

Everything in this gigantic **castle** *seemed to be bigger than life.*

- grande et belle habitation de campagne : *mansion, manor, country-house,*

jadis : *hall* ; dans le cas de châteaux
somptueux : *stately homes*
- dans certains cas particuliers (Blen-
heim, Versailles) : *palace*
- pour les châteaux de la Loire, on
conserve le terme français

Les **châteaux** *de Montal et de Puyguilhem,
par la grâce de leur architecture, s'apparentent
à ceux du Val de Loire.*

(Guide Vert)

The **châteaux** *of Montal and Puyguilhem, by
virtue of the gracefulness of their architecture,
are akin to those of the Loire Valley.*

cheminée
- *chimney* (sur le toit)
- *mantelpiece* (dessus de cheminée
intérieure)
- *flue* (conduit)
- *fireplace* ⎫
- *hearth* ⎬ (foyer)
- *funnel* (navire, locomotive)

chiffre
- *figure* (général)
- *cipher* (code)

couler
- *to flow* (eau)
- *to sink* (navire)

coup
- *blow* ⎫
- *stroke* ⎬ (général)
- *bite* (dents)
- *blast* (vent)
- *flap* (aile)
- *kick* (pied)
- *nudge* (coude)
- *peck* (bec)
- *shot* (feu)
- *stab* (poignard)
- *thrust* (épée)

etc...

couronne
- *crown* (royale)
- *wreath* (mortuaire)

cuir
- *leather* (général)
- *hide* (peau épaisse)
- *scalp* (chevelu).

– D –

défendre
- *to defend* (venir en aide)
- *to forbid* (interdire)

demeurer
- *to stay* (bref séjour)
- *to remain* (long)

dessein
- *design* (projet)
- *purpose* ⎫
- *object* ⎬ (but)

disque
- *disc* (général)
- *record* (musical)

doubler
- *to double* (général)
- *to dub* (film)
- *to overtake* (voiture)

doux
- *soft* ⎫
- *smooth* ⎬ (au toucher)
- *sweet* (aux autres sens)
- *fresh* (eau).

– E –

échouer
- *to fail* (examen, etc.)
- *to be stranded* (navire, etc.)

écraser
- *to crush* ⎫
- *to smash* ⎬ (broyer)
- *to squash* (un fruit)
- *to mash* (pommes de terre)
- *to run over* (avec une voiture)

esprit
- *mind* (intelligence)
- *soul* (faculté) (âme)
- *spirit* (incorporel)
- *ghost* (fantôme)
- *wit* (bel esprit).

– F –

femme
- *woman* (général)
- *wife* (épouse)

fondre
- *to melt* (neige)
- *to smelt* (minerai)
- *to cast* (le fer)
- *to fuse* (métaux)

fossé
- *ditch* (général)
- *moat* (château).

– G –

gagner
- *to gain* (général)
- *to earn* (argent)
- *to win* (être vainqueur)

gai
- *gay* ⎫
- *jolly* ⎬ (permanent)
- *merry* (momentané)

glisser
- *to slip* (accidentel)
- *to slide* (surface unie)
- *to glide* (avec majesté)
- *to skid* (déraper).

– H –

haut
- *high* (général)
- *lofty* (majestueux)

herbe
- *grass* (fourragère)
- *herb* (potagère)
- *weed* (mauvaise).

– I –

imagination
- *imagination* (créatrice)
- *fancy* (reproductrice)

indulgent
- *indulgent* (envers soi-même)
- *lenient* (envers autrui).

– J –

journal
- *newspaper* (nouvelles)
- *journal* (comptabilité)
- *log-book* (de bord)
- *diary* (intime).

– L –

livrer
- *to deliver* (un objet)
- *to betray* ⎫
- *to give up* ⎬ (quelqu'un)

luire (briller)
- *to gleam* (général)
- *to glance* (miroiter)
- *to glimmer* (faiblement)
- *to glint* (éclat métallique mat)

10

- *to glitter* (éclat métallique vif)
- *to glisten* (luminosité mouillée)
- *to glow* (luminosité rougeâtre).

– M –

magasin
- *booth* (très petit)
- *shop* (moyen)
- *store* (grand).

malade
- *sick* (indisposé ou figuré)
- *ill* (plus grave)

marchand
- *dealer* (général)
- *costermonger* (de quatre saisons)
- *shopkeeper* (petit)
- *tradesman* (négociant)
- *merchant* (gros)

marcher
- *to walk* (général)
- *to march* (au pas)
- *to stride* (à grands pas)
- *to toddle* (à petits pas)
- *to trudge* }
- *to plod.* } (péniblement)

– O –

odeur
- *odour* }
- *smell* } (indifférent)
- *stench* }
- *reek* } (péjoratif)
- *scent* }
- *fragrance* } (bonne)

ombre
- distinguez l'ombre que projette un objet ou une personne : *shadow*, la zone privée de lumière : *shade*, et le synonyme d'obscurité

La lumière de la lampe faisait danser son **ombre** *au mur, la diminuant et l'allongeant tour à tour.*

(G. Bernanos)

The light of the lamp set its **shadow** *dancing on the wall, shortening and lengthening it by turns.*

Du flanc de ces coteaux pendent des bois épais Qui, courbant sur mon front leur **ombre** *entremêlée, Me couvrent tout entier de silence et de paix.*

(A. de Lamartine)

The hill-sides are hung with dense woods Which cast their confused **shade** *o'er my brow And wrap me all about with silence and peace.*

*L'***ombre** *était nuptiale, auguste et solennelle.*

(V. Hugo)

The **night** *was nuptial, august and solemn.*

11

– P –

parent
- *parent* (père ou mère)
- *relative* (les autres)

pièce
- *piece* (général)
- *coin* (monnaie)
- *part* (détachée)
- *patch* (rapiéçage)
- *play* (théâtre)
- *room* (chambre)

plaisanterie
- *joke* (général)
- *pun* ⎫
- *quibble* ⎭ (verbale)
- *prank* ⎫
- *trick* ⎭ (action)

porc
- *pig* (sur pied)
- *pork* (viande)

porter
- *to bear* (un fardeau, des armes, un nom)
- *to carry* (à la main)
- *to convey* (transporter)
- *to wear* (vêtements)

prix
- *price, cost* (coût)
- *prize* (récompense)
- *fare* (billets, etc.)
- *fee* (honoraires)

promenade
- *drive* (en voiture)
- *ride* (à cheval, à bicyclette)
- *walk* (à pied)

proposition
- *proposition* (général)
- *proposal* (de mariage).

– R –

reconnaître
- *to acknowledge* (un fait)
- *to recognize* (une personne)
- *to reconnoitre* (explorer)

remarquer
- *to notice* (observer)
- *to remark* (faire observer)

12

rendez-vous
- *rendez-vous* (littéraire, militaire)
- *appointment* (d'affaire)
- *date* (sentimental)

retraite
- *retirement* (à 60 ans)
- *retreat* (militaire)

réunion
- *party* (quelques personnes)
- *meeting* (foule)

ride
- *ripple* ⎫
- *ruffle* ⎬ (eau)
- *wrinkle* ⎫
- *pucker* ⎬ (figure)

rire
- *to laugh* (général)
- *to chuckle* (étouffé)
- *to giggle* (petit fou-rire nerveux de jeune fille)

rougir
- *to blush* (honte, pudeur)
- *to flush* (colère)

ruban
- *ribbon* (ornement)
- *tape* (machine)

ruisseau
- *brook* ⎫
- *stream* ⎬ (dans prairie)
- *gutter* (caniveau).

– S –

siffler
- *to whistle* (général ; avec les lèvres ; sifflet)
- *to hiss* (serpent et huer)
- *to whirr* (ailes, machines)
- *to whizz* (obus dans l'air)

soleil
- *sun* (astre)
- *sunlight* ⎫
- *sunshine* ⎬ (lumière)

solitaire (n.)
- *old boar* (sanglier)
- *solitaire* (pierre)
- *recluse* (moine)

sourire
- *to smile* (général)
- *to grin* (bête)
- *to smirk* (minaudant).

– T –

tache
- *spot* (général)
- *blot* (encre)
- *dapple* (tache de couleur sur la robe d'un cheval)
- *freckle* (de rousseur)
- *fleck* ⎫
- *speck* ⎭ (petite)
- *patch* (couleur, lumière)
- *smudge* (barbouillage)
- *stain* (graisse)

tirer
- *to draw* (général, un trait)
- *to drag* (derrière soi)
- *to pull* (vers soi)
- *to shoot* (au fusil)

trembler
- *to tremble* (général)
- *to quake* (très fort)
- *to quiver* (passion)
- *to shiver* (froid)
- *to shudder* (peur)
- *to thrill* (excitation)

troupeau
- *flock* (petits animaux)
- *herd* (grands animaux).

– U –

usine
- *factory* (général)
- *manufacture* (de transformation)
- *mill* (textile, scierie)
- *works* (gaz, etc.)
- *plant* (installation).

– V –

veau
- *calf* (sur pied)
- *veal* (viande)
- (mais, foie de veau : *calf's liver*)

veiller
- *to look after* (sur quelqu'un)
- *to see to* (à quelque chose)

- *to sit up* (le soir tard)
- *to watch* (être sur ses gardes)

vide (adj.)
- *empty* (général)
- *blank* (espace)
- *void* (sens)

vide (n.)
- *blank* (espace)
- *gap* (trou)
- *nothingness* (néant)
- *vacancy* (emploi)
- *vacuum* (physique).

6.B – La particularisation par emploi de termes voisins comporte fréquemment une ÉCHELLE D'INTENSITÉ.

Ex. :

aimer +
→

to like, to care for, to be fond of, to be infatuated with, to love somebody

chagrin +
→

sorrow, grief, affliction

effrayé +
→

afraid, frightened, scared

étonner +
→

to surprise, to astonish, to amaze, to bewilder, to baffle

étrange +
→

strange, peculiar, odd, queer, quaint, weird

formidable +
→

gigantic, colossal, tremendous, stupendous

lancer +
→

to cast, to throw, to fling

méchant +
→

mischievous, naughty, wicked, nasty, evil

travailler +
→

to work, to labour, to toil, to drudge

triste (chose) +
→

dull, sad, dreary, gloomy, grim, baleful.

6.C – Il y a encore particularisation du français à l'anglais, lorsque ce dernier dispose de plusieurs termes pour différencier l'EMPLOI du mot français, au PROPRE et au FIGURÉ, dans le concret et dans l'abstrait.

– A –

	propre	**figuré**
acheter	to buy to purchase	to bribe
arriver	to arrive	to happen
assurance	insurance	assurance.

– B –

bénéfice	profit	benefit
blessé	injured hurt wounded	hurt wounded
but	goal target.	aim

– C –

canal	canal channel	channel
cependant	meanwhile	however
ciel	sky	heaven
cœur	heart	core
comprendre	to include	to understand
crépuscule	dusk twilight	twilight
cru	raw	crude
curieux	curious	odd.

– D –

délicieux	delicious	delightful
dérangement	disorder	trouble disturbance
désert	desert	wilderness
détendu	loose	relaxed
devoir (n.)	task prep	duty
devoir (v.)	to owe	must should, ought to
dominer	to overlook to tower over	to domineer to rule
dommage	damage	pity
doucement	slowly quietly	gently softly.

– E –

échelle	*ladder*	*scale*
élever	*to lift up* / *to raise*	*to bring up* / *to raise*
essence	*petrol*	*essence*
esclavage	*slavery*	*bondage*
estimer	*to estimate*	*to esteem*

Estimer *le poids d'un fardeau à la vue.*
(J.J. Rousseau)

To **estimate** *the weight of a load on sight.*

Sur quelque référence une **estime** *se fonde*
*Et c'est n'*estimer *rien qu'*estimer *tout le*
monde.
(Molière)

Esteem *is founded on some choice*
And he who **esteems** *all does* **esteem** *none.*

expérience	*experiment*	*experience*
exposer	*to show* / *to display*	*to explain* / *to expound.*

– F –

faible	*weak* / *faint* / *dim*	*feeble.*

– G –

gracieux	*graceful*	*gracious*
grand	*tall*	*great.*

– H –

humain	*human*	*humane.*

– I –

ivresse	*drunkenness* / *intoxication*	*rapture* / *intoxication.*

– L –

laisser	*to leave*	*to let*
large	*wide* / *broad*	*broad*
léger	*light*	*slight.*

– M –

maigre, **mince**	*thin* / *lean* / *slim* / *slender*	*meagre*
maladroit	*clumsy*	*awkward*
manie	*fad*	*idiosyncrasy*
marcher	*to walk*	*to work*
mûr	*ripe* / *mellow*	*mature.*

– P –

particulier	*private*	*peculiar*
propre	*clean*	*proper.*

– R –

recommander	*to register*	*to recommend*
rencontrer	*to come across* / *to meet*	*to meet with* / *to encounter.*

– S –

sentir	*to smell*	*to feel*
souvenir	*souvenir*	*memory* / *recollection* / *remembrance.*

– V –

vue	*sight* / *view*	*opinion* / *view.*

6.D – On peut concevoir encore la particularisation sous forme de distinction plus subtile (et donc moins utile) entre SENS INTELLECTUEL et SENS AFFECTIF pour lesquels le français dispose d'un seul mot et l'anglais de deux.

Ex. :

	intellectuel	affectif
maternel	*maternal*	*motherly*
petit	*small*	*little*
préjugé	*prejudice*	*bias*
répondre	*to answer* / *to reply*	*to respond*
sale	*dirty*	*nasty*
sauter	*to jump*	*to leap*
sérieux	*earnest*	*stern*
solitaire	*alone*	*lonely*
soucis	*cares*	*worries*

etc...

7. PARTICULARISATION DE L'ANGLAIS AU FRANÇAIS

Bien que le phénomène inverse soit, de beaucoup, le plus fréquent, il arrive que le français possède plusieurs termes là ou l'anglais ne possède qu'un seul mot courant. On notera entre autres les mots suivants pour lesquels – en cas d'hésitation – on consultera un dictionnaire des synonymes.

18

to appear	: paraître, apparaître
avarice	: avarice, cupidité
bell	cloche, clochette, grelot, sonnette
boat	: bateau, barque
bone	: os, arête
to break	: casser, briser, rompre
to bring	: amener, apporter
bus	: autobus, autocar
candle	: bougie, chandelle, cierge.

*Brûler la **chandelle** par les deux bouts.*

*To burn the **candle** at both ends.*

(a Proverb)

church	: église, temple
to climb	: monter, escalader, grimper
cloud	: nuage, nue, nuée
coat	habit, pardessus, redingote, veste, veston
country	campagne, contrée, patrie, pays
dawn	: aube, aurore
day	: jour, journée
difference	: différence, différend
door	: porte, portière
to enjoy	jouir (de), s'amuser, se plaire
evening	: soir, soirée
expense	: frais, dépens
face	: figure, visage, face.

De quel pas triste, O Lune, tu montes dans les nues !
*Profond est ton silence et blême ton **visage** !*

With how sad steps, O Moon, you climb'st the skies !
*How silently and with how wan a **face** !*

(Sir Philip Sidney)

Donnez-moi mon Roméo ; et, à sa mort,
Prenez-le pour en faire une myriade de petits astres,
*Lors, il embellira tant des cieux la **face***
Que l'univers entier s'éprendra de la nuit.

Give me my Romeo ; and, when he shall die,
Take him and cut him out in little stars,

That all the world will be in love with night.

(W. Shakespeare)

famous	: célèbre, fameux
fatal	: fatal, funeste, mortel
fate	: destin, destinée, sort
flag	: drapeau, pavillon
gentleman	: gentilhomme, monsieur
ghost	: fantôme, revenant, spectre
girl	: fille, jeune fille
grass	: herbe, gazon
holiday	: congé, vacances
jewel	: bijou, joyau
to land	: atterrir, débarquer
lap	: genoux, giron

to leave	: laisser, quitter
lightning	: éclairs, foudre
morning	: matin, matinée
new	: neuf, nouveau
next	: prochain, suivant
to oppress	: oppresser, opprimer
pavement	: pavé, trottoir
place	{ endroit, emplacement, lieu, place
plain	: simple, clair, laid
proud	{ altier, fier, hautain, orgueilleux
to replace	: replacer, remplacer
to return	{ rentrer, retourner, revenir
to rise	{ se lever, s'élever, se soulever, surgir.

*Il faut se **lever** tôt pour plaire à tout le monde.*

*We must **rise** early to please everybody.*
(a Proverb)

*Il s'est **élevé** comme une fusée pour retomber avec la rapidité du manche.*

*He **rose** like the rocket, he fell like the stick.*
(Th. Paine)

river	: fleuve, rivière
rock	: roche, rocher
romantic	: romanesque, romantique
ruins	: décombres, ruines
sailor	: marin, matelot
scarf	: cache-col, écharpe, foulard
storm	: orage, tempête
stove	: poêle, fourneau
to swell	: enfler, gonfler
time	{ époque, heure, moment, temps
wild	{ farouche, fauve, hagard, sauvage
window	{ croisée, devanture, fenêtre, guichet
to wonder	: se demander, s'étonner
word	: mot, parole, verbe.

VARIATIONS SÉMANTIQUES : LES FAUX-AMIS [1]

I — Généralités

Les lexicologues comparatistes ont appelé *Faux-amis* des termes anglais d'origine romane qui ont :

— conservé leur sens premier alors que le français le perdait,
Ex. : *abnegation* : reniement ;

— ou évolué dans des directions différentes,
Ex. : *bachelor* : célibataire (et non uniquement « bachelier ») [2].

8. La plupart de ces mots qu'on pourra nommer **FAUX-AMIS PARTIELS** ont un ou plusieurs sens communs aux deux langues, un ou plusieurs sens particuliers à l'une ou à l'autre.

Ex. : *figure.*

— usage commun :

a **figure** *of speech* : *une* **figure** *de style,*

to cut a poor **figure** : *faire piètre* **figure** ;

— usage différent :

De temps à autre, on pouvait apercevoir la sombre **silhouette** *d'hommes occupés à déblayer les trottoirs de leurs monceaux blancs.*

Occasionally one could see black **figures** *of men busily shovelling the white drifts from the walks.*

(S. Crane)

Evidemment je n'ai guère à vous reprocher que d'avoir toujours votre joli minois et votre **taille** *si bien prise.*

Of course you have done nothing except retain your pretty face and shapely **figure.**

(Th. Hardy)

9. Lorsqu'il n'y a aucun sens commun aux deux langues, on parlera de **FAUX-AMIS TOTAUX.**

Ex. : *genial.*

M. Pollock fit halte brusquement, regarda autour de lui et éclata d'un rire **bon-enfant** *(plein d'entrain).*

Mr. Pollock stopped suddenly, looked round and broke into a **genial** *laugh.*

(A.G. Macdonell)

---

(1) L'ouvrage de base en ce domaine, dû à Maxime Koessler et Jules Derocquigny, a été republié par le premier : *Les Faux-amis des vocabulaires anglais et américains,* Paris, Vuibert, 1975. Plus récemment, trop récemment pour que nous ayons pu l'utiliser, on notera, de Philip Thooy et Howard Evans : *Faux-amis & Keywords,* The Athlone Press, 1985.

(2) On a rajouté plus loin — pour la commodité de l'exposé — des mots dont la similitude est fortuite et non étymologique.

II – Faux-amis du lexique

10. Voici une **LISTE** de certains des plus dangereux parmi les faux-amis du lexique qui obligent le traducteur à un **ajustement sémantique**.

– A –

		ABSTRACTION	: abstraction, distraction
abuser	: to exaggerate	to ABUSE	: insulter
accomplissement	: fulfilment	ACCOMPLISHMENT	: talent
acompte	: deposit	ACCOUNT	: compte (rendu)
achever	: to complete	to ACHIEVE	accomplir, réussir
actuel	: present	ACTUAL	: réel
actuellement	: nowadays	ACTUALLY	: en fait
avertissement	: warning	ADVERTISEMENT	: réclame
avis	: opinion	ADVICE	: conseil
agonie	: death-agony	AGONY	: combat, torture
agrément	: amenity	AGREEMENT	: accord
allée	: path, walk, drive	ALLEY	: ruelle
altéré	changed for the worse / thirsty	ALTERED	: changé
antique	: ancient	ANTICS	: bouffonneries
apologie	: defence, vindication	APOLOGY	: excuse
appointements	: wages	APPOINTMENT	rendez-vous, / nomination
assister	: to attend	to ASSIST	: aider
attendre	: to wait for, to expect	to ATTEND	: assister à, servir
attirer	: to attract	to ATTIRE	: vêtir
audience	interview, hearing, session.	AUDIENCE	assistance, public, spectateurs.

Son attention se mit à errer, elle regarda le **public**, l'orgue, l'architecture.	Her attention wandered, and she gazed at the **audience**, or the organ, or the architecture. (E.M. Forster)

– B –

balance	: scales	BALANCE	: équilibre, solde (m.)
ballot	: bundle	BALLOT	: élection, vote
bande	: gang	BAND	: orchestre, fanfare

Oh, quelque part en ce pays béni le soleil brille avec éclat	Oh! somewhere in this favoured land the sun is shining bright
Un **orchestre** joue quelque part, quelque part légers sont les cœurs.	The **band** is playing somewhere, and somewhere hearts are light. (E.L. Thayer)

baraque	: hut, booth	BARRACKS	: caserne
brigadier	: corporal.	BRIGADIER	: général de brigade.

– C –

candide	: naïve, artless	CANDID	: franc
canot	: rowing-boat	CANOE	: pirogue

cavalier	: horseman, rider	CAVALIER	: royaliste
cave	: cellar	CAVE	: caverne, grotte
chandelier	: candle-stick	CHANDELIER	: lustre
caractère	: temper	CHARACTER	{ personnage, original, caractère
charge	: load	CHARGE	: prix
charte	: charter	CHART	: carte, diagramme
chasser	: to hunt	to CHASE	: poursuivre
corde	: rope, string	CHORD	: accord (musique)
college	{ school (rarement college)	COLLEGE	{ université (rarement collège),
confidence	: secret	CONFIDENCE	: confiance

Messieurs, j'ai une **confiance** inébranlable en vous qui êtes des hommes d'honneur.

I have a fixed **confidence**, Gentlemen, in you all as men of honour.

(J. Gay)

conservatoire	: music-academy	CONSERVATORY	: serre
considéré	: respected	CONSIDERATE	: attentionné
content	: glad	CONTENT	: satisfait
		COPY	: copie, exemplaire
courtier	: broker	COURTIER	: courtisan
curé	{ vicar (anglican) rector (catholique)	CURATE	{ vicaire serveur (irlandais)
cynique	: shameless.	CYNICAL	: caustique.

– D –

dais	: canopy	DAIS	: estrade
date	: date	DATA	: données
		DECADE	{ décennie (10 ans) décade (10 jours)
déception	: disappointment	DECEPTION	: tromperie
défiance	: diffidence	DEFIANCE	: défi
délibérément	: intentionally	DELIBERATELY	: lentement, délibérément
demander	: to ask	to DEMAND	: exiger
député	: Member of Parliament	DEPUTY	: adjoint, substitut
dériver	: to drift	to DERIVE	: tirer avantage, venir de
desservir	{ to serve to clear away to carry tales about someone	to DESERVE	: mériter

Il n'est point au pouvoir des mortels de forcer le succès,
Mais nous ferons mieux, Sempronius, nous le **mériterons**.

It is not in mortals to command success,
But we'll do more, Sempronius, we'll **deserve** it.

(J. Addison)

décharger	: to unload	to DISCHARGE	{ acquitter une obligation, congédier
		DISCRETION	: discrétion, discernement
		DISGRACE	{ disgrâce, deshonneur, honte
disposer	{ to have at one's disposal, to dispose of	to DISPOSE OF	: se défaire de, disposer de
		DISPOSITION	: disposition, caractère

23

distraction	absent-mindedness, entertainment	DISTRACTION	: folie
		DIVINE (n.)	: théologien
dot	: dowry	DOT	: point
dresser	: to erect	to DRESS	habiller, orner, assaisonner, panser
donjon	: keep.	DUNGEON	: cachot, oubliettes.

– E –

| éditeur | : publisher | EDITOR | : rédacteur en chef |

Rédacteur en chef : personne travaillant pour un journal, dont la fonction consiste à séparer le bon du mauvais (m. à m. : le grain de la balle) et à s'assurer que c'est le mauvais qu'on imprime.

Editor: a person employed on a newpaper, whose business it is to separate the wheat from the chaff, and to see that the chaff is printed.
(E. Hubbard)

emphase	: over-emphasis	EMPHASIS	: insistance
		ENGAGEMENT	: fiançailles, engagement
établissement	: house, firm, etc.	ESTABLISHMENT	: les classes dirigeantes
essai	: attempt	ESSAY	: dissertation
état	: state	ESTATE	: propriété
évidence	: obvious facts	EVIDENCE	: témoignage, preuves
exciter	: to tease	to EXCITE	: surexciter
exhiber	: to show (off)	to EXHIBIT	: exposer
expansif	: open	EXPENSIVE	: coûteux
		to EXPLODE	: exploser, rejeter
exténué	: exhausted.	to EXTENUATE	: atténuer.

– F –

fabrique	: factory	FABRIC	: étoffe
fastidieux	: wearisome	FASTIDIOUS	: méticuleux
fatuité	: conceit	FATUITY	: sottise
		FAULT	: faute, défaut
forge	: smithy	FORGERY	: contrefaçon

« Les Faux Monnayeurs. »
(A. Gide)

"The Forgers'."

forme	: shape, form	FORM	forme, classe, banc, fiche
		FORMAL	formel, cérémonieux, de cérémonie
franchise	: frankness	FRANCHISE	: droit de vote
		FROCK	: froc (monacal), robe
fournitures	: supplies.	FURNITURE	: meubles.

– G –

		GALLANT	: galant, courageux
gentil	: gentle, kind	GENTEEL	: distingué
		GLORIOUS	glorieux, resplendissant, radieux
grand	: tall	GRAND	: grandiose
grappe	: bunch, cluster	GRAPE	: raisin, mitraille
gratuit	: free of charge	GRATUITY	: pourboire

grief	: grievance	GRIEF	: chagrin
groom	: hotel-boy	GROOM	: valet d'écurie
gros	: big, fat	GROSS	: grossier
gardien	: keeper.	GUARDIAN	: tuteur.

– H –

	HABIT	{ habit, habitude

Il n'est rien qui ait autant besoin de réforme que les **habitudes** d'autrui.

Nothing so needs reforming as other people's **habits**.

(M. Twain)

hagard	: wild-eyed	HAGGARD	: hâve
haltère	: dumb-bell	HALTER	: licou
hardi	: bold	HARDY	: robuste
hasard	: chance	HAZARD	: péril
herse	: harrow	HEARSE	: corbillard
hystérie	: hysteria.	HYSTERICS	{ crise de nerfs, rires ou pleurs convulsifs.

– I –

ignorer	: not to know	to IGNORE	{ ne pas tenir compte de, ignorer à dessein
illustrations	: drawings	ILLUSTRATION	: exemples
empêcher	: to prevent	to IMPEACH	: mettre en accusation
		IMPOSITION	{ imposition, pensum, supercherie
inconvénient	: drawback	INCONVENIENT	: malcommode
indulgent	: lenient	to INDULGE	: satisfaire
enfant	: child	INFANT	: petit enfant,
		to INFORM	{ informer, animer, dénoncer

« Le Mouchard. »

"The Informer."

(Liam O'Flaherty)

une ingénue	: ingenue (artless girl)	INGENUOUS	: franc
injurier	: to abuse	to INJURE	: blesser
insanité	{ rubbish, lewd or stupid remark	INSANITY	: démence
		INSTALMENT	{ versement à crédit, épisode (d'un roman publié dans une revue)
		INTELLIGENCE	(intelligence, nouvelles, renseignements (espionnage).

– J –

jacquette	: morning-coat	JACKET	: veste
geste	: gesture	JEST	: plaisanterie

La vie n'est qu'une **plaisanterie**, tout le dit.
Je m'en doutais jadis, désormais j'en suis sûr.

Life is a **jest**, and all things show it.
I thought so once, but now I know it.

(My own epitaph: J. Gay)

jointure	joint (qui signifie aussi « roti »)	JOINTURE	: douaire
joli	: pretty	JOLLY	: jovial
		JUSTICE	: justice, juge.

– L –

labour	: ploughing	LABOUR(ER)	: travail(leur)
lard	: bacon	LARD	: saindoux
large	: broad, wide	LARGE	: grand, vaste
lecture	: reading	LECTURE	: conférence
		LECTURER	conférencier, maître de conférences
libelle	: lampoon	LIBEL	: diffamation
librairie	: bookshop	LIBRARY	: bibliothèque
lime	: file	LIME	tilleul, chaux (vive et éteinte)
lunatique	: moody	LUNATIC	: fou
luxure	: lust, lechery	LUXURY	: luxe
luxurieux	: lustful, lecherous.	LUXURIOUS	: luxueux.

Elle eut, en consultant le menu, comme un effroi de puritaine devant son **luxueux** assortiment.

She looked at the menu with a certain puritan alarm at its **luxurious** array of dishes.

(Angus Wilson)

– M –

magot	: hoard of money	MAGGOT	: asticot
major	: medical officer	MAJOR	: commandant

A dix heures et quart, le **commandant** faisait son apparition, chaussé des bottes les mieux cirées de tout Londres.

At a quarter past ten, the **major** invariably made his appearance in the best blacked boots in all London.

(W.M. Thackeray)

malice	: mischief	MALICE	: méchanceté
maniaque	: faddy, finicky	MANIAC	: fou
marcher	: to walk, to work	to MARCH	: défiler au pas
marron	(adj.) : brown (nom) : chestnut	MAROON	: grenat
		MATERIAL	: matériel, tissu
matrone	: portly, elderly lady	MATRON	intendante, infirmière en chef
mécanique	: machinery	MECHANIC	: mécanicien
		MEDICINE	: médecine, médicament
misère	: poverty	MISER	: avare
misérable	(adj.) : wretched (nom) : pauper	MISERABLE	: malheureux
misaine	: foremast	MIZEN	: artimon
		MOMENT	moment, importance (cf. adj. : momentous).

– N –

nerveux	excitable (caractère) fidgety (état)	NERVOUS	: craintif

26

Elle a un peu **peur** *dans le noir.*		*She is a little* **nervous** *in the dark.*	
			(R. Hitchens)
nouvelle	: *short story.*	*NOVEL*	: *roman.*

– O –

office religieux	: *service*	*OFFICE*	: *fonction, bureau*
office (cuisine)	: *pantry, servants's hall*		
opportunité	: *convenience.*	*OPPORTUNITY*	: *occasion.*
L'occasion *fait le larron.*		**Opportunity** *makes the thief.*	
			(a Proverb)

– P –

peine	: *grief*	*PAIN*	: *douleur*
		PARTICULAR	: *particulier, méticuleux*
partition	: *score*	*PARTITION*	: *cloison*
		PASSION	{ *passion, colère* / *(souffrance)*
pathos	: *bombast*	*PATHOS*	: *pathétique*
		PATIENCE	: *patience, résignation*
patron	{ *employer, boss,* / *pattern* (couture)	*PATRON*	: *client, mécène*
		PERIOD	{ *période, point* / *(à la ligne) (amér.)*
		PERSUASION	{ *persuasion,* / *obédience religieuse*
		PIPE	: *pipe, pipeau, flûte*
plaisant	: *amusing*	*PLEASANT*	: *agréable*
plume	: *pen, quill, feather*	*PLUME*	: *panache*
		POSITIVE	{ *positif, affirmatif,* / *tranchant*
préjudice	: *wrong, damage*	*PREJUDICE*	: *préjugé*
présentement	: *now*	*PRESENTLY*	: *bientôt*
préserver	: *to keep, protect*	*to PRESERVE*	{ *mettre en conserve* / *(amér. : to can)*
		to PRETEND	{ *prétendre, simuler,* / *faire semblant*
procureur	{ *procurator, prosecutor,* / *attorney*	*PROCURER*	: *entremetteur*
profane (n.)	: *layman*	*PROFANE* (adj.)	: *grivois*
		PROGRESS	: *progrès, voyage*
« *Le* **Voyage** *du Pèlerin.* »		"*The Pilgrim's* **Progress.**"	
			(J. Bunyan)
		PROPERTY	{ *propriété, accessoires* / *(de théâtre)*
propriété	{ *property, belongings,* / *estate*	*PROPRIETY*	{ *propriété des termes,* / *bienséance*
prune	: *plum.*	*PRUNE*	: *pruneau.*

racé	: *thoroughbred*	*RACY*	: *piquant, corsé*

*Ce n'était pas une revue très brillante ni très spirituelle, mais elle était fort **corsée**.*

*It was not a very brilliant nor a very witty, but it was an extremely **racy** periodical.*

(A. Lang)

rafle	: *raid*	*RAFFLE*	: *loterie*
raisins	: *grapes*	*RAISINS*	: *raisins secs*
rangée	: *row*	*RANGE*	: *fourneau, chaîne de montagnes, portée d'une arme*
ranger	: *to put away, tidy*	*to RANGE*	: *parcourir*
ravir	: *to delight*	*to RAVISH*	: *violer*
réaliser	: *to achieve*	*to REALIZE*	: *se rendre compte*
récipient	container, receptacle, vessel	*RECIPIENT*	: *récipiendaire, lauréat*
regarder	: *to look at*	*to REGARD*	: *considérer*
		REGULAR	: *régulier, vrai, véritable*
relation	: *acquaintance*	*RELATION*	*récit, parent (autre que père et mère)*
relent	: *reek*	*to RELENT*	: *fondre, s'attendrir*
		RELIEF	: *relief, secours*
		to REPAIR	*réparer, se rendre quelque part*
rappeler	to recall, to call back	*to REPEAL*	: *abroger, révoquer*
reporter (arithm.)	to carry, to postpone	*to REPORT to*	: *se présenter à*
ressortir	to go out again to reissue	*to RESORT to*	: *avoir recours à*
		RESPECT	*respect, égard (y compris à cet égard : in this particular respect)*
respectable	: *worthy of respect*	*RESPECTABLE*	*honnête (homme), appréciable (chose)*
reste	rest, remainder, residue	*REST*	*repos (plus souvent que « reste »)*
résumer	to sum up, to summarize (to resume)	*to RESUME*	*rarement « résumer », reprendre*
romance (chanson)	love-song, ballad	*ROMANCE*	*roman courtois ou de chevalerie, comédie romanesque, romance (idylle)*
route	: *road*	*ROUTE*	: *itinéraire*
rude	rough, hard, harsh, steep (côte).	*RUDE*	*grossier, impoli, primitif.*

sable	: sand	SABLE (adj.)	: noir
salon	parlour, lounge, sitting-room, drawing-room	SALOON	salle de café (ou de coiffeur)
		SAUCE	sauce, impertinence (d'où saucy : insolent)
		SCANDAL	: scandale, médisance

« L'Ecole de la **Médisance**. » "The School for **Scandal**."

(R.B. Sheridan)

écolier	: school-boy	SCHOLAR	boursier (à l'université), savant
		SECURITY	: sécurité, caution
sensible	: sensitive	SENSIBLE	sensé (de sense : bon sens)
		SENTIMENT	: sentiment, maxime
sévère	: stern	SEVERE	: âpre, grave
signification	: meaning	SIGNIFICANCE	sens, importance (to signify : avoir de l'importance)
site	: spot, view	SITE	: emplacement
		SOBER	: sobre, à jeun
solide	strong, vigorous, rarement : solid	SOLID	: massif, compact
sort	: fate	to SORT	: trier
spectacles	: sights, shows	SPECTACLES	: lunettes
		SPIRITS	esprits, humeur, spiritueux
spleen	: world-weariness	SPLEEN	: rate, colère
étable	: cowshed, pigsty, fold	STABLE	: écurie
store	: blind	STORE	provision, grand magasin
		SUIT	: procès, costume
suite	sequence, sequel, continuation, series	SUITE	: appartement
supplier	to beg, to implore (to beseech)	to SUPPLY	: fournir, ravitailler
supporter	to bear, to stand, to put up with, au propre : to uphold	to SUPPORT	: soutenir, entretenir
surnom	: nickname	SURNAME	: nom de famille
surveiller	to superintend, to invigilate, to look to	to SURVEY	prendre une vue d'ensemble
susceptible	: touchy	SUSCEPTIBLE	: impressionnable
sympathie	: liking	SYMPATHY	: compassion
sympathique	: nice.	SYMPATHETIC	: compatissant.

– T –

talon	: heel	TALON	: griffes, serres
temporiser	: to procrastinate	to TEMPORIZE	être opportuniste, chercher des compromis
		TEST	test (en psych.), essai, examen
timide	: shy, coy, bashful, wild	TIMID	: craintif
traduire	: to translate	to TRADUCE	: diffamer
		to TRANSPORT	transporter (propre et fig.), déporter
traite	draft (banque), milking (ferme)	TREAT	: régal
trait	: trait, feature, line		

Plus qu'un **régal**, *une nourriture !*
(publicité pour glaces)

More than a **treat**, *a food !*
(an advert for Wall's Ice cream)

trépasser	: to depart, to die	to TRESPASS	passer sans autorisation, enfreindre la loi
trivial	: vulgar, coarse	TRIVIAL	banal (synonymes : trite, commonplace)
truand	: hooligan	TRUANT (to play-)	: faire l'école buissonnière
trompe	hoot, horn (trump : archaïque), trunk (éléphant).	TRUMP	: atout.

– U –

ombrelle	: sunshade.	UMBRELLA	: parapluie.

La pluit pleut sur le juste
Et aussi sur le scélérat :
Mais surtout sur le juste, car
Le scélérat vole le **parapluie** *du juste.*

The rain it raineth on the just
And also on the unjust fella :
But chiefly on the just, because
The unjust steals the just's **umbrella**.
(Ch. Bowen)

– V –

vent	: wind	to VENT	exhaler, donner libre cours
verger	: orchard	VERGER	: sacristain, bedeau
		VERMIN	vermine, animaux nuisibles
		VERSATILE	versatile, aux talents variés
vers (n.)	: a line (of verse)	VERSE	: poésie, verset, strophe
veste	: jacket, coat	VEST	: maillot de corps
vaisselle	crockery (sale : washing up)	VESSEL	: vaisseau, récipient
viande	: meat	VIANDS	: mets
vicaire	: curate	VICAR	: curé (anglican)

« *Le* **curé** (ou, puisque c'est un anglican : *le pasteur*) *de Wakefield.* »

"The **Vicar** *of Wakefield."*
(O. Goldsmith)

		VICE	: vice, étau
vicieux	: perverse	VICIOUS	: méchant, rageur
vilain	: ugly, naughty	VILLAIN	: scélérat, traître

– W –

wagon	{ coach, carriage, car, van.	WAGGON	: chariot.

On pouvait les apercevoir tantôt à pied, tantôt juchées sur un **chariot** de ferme.

Sometimes they might have been seen on foot, sometimes on farmers' **waggons**.

(Th. Hardy)

III – Syntagmes et structures trompeurs

11. SYNTAGMES

11.A – Des mots **ANGLAIS** peuvent – lorsqu'on les prend isolément – ne pas représenter de difficulté, ne pas être « trompeurs » et devenir après agencement des « faux-amis ».

Voici deux exemples de **syntagmes** trompeurs :

– to cut	: couper
throat	: gorge
mais	
cut-throat	: **coupe-jarret** (homme, et non lieu comme « coupe-gorge »).
– pine	: pin
apple	: pomme
mais	
pine-apple	: **ananas** (pomme de pin : *fir-cone*).

11.B – En **FRANÇAIS** aussi, l'adjonction d'un terme suplémentaire à un mot initial peut en changer complètement le sens.

Ex. :

– *avoir* et « **y avoir** »

– ou « **avoir beau** » : *in vain*.

Vous avez beau *ne pas vous occuper de politique, la politique s'occupe de vous tout de même.*

(G. de Montalembert)

In vain *you take no interest in politics, politics will take an interest in you all the same.*

– *pouvoir* et « **n'en pouvoir (plus)** » ou
« **n'en pouvoir (mais)** » :

I am exhausted; I can't help it.

– *vouloir* et « **en vouloir** (à quelqu'un) » :

to bear a grudge.

Aristophane **en voulait** *à Euripide.*

(Fontenelle)

Aristophanes **bore** *Euripides a* **grudge.**

12. Notons enfin que l'aspect phraséologique des faux-amis peut embrasser des unités plus vastes encore que des syntagmes, à savoir de véritables **STRUCTURES** syntaxiques.

Ex. :

"By all means" : « **certainement** »,
bien sûr,
et pas :
par tous les moyens.

"I dare say" : « **probablement** »,
et pas :
j'ose dire.

"I say" : « **dites donc** »,
et pas :
je dis.

There's no such thing as *a ghost"*

par exemple :

Les fantômes **n'existent pas,**
et non : *il n'y a rien de tel que* qui se dit *there is nothing like.*

IV — Note sur les emprunts et calques abusifs [1]

13. Il n'y a que quelques puristes attardés pour s'indigner des **EMPRUNTS** qu'une langue a toujours faits à une autre dans les domaines où celle-ci est plus riche. Les Français n'ont donc pas à hésiter à parler de « football » ni les Anglais d'« escalope vallée d'Auge ».

L'utilisation d'un mot étranger, lorsqu'un vocable indigène attesté existe, peut néanmoins être abusif. Pourquoi dirions-nous « mature » alors que nous avons « mûr », et pourquoi nos voisins préféreraient-ils « résumé » à « summary » ?

Par ailleurs, un emprunt peut être fautif et poser problème en retraduction, ainsi « un dancing » — qui n'existe qu'en France, son équivalent anglais étant « a dance-**hall** ».

14. S'il est des emprunts légitimes, les CALQUES devraient, par contre, être généralement proscrits.

---

(1) On consultera utilement sur ces points : ETIEMBLE : *Parlez-vous français ?*, Paris, Gallimard, 1964, collection « Idées », malgré ses positions parfois excessives.

14.A — Sur le plan lexical, c'est le cas de la réintroduction d'un FAUX-AMI avec son sens anglais.

Ex. : **réaliser** (au lieu de **se rendre compte**) à partir de *to realise*.

14.B — Les cas qui relèvent de la syntaxe sont encore plus graves.

a) Ainsi, si un nom mis en APPOSITION appelle, en anglais, l'article indéfini, ce n'est pas le cas en français.

Jadis les sacrifices humains étaient faits à l'autel — **coutume** *qui ne s'est pas perdue.*

In olden times sacrifices were made at the altar — **a custom** *which is still continued.*
(H. Rowland)

b) Si l'anglais place le NUMÉRAL ordinal en premier, le cardinal en second, l'inverse se produit en français.

Ex : *The* **last three** *pages :* **Les trois dernières** *pages.*

c) Le PASSIF anglais, beaucoup plus fréquent, aboutira très souvent à un actif français.

Des miliers et des miliers de gens font leurs délices et **profitent** *des cabarets.*

Public houses are enjoyed and **taken advantage of** *by many thousands of people.*
(B.S. Rowntree)

Inversement, des constructions françaises avec « on » ou des pronominaux troqueront l'actif pour le passif en passant en anglais.

On dit, *et sans horreur je ne le puis redire, Qu'aujourd'hui par votre ordre Iphigénie ex-*
pire.
(J. Racine)

It is said, nor without repulsion can I repeat it,
That this day by your hest Iphigenie shall die.

Le foin ne se **fauche** *qu'au mois de juillet.*
(H. Bordeaux)

Hay is *not* **mown** *until July.*

Attention néanmoins que certains verbes pronominaux peuvent avoir la valeur réfléchie (volontaire) ou passive (subie) suivant le contexte et donc aboutir à des traductions différentes.

Ex. : *Il s'est noyé :*

— suicide :
he **drowned himself.**

— accident ou crime :
he **was drowned.**

(id. avec : se *blesser,* se *tuer,* etc.)

DIFFÉRENCES D'ESPÈCE
DIFFÉRENCES DE CONCENTRATION

I — Les différences d'espèces : la transposition

15. Pour communiquer un message de même sens, l'anglais et le français ont souvent recours à des espèces (catégories grammaticales/parties du discours) différentes. Pour rester fidèle à l'esprit et aux habitudes de la langue de départ ou langue-source, il y aura donc souvent lieu, au passage à la langue d'arrivée ou langue-cible, de changer d'espèce, d'effectuer, autrement dit, une **TRANSPOSITION** totale ou partielle.

15.A — Exemple de TRANSPOSITION TOTALE :

He spoke **well** *of you* : *Il a dit* **du bien** *de vous.*

(L'adverbe anglais a été rendu par un nom en français.)

15.B — Exemple de TRANSPOSITION PARTIELLE :

He insists that **this** *must not happen* : *Il est résolument opposé à ce que* **ce projet** *aboutisse.*

(Le démonstratif anglais conservé par le français a été étoffé par l'adjonction d'un substantif.)

La transposition est parfois obligatoire, souvent facultative. L'important est que le traducteur sache qu'il s'agit là d'un procédé parfaitement légitime que même l'école la plus littérale dans l'université accepte.

16. N'importe quelle partie du discours français peut se transposer en n'importe quelle partie du discours anglais.

Mais c'est surtout le SUBSTANTIF que ce procédé va affecter car sa prédominance est évidente dans notre langue, soit sous la forme de

— nom simples,

soit sous la forme de

— locutions :

● verbales.

Ex. : **faire des progrès** :
(anglais : verbe simple)
      to improve.

● adjectivales.

Ex. : *une entreprise* **sans espoir** :
(anglais : adjectif simple)
    a **hopeless** *enterprise.*

● adverbiales.

Ex. : **d'un air rêveur** :
(anglais : adverbe simple)
    musingly.

● prépositives.

Ex. : **à destination de** :
(anglais : préposition simple)
    « **to** ».

La transposition que le candidat au thème aura le plus souvent à effectuer sera celle du nom.

16.A — Un **substantif** FRANÇAIS peut devoir se rendre par :

— un **verbe** anglais.

Ex. : *dès son* **lever** :
    as soon as he **gets up.**

— un **adjectif.**

La main droite levée **à la hauteur** *du sein.*
                                (P. Mérimée)

Her right hand raised breast **high.**

— un **adverbe.**

Ex. : **le nécessaire** :
    enough.

16.B — Réciproquement, bien sûr, on aura souvent en version, à partir de l'ANGLAIS :

— **verbe** anglais = **substantif** français (ou locution).

*La recherche de son propre intérêt demande des qualités qui ne sont pas l'***apanage*** de tous.*

Interest requires some qualities not universally **bestowed.**
                                (S. Johnson)

— **adjectif** anglais = **substantif** français.

Ex. : to be dead **tired** :
        être mort de **fatigue.**

    to feel **comfortable** :
    se sentir **à l'aise.**

    periodical *room* :
    la salle des **périodiques.**

    rural *church* :
    église de **campagne.**

    Russian *leather* :
    cuir de **Russie.**

Il a, **à l'occasion,** *des éclairs de silence qui font de sa conversation un vrai* **régal.**

He has **occasional** *flashes of silence that make his conversation perfectly* **delightful.**
                                (S. Smith)

Vos pareils ont trop d'exigences.

— **adverbe** anglais = **substantif** français.

*Your sort wants too **much**.*

(H.G. Wells)

Ceci étant particulièrement vrai des adverbes de manière :

Ex. :

concisely	: *avec concision*
deservedly	: *à juste titre*
ecstatically	: *d'un air extasié*
effortlessly	: *sans effort*
inadvertently	: *par inadvertance*
tolerantly	: *avec tolérance*
unashamedly	: *sans honte*

etc...

17. TRANSPOSITION DES MARQUES

Une autre transposition fréquente, presque toujours obligatoire celle-là, affecte les MARQUES ou mots qui servent à identifier les espèces (ainsi les articles, les adjectifs démonstratifs et possessifs sont les marques du nom).

17.A — L'ARTICLE DÉFINI FRANÇAIS devient parfois un INDÉFINI ANGLAIS et vice-versa. Ainsi :

a) devant un **nom** de poids, de mesure, de quantité, **à sens distributif**.

Ex. : *60 miles **an** hour,*
*ten shillings **a** yard,*
*six pence **a** dozen.*

Dans un sens général, néanmoins, l'anglais comme le français, utilisera le défini.

Ex. : *l'étoffe se vend **au** mètre :*
*material is sold by **the** yard.*

b) dans un « portrait » devant un **nom de partie du corps** ou de qualité de l'esprit, si l'on n'emploie pas l'adjectif possessif.

*« Toubib » est assez petit... Il porte **la** barbe.*

*Doc is rather small... He wears **a** beard.*
(J. Steinbeck)

c) dans les **locutions usuelles** suivantes :

*à **la** fois* (une chose) :
*at **a** time*

à l'arrêt :
*at **a** standstill*

*avec **le** sourire* :
*with **a** smile*

*avoir **le** don de* :
*to have **a** gift for*

37

avoir **le** *droit de* :
   to have **a** *right to*

avoir **l'**œil *sur* :
   to have **an** *eye on.*

« *Je connais assez Dan Scumbril* », *dit Darby Kelly*, « *pour savoir qu'il aura* **l'**œil *sur le trésor* ».

"*If I know Dan Scumbril", said Darby Kelly, "he'll have* **an** *eye on the treasure".*
                                              (E. Linklater)

avoir **l'**intention *de* :
   to have **a** *mind to*

avoir **le** *sens de* :
   to have **a** *sense of*

donner **l'**exemple :
   to set **an** *example*

prêter **la** *main* :
   to give **a** *hand*

sans **le** *sou* :
   without **a** *penny*

                                        etc...

17.B — Il peut en aller de même du PARTITIF :

avoir **de** **l'**appétit :
   to have **an** *appetite*

avoir **des** *dispositions pour* :
   to have **a** *turn for*

avoir **du** *goût pour* :
   to have **a** *taste for*

avoir **de** **l'**oreille :
   to have **a** *good ear for music*

avoir **de** **la** *température* :
   to have **a** *temperature*

donnez-moi **du** *feu* (pour ma cigarette) :
   give me **a** *light*

faire **du** *bruit* :
   to make **a** *noise*

faire **du** *feu* :
   to make **a** *fire.*

17.C — L'article défini français peut aussi aboutir à un POSSESSIF anglais.

— C'est la règle devant les noms de **parties du corps** ou de ce qui s'y rattache de très près (vêtements, etc.).

   Ex. : *se laver* **les** *mains* :
          to wash **one's** *hands.*

— Mais la règle n'est plus valable

1) Lorsqu'il y a déjà dans la phrase un **pro-nom-objet se rapportant à la même personne.**

Il fit halte et **la** *regarda droit dans* **les** *yeux.*

He paused and looked **her** *straight in* **the** *eyes.*
(Laurie Lee)

2) Lorsque **la personne est sujet d'un verbe passif.**

Ex. : **être blessé** *à* **la** *jambe* :
to be wounded *in* **the** *leg.*
ou du verbe « **to be** » suivi **d'un adjectif.**

Ex. : *he* **was** *blind in* **the** *left eye.*

17.D — Un article ANGLAIS peut devoir se rendre par un DÉMONSTRATIF FRANÇAIS.

Ex. :

I am busy at **the** *moment* : (en **ce** *moment).*
something of **the** *kind* : (de **ce** *genre).*
the *former,* **the** *latter* : (celui-*là,* celui-*ci, le premier, le (ou* **ce** *) dernier).*

etc...

18. DOUBLES TRANSPOSITIONS

18.A — Soit, par exemple, en anglais, un adjectif précédé d'un adverbe ; on peut devoir traduire, en français, l'adjectif par un nom, l'adverbe par un adjectif. Il y a double transposition.

Ex. :

He was **unhappily married**.
Il avait fait un **mariage malheureux**.

18.B — Réciproquement, en français, un groupe substantif + adjectif formant attribut ou complément déterminatif devra parfois être rendu en anglais par un adverbe et un adjectif.

Ex. :

C'est d'une **vérité tragique**.
It is **tragically true**.

19. SEMI-TRANSPOSITIONS

Ce sont celles qu'on est amené à effectuer à l'intérieur d'une même espèce.

19.A — Ainsi, à l'intérieur de l'espèce adjointe, un COMPARATIF anglais peut devoir se rendre par un autre degré de signification français : un POSITIF.

*Tout homme a besoin d'une femme qui fasse appel à son **bon** côté, à ses sentiments **nobles**, à sa nature **élevée**, et d'une autre qui l'aide à les oublier.*

*Every man wants a woman to appeal to his **better** side, his **nobler** instincts and his **high-er** nature, and another woman to help him forget them.*

(H. Rowland)

cf. encore :

*the low**er** part of the wall :
la partie basse du mur*
(le **bas**).

*the upper classes :
les **hautes** classes
les classes bourgeoises.*

etc...

ou un SUPERLATIF lorsqu'il n'y a que deux éléments en jeu :

*There is always a right and a wrong way, and the wrong way always seems **the more** reasonable.*

(G. Moore)

*Il y a toujours une bonne et une mauvaise solution, et c'est toujours la mauvaise qui semble **la plus** raisonnable.*

19.B — Ou bien un PARTICIPE anglais aboutira normalement à une RELATIVE en français :

*Monuments of **unageing** intellect.*

(W.B. Yeats)

*Des monuments de l'intellect **qui ne saurait vieillir.***

20. TRANSPOSITIONS accompagnées de DÉPLACEMENT = POSTPOSITIONS, PRÉPOSITIONS

20.A — Une TRADUCTION LITTÉRALE est possible

1) quand le français dispose d'un verbe à préfixe pour rendre l'idée.

Ex. :

*to draw **out***	: **ex**traire,
*to give **up***	: se **des**saisir,
*to make **up***	: **ar**ranger,
*to rub **out***	: **ef**facer,

etc...

2) quand le français a un adverbe à sa disposition.

Ex. :

*to fling **away***	: jeter **au loin**,
*to lay **aside***	: mettre **de côté**,

etc...

20.B — Dans la plupart des cas, il faudra TRANSPOSER et INVERSER (« chassé-

croisé ») [1]. **On rendra la postposition par un verbe. On rendra le verbe anglais par** l'une des formules suivantes :

— **complément de circonstance.**

Les deux frères et leur victime
Passèrent *ainsi* **à cheval**...

So the two brothers and their murder'd man
Rode past...

(J. Keats)

— **gérondif.**

Il renvoya ses amis comme un chasseur ses chiens
Il savait qu'à son gré il les ferait **revenir** *en les* **sifflant**.

He cast off his friends, as a huntsman his pack,
For he knew when he pleas'd he could **whistle** *them* **back**.

(O. Goldsmith)

— **participe.**

Mrs. Crupp **se retira, souriante** *et* **penchée**...

Mrs Crupp **smiled** *herself,* **onesided** *herself* **out**...

(Ch. Dickens)

(Le relevé de ces formules est loin d'être exhaustif.)

Il y a eu transposition dans ce sens qu'une partie du discours a abouti à une autre.

Il y a eu chassé-croisé, l'anglais marquant :

1) la modalité,
2) l'action ;

le français marquant :

1) l'action,
2) la modalité.

Ces deux procédés affectent essentiellement, on l'a vu, des postpositions de lieu et de mouvement. Ils affectent de la même manière les prépositions de lieu et de mouvement :

Là-bas des hommes et des femmes **traversent** *le champ* **à la queue leu-leu**.

Yonder a line of men and women **file across** *the field.*

(R. Jefferies)

20.C — Dans certains autres cas, cependant, le français ne traduit pas le verbe anglais ; l'indication de la modalité semblant superflue, LE VERBE FRANÇAIS REND SEULEMENT LA POSTPOSITION ANGLAISE.

Ex. :

The train **steams out** :
Le train s'ébranle.

---

(1) Le « chassé-croisé » est une des formes de la « modulation » qu'on verra au chapitre 4.

The ship **sails in** :
   Le navire accoste.

To go **on** :
   continuer.

(mais :

to blow **on** ou *to sing* **on** :
   continuer *à souffler, à chanter,*

s'il n'est pas évident qu'il s'agit du vent ou du rossignol).

II — Les différences de concentration

21. On note, au passage d'une langue à l'autre, des différences de concentration, source d'**AMPLIFICATION** (ou dilution) ou, au contraire, d'**ÉCONOMIE**, obligeant le traducteur à un **DÉPOUILLEMENT** ou à un **ÉTOFFEMENT**.

C'est déjà vrai sur le plan lexical :

Il y a étoffement de l'anglais au français si je traduis :

a glare par *une lumière crue.*

Il y a dépouillement si je traduis :

a blank wall par *un mur.*

Il y a étoffement du français à l'anglais si je traduis :

le bilan par *the balance sheet.*

Il y a dépouillement si je traduis :

faire amende honorable par *to make amends.*

Ces démarches s'observent aussi en syntaxe comparée.

22. ÉTOFFEMENT

A partir du français, on observe les exemples suivants d'étoffement en anglais (il s'agit de phrases avec infinitif) :

1) Lorsque le verbe principal et le verbe de la subordonnée ont le même sujet, le français emploie une **préposition et un infinitif** au lieu d'une conjonction et d'une proposition subordonnée.

Ex. :

Je le ferai **avant de partir** :
   I'll do it **before I go away.**

2) Dans la tournure **verbe de mouvement + infinitif**, le français est encore plus économe que l'anglais qui doit étoffer.

Ex. :

Venez dîner avec nous :
  *Come **and** have dinner with us.*

3) Dans la tournure « **faire** » + **infinitif**, le *faire* français peut s'utiliser devant n'importe quel verbe pour rendre l'aspect causatif. L'anglais, par contre, doit choisir entre *make, have, cause,* get.

23. DÉPOUILLEMENT

Toujours à partir du français, on trouve certains cas de dépouillement en anglais. En voici l'un ou l'autre exemple.

1) **ellipse du pronom**.

Ex. :

*Il faut **le** lui dire* :
  We must tell him.

*Il **l'**a échappé belle* :
  He had a narrow escape.

On trouve aussi dépouillement à partir de l'anglais dans l'emploi du pronom, soit dans :

— la langue littéraire :

Ex. :

*He thought **it** wise to...* :
  Il crut bon de...

— la langue familière :

Ex. :

Stop it :
  Suffit !

2) **dépouillement par utilisation des prépositions et postpositions**.

Exemple avec *préposition* :

*Des bâtiments de toutes sortes, trois-mâts, bricks, **venus de** tous les points du globe.*
(E. Lesbazeilles)

*Ships of every description, three masters, brigs **from** every part of the world.*

Exemple avec *postposition* :

*Et nous **continuons à voguer**, loin, plus loin, Sans but et sans étoile.*

*And we sail **on**, away, afar, Without a course, without a star.*
(P.B. Shelley)

3) **dépouillement** grâce à l'existence en anglais de nombreux **composés brefs**.

adjectifs :

*Achille **au pied léger*** :
  Swift-foot(ed) *Achilles.*

noms :

*La forêt **de pins** de la Cascine près de Pise.*

*The **pine**-forest of the Cascine near Pisa.*
(P.B. Shelley)

ou encore, **grâce au génitif** :

Les **idées d'une femme** *sont plus propres que* celles **d'un homme** : *elle en change plus souvent.*

A **woman's mind** *is cleaner than* **a man's** : *she changes it more often.*

(O. Herford)

4) **dépouillement** dans la **traduction de certains aspects.**

— aspect *progressif* :

Ex. :

Je suis **en train de**... :
I am ...**-ing.**

— aspect *habituel* :

Ex. :

*J'*avais **coutume de**... :
I **used to**...
I **would**...

L'aspect duratif, par contre, est suffisamment rendu par l'imparfait français, alors que l'anglais exige une périphrase.

Ex. :

He **kept skidding** *at every bend* :
Il **dérapait** *à tous les tournants.*

De même, le français exprime de manière plus économique l'aspect inchoatif :

The leaves **turn yellow** :
Les feuilles **jaunissent.**

— aspect *emphatique* rendu par des italiques :

Ex. :

Ah, toi, *je sais bien ce que* **tu** *veux* :
I know what **you** *want.*

DIFFÉRENCES DE VISION

I – Les différences de catégories de pensée
La modulation

Deux systèmes linguistiques différents expriment une psychologie, des catégories de pensée différentes.

24. GÉNÉRALITÉS :
CONCRET ET ABSTRAIT

24.A – La prédominance du CONCRET en anglais est un fait indéniable, quelles que soient les causes qu'on veut lui attribuer. On tendra donc en thème vers le **mot-image** *plus évocateur* (voyez par exemple « *to scrub* » qui vous fait entendre un grattement, à côté de « *brosser* »), *plus particulier* (voir chapitre 1), bref, *plus concret.*

24.B – En français, au contraire, on tendra vers l'ABSTRAIT tout aussi caractéristique, et donc vers le **mot-signe**, c'est-à-dire celui qui se rapproche le plus du signe mathématique et s'adresse à l'esprit plutôt qu'aux sens, ou vers le **mot-générique**.

Dans le détail, aux exemples de « **particularisation** » déjà étudiés au chapitre 1, on ajoutera les cas suivants d'opposition concret-abstrait.

25. EXPLICITATION EN ANGLAIS

– du **nombre**.

Ainsi la règle dite du « pluriel idiomatique ».

Ex. :

Ils sont sortis le **chapeau** *sur la* **tête**
(le français considère le concept chapeau et le concept tête) :
They went out with their **hats** *on their* **heads**
(l'anglais considère chapeaux et têtes comme des objets concrets ; il y en a donc plusieurs).

— des **marques**.

Il ne fait pas de doute que le possessif anglais est plus concret que le défini français dans :

with **their** *hats on* **their** *heads.*

26. MODULATION ANGLAISE DE L'ABSTRAIT AU CONCRET

résultat → moyen
(ou effet → cause)
tout → partie etc...

Le procédé (la modulation) qui consiste, au passage d'une langue à l'autre, à changer de point de vue, d'éclairage, de catégorie de pensée, sans affecter le message, est ainsi nommé parce qu'il est à la linguistique ce que le changement de mode (majeur → mineur, par exemple) est à la musique.

26.A — MODULATION :
RÉSULTAT → MOYEN
(effet) → (cause)

1) Exemple sur le plan lexical.

Cuir **repoussé** :
tooled *leather.*

2) Exemple sur le plan syntaxique, place des compléments.

Français :

Il **gagna** *la cour du collège*
(1. résultat)
   par la chappelle
   (2. moyen).

Anglais :

He passed **through the chapel**
(1. moyen)
   into *the college garden*
   (2. résultat).

(J. Joyce)

3) Chassé-croisé des verbes et des postpositions.

Franç. : **emporté par le vent**.
        (1. résultat) (2. moyen).

Angl. : **blown away**.
        (1. moyen) (2. résultat).

Ce matin-là on avait **interdit l'accès du trottoir en l'entourant de cordes**.

The pavement had been **roped off** *that morning.*

(J. Braine)

4) Utilisation d'un adjectif postposé.

Français :

Le hibou **défait** *ses plumes*
(1. résultat)
   en se secouant
   (2. moyen).

Anglais :

The owl **shakes** *his feathers* **loose**.
(1. moyen) (2. résultat)

(H.M. Tomlinson)

26.B – MODULATION :
TOUT → PARTIE

Ex. :

Franç. : *se laver la tête* (tout).

Angl. : *to wash one's hair* (partie).

27. EXEMPLES INVERSES OU NON RELIÉS

Les exemples qui précèdent semblent tous témoigner incontestablement d'une tendance de l'anglais à préférer le particulier, le concret, l'immédiat, l'analyse ; une tendance du français à se complaire au général, à l'abstrait, au définitif, à la synthèse.

Mais nous insistons avec énergie sur ce mot « *tendance* ». En aucun cas, il ne s'agit de règle absolue.

27.A – D'ailleurs – et quoique le nombre en soit plus restreint – on trouve des exemples de la DÉMARCHE CONTRAIRE de celle qui vient d'être analysée pour le thème.

– La **particularisation** en présente certains. Ainsi :

Anglais : *brown.*

Français :

brun	(*brown* eyes)
roux	(*brown* butter)
bistre	(*brown* pencil)
marron	(*brown* shoes)
bis	(*brown* bread)
gris	(*brown* paper)
châtain	(*brown* hair)

etc...

– Dans la **modulation**, il est également aisé de trouver des exemples inverses. Ainsi on peut partir du tout en anglais, pour aboutir à la partie en français.

Elle souriait... Ses **lèvres** *étaient resserrées et, de part et d'autre, deux minuscules rides s'étaient formées sur ses joues.*

She was smiling... The **mouth** *was compressed and on either side of it two tiny wrinkles had formed themselves in her cheeks.*

(A. Huxley)

27.B – Enfin, s'il ne faut pas faire de la modulation abstrait-concret une règle générale, il faut également bien voir que bon nombre d'exemples de modulations parfaitement normales ne peuvent s'expliquer par une référence ni aux faits psychologiques ni

aux faits sociaux que nous exploiterons plus loin, IL NE SONT PAS RELIÉS.

Ainsi :

— modulation **usage** → **aspect**.

Ex. :

une chaise d'enfant :
  a **high** *chair.*

— modulation **une partie → une autre partie.**

Les conducteurs, emmitouflés jusqu'aux **oreilles**, *se tenaient bien droit.*	*The drivers, muffled to the* **eyes**, *stood erect.* (S. Crane)

— modulation **à l'intérieur de l'idée du temps.**

Ex. : date → durée
      depuis for.

— modulation **à l'intérieur de l'idée de lieu.**

Ex. : profondeur → hauteur.

On apercevait la Tour Eiffel **enfouie à mi-corps** *dans ce chaos rocheux.* (G. Duhamel)	*One could see the Eiffel Tower* **waist-high** *in the stony wilderness.*

— modulation **lieu → temps**.

Quand *le bonheur est à ce prix L'ignorance est une amie.*	**Where** *ignorance is bliss 'Tis folly to be wise.* (T. Gray)

— modulation **géographique.**

Ex. :

de l'encre de **Chine** :
  India *ink.*

etc...

Constatons seulement et concluons en invitant l'étudiant à moduler, obligatoirement lorsque le dictionnaire atteste le changement, facultativement et avec mesure lorsqu'il ne s'agit pas de modulation figée.

28. INCIDENCES D'AUTRES TRAITS DU CARACTÈRE ANGLAIS

Au caractère de l'Angleterre et de ses habitants, on pourra rattacher certains autres traits de la langue. Ainsi, la prédominance du passif outre-Manche est peut-être un reflet de l'absence d'individualisme qui caractérise le bon équipage et qui se manifeste en mainte occasion, de l'amour de l'uniforme à celui du gang.

Si ce dernier est bruyant, voire meurtrier, l'Anglais demeuré dans son royaume domestique est proverbialement discret.

On pourra rapprocher de cette attitude le « contraire négativé », comme l'« understatement », cette forme anglaise de la litote. Il y a — à la fois — désir de ne pas se faire remarquer et méfiance, ce sentiment que les insulaires apprennent au contact des étrangers.

Enfin, qui s'étonnera qu'une « nation de boutiquiers » — pour reprendre le terme de Napoléon — s'adonne à l'économie même lexicale ?

Qu'il y ait, dans tous ces cas, rapport de cause à effet n'est ni certain, ni impossible. Qu'importe si l'hypothèse nous permet de mieux retenir le fait !

29. LE CONTRAIRE NÉGATIVÉ

En voici un exemple **humoristique** :

Si un jeune homme du continent veut déclarer sa flamme à une jeune fille, il se met à genoux et lui dit qu'elle est la plus charmante, la plus douce, la plus ravissante personne du monde... En Angleterre, le garçon tape sur l'épaule de l'être qu'il adore en déclarant doucement : « Je N'ai RIEN contre vous, vous savez ! ».

If a continental youth wants to declare his love to a girl, he kneels down, tells her that she is the sweetest, the most charming and ravishing person in the world... In England, the boy pats his adored one on the back and says softly : "I DON'T object to you, you know !".

(G. Mikes)

Mais le procédé est loin d'être réservé aux humoristes.

Il est fréquent, **dans la vie quotidienne**, là où le français utiliserait une affirmation.

Ex. :

He is not in :
Il est sorti.

En thème, on pourra l'utiliser avec

— *comme* : *like,*

qui deviendra :
non différent de : *not unlike.*

— *much* ou *many,*

qui deviendront :
not a little, not a few.

— et en général avec les mots exprimant l'intensité :

Une autre partie de l'office, en cette occasion, était **significative**.

Another part of the service, on this occasion, was **not insignificant**.

(R.W. Emerson)

II — Les différences de tradition culturelle.
La traduction des allusions par l'interprétation et l'équivalence

30. LES ALLUSIONS

Dans tous les cas que nous avons étudiés jusqu'ici dans ce chapitre, nous avons trouvé la *possibilité* de recourir à une explication métalinguistique, mais cette explication ne s'impose avec *certitude* que lorsqu'il y a **allusion explicite à un fait**

— **historique**

Ex. :

Le 14 juillet en France
ou
Guy Fawkes' day en Angleterre [1] ;

— **géographique**

Ex. :

Il est de Marseille
ou
To send to Coventry [1] ;

— **social**

habitudes quotidiennes comme le manger, ou récurrentes comme les congés ;

— **institutionnel**

gouvernement, église, université ;

— **culturel**

une œuvre littéraire.

Pour un Français, c'est évidemment dans la version que les allusions présentent des difficultés.

Il faut d'abord savoir les *reconnaître*, ne serait-ce que pour pouvoir comprendre le texte.

Ainsi, dans ce fragment où deux acteurs de l'époque élizabethaine discutent de la nouvelle pièce de Shakespeare, *Hamlet*, la pensée exprimée est incompréhensible si l'on ignore qu'au XVIe siècle et au début du XVIIe siècle, c'était des jeunes garçons qui tenaient les rôles féminins :

— *Et les jeunes garçons* (**qui tiennent les rôles féminins**) *?*

— *What about* **the boys***?*

---

(1) Ni dans l'un ni dans l'autre cas, l'expression n'est donnée pour traduire la française !

*— Il n'y en a que deux, la mère et la jouven-
celle ; et c'est tant mieux car on n'en trouve
guère de nos jours.*

*— There's only two, the mother and the
wench, and just as well, they're hard to get
today.*

(Evoe)

Que ce genre d'exemples incite les étudiants à considérer la culture littéraire et
historique comme indispensable à la traduction.

31. LA TRADUCTION DES ALLUSIONS

Les ayant reconnues, il faut encore *traduire* les allusions, travail ardu car la traduction littérale, solution de facilité, aboutit
généralement à un non-sens pour l'étranger
non averti.

Lorsque la traduction littérale est impossible, on pourra recourir à l'un des procédés
suivants :

— interprétation,
— équivalence.

31.A — L'INTERPRÉTATION, que nous
venons d'utiliser pour Evoe, consiste à ajouter à la traduction un éclaircissement de
l'allusion.

C'est le procédé courant des dictionnai-
res, le plus pratique et le moins élégant.

31.B — L'ÉQUIVALENCE est l'adoption
pour évoquer une réalité ou une expression
typiquement britannique d'une réalité ou
d'une expression typiquement française — à
peu de chose près équivalente.

Ex. :
Evensong traduit par *Vêpres*
B.A. traduit par *Licence*

etc...

Pour légitime que soit le procédé, on fera
preuve néanmoins d'une grande prudence et
l'on consultera toujours le dictionnaire. En
effet certaines équivalences qui semblent
s'imposer sont parfois dangereuses.

Ex. :

to send to Coventry :
  mettre en quarantaine,

n'est pas la même chose que : *limoger* (envoyer à Limoges), plus énergique et plus
militaire.

III — Clichés et proverbes.
Terrain d'élection des variations entre français et anglais

Il est tout indiqué, à ce stade de notre étude des pièges et variations du français à l'anglais, de faire une brève incursion dans les clichés et proverbes où foisonnent modifications lexicales, morphologiques, syntaxiques et métalinguistiques et où tous les procédés de la traduction oblique : transposition, modulation, interprétation, équivalence, s'avèrent indispensables.

32. TRADUCTION LITTÉRALE

Il y a, c'est vrai, des clichés et des proverbes qui sont internationaux et où aucun changement sensible n'existe entre le français et l'anglais.

Ainsi :

Etre armé jusqu'aux **dents**.	*To be armed to the* **teeth**.
Sa vie ne tient qu'à un **fil**.	*His life hangs by a* **thread**.
Il n'a pas de bon sens pour un **sou**.	*He hasn't a* **ha'p'orth** *of sense*.
Cet argument est usé **jusqu'à la corde**.	*That argument is* **worn threadbare**.

etc...

Mais ces cas restent tout de même les plus rares.

33. TRADUCTION OBLIQUE

33.A — Le plus souvent, il y a, entre les clichés et les proverbes français et les anglais, VARIATION MORPHOLOGIQUE qui réclame une TRANSPOSITION.

Ainsi (nom → verbe) :

A voleur, voleur et demi.

Set a thief to catch a thief.

(La traduction du titre du film de Hitchcock « *To Catch a Thief* » par « *La main au collet* » ne saurait donc être considérée comme satisfaisante.)

ou encore :

C'est à vous donner la chair de **poule**.

It makes one's flesh **creep**.

33.B — Dans d'autres cas, il faut MODULER, particulièrement de l'abstrait au concret.

Le temps perdu ne se rattrape jamais.

Time and tide wait for no man.

Qui se ressemble s'assemble.

Birds of a feather flock together.

L'oisiveté est la mère de tous les vices.

The devil finds work for idle hands.

52

33.C − Plus souvent encore, la vision étant différente chez l'un et l'autre peuple, il faudra soit INTERPRÉTER, soit trouver une ÉQUIVALENCE.

Exemple d'interprétation :

Sauter comme **les moutons de Panurge**.

To follow one another **like the sheep in Rabelais' account of Panurge's travels**.

− L'équivalence porte surtout sur les symboles dans les clichés et proverbes. La plupart sont des animaux choisis parmi les familiers du pays (et ce ne sont pas nécessairement les mêmes dans l'autre).

Ainsi la maritime Angleterre fait un plus grand usage des poissons :

Avoir d'autres **chats** *à fouetter.*

To have other **fish** *to fry.*

La France, familière du Roman de Renart et des Fables de La Fontaine, fait un plus grand usage de Goupil :

C'est un fin **renard**.

He is a sly **dog**.

Nous sommes aussi − ou nous étions − plus familiers que les Anglais de la mythologie gréco-latine, d'où des références qu'il faut adapter en anglais, et souvent sur un registre plus populaire :

Tomber de **Charybde en Scylla**.

To fall **out of the frying pan into the fire**.

Le génie de la langue suit les goûts de ceux qui la parlent. « Là où sont vos clichés, là est votre cœur. »

II – Lexique du thème, de la version et de la rédaction

IRV PHILLIPS
LOOK, 16-6-64

A. CE MONDE QUI NOUS ENTOURE
THE WORLD AROUND US

CHAPITRE 5

L'UNIVERS

THE UNIVERSE

I – LE CIEL

I – THE SKY

A) *LE JOUR*

A) *BY DAY*

*La journée débute à l'*AUBE, *au moment où :*

The day begins at DAYBREAK, *when :*

« Les flambeaux de la nuit sont consumés, et
joyeux, le jour
Danse au sommet des montagnes embru-
mées. »

« Night's candles are burnt out and jocund
day
Stands tiptoe on the misty mountain tops. »
(W. Shakespeare)

C'est « l'**aurore** *aux doigts de rose » qu'ont chantée les poètes, la première lueur du* **jour**, *avant le* **lever du soleil** *que décrit ainsi Chateaubriand :*

It is « rosy-fingered **dawn** *» sung by the poets, the first faint glimmer of* **daylight** *before* **sunrise** *that is described in these terms by Chateaubriand :*

« Cependant une barre d'or se forma dans
l'**Orient**. »

« Meanwhile a bar of golden light formed in
the East. »

Le SOLEIL *est peut-être, aux yeux des savants, une étoile quelconque, mais il demeure, aux yeux des poètes, une source de vie :*

In the scientist's eyes, the SUN *is perhaps an ordinary star, but it remains, in the eyes of the poet, a source of life :*

« Le soleil du matin doucement **chauffe** et
dore
Les seigles et les blés tout humides encore
Et l'**azur** a gardé sa fraîcheur de la nuit. »
(P. Verlaine)

« The morning sun gently **warms** and **gilds**
The dew-damp fields of rye and wheat
And the **azure** still holds the coolness of the
night. »

Bien qu'il puisse être cruel :

Although it may be cruel :

« Autour de moi c'était toujours la même
campagne **gorgée de soleil**. L'**éclat** du ciel
était insoutenable...
(A. Camus)

« Around me there was still the same **sun-
drenched** countryside. The **glare** of the sky
was unbearable...

sa beauté est incomparable :

its beauty is unrivalled :

... Un soleil rouge,
Boule de feu, tombe lentement vers la colline,
Tandis qu'un seul oiseau jase du jour qui
meurt. »

... The red sun,
A **bubble of fire**, drops slowly toward the
hill,
While one bird prattles that the day is done. »
(F. Thompson)

« Le soleil **tomba** derrière le rideau d'arbres
de la plaine ; à mesure qu'il **descendait**, les
mouvements de l'**ombre** et de la lumière
répandaient quelque chose de magique sur le
tableau : là, un **rayon** se glissait à travers le
dôme d'une futaie, et **brillait** comme une
escarboucle enchâssée dans le feuillage sombre ; ici la lumière divergeait entre les troncs

« The sun **dropped** behind the screen of trees
in the plain ; as it **sank lower** and lower, the
play of light and **shadow** lent a kind of
enchantment to the scene : there, a **sunbeam**
stole through the dome of a pillared grove
and **shone** like a ruby set in the dark foliage ;
here the light diverged between the trunks
and the branches, and cast lengthening co-

et les branches, et projetait sur les gazons des colonnes croissantes et des treillages mobiles. »

(F.-R. de Chateaubriand)

Il arrive au soleil de faire des caprices, ce sont les **éclipses** :

« Vite, très, très vite, toutes les couleurs pâlirent. Le ciel devint de plus en plus noir comme au début d'un violent orage ; la lumière diminua progressivement ; nous répétions voici l'ombre ; quand tout à coup la **lumière disparut**. »

Ces ORAGES *dont il vient d'être question s'accompagnent le plus souvent de* **pluie** *et de* **tonnerre** :

« Le tonnerre faisait un vacarme métallique qui évoquait la tôle qui craquette, la **foudre** éclatait dans les cieux qu'elle zébrait de longs **zig-zags**, faisant se détacher, se rapprocher de nous un instant les objets. Une moitié de ciel était marquetée de sombres **pointes d'orages**, mais l'ouest tout entier était lumineux et limpide, et à la lueur des **éclairs**, semblait une eau profonde et bleutée. Quant à la partie pommelée du ciel, elle ressemblait à un sol de marbre... De grandes **giclées** de pluie tiède éclaboussaient nos visages tournés vers le ciel. Un nuage noir isolé partit **à la dérive** dans l'espace clair et continua sa course vers l'ouest. »

Ces NUAGES *qui voilent le ciel, non seulement lorsqu'un orage se prépare, mais à des moments divers, ont parfois des couleurs éclatantes :*

« Dans le ciel brillent les nuages aux franges d'or. »

et des formes d'une beauté étrange selon les vents. Chateaubriand parle de :

« Nues (qui) ployant et déployant leurs voiles, se déroulaient en zones diaphanes de satin blanc, se dispersaient en légers **flocons d'écume**, ou formaient dans les cieux des bancs d'une **ouate** éblouissante, si doux à l'œil qu'on croyait ressentir leur mollesse et leur élasticité. »

(F.-R. de Chateaubriand)

lumns and shimmering trelliswork upon the grass. »

The sun occasionally feels like indulging its humour and we have an **eclipse** :

« Rapidly, very, very quickly, all the colours faded ; it became darker and darker as at the beginning of a violent storm ; the light sank and sank ; we kept saying this is the shadow ; when suddenly the **light went out**. »

(V. Woolf)

Such STORMS *as the one that has just been mentioned are generally accompanied by* **rain** *and* **thunder** :

« The thunder was loud and metallic, like the rattle of sheet iron, and the **lightning** broke in great **zigzags** across the heavens, making everything stand out and come close to us for a moment. Half the sky was chequered with black **thunderheads**, but all the west was luminous and clear : in the **lightning flashes** it looked like deep blue water... And the mottled part of the sky was like marble pavement... Great warm **splashes** of rain fell on our upturned faces. One black cloud... **drifted** out into the clear space unattended, and kept moving westward. »

(W. Cather)

These CLOUDS *which cover the sky, not only when a storm is brewing but at various times, may have brilliant colours :*

« The clouds aloft with golden edgings glow. »

(S. Garth)

and shapes of strange beauty according to the winds. Chateaubriand speaks of :

« Clouds, which folding and unfolding their veils unfurled into translucent zones of white satin, dissolved into feathery **flakes of foam**, or, high in the heavens formed into banks of dazzling **fleece** [1], so downy to the eye that one almost felt their softness and elasticity. »

---

(1) Littéralement : *fleece = toison* ; *ouate = cotton-wool*, de même que *downy* signifie *duveteux*.

Le jour décline ; le soir tombe et au CRÉ-PUSCULE *succède la nuit :*

« Déjà la nuit en son parc amassait
Un grand troupeau d'**étoiles** vagabondes. »
(J. du Bellay)

« Tenez, sur mon pourpoint, un cheveu de **comète**. »
(E. Rostand)

Et voici toutes les CONSTELLATIONS *:*

« Le **Scorpion** se couche... le **Sagittaire**, le **Capricorne** ; ah, bon, les voici, finalement, à leurs places respectives, leurs configurations immédiatement exactes, reconnues, leur pure géométrie scintillant sans défaut. Et ce soir, comme il y a cinq mille ans, les étoiles se lèvent et se couchent : le Capricorne, le **Verseau**, et plus bas **Fomalhaut**, solitaire ; les **Poissons** et le **Bélier**, le **Taureau**, avec **Aldebaran** et les **Pléiades**. "Lorsque le Scorpion se couche au sud-ouest, les Pléiades se lèvent au nord-est". "Lorsque le Capricorne se couche à l'ouest, **Orion** se lève à l'est. Et **Cetus**, la Baleine, avec **Mira**". »

Et la LUNE *apparaît à son tour :*

« Une heure après le coucher du soleil, la lune se montra au-dessus des arbres... L'**astre** solitaire monta peu à peu dans le ciel. »
(F.-R. de Chateaubriand)

Suivant ses différentes phases, la lune a des apparences diverses :

« La lune était **à son plein**... cet astre qui semble si souvent en France, **écorné**, aminci par l'avarice et l'esprit économe, jamais il ne l'avait vu, non seulement aussi rond, mais aussi bombé. »
(J. Giraudoux)

« Loin au sud-est, la **corne** du croissant bas et incliné de la lune, leur pâle compagne du matin, se couchait enfin. »

Le **croissant** fin et clair, parmi ces fleurs de l'ombre,
Brillait à l'occident.
(V. Hugo)

The day draws to a close ; evening falls and after TWILIGHT *comes the night :*

« Already night was gathering into its fold
A vast flock of wandering **stars**. »

« Behold, on my doublet, a **comet's** hair. »

And here are all the CONSTELLATIONS *:*

« **Scorpio** setting... **Sagittarius**, **Capricornus** ; ah, there, here they were, after all, in their right places, their configurations all at once right, recognized, their pure geometry scintillating, flawless. And tonight as five thousand years ago they would rise and set : Capricorn, **Aquarius**, with beneath, lonely **Fomalhaut** ; **Pisces** and the **Ram** ; **Taurus**, with **Aldebaran** and the **Pleiades**. "As Scorpio sets in the south-west, the Pleiades are rising in the north-east". "As Capricorn sets in the west, **Orion** rises in the east. And **Cetus**, the Whale, with **Mira**". »
(M. Lowry)

And then the MOON *appears :*

« An hour after sundown, the moon rose into view above the trees... The solitary **planet** slowly ascended the sky. »

The appearance of the moon changes with its different phases :

« The moon was **at its full**... the planet which in France so often seems **clipped**, worn thin by meanness and the spirit of thrift, never had he seen it not merely so round, but so plump. »

« Far away to the south-east, the low leaning **horn** of the moon, their pale companion of the morning, was setting finally. »
(M. Lowry)

« The thin, bright **crescent** moon,
Shone among the flowers of shadow, in the western sky. »

Mais partout le **clair de lune** *crée des mirages et ses paysages fantasmagoriques :*

« Dans chaque jardin le clair de lune... semait ses degrés rompus de marbre blanc, ses jets d'eau, ses grilles entr'ouvertes. »

(M. Proust)

But **moonlight** *everywhere produces its mirage effects and its weird landscapes :*

« In each garden the moonlight... scattered its broken white marble steps, its fountains, its half-open gates. »

II – LE TEMPS, LES SAISONS

Quelle que soit la saison, l'on consulte le **baromètre** *pour savoir le temps qu'il fera : le temps est au* **beau fixe, variable** *ou nettement* **mauvais***. L'on peut également écouter le* **bulletin météorologique** *qui donne les* **prévisions** *pour la journée. A défaut d'exactitude, la* **météorologie** *a le mérite de la fantaisie.*

A) *LE PRINTEMPS*

André Gide déplore que :

« Depuis 10 ou 15 ans, l'entrée du printemps est ratée. On voudrait assister à l'ouverture ; rien n'est prêt. Un vent glacé souffle sur les **frondaisons** délicates ; les arbres fruitiers ont **fleuri** trop tôt ; ils attendent en vain la réplique du ciel et des brises tièdes ; les abeilles sont engourdies, et les **fécondations** compromises... »

(A. Gide)

L'éclosion du printemps est particulièrement lente dans les pays nordiques. Ainsi au Canada :

« Les chemins se transformaient en fondrières ; là où la mousse brune se montrait, elle était toute gonflée d'eau et pareille à une éponge. En d'autres pays c'était déjà le **renouveau**, le travail ardent de la **sève**, la poussée des **bourgeons** et bientôt des feuilles, mais le sol canadien, si loin vers le nord, ne faisait que se débarrasser avec effort de son lourd manteau froid avant de songer à revivre. »

(L. Hémon)

Par contre, sous les tropiques, règne un perpétuel été. Le printemps ne fait qu'une brève et fulgurante apparition :

« Trois jours dura le printemps ; trois jours où les plantes et les oiseaux s'exaspérèrent. Puis le soir du troisième jour... le printemps

II – THE WEATHER AND THE SEASONS

Whatever the season, you consult the **barometer** *to see what the weather is going to be like : the weather is* **set fair, changeable** *or plain* **bad***. You can also listen to the* **weather report** *which gives the* **forecast** *for the day.* **Meteorology** *has a certain pleasing imaginativeness to compensate for its inaccuracy.*

A) *SPRING*

André Gide deeply regrets that :

« For the last 10 or 15 years, spring has fluffed her entry. One would like to be present at the overture ; nothing is ready. An icy wind blows on the tender **leaves** ; the fruit trees have **blossomed** too early ; they wait in vain for the sky's response and the warm breezes ; the bees are numbed and **fertilization** affected... »

Spring's awakening is particularly late in northern countries. Thus in Canada :

« The roads were transformed into quagmires ; wherever the brown moss showed it was swollen with water like a sponge. In other countries it was **spring** already, with the eager working of the **sap**, the opening of **buds** and then of leaves, but the Canadian soil, so far north, was only just painfully shedding its heavy mantle of cold before preparing to come to life again. »

On the other hand, in the tropics perpetual summer reigns. Spring makes only a brief and dazzling appearance :

« Three days spring lasted ; three days in which all the plants and birds were restless. Then, on the evening of the third day...

disparut. Les fleurs déjà perdaient de leur éclat comme les plumes d'un oiseau tué. »

(J. Giraudoux)

Peut-être faut-il chercher en Italie un printemps idéal et harmonieux :

« Le printemps le plus **diapré**, non pas le printemps de Combray qui piquait encore aigrement avec toutes les aiguilles de givre, mais celui qui couvrait déjà de lys et d'anémones les champs de Fiesole et éblouissait Florence de fonds d'or pareils à ceux de l'Angelico. »

(M. Proust)

*Mais aussi lumineux soit-il, le printemps est toutefois la saison des **giboulées** et des **ondées soudaines**.*

B) L'ÉTÉ

L'été suggère une idée de plénitude, voire même de nonchalance :

« Tout est **morne, brûlant**, tranquille et la lumière
Est seule en mouvement dans la nature entière. »

(Saint-Lambert)

*La **chaleur** est parfois si forte que tout travail devient impossible. Au moment de la **canicule**, la vie s'éteint au village :*

« Le murmure du village peu à peu s'apaisa, s'éteignit comme **étouffé** par la chaleur de plus en plus forte. Les briques **s'allumaient**, pareilles à des **braises écarlates**... Les ardoises étincelaient comme des plaques de fer **rougies à blanc**. Les vanniers cessèrent l'un après l'autre leurs chansons et s'étendirent sur le tas d'osier **frais**... Alors rien ne palpita plus dans le village. »

(J. Richepin)

*La chaleur **oppresse** les bêtes. Elle **brûle** les prés, les champs et les forêts :*

« Les prés "**grillaient**", disaient les paysans ; tout espoir de regains s'évanouissait et, dans la forêt, atteinte elle aussi, les frondaisons précocement mûries et **roussies** tombaient et jonchaient le sol. »

(L. Pergaud)

Elle métamorphose les jardins :

« Le jardin se remet lentement d'une longue journée de chaleur, dont les molles feuilles du tabac demeurent évanouies. Le bleu des

---

spring departed. The blossoms were already losing some of their brilliance like the feathers of a bird just killed. »

Perhaps we must go to Italy for a perfect serene spring :

« A **many-coloured** spring, not the spring of Combray whose frosty needles were still stinging sharply, but the spring which was already covering the fields of Fiesole with lilies and anemones and dazzling Florence with the golden backgrounds such as you see in the paintings of Fra Angelico. »

*But however radiant it may be, spring is still the season of **sudden showers** and **downpours**.*

B) SUMMER

Summer suggests an idea of luxuriance, and even of listlessness :

« Everything is **lifeless, scorching**, still and the light
Is the only thing in the whole of nature that moves. »

*The **heat** is sometimes so intense that all work becomes impossible. During the **dog days**, activity in the village ceases :*

« Gradually the hum of the village quietened, died, as if **stifled** by the ever-increasing heat. The bricks **grew hot** like **red glowing embers**... The slates shimmered like **white-hot** iron discs. The basket-makers one by one stopped their singing and lay down on the heap of **cool** osier... In the village, now, nothing stirred. »

*The heat **oppresses** the animals. It **burns up** the meadows, fields and forests :*

« The meadows were "**grilling**", the peasants were saying ; any hope of a second crop was vanishing and, in the forests, likewise stricken, the leaves that had ripened and **turned brown** early, were falling to lie scattered on the ground. »

It transforms the gardens :

« The garden is slowly recovering from the long day's heat which has left the soft leaves of the tobacco plants hanging limp. The blue

aconits a certainement **pâli** depuis ce matin, mais les reines-claudes, vertes hier sous leur poudre d'argent, ont toutes, ce soir, une zone d'ambre. »

(Colette)

of the aconites has certainly **faded** since this morning, but the green-gages, which, yesterday, were still green under their silvery bloom, have all, this evening, a patch of amber yellow. »

C) L'AUTOMNE

Pour Keats l'automne n'est pas la saison du déclin. C'est au contraire celle de la richesse et de l'apaisement :

« Saison de brume et de **fertilité moelleuse**,
Du soleil qui **mûrit** proche et tendre compagne ;
Conspirant avec lui pour charger du fardeau
Béni les fruits, la treille autour du toit de chaume,
Courber les troncs moussus du verger sous les pommes,
Et porter la **maturité** au cœur des fruits... »

(Trad. L. Cazamian)

C) AUTUMN

For Keats, autumn is not a season of decline. Rather is it the season of abundance and tranquillity :

« Season of mists and **mellow fruitfulness**,
Close bosom-friend of the **maturing** sun ;
Conspiring with him how to load and bless
With fruit the vines that round the thatch-eaves run ;
To bend with apples the moss'd cottage-trees,
And fill all fruit with **ripeness** to the core... »

(J. Keats)

A propos de :	« CHAUME » *Notez*
matière	**straw**
dans les champs	**stubble**
sur les toits	**thatch**
chaumière	**thatched cottage**

Pour Colette aussi, l'automne est symbole de richesse. C'est un « commencement », presque un renouveau :

« Le feu, le vin, les ciels rouges et venteux, la chair des fruits, les capiteux **gibiers**, les tonneaux, les sphères pulpeuses, roulent devant lui. Bogues de **châtaignes**, alises aigrelettes. L'automne chasse devant ses pas une profusion de fruits modestes que l'on ne cueille pas mais qui tombent sous la main, qui attendent avec patience au pied de l'arbre que l'homme daigne les ramasser. Celui-ci n'a d'yeux et de soins que pour son dernier **regain** et sa **vendange**. »

(Colette)

D'autres écrivains sont, en revanche, plus sensibles à la mélancolie du paysage automnal :

« ... Car sans arrêt
Des bois en deuil la **feuille** tombe, bruissante,
Fait tressaillir, souvent, le studieux promeneur,
Et lentement **tournoie** aux remous aériens. »

(Trad. L. Cazamian)

For Colette too, autumn symbolizes plenty. It is a « beginning », almost another spring :

« The fire, the wine, the red windy skies, the flesh of the fruit, the strong-smelling **game**, barrels, pulpy spheres, roll allong in its path. **Chestnut** husks, sour sorb-apples. Autumn sweeps along before it a profusion of humble fruits, which are not picked but drop into your hand, or lie patiently at the foot of the tree for man to stoop to gather them. But man has eyes and thoughts only for the last **after-crop** and his **grape harvest**. »

Other writers, on the other hand, are more aware of the melancholy of the autumnal landscape :

« ... For now the **leaf**
Incessant rustles from the mournflul grove,
Oft startling such as studious walk below,
And slowly **circles** through the waving air. »

(J. Thomson)

L'automne est la saison des **brouillards** *:*

« Les bois étaient tout recouverts de **brumes basses**,
Déserts, gonflés de pluie et silencieux. »

(P. de La Tour du Pin)

L'air devient glacial et le vent commence à soufler avec âpreté :

« Un **air glacial** stagnait sur les campagnes **humides**. »

(J. Gracq)

« Le **vent aigre** grinçait des dents,
Le ciel rongé s'abaissait. »

(P. Eluard)

« Les branches tombantes des sapins s'entre-choquent, bruit de squelette à travers l'innombrable **gémissement** ; l'héroïque tronc vertical **frémit**. »

(C. Mayran)

D) *L'HIVER*

L'hiver transforme le paysage au point de le rendre méconnaissable :

« Le pays des grandes vacances, qui était pour moi celui de la torpeur et de la soif, m'apparaissait soudain comme un autre monde, frappé de **froid** et d'éternité. »

(F. Mauriac)

Le brouillard se fait plus dense et enveloppe toute chose :

« Le brouillard de décembre, glacial, tout en paillettes de **gel** suspendues, vibre autour des becs de gaz en halo irisé, fond sur les lèvres avec un goût de créosote. »

(Colette)

Puis viennent les **tempêtes de neige** *:*

« La **tourmente** se mit à soulever des tourbillons de neige dans les rues, la balayant des toits et la faisant monter des trottoirs, si bien que les piétons sentaient leur visage les picoter, leur cuire comme sous l'effet d'une myriade de piqûres d'aiguilles. »

Ruisseaux, rivières et routes sont **gelés**, *au grand plaisir des enfants amateurs de* **patinage** *:*

« Maintenant la boue sur les routes est dure, et le ruisseau est **pris par la glace** ; les petits garçons font des **glissades** défendues sur les chemins et l'on répand des cendres devant les portes des maisons. »

Autumn is the season of **fogs** *:*

« The woods were shrouded in low-lying **mist**,
Deserted, rain-sodden, silent. »

The air becomes icy and the wind begins to blow more keenly :

« The **icy air** hung motionless over the **watery** country side. »

« The **raw wind** gnashed its teeth,
Gnawed away the blue sky,
And drew the low clouds o'er. »

« The drooping branches of the firs knock together like rattling skeletons amidst the multitudinous **groaning** ; the trunks, bravely erect, **shudder**. »

D) *WINTER*

Winter transforms the country-side, making it unrecognizable :

« This summer holiday country, which I thought of as the realm of drowsiness and thirst, suddenly appeared to me like another world, fixed for ever in the grip of the **cold**. »

The fog thickens and envelops everything :

« The icy cold December fog, made up of suspended particles of **frost**, trembles round the gas jets like an iridescent halo, melts on the lips with a taste of creosote. »

Then come the **snowstorms** *:*

« The **blizzard** began to swirl great clouds of snow along the streets, sweeping it down from the roofs, and up from the pavements, until the faces of pedestrians tingled and burned as from a thousand needle-prickings. »

(S. Crane)

Brooks, rivers and roads are **frozen**, *to the delight of the children always fond of* **skating** *:*

« Now mud in roads is stiff, and the kennel **ices over**, and boys make illegal **slides** in the pathways, and ashes are strewed before doors. »

(L. Hunt)

Sous sa parure de gel et de neige, le paysage acquiert un charme tout particulier :

« Comme ces rives sont charmantes en ce moment ; les hautes herbes et les ajoncs immobilisés et raidis par la **gelée blanche** qui entoure le **houx** brillant et piquant d'une frange. »

Wearing its glittering dress of frost and snow, the countryside acquires a special charm :

« How lovely these banks are now, the tall weeds and gorse fixed and stiffened in the **hoar-frost**, which fringes round the bright prickly **holly**. »

(M. Mitford)

A propos de :	**« GELÉE »** *Notez*
gelée, gel	**frost** **hoar frost**
gelée blanche, givre	**ground frost** **white frost** **glazed frost**
verglas	**frozen thaw** **black ice** (sur route)
frimas = ~~brouillard épais & froid formant des dépôts de givre~~	
(sens propre)	**rime**
(pluriel)	**winter-time**
(figuré)	**hoar**

III – LUMIÈRES

A) *VARIÉTÉS*

Parmi les TERMES GÉNÉRAUX *nous avons déjà, au cours de notre présentation du ciel et des saisons, rencontré : des substantifs comme « éclat », des adjectifs comme « lumineux », des verbes comme « briller ».*

Aux notations de LUMIÈRES PÂLES, *déjà mentionnées, ajoutons :*

« Le bleuissement, l'**estompage** vaporeux du soir montait insensiblement. »
(E. et J. de Goncourt)

« L'étoile du berger **tremblote** dans l'eau plus noire... »
(Paul Verlaine)

« Il y a des étoiles qui... **vacillent** comme la flamme mourante d'une bougie. »
(A. France)

« Dites comment le rayon de lune tombe en **tremblant**,
Et **met des pointillés** d'argent sur tous les murs. »

III – LIGHTS

A) *VARIETIES*

Among GENERAL TERMS *we have already, in the course of our presentation of the sky and the seasons, met nouns like « brilliancy », « brilliance », « radiance », adjectives like « luminous », verbs like « to shine ».*

To the notations of PALE LIGHTS, *already mentioned, let us add :*

« The blue, the misty **blur** of evening was creeping imperceptibly higher. »

« The evening star **quivers** in the darker water... »

« There are stars that... **flicker** like the dying flame of a candle. »

« Tell how the moon-beam **trembling** falls,
And **tips** with silver all the wall. »
(A. Pope)

« Le feu de la côte française
Luit un instant et meurt ; nos falaises se
dressent,
Vastes, **jetant un faible éclat**, sur la baie
calme. »

*Des lumières pâles aux LUMIÈRES VI-
VES, la progression est insensible. Si « scin-
tillement » (léger ou mouillé) (« yeux luisant
de larmes » par exemple) appartient à la
première catégorie, le même terme anglais
rend deux notions d'intensité différente :*

rougeoyant
rutilant

« Un azur rutilant de saphir. »
(J.K. Huysmans)

Notez aussi :

éclat métallique mat
éclat métallique vif
ou **étinceller**

« Le nuage alors montra sa tête d'or et sa
forme brillante apparut,
Planant et étincelant devant le visage de
Thel. »

et :

pétiller.

*Aucune lumière n'est aussi éclatante que
celle du soleil à midi :*

« Le soleil de midi **décochait ses flèches de
plomb,** les vases cendrées des rives du fleuve
lançaient de flamboyantes réverbérations ;
une **lumière crue, éclatante** et poussiéreuse
à force d'intensité, **ruisselait** en torrents de
flamme, l'azur du ciel **blanchissait de chaleur** comme un métal à la fournaise. »
(Th. Gautier)

*Mais le couchant a parfois aussi des lu-
mières vives :*

« Le couchant **dardait ses rayons** suprêmes
Et le vent berçait les nénuphars blêmes. »
(P. Verlaine)

Et même la lune :

« Le jour bleuâtre et velouté de la lune
descendait dans les intervalles des arbres et
poussait des gerbes de lumière jusque dans
l'épaisseur des plus profondes ténèbres. »
(F.-R. de Chateaubriand)

« On the French coast the light
Gleams and is gone ; the cliffs of England
stand,
Glimmering and vast, out in the tranquil
bay. »
(M. Arnold)

*From pale to BRIGHT LIGHTS, the
progress is a subtle one. If « twinkling » and
« glistening » (« eyes glistening with tears »
for instance) belong to the former category,
the same English word is used to express two
different types of intensity :*

glowing

« A glowing saphire blue. »

Note also :

glint

(to) **glitter**

« The cloud then shewed his golden head and
his bright form emerg'd,
Hovering and glittering on the air before the
face of Thel. »
(W. Blake)

and :

to sparkle.

No light is as brilliant as the midday sun :

« The noonday sun **hurled down its leaden
shafts,** the ash-grey mud of the river banks
threw back dazzling reflections ; a **harsh
light, glaring** and mote-filled from its intensity, **streamed** down in torrents of flame, the
blue of the sky **whitened with heat** like metal
in a furnace. »

*But the setting sun, too, sometimes has a
vivid light :*

« The setting sun **darted its** last bright **rays**
And the wind caressed the pallid water-li-
lies. »

And even the moon :

« The blue velvety sheen of the moon came
down into the gaps among the trees **driving
shafts of light** deep into the heart of the
darkness. »

*Multiples sont les formes qu'aime à pren-
dre la* LUMIÈRE *et les objets qui en ruissel-
lent ou qui en sont touchés :*

« Soleil du matin
Pailletant chaque fleur d'une humide étin-
celle. »
(P. Verlaine)

« Le jour bleu se **mire** dans la table cirée,
dans l'armoire à panse brune. »
(Colette)

« Un soleil étincelant **moirait** la mer de
rubans de feu. »
(A. de Lamartine)

**miroitement
chatoiement.**

« Les pâles rayons du soleil d'après-midi qui
s'allongent et **éclaboussent** les longues courbes de l'esplanade. »

« Des **raies** de lumière d'une pâleur électrique et d'une légèreté de rayons de lune,
jouaient entre les fourrés. »
(E. et J. de Goncourt)

Les COULEURS *que l'on peut observer
au cours des divers moments de la journée ont
une gamme très étendue.*

Il y a les couleurs franches du matin :

« Tout s'agitait dans une **rougeur** épandue,
car le Dieu, comme se déchirant, versait à
pleins rayons sur Carthage la pluie d'**or** de
ses veines. »
(G. Flaubert)

Celles, plus nuancées, des couchants :

« Les couleurs du couchant n'étaient point
vives ; le soleil descendait entre les nuages
qu'il peignait de **rose** ; il s'enfonça sous
l'horizon et le crépuscule le remplaça pendant une demi-heure. Durant le passage de ce
court crépuscule, le ciel était **blanc** au couchant, **bleu pâle** au zénith et **gris de perle** au
levant. »
(F.-R. de Chateaubriand)

Couleurs **irisées** *du clair de lune :*

« La lune... s'était tout à fait levée dans le ciel
irradié d'une **lumière de nacre et de neige,**
inondé d'une sérénité argentée, **irisé,** plein

Manifold are the forms assumed by
LIGHT *and by the objects bathed in light or
faintly touched by it :*

« The morning sun
Spangling each flower with a shining drop of
water. »

« The blue light **is mirrored** in the polished
table, in the curved brown front of the cupboard. »

« A sparkling sun **bedecked** the sea with
ribbons of fire. »

**shimmer, glance
sheen.**

« The pale lengthening rays of the afternoon
sun **smear** the long curves of the esplanade. »
(L. Durrell)

« **Streaks** of light, electric pale, and as in-
substantial as moonbeams, **played** among the
thickets. »

The COLOURS *we see during the course
of the day have a very wide range.*

*There are the clear colours of the mor-
ning :*

« All was now astir in streaming **crimson,** for
the sun-god, as if rent asunder, was pouring
down on Carthage his life-blood's **golden**
rain. »

The more subtle shades of the sunset :

« The colours of the sunset were not vivid ;
the sun was going down between the clouds,
colouring them **pink** ; it sank below the
horizon and gave way to the twilight which
lasted for half an hour. During this short
twilight, the sky was **white** in the west, **pale
blue** at the zenith and **pearl grey** in the
east. »

The **iridescent** *colours of moonlight :*

« The moon had now risen clear into the sky
flooded with a **snowy opal light,** steeped in
silvery calm, **iridescent,** full of foamy clouds

de nuages d'écume qui faisaient comme une mer profonde et claire d'eau de perles. »

(E. et J. de Goncourt)

Et, enfin, les couleurs sombres de la nuit :

« Nous fîmes la navette, pendant un moment le long des falaises, **aux ombres noires**. »

which formed a kind of deep limpid sea of pearly water. »

And, finally, the sombre hues of night :

« We shuttled for a while along the **ink-shadowed** line of cliffs. »

(L. Durrell)

LA TERRE

THE EARTH

I – LA CAMPAGNE

I – THE COUNTRY

A) *PAYSAGES DE PLAINE*

A) *THE LANDSCAPE OF THE PLAIN*

Une plaine comme la Beauce évoque surtout les CHAMPS :

A plain such as la Beauce brings to mind, above all, FIELDS :

« ... la lourde nappe
Et la profonde houle et l'océan des **blés**
Et la mouvante écume et nos greniers comblés. »
(Ch. Péguy)

« ... the dense expanse
And the deep swell and the sea of **corn**
And the restless foam and our well-stocked granaries. »

Déroulement que viennent rompre, à l'occasion, quelques rares habitations :

This wide stretch is broken by the occasional dwelling :

« Des villages faisaient des îlots de pierre, un clocher au loin émergeait d'un **pli de terrain**, sans qu'on vît l'église, dans les molles **ondulations** de cette **terre du blé**. »
(E. Zola)

« Villages appeared like islets of stone, in the distance a steeple rose from a **fold of the earth**, with the church itself remaining hidden, among the gentle **undulations** of this **wheat-growing land**. »

En Angleterre et dans certaines régions de France, les PRÉS *sont un spectacle plus fréquent que les champs :*

In England and in certain regions of France, MEADOWS *are seen more often than fields :*

« Des **prairies** lourdes d'**herbes** bien grasses, des **haies** vives... »
(H. Bosco)

« **Meads** heavy with lush **grasses**, quickset **hedges**... »

Quant aux VIGNES, *elles font la gloire de certaines provinces méridionales, en France, en Espagne, en Italie (les Anglais, eux, n'ayant guère que les* **houblonnières**), *leur charme aussi :* houblon = fleur qui sert à aromatiser la bière.

As for the VINEYARDS, *they are the glory and the charm of certain southern provinces, in France, Spain and Italy (***hopfields*** being about all that England can show) :*

« Alors monta des vignes, sur lesquelles la nuit de printemps s'était posée, la voix du rossignol. Pour ne pas s'endormir sur les **ceps** dont les **vrilles** traîtresses s'allongeaient, s'allongeaient, s'allongeaient, autour de ses petons à s'enrouler cherchaient, pour ne pas s'endormir, chantait à perdre haleine sa vieille cantilène le rossignol d'amour. »
(R. Rolland)

« Then from the vineyards, on which the spring night had settled, the voice of the nightingale arose. So that it should not fall asleep on the **vine stocks** whose treacherous **tendrils** reached out longer, longer, longer, seeking to twine themselves around its tiny feet, in order that it might not fall asleep, it sang with all its might its old love song, the nightingale of love. »

Il est agréable de se promener dans les SENTIERS *et* CHEMINS *de campagne :*

It is pleasant to walk along country PATHS *and* LANES :

« Je me perdais, à la nuit tombante, dans les **chemins creux**, où, quand je passais, s'élevaient, derrière les fermes hostiles, les aboiements furieux des chiens de garde. »
(H. Bosco)

« With the approach of night I used to lose my way along the **country lanes** where, as I walked past, the furious barking of watchdogs would ring out from behind the hostile farm-houses. »

Ils réservent parfois d'heureuses surprises au promeneur émerveillé :

« Un chemin creux dévale subitement la colline ; une simple **voie charretière**, s'enfonçant entre des talus élevés, tapissés de **fougères** et de **genêts** courts, couronnés de haies luxuriantes et connus l'été pour embaumer le **thym**. »

Sometimes they hold delightful surprises in store that amaze those who walk along them :

« A deep lane leads abruptly down the hill ; a mere narrow **cart-track**, sinking between high banks clothed with **fern** and low **broom**, crowned with luxuriant hedgerows, and famous for their summer smell of **thyme**. »

(M. Mitford)

A propos de :	« CHEMINS », etc... *Récapitulons*
(sens général)	**way**
en chemin	**on the way**
au bord du chemin	**by the wayside**
sentier	**path**
sentier campagnard	**lane**
sentier à peine tracé (piste)	**track**
avenue ou allée *(sens général)*	**walk**
allée cavalière	**ride**
allée carrossable	**drive**
ruelle dans une ville	**alley**
A propos de :	« PISTE » *Notez*
suivre la piste *(chasse)*	**to follow the scent**
perdre la piste *(id.)*	**to lose the scent**

B) VERGERS ET JARDINS

Au printemps, jardins et vergers émaillent la campagne de taches de couleur :

En Normandie, il y a une floraison d'AR-BRES FRUITIERS qui s'étalent dans une profusion végétale sans pareille.

Les vergers du Kent ont un éclat lumineux qui rappelle une toile de Monet :

« Le plus gracieux des arbres, le cerisier,
A maintenant ses **branches** parées de fleurs ;
Il est là à l'orée de l'avenue du bois,
Vêtu de blanc en l'honneur de Pâques. »

La plupart des provinces de France et d'Angleterre ignorent nombre d'arbres qui ne sont viables que dans les pays chauds :

le **bananier**
le **citronnier**
le **cocotier**
le **figuier**
le **grenadier**
le **mandarinier**

B) ORCHARDS AND GARDENS

In spring, gardens and orchards spangle the countryside with patches of colour :

In Normandy, the FRUIT-TREES blossom into a display of flowery profusion that is unrivalled.

The orchards of Kent have a glow that is reminiscent of a painting by Monet :

« Loveliest of trees, the cherry now
Is hung with bloom along the **bough**,
And stands about the woodland ride
Wearing white for Eastertide. »

(A.-E. Housman)

There are many trees that can only thrive in hot countries and are unknown to most French provinces and English counties :

the **banana-tree**
the **lemon-tree**
the **coconut palm**
the **fig-tree**
the **pomegranate tree**
the **mandarin** (*or* tangerine) **tree**

l'oranger
le palmier-dattier

etc...

Le verger de certains poètes occidentaux n'en évoque pas moins la richesse luxuriante du jardin d'Eden et de ses FRUITS :

« Que je mène ici merveilleuse vie !
Autour de moi tombent les **pommes** mûres ;
Les **grappes** [1] succulentes de la vigne
Dessus ma bouche écrasent leur liqueur ;
Le **brugnon**, et la **pêche** recherchée,
Dans mes mains vont eux-mêmes se poser ;
Trébuchant sur les **melons**, quand je passe,
Pris au piège des fleurs, je chois sur l'herbe. »
(Trad. L. Cazamian)

Chacun a son fruit préféré :

« Ni le cher **abricot** que j'aime,
Ni la **fraise** avecque la crème,
Ni la manne qui vient du ciel,
Ni le pur aliment du miel,
Ni la **poire** de Tours sacrée,
Ni la verte **figue** sucrée,
Ni la **prune** au jus délicat,
Ni même le **raisin** muscat
(Parole pour moi bien étrange),
Ne sont qu'amertume et que fange
Au prix de ce melon divin,
Honneur du climat angevin. »
(M.-A. G. de Saint-Amant)

*D'autres sont pourtant tout aussi succulents parmi les fruits à **pépins** ou à **noyau**, dont il faut — ou non — **peler** la peau, qui croissent en liberté ou dans les **serres**. Quel est votre favori dans la liste qui suit ?*

airelles ou **myrtilles**
coings
framboises
    des framboisiers
groseilles rouges
    ou **cassis**
    ou à maquereau
mirabelles
mûres
reines-claudes ?

*Le jardin a un double rôle : utilitaire et décoratif. C'est évidemment le **jardin potager** qui joue le rôle utilitaire, avec ses LÉGUMES divers :*

---

the orange-tree
the date-palm

etc...

The orchard of certain western poets conjures up, all the same, the rich luxuriance of the Garden of Eden and its FRUIT :

« What wondrous life is this I lead !
Ripe **apples** drop about my head ;
The luscious **clusters** [1] of the vine
Upon my mouth do crush their wine ;
The **nectarine**, and curious **peach**,
Into my hands themselves do reach ;
Stumbling on **melons**, as I pass,
Insnared with flowers, I fall on grass. »
(A. Marvell)

Each has his favourite fruit :

« Not the **apricot** so dear to me,
Nor **strawberry**, with cream,
Nor manna, falling from heaven,
Nor honey's pure food,
Nor the heavenly **pear** from Tours,
Nor sweet green **fig**,
Nor **plum** with the delicate juice,
Nor even the muscat **grape**
(Strange thing for me to say !)
Are aught but ditch-water and gall
Compared with the melon divine,
The pride of the climate of Anjou. »

*Yet others are at least as luscious among the fruit with **pips** or the **stone**-fruit (the skin of which may perhaps have to be **peeled** off) that grow wild or in **greenhouses**. Which in the following list, is your favourite ?*

whortleberries or **bilberries**
quinces
raspberries
    to be found on raspberry-canes
red currants
black currants
gooseberries
mirabelle-plums
mulberries or **blackberries**
greengages ?

*The garden has a twofold function : useful and ornamental. Obviously it is the **kitchen-garden** which has the useful function, with its various VEGETABLES :*

---

(1) *Grappe de raisins* : plus généralement : *bunch of grapes.* (Attention que *grape*, singulier collectif, signifie : *mitraille.*)

Les légumes à **cosses** *ou à* **gousses,** *tels :*	*Vegetables with* **pods** *or* **shells** *such as :*
les **haricots** les **haricots verts** les **pois.**	(haricot-) **beans** **French beans, runner beans** **peas.**
Les légumes à fleurs, tels :	*Vegetables with a flower, such as :*
l'**artichaut** le **chou-fleur.**	the **artichoke** the **cauliflower.**
Les légumes à feuilles :	*Leafy vegetables :*
le **chou** le **chou de Bruxelles** le **cresson** les **épinards** la **laitue** la **chicorée.**	**cabbage** **Brussels sprouts** (water-) **cress** **spinach** **lettuce** **endive.**
Les **herbes potagères**	**Pot-herbs**
le **cerfeuil** la **ciboule** l'**estragon** le **fenouil** le **persil**	**chervil** **chives** **tarragon** **fennel** **parsley**

se rangent souvent dans cette catégorie. Elles ont souvent une saveur acide.

« L'**oseille** sauvage en rosace parmi le gazon, la **menthe** toute jeune, encore brune, la **sauge** duvetée comme une oreille de lièvre, — tout débordait d'un **suc** énergique et poivré, dont je mêlais sur mes lèvres le goût d'alcool et de **citronnelle.** »

(Colette)

come into this category. They often have a sharp tang.

« The wild **sorrel** like a rosette among the grass, the young **mint**, still brown, **sage**, downy like a hare's ear, — everything overflowed with a strong pungent **juice** with a taste of alcohol and **citronella** that would mingle on my lips. »

Les **tubercules** *comme :*	**Tuber-vegetables** *such as :*
les **pommes de terre.**	**potatoes.**
Ceux qui ont des **racines** *:*	*Those that have* **roots** *:*
les **carottes** les **navets.**	**carrots** **turnips.**
Les fruits à **pulpe,** *tels :*	**Fleshy** *fruit such as :*
les **citrouilles** les **concombres** les **tomates.**	**pumpkins** **cucumbers** **tomatoes.**
Si nous mentionnons encore :	*If we also mention :*

les **asperges**
les **champignons**
  (cèpes, morilles, etc.)
les **endives**
les **fèves**
les **lentilles**
les **oignons**
les **panais**
les **poireaux**
	asparagus
	mushrooms
	  (flap mushrooms, morels, etc.)
	chicory
	broad beans
	lentils
	onions
	parsnips
	leeks

les radis
les salsifis

il est probable que vous aurez revu le nom d'à peu près tous les légumes que vous risquez jamais de manger.

Le **jardin d'agrément** *est le domaine des* FLEURS.

UNE FLEUR

(1) **pétale**
(2) **corolle**
(3) **étamine**
(4) **pistil**
(5) **sépale**
(6) **calice**
(7) **tige**

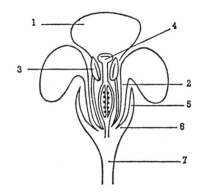

radishes
salsifies

you will probably have met the name of almost all the vegetables you are ever likely to eat.

The **ornamental garden** *is the place for* FLOWERS.

A FLOWER

(1) **petal**
(2) **corolla**
(3) **stamen**
(4) **pistil**
(5) **sepal**
(6) **calix**
(7) **stalk, stem**

Les fleurs des jardins sont des plus diverses et varient selon le climat :

« Les grandes **tulipes** rayées se dressaient sur leurs tiges, comme de longues rangées de soldats, et regardaient avec défi les **roses** de l'autre côté de la pelouse, en disant : "Notre splendeur égale la vôtre maintenant !" »

« L'**iris** dort, roulé en cornet sous une triple soie verdâtre, la **pivoine** perce la terre d'une raide branche de corail vif et le rosier n'ose encore que des surgeons d'un marron rose... cueille pourtant la **giroflée** brune qui devance la tulipe ; elle est colorée, rustaude et vêtue d'un velours solide... Ne cherche pas le **muguet** encore. »

(Colette)

Il y a également :

l'azalée
le camélia
le chrysanthème
le géranium
le glaïeul
l'hortensia
la jacinthe
les jonquilles (ou asphodèles)

Garden-flowers are of every description and vary with the climate :

« The tall striped **tulips** stood straight upon their stalks, like long rows of soldiers, and looked defiantly across the grass at the **roses**, and said : "We are quite as splendid as you are now !" »

(O. Wilde)

« The **iris** sleeps, like a sheath swathed in thrice-folded green silk, the **peony** thrusts its stiff bright coral stalk through the ground, and the rose bush as yet has ventured only reddish brown suckers... but pick the brown **wallflower** which comes before the tulip ; it is highly coloured, brash and dressed in good strong velvet... Do not look yet for the **lily of the valley**. »

In addition there are :

the azalea
the camellia
the chrysanthemum
the geranium
the gladiolus
the hydrangea
the hyacinth
the daffodils

que Wordsworth nous a montrées :

« Auprès du lac, sous les arbres
S'agitant et dansant dans la brise...
Hochant la tête en une danse allègre. »

le laurier rose
le lis
le magnolia
le myosotis
le narcisse
l'œillet
l'orchidée
la pensée
la pâquerette
la pervenche
la reine-marguerite
le réséda
la rose-trémière
le souci
la violette.

« Violettes... d'un blanc-bleu veiné de nacre
mauve − violettes anémiques et larges, qui
haussent sur de longues tiges leurs pâles
corolles inodores. »

(Colette)

Dans le jardin, l'on trouve aussi **des plan-tes grimpantes** :

la capucine
le chèvrefeuille
la clématite
la glycine
le jasmin

le liseron

les pois de senteur
la vigne vierge
le lierre *enfin.*

Aux jardins, les fleurs suivantes préfèrent la liberté des champs et des bois pour exhaler leur **senteur** :

les bleuets
les boutons d'or
les campanules
les coucous
les perce-neige
les primevères.

Sans doute craignent-elles le **sécateur** *et le* déplantoir, *les* **bouquets,** *les* **couronnes,** *les* **gerbes** *trop fréquentes, dédaignent-elles tout*

which Wordsworth has shown us :

« Beside the lake, beneath the trees
Fluttering and dancing in the breeze...
Tossing their heads in sprightly dance. »

the oleander
the lily
the magnolia
the forget-me-not
the narcissus
the carnation (or the pink)
the orchid
the pansy
the daisy
the periwinkle
the China aster
the mignonette
the hollyhock
the marigold
the violet.

« Violets... blue-white, veined with a mauve
mother of pearl... broad anaemic violets,
raising on long stems their pale odourless
corollas. »

In the garden, we also find **the climbing plants** :

the nasturtium
the honeysuckle or woodbine
the clematis
the wistaria
the jasmin
the convolvulus
the morning glory [1]
the sweet peas
the virginia creeper
and finally the ivy.

Better than the garden, the following flo-wers like the freedom of the fields and the woods to exhale their **fragrance** :

cornflowers
buttercups
harebells
cowslips
snow-drops
primroses.

They are afraid, no doubt, of the **secateurs** and the **garden trowel,** *the* **bunches** *of flow-ers,* **wreaths** *and* **sprays** *too often picked ; and*

---

(1) La variété cultivée de liseron est *the morning glory,* l'autre est *the convolvulus.*

ce qui fait l'harmonie méticuleusement ordonnée des jardins, particulièrement des jardins à la Française.

Mais l'excès d'ordre vaut mieux pour un jardin que l'abandon et sa tristesse indicible :

« Dans un coin de falaise, entre rive et hauteur,
Le spectre d'un jardin regarde vers la mer.
La bordure de **ronce** et d'**épines** enferme
La pente du carré de **parterre** sans fleurs
Où l'herbe verdissant sur les tombes des roses
Gît maintenant morte. »

no doubt they look down upon the meticulously ordered harmony of the garden, particularly the French style garden.

But an excess of order is better in a garden than neglect and its unutterable sadness :

« In a coign of the cliff between lowland and highland...
The ghost of a garden fronts the sea.
A girdle of **brushwood** and **thorn** encloses
The steep square slope of the blossomless **bed**
Where the weeds that grew green from the graves of its roses
Now lie dead. »

(A.-C. Swinburne)

A propos de :	« HERBES », etc... Récapitulons
herbe fourragère	**grass**
herbes potagères	**herbs**
mauvaises herbes	**weeds**
pelouse *(sens général)*	**grass**
défense de marcher sur la pelouse !	**keep off the grass !**
pelouse *(de jardin)*	**lawn**
pelouse *(anglaise)*	**sward**
pelouse *(course)*	**turf**
brin d'herbe	**blade of grass**
feuilles d'herbe	**leaves of grass**
(titre d'un recueil poétique de Walt Whitman)	*(the title of a poetical collection by Walt Whitman)*
tige d'herbe	**stalk of grass**
herbier *(a)*	**herbal**
herbier *(n)*	**herbarium**
herbivore	**grass-eating, herbivorous**
herboriste	**herbalist**
herboriser	**to botanize**
herbu	**grassy, grass-grown**

II – DE LA PLAINE À LA FORÊT : LA CAMPAGNE SAUVAGE

A) *LANDES ET DÉSERTS*

Aux plaines grasses et riches, couvertes de champs de blé, succède parfois la LANDE aride :

« L'étendue sombre couverte de **bosses** et de **creux** semblait monter à la rencontre des ténèbres, poussée par un mouvement de pure

II – FROM PLAINS TO FORESTS : THE WILD COUNTRYSIDE

A) *HEATHS AND DESERTS*

The lush, rich plains, covered with fields of corn, give way sometimes to the barren HEATH :

« The sombre stretch of **rounds** and **hollows** seemed to rise and meet the evening gloom in pure sympathy, the heath exhaling dark-

sympathie, et la lande exhalait l'obscurité aussi rapidement que les cieux la répandaient. »

ou éclairée de taches de couleur :

« La lande exagère presque les contrastes. Du noir, elle passe au rose et au jaune d'or, **bruyère et ajoncs**. »

(R. Vercel)

*Les plus grands peintres de la **lande** anglaise sont, pour le sud-ouest, Thomas Hardy déjà mentionné, pour le Yorkshire, les sœurs Brontë (cf. « Les Hauts de Hurlevent »).*

*Plus inhumain est le DÉSERT proprement dit, parce que c'est le néant total, plus encore que dans la **steppe**, et que les **oasis** sont rares :*

« Notre vallée **de sable**, à nos pieds, débouche dans un désert de **sable** sans pierres, dont l'éclatante lumière blanche brûle les yeux. A perte de vue c'est le **vide**. »

(A. de Saint-Exupéry)

Le silence du desert est sa qualité essentielle et il ajoute encore à son aspect insolite :

« La nuit pleine de mystères, la solitude, la chaleur **dessiccante** et le vent, le paysage d'effroi du Mouydir avec ses roches lunaires et ses sables de granit qui couvraient la terre comme un linceul sinistre ; les hautes falaises inquiétantes des gorges d'Arak... toute cette exaltante tragédie saharienne... prenait maintenant une nouvelle et mystérieuse gravité. »

(R. Frison-Roche)

B) *FORÊTS*

Le désert n'est pas un spectacle courant de nos pays. Les forêts le sont encore, heureusement, bien qu'elles aient en partie disparu ; ainsi, il ne reste plus que des pans de Brocéliande, la forêt bretonne dont les enchantements hantèrent pendant le Moyen Age les rêves de l'Europe.

Seule la nuit ranime ses sortilèges :

« Les arbres, dans le clair d'étoiles, jaillissent droit vers le ciel. On ne voyait pas leur **ramure**, rien que leurs **fûts** d'une blancheur de pierre. Ils portaient tous du même côté une

ness as rapidly as the heavens precipitated it. »

(Th. Hardy)

sometimes brightened with patches of colour :

« The heath almost overdoes the contrasts. From black, it goes to the pink and golden yellow of **heather** and **gorse**. »

*The greatest portrayers of the **moorlands** of England are, of the south-west, Thomas Hardy already mentioned, and of Yorkshire, the Brontë sisters (e.g. « Wuthering Heights »).*

*More inhuman is the DESERT proper, because it is utter emptiness even greater than in the **steppe**, and **oases** are few :*

« Our **sandy** valley opens out at our feet into a desert of smooth **sand** whose dazzling white light burns the eyes. As far as the eye can see there is **emptiness**. »

Silence is the essential characteristic of the desert and adds to its strangeness :

« The mysterious night, the solitude, the **dry** **heat** and the wind, the awe-inspiring landscape of the Mouydir with its lunar rocks and granite sands covering the earth like a sinister shroud ; the high, daunting rockfaces of the Arak gorges... all the exciting tragedy of the Sahara... now took on a new and mysterious gravity. »

B) *FORESTS*

The desert is not a common sight in our countries. Forests still are, fortunately, although they have to some extent disappeared ; thus there now remain only sections of Brocelia, the Breton forest whose charms haunted the dreams of Europe during the Middle Ages.

Only at night does its magic return :

« The trees, in the starlight, soared straight up towards the sky. Their **branches** could not be seen, only their **trunks**, white like stone. On the same side they all had a little luminous

petite frange lumineuse, un filet ruisselant de clarté bleue qui paraissait ne les point toucher. »

(M. Genevoix)

« C'était un vieux **tronc moussu**, blanc et mou, et en écartant la mousse, on le voyait luire comme du phosphore dans le fond noir. »

(J. Giono)

A son INTÉRÊT *poétique, la forêt ajoute celui d'offrir un travail aux* **bûcherons** *qui* **abattent** *les arbres,* **scient** *les troncs et les brisent à la* **hache** *pour en faire des* **bûches** *qu'ils emportent ensuite :*

« Il prit une bûche longue et ronde, non la plus légère, mais la plus lourde qu'il put trouver. **Elle avait encore des nœuds**, de la mousse et des ergots comme un vieux coq. »

(J. Renard)

Elle est également le **repaire** *des animaux sauvages, la terre d'élection du* **chasseur** *et du* **braconnier** *auxquels elle présente la multiplicité de ses* ASPECTS :

*A l'*orée *ou à la* **lisière** *du bois, l'on trouve encore quelques habitations, mais au cœur de la forêt il y a simplement des* **huttes** *de troncs d'arbres.*

La **futaie** *est le domaine des grands arbres :*

« Sous la futaie centenaire, la verte obscurité solennelle ignore le soleil et les oiseaux. L'ombre impérieuse des **chênes** et des **frênes** a banni du sol l'herbe, la fleur, la mousse et jusqu'à l'insecte. »

(Colette)

Çà et là des **éclaircies** *et des* **clairières** *permettent de retrouver la lumière, car l'enchevêtrement des* **broussailles** *rend les* **halliers** *presque impénétrables :*

« Nous voici dans le **taillis**. Ah ! l'an dernier l'on avait coupé seulement une partie du **sous-bois** et l'autre est maintenant au maximum de son développement : les **coudriers**, les **églantiers**, le **chèvrefeuille**, les **ronces** forment un seul **fourré** impénétrable et rejoignent presque les branches inférieures des **ormes**, des chênes et des **hêtres** qui se dressent à intervalles réguliers au-dessus de nous. »

fringe, a streaming thread of blue light that seemed not to be touching them. »

« It was an old **mossy trunk**, white and soft, and if you scraped aside the **moss**, you saw it shining like phosphorus against the dark background. »

The forest has not merely poetic INTEREST, *it also gives work to the* **woodcutters** *who* **fell** *the trees,* **saw** *the trunks and chop them up with an* **axe** *into* **logs** *to be carried away afterwards :*

« He took a long, round log, not the lightest but the heaviest he could find. **It was knotty**, too, moss-covered and with spurs like an old cockerel. »

It is, furthermore, the **haunt** *of wild animals, the favourite ground for* **hunters** *(or* **sportsmen***) and* **poachers** *to whom it displays its multifarious* ASPECTS :

On the **edge** *or* **outskirts** *of the wood, there are still a few houses, but in the heart of the forest there are only log* **huts**.

The **timber forest** *is the domain of the big trees :*

« In the wood where the age-old timber trees grow, sun and birds are unknown to the awesome green darkness. The imperious shade of the **oak** and **ash** has banished from the ground grass, flowers and even insects. »

Here and there **clearings** *and* **glades** *allow us to find the light again, for the tangle of* **brushwood** *renders the* **brakes** *almost impenetrable :*

« We are in the **copse**. Ah ! only one half of the **underwood** was cut last year and the other is at its full growth : **hazel**, **briar**, **woodbine**, **bramble** forming one impenetrable **thicket** and almost uniting with the lower branches of the **elms**, and oaks, and **beeches**, which rise at regular distances overhead. »

(M. Mitford)

| *A propos de :* | « **FOURRÉ** », etc... |
	Notez
bosquet	**grove**
bouquet d'arbres	**cluster**
bouquet de fleurs *(sens général)*	**bunch**
bouquet de fleurs des champs	**posy**
petit bouquet odorant	**nosegay**
buissons	**bush** (= *aussi* : brousse)
fourré	**thicket**
futaie	**plantation, timber forest**
halliers	**brakes**
maquis	**scrub**
massif d'arbres	**clumps**
sous-bois	**undergrowth, underwood**
taillis	**copse**

Ici encore le climat apporte une variété extrême. Rien n'égale la luxuriance de végétation des forêts tropicales qu'évoque P. Loti, en présentant un paysage tahitien :

« Nous marchions sous une épaisse **voûte de feuillage** ; des arbres séculaires dressaient autour de nous leurs troncs humides, verdâtres, polis comme d'énormes piliers de marbre. Les **lianes** s'enroulaient partout, et les fougères arborescentes étendaient leurs larges parasols, découpés comme de fines dentelles. »

(P. Loti)

Parmi les ARBRES *ou arbustes* **exotiques** *figurent :*

l'acajou
l'arbre à thé
le bambou
le caféier
le cotonnier
l'ébène
le gommier
le palissandre
le vanillier.

Dans les **pays tempérés** *aussi, il existe de nombreuses sortes d'arbres :*

« Il y a toutes les variétés et les couleurs d'arbres possibles, surtout l'**orme** à la silhouette élégante ; il est d'un vert si éclatant, si profond. »

« De beaux **peupliers** au bois tendre coupaient les prairies et souvent un mur de très vieux **cyprès** abritait un champ ou une maison contre la bise. »

(H. Bosco)

Here too the climate produces an enormous variety. There is nothing to equal the luxuriant vegetation of the tropical forests which P. Loti recalls, as he describes a Tahitian landscape :

« We were walking under a thick **canopy of foliage** ; around us rose the trunks of age-old trees, damp, green, smoth as great marble pillars. **Lianas** twined everywhere, and the tree-ferns spread their wide parasols, fretted like fine lace. »

Among the TREES *and shrubs to be found in* **far off** *lands are :*

the mahogany
the tea-plant
the bamboo
the coffee-shrub
the cotton-plant
the ebony
the gum-tree
the Brazilian rosewood
the vanilla plant.

In **temperate countries** *also there are a great many varieties of trees :*

« The trees are of all kinds and all hues, chiefly the finely-shaped **elm** of so bright and deep a green. »

(M. Mitford)

« Lovely, soft-wood **poplars** divided up the plain, and a wall of ancient **cypress trees** sheltered a field or many houses against the north wind. »

Parmi d'autres **arbres au bois tendre,** *notons :*

l'aune
le bouleau élancé et flexible
le tilleul
les conifères, pins et sapins.

Le sapin est l'arbre traditionnel de Noël. Il porte des **pommes de pin.** *Le pin, à l'ombre duquel foisonnent les* **aiguilles,** *sécrète la ré-sine.*

Outre le pin et le sapin, il existe d'autres **arbres à feuilles persistantes,** *tels que :*

le fusain
le genièvre
le houx
l'if.

Les **arbres au bois dur** *comprennent, outre le chêne* **touffu,** *au tronc souvent* **noueux,** *qui donne beaucoup d'***ombre** *et produit des* **glands** *:*

le charme
le châtaignier
le chêne-liège
le chêne-vert
l'érable
le noyer
le platane
le sorbier
le sycomore
le tremble

etc...

La forêt a ses ODEURS *toutes particuliè-res :*

« Les souvenirs affluaient par longues va-gues : toutes les odeurs des bois, l' **âcreté** du **terreau** mouillé... les **effluves** légères des résines, l'**arôme** d'un champignon écrasé en passant. »

(M. Genevoix)

« Le vent se meurt sous les allées couvertes où l'air se balance à peine, lourd, **musqué**... Une vague molle de parfum guide les pas vers la fraise sauvage, qui mûrit ici en secret, noircit, tremble et tombe, dissoute lentement en **suave** pourriture framboisée dont l'arôme se mêle à celui d'un chèvrefeuille verdâtre, à celui d'une ronde de champignons blancs... **Ils embaument la truffe fraîche** et la tubé-reuse. »

(Colette)

Among other **soft-wood trees,** *let us note :*

the alder
the slender, pliable **birch-tree**
the lime
the conifers, pines and firs.

The fir-tree is the traditional Christmas-tree. **Fir-cones** *grow on it. The pine tree, with* **pine-needles** *lying thick around it gives us* **resin.**

In addition to the pine and the fir, there are other **evergreen trees** *like :*

the spindle-tree
the juniper
the holly
the yew.

Hard wood trees *comprise, apart from the* **bushy oak** *with its trunk often* **gnarled,** *which gives ample* **shade** *and produces* **acorns** *:*

the yoke-elm (or **hornbeam**)
the chestnut-tree
the cork-oak
the holm-oak
the maple
the walnut
the plane
the rowan (or **mountain ash**)
the sycamore
the aspen

etc...

The forest has its own individual ODOURS :

« Memories came flooding back in waves : all the odours of the wood, the **pungent smell** of damp **leaf-mould,** the faint **exhalations** of resin, the **flavour** from a mushroon trampled underfoot. »

« The wind dies down in these shady walks where the air hardly stirs, heavy and **musk-scented**... A gentle wave of perfume guides your steps towards the wild straw-berry, which ripens here in secret, turns black, trembles and falls, and is slowly dissolv-ed into **sweet** raspberry-smelling decaying matter whose scent mingles with that of a green woodbine or a ring of white mush-rooms... **They are fragrant with the smell of fresh truffles** and tuberose. »

Tout aussi étranges et bien différenciés sont les BRUITS de la forêt :

« Pour les habitants des bois, presque chaque espèce d'arbre a une voix ainsi que des traits bien à lui. Au passage du vent, les sapins **sanglotent** et **gémissent** aussi distinctement qu'ils se balancent. Le houx **siffle** tout en luttant avec lui-même ; l'on entend le fausset aigre du **frêne** au milieu de ses frémissements ; et le **bruissement** du hêtre tandis que ses branches horizontales se dressent et tombent. »

Et même le silence y revêt une qualité propre.

III – LA MONTAGNE

A) *PAR MONTS ET PAR VAUX*

*L'on quitte la plaine pour les **plateaux** et les premières **pentes** montagneuses :*

« On monte toujours ; la pente **raidit**. On est arrivé maintenant dans de grands **pâturages**, tout coupés de **ressauts pierreux** qui leur font des **étages** successifs. On passe d'un des étages au suivant... On n'est plus bien loin non plus de la région des **glaciers**, parce qu'à force de monter on arrive finalement à un endroit qui est un **col**, lequel est formé par le resserrement des **chaînes** juste au-dessus des pâturages. »

(C.-F. Ramuz)

Plus on monte, plus le paysage devient sauvage :

« Les parois tombent **à pic** [1] de tous les côtés ; et, où que vous portiez vos regards, en face de vous comme à votre gauche et à votre droite, c'est, debout ou couchée à plat, suspendue dans l'air ou tombée, c'est s'avançant en **éperons** ou retirées en arrière, ou encore faisant des plis qui sont d'étroites **gorges**, c'est partout la roche, rien que la roche, partout sa même désolation. »

(C.-F. Ramuz)

Et voici l'une de ces gorges, celle de Pierrefitte, que décrit Taine :

« L'horizon terni **s'encaissait** entre deux **rangs de montagnes décharnées**, tachées de broussailles maigres, fendues de **ravines** ; un jour pâle tombait sur les **sommets** tronqués et

Quite as strange and clearly differentiated are the SOUNDS of the forest :

« To dwellers in a wood, almost every species of tree has its voice as well as its feature. At the passing of the breeze the fir-trees **sob** and **moan** no less distinctly than they rock ; the holly **whistles** as it battles with itself ; the **ash** hisses amid its quiverings ; the beech **rustles** while its flat boughs rise and fall. »

(Th. Hardy)

And here even silence has its own distinctive quality.

III – THE MOUNTAIN

A) *OVER HILLS AND DALES*

*We leave the plain for the **plateaux** and the lower mountain **slopes** :*

« We are still climbing ; the slope **becomes steeper**. Now we have reached the wide **pasture lands**, broken by **steep stony rises** which mark out successive **tiers**. We move on from one level to the next... We are not far either from the **glacier** region, because as we continue to climb, we finally reach a place which is a **saddle**, formed by the squeezing together of the **mountain ranges** just above the pasture lands. »

The higher we climb, the wilder the country becomes :

« The walls of rock fall **sheer** [1] all round, wherever you look, straight ahead, to your left or to your right, there, upright or lying flat, hanging in the air or fallen, there, jutting forward in **spurs** or drawn back into recesses, or yet again forming folds that are narrow **gorges**, there, everywhere, is rock, nothing but rock, everywhere its same barrenness. »

And here is one of those gorges, the Pierrefitte gorge, described by Taine :

« The now gloomy horizon seemed **boxed in** between two **lines of gaunt hills** dotted with light scrub and split up by **ravines** ; a pallid light was falling on the truncated **summits**

---

(1) *A pic* (vu d'en bas) : *steep* – (vu d'en haut) : *sheer. Un pic : a peak – un à-pic : a bluff.*

dans les **crevasses** grises... On entra dans la gorge de Pierrefitte... La voiture roulait entre deux murailles immenses de roches sombres, **tailladées** et **déchiquetées** comme par la hache d'un géant désespéré...

Des masses bleuâtres, demi-tranchées, pendaient en **pointes aigues** sur nos têtes ; mille pieds plus haut, des étages de blocs s'avançaient en **surplombant**. A une hauteur prodigieuse, les **cimes** noires **crénelées** s'enfonçaient dans la vapeur. Le **défilé** semblait à chaque pas se fermer... »

(H. Taine)

Tout aussi désolé est le paysage que décrit Thomas Gray :

« Nous nous rendîmes à cheval jusqu'à la montagne de la Chartreuse. Il y a 6 kilomètres jusqu'au sommet ; la route monte **en lacets** ; elle n'a en général que 6 pieds de large ; d'un côté, la roche et des bois de sapins nous **surplombant** ; de l'autre, un **précipice** terrifiant, presque à pic, au pied duquel gronde un torrent. »

Les montagnes, ce sont encore des sommets enneigés et des risques d'avalanches et de bourrasques, mais aussi la perspective des **champs de neige** *où la* **couche de neige** *est si épaisse qu'il faut employer les* **skis**.

La montagne, c'est enfin la découverte de sommets nouveaux à vaincre et les joies de l'escalade :

« Après une heure de marche régulière, nous atteignîmes le pied de la difficulté qui paraissait la plus terrible sur la **crête**, un éperon rocheux d'une hauteur d'environ quarante pieds... Je ne voyais aucun moyen de le tourner à l'ouest par l'**à-pic** rocheux, mais, par bonheur, il restait une autre possibilité de l'affronter. Sur la **face** est il y avait une autre grande **corniche**, et courant tout le long des quarante pieds de l'éperon rocheux, une étroite **fissure** entre la corniche et le rocher. Je me forçai un passage dans cette fissure. »

B) *LES VOLCANS*

Les montagnes représentent l'une des forces de la nature. Mais les volcans sont tout aussi impressionnants, surtout lorsqu'ils sont encore **en activité** :

« Loin à sa gauche, au nord-est, par-delà la vallée et les **contreforts** en terrasse de la

and into the grey **crevasses**... We entered the Pierrefitte gorge... Our carriage went on between huge walls of dark rocks **hacked** and **slashed** as by the axe of a reckless giant...

Masses of bluish stone, half lopped off, hung in **jagged points** over our heads ; a thousand feet higher up, **jutted out** ledges of solid rock. Aloft, at a stupendous height, the black **serrated summits** thrust into the mist. With every foot we advanced, the **pass** seemed to close in on us. »

Just as desolate is the scene which Thomas Gray described :

« We proceeded on horses to the mountain of the Chartreuse. It is 6 miles to the top ; the road runs **winding up** it, commonly not 6 feet broad ; on one hand is the rock, with woods of pine-trees **hanging overhead** ; on the other a monstrous **precipice**, almost perpendicular at the bottom of which rolls a torrent. »

(T. Gray)

Mountains mean also snowy summits and risks of avalanches and sudden storms, but also the prospect of **snowfields** *where the* **layer of snow** *is so thick that skis are necessary.*

The mountain, finally, means the discovery of new peaks to conquer and the joys of **climbing** :

« After an hour's steady going, we reached the foot of the most formidable-looking problem on the **ridge** — a rock step some forty feet high... I could see no way of turning it on the steep rock **bluff** on the west, but fortunately another possibility of tackling it still remained. On its east **side** was another great **cornice**, and running up the full forty feet of the step was a narrow **crack** between the cornice and the rock. I jammed my way into this crack. »

(Sir Edmund Hillary)

B) *VOLCANOES*

Mountains are one of the forces of nature. But volcanoes are equally as impressive, particularly when they are still **active** :

« Far to his left, in the north-east, beyond the valley and the terraced **foothills** of the Sierra

Sierra Madre orientale, les deux volcans se détachaient clairs et magnifiques dans le soleil couchant. »

*Certains sont en **sommeil** et l'on peut craindre, à tout moment, une **éruption**. D'autres sont définitivement **éteints**, bien que le paysage porte encore la trace de leur activité ancienne :*

« Le pilote qui se dirige vers le détroit de Magellan, survole un peu au sud de Rio Gallegos une ancienne **coulée de lave**. Ces décombres pèsent sur la plaine de leurs vingt mètres d'épaisseur. Puis, il rencontre une seconde coulée, une troisième, et désormais chaque **bosse** du sol, chaque **mamelon** de deux cent mètres, porte au **flanc** son **cratère**. Point d'orgueilleux Vésuve : posées à même la plaine, des gueules d'obusiers. »

(A. de Saint-Exupéry)

Madre oriental, the two volcanoes rose clear and magnificent into the sunset. »

(M. Lowry)

*Some volcanoes are **dormant**, and at any moment there is the danger of an **eruption**. Others are definitely **extinct** although the countryside still carries traces of their former activity :*

« The pilot flying towards the Magellan straits, when just south of Rio Gallegos, flies over a former **lava flow**. This volcanic debris lies sixty feet thick on the plain. Then he will come across a second flow, a third, and after that every **hump** on the ground, every **hillock** a few hundred feet high, will bear its **crater** in its **side**. No proud Vesuvius here : just cannon mouths on the very surface of the plain. »

CHAPITRE 7

LA MER ET L'ÉLÉMENT LIQUIDE

WATER AND SEA

I – EAUX DOUCES

I – FRESH WATERS

A) *COURS D'EAU*

A) *STREAMS*

C'est EN MONTAGNE *que les cours d'eau prennent leur* **source** :

« Du Plateau des Fitz, descendaient cent **ruisseaux, sourdant** de la **fonte** des neiges, se glissant en serpents vivants sous la mort apparente de la glace. »

(T. Monnier)

Streams have their **source** IN THE MOUNTAINS :

« A hundred **rivulets** ran down from the Plateau des Fitz, **springing** from the **melting** snow, slithering along like living snakes beneath the apparent lifelessness of the ice. »

Jamais plus ils ne connaîtront d'aussi folles cabrioles, **chutes** *et* **cascades** :

« Retombant en fines gouttelettes sur les rochers et les fougères et dont les eaux bondissantes s'élancent dans une lumière argentée. »

Never again will they have such wild leaping of **falls** *and* **cascades** :

« Showering on rock and fern, (whose) bounding waters take the leap in a silvery radiance. »

(G. Meredith)

Ni l'impétuosité du jeune torrent dont :

« Le **bouillonnement** malaxe la pierre et l'eau. Il les fait éclater l'une contre l'autre... »

(T. Monnier)

Nor the impetuousness of the youthful torrent whose :

« **Seething**... pounds stone and water together, shattering one against the other... »

Ce n'est pas que la fantaisie soit nécessairement exclue pour les RIVIÈRES DE LA PLAINE :

« La rivière... grondait et **jaillissait** derrière lui au sortir des **vannes** et le dépassait avec des bonds insensés... et puis, plus bas, comme elle se déployait, se tordait, tournoyait, formant des éventails transparents, des serpents qui sifflaient et s'enlaçaient, des guirlandes de verre poli, d'énormes cloches de cristal, qui surgissaient du fond en **bouillonnant**, pour replonger sous de longs filaments d'**écume** crémeuse ! »

It is not that the RIVERS OF THE PLAIN *never show such waywardness :*

« The river... thundered and **spouted** out behind him from the **hatches**, and leapt madly past him... and then below, how it spread, and writhed, and whirled into transparent fans, hissing and twining snakes, polished glass wreaths, huge crystal bells which **boiled up** from the bottom, and dived again beneath long threads of creamy **foam**. »

(Ch. Kingsley)

Elles peuvent même prendre une allure de **rapides** :

« Le soleil étincelait sur l'eau calme, qui plus bas, **en aval**, là où la rivière se rétrécissait, s'agitait en petites **vagues** furieuses, **tourbillonnait** et **faisait des remous** près du rivage, contre les rochers noirs, donnant une impression de turbulence, évoquant l'image de rapides. »

They may even at times acquire the speed of **rapids** :

« Sunlight sparkled on the calm water, which further **downstream** where the river narrowed broke into furious little **waves swirling** and **eddying** close inshore against black rocks, giving an effect of wildness, almost of rapids. »

(M. Lowry)

Dans l'ensemble, pourtant, leur cours est paisible et il en va de même des **fleuves** *majestueux :*

« Lorsqu'elle arrive vers Orléans, la Loire change de ton et de manières. Elle vient de loin... Elle a été torrent, elle s'est frayé une voie de heurts et de bousculades à travers de sombres gorges... Et la voici tout à ses aises, **baignant** d'une eau douce et reposée les calmes abords de la Sologne. »

(M. Bedel)

Ce qui n'exclut pas les exceptions comme le Rhin au cours tourmenté :

« A la tombée du jour, appuyé sur le **parapet** d'un quai, il regardait le fleuve fiévreux, où l'on ne distinguait rien que de grands crêpes mouvants, des milliers de ruisseaux, de **courants**, de tourbillons qui se dessinaient, s'effaçaient. »

(R. Rolland)

VIE ET MORT *sont aussi le lot* D'UN FLEUVE :

Les **affluents** *lui apportent une énergie supplémentaire, la fonte des neiges ou de fortes pluies aussi.* **Les eaux montent** *alors.* **Le fleuve déborde de ses rives**, *c'est l'*inondation *qui cause des ravages :*

« La Vienne était **en crue** après le **dégel** brusque : une eau saliveuse, acide, mordait sur les prairies basses qui verdissaient déjà. »

(J. Gracq)

Même un cours d'eau prétendument domestiqué peut, à l'occasion, retrouver sa sauvagerie première. Si les **canaux**, *coupés d'*écluses, *aux* **vannes** *obéissantes, ne sont guère dangereux, on a vu récemment des* **barrages** *causer de gigantesques catastrophes.*

La mort d'un fleuve, ou sa fusion au grand Tout, c'est de **se jeter dans la mer ou l'océan** *après une paresseuse apogée où il*

« étale la coulée bleue de son **estuaire**. »

(R. Vercel)

B) *ÉTANGS ET LACS*

Nombreuses aussi sont les formes que prennent les étendues d'eau plus ou moins **stagnante** *en apparence :*

flaques *(petites)*

On the whole, however, their course is peaceful and the same is true of **bigger rivers** *with their majestic flow :*

« Nearing Orleans, the Loire changes its note and its ways. Is has come from afar... It has been a torrent, it has bumped and jostled its way through dark ravines... And now here it is quite serene, **washing** the peaceful approaches of Sologne with its calm and gentle waters. »

Which does not exclude exceptions like the Rhine with its tormented course :

« At nightfall, on the embankment, leaning over the **parapet**, he would gaze at the restless river, in which nothing was to be discerned but great shifting lengths of crape, innumerable trickles, **currents**, eddies, taking shape and vanishing. »

LIFE AND DEATH *are also the lot* OF A LARGE RIVER :

Tributaries *endow it with a new vigour, the melting of the snows or heavy rains also.* **The waters rise** *then.* **The river overflows its banks**, *it is the* **flood** *which can cause havoc :*

« The Vienne was **in spate** after the rapid **thaw** : a frothy, acid water was spreading over the low-lying meadows which were already turning green. »

Even the water-course that has, it would seem, been tamed, can occasionally break free again. If **canals** *with, at intervals,* **locks** *with obedient* **sluice-gates** *are comparatively safe, we have recently seen* **dams** *cause wide-spread disaster.*

The death of a river, its merging into the vast oneness, is when it **runs into the sea or the ocean** *after gloriously wallowing away its last hours,*

« spreading out the blue flow of its **estuary**. »

B) *PONDS AND LAKES*

Many are the forms taken, also, by an expanse of more or less **still** *water :*

puddles

mares *(ou grandes flaques)*
étangs
lacs

sans parler des bras morts d'une rivière qui forment des **marécages** :

« Qu'on aille voir enfin cette fière Camargue aux étangs innombrables, territoire de pâturages, de **marais** et de ces clos de verdure qu'on appelle "radeu", fourrés de lentisques, de faux-oliviers et de beaux arbustes aromatiques. »

(t'Serstevens)

« Tout homme a un lac dans le cœur » dit le proverbe.

Dans les îles britanniques, les régions celtiques et le Nord de l'Angleterre en sont particulièrement riches. Wordsworth est le chantre du District des Lacs ; W.-B. Yeats a célébré Innisfree dont l'eau

« **clapote** doucement sur le rivage. »

Et quel voyageur n'a pas parlé du **Lac Lomond** *en Ecosse ?*

« Quel panorama depuis la pointe de Firkin ! Le lac, sur toute sa longeur et sa largeur, nappe splendide et continue, bien que parsemée d'**îlots** innombrables, rives où langues de terre et **péninsules** allongées apportent de la variété, enchâssant de charmantes retraites, isolées les unes des autres, chacune un lac à elle seule. »

C) *FLORE ET FAUNE*

Les bords de l'eau ont toujours une végétation caractéristique :

« C'est là que pousse le sorbier, et un **saule** chargé d'ans
Contemple, réprobateur, les **flots** turbulents. »

Il y a aussi les **joncs** *et les* **roseaux** *et toutes sortes de* **plantes aquatiques** :

« Bientôt le cours de la Vivonne s'obstrue de **plantes d'eau**. Il y en a d'abord d'isolées comme tel **nénufar**. Poussé vers la rive, son pédoncule se dépliait, s'allongeait, filait... Çà et là, à la surface, rougissait comme une fraise

---

pools [1]
ponds
lakes

not to mention the dead branches of a river which form **marshes** :

« Finally go and see the proud Camargue with its countless lakes, a land of pastures, of **marshes**, and those patches of greenery called "radeu", thick with lentisks, false olive-trees and beautiful sweet-smelling shrubs. »

« Every man has a lake in his heart » as the proverb has it.

In the British Isles, the Celtic regions and the North of England are particularly rich in lakes. Wordsworth is the poet of the Lake District ; W.-B. Yeats has sung of Innisfree whose water is

« **lapping** with low sounds by the shore. »

(W.-B. Yeats)

And what traveller has not spoken of **Loch Lomond** *in Scotland?*

« What a prospect from the point of Firkin ! The loch in its whole length and breadth — the magnificent expanse unbroken, through bedropped with unnumbered **isles** — and the shores diversified with jutting cape and far-shooting **peninsula**, enclosing sweet separate seclusions, each in itself a loch... »

(C. North)

C) *FLORA AND FAUNA*

Along **the water's edge** *we always find a characteristic vegetation :*

« There grows the wild ash, and a time-stricken **willow**
Looks chidingly down on the mirth of the **billow**. »

(J.-J. Callanan)

There are also **rushes** *and* **reeds** *and all sorts of* **aquatic plants** :

« Soon the course of the Vivonne is choked with **water plants**. First of all there are separate ones like that **water-lily**. Pushed towards the bank, its stem unwound, lengthened, ran out... Here and there, on the

---

(1) Attention que *pool* traduit le français *piscine* dans *swimming-pool*, *bassin de natation* dans *bathing-pool*.

87

une fleur de **nymphéa** au cœur écarlate, blanc sur les bords. »

(M. Proust)

*Tout un petit monde de **poissons**, d'insectes et d'oiseaux donne à la rivière son charme riant :*

« Les grosses **truites** aux flancs jaunes et au dos bleu-paon se prélassaient au cœur des remous ; **l'ombre** argentée frétillait et flânait sur les hauts-fonds ; les **éphémères** papillotaient et bruissaient autour de lui ; le chant métallique de la **foulque** résonnait dans les roseaux... Le **martin-pêcheur** s'élançait de son trou dans la berge, comme une étincelle bleue de lumière électrique. »

Et la rivière est le paradis du « parfait **pêcheur** *» pour parler comme Isaak Walton. Au soir, il en ramènera son butin de **menu fretin** ou de poissons plus conséquents.*

surface, was the red of a **nymphea** blossom, like a strawberry, scarlet at the centre and white round the edges. »

*A whole little world of **fish**, insects and birds gives the river its agreeable charm :*

« The great **trout**, with their yellow sides and peacock backs lounged among the eddies, and the silver **grayling** dimpled and wandered upon the shallows ; the **mayflies** flickered and rustled round him ; the **coot** clanked musically among the reeds... The **kingfisher** darted from his hole in the bank like a blue spark of electric light. »

(Ch. Kingsley)

And the river is paradise for the « compleat **angler** *» to use Isaak Walton's expression. In the evening, he will come away with his catch of **small fry** or larger fish.*

UN POISSON

(1) **nageoire**
(2) **queue**
(3) **écailles**
(4) **arête**
(5) **ouies**.

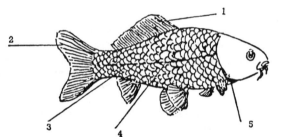

A FISH

(1) **fin**
(2) **tail**
(3) **scales**
(4) **fish-bone**
(5) **gills**.

Quelques **poissons d'eau douce** *:*

l'ablette
l'anguille
la brême
le brochet
la carpe
le goujon
la perche
le saumon.

*Notons aussi l'**écrevisse**, ce **crustacé** d'eau douce.*

Some **fresh water fish** *:*

the bleak
the eel
the bream
the pike
the carp
the gudgeon
the perch
the salmon.

And let us also mention a fresh water **crustacean,** *the* **crawfish**.

II – LA MER, L'OCÉAN

A) *LE BORD DE LA MER*

Il n'y a pas un seul type de paysage maritime, mais une variété très grande d'une région à l'autre :

II – THE SEA, THE OCEAN

A) *THE SEA-SHORE*

There is not just one type of land along the sea-shore, but a very great variety from one region to another :

Il y a la **côte** *plate et sa* **plage** *de sable fin qui permet tous les jeux de plage, à* **marée basse** *encore plus qu'à* **marée haute** :

« Le sable était lisse et ferme et descendait vers la mer en pente douce ; ainsi je pouvais **patauger** jusqu'à ce que l'eau m'arrive au cou et que les vaguelettes m'**éclaboussent** le visage. »

« Sur les **rivages** peu fréquentés, (le promeneur) rencontre le peuple charmant des **coquillages**, ceux-ci ourlés de larges volutes, et ceux-là dessinés comme des mîtres. »

(E. Herriot)

There is the flat **coast** *and its* **beach** *of fine sand, where all the beach games can be played,* **at low tide** *even more than* **at high tide** :

« The sand was smooth and firm, and shelved gradually down, so that I could **wade** out till the water was almost to my neck and the little waves **splashed** into my face. »

(R.-L. Stevenson)

« On lonely **shores**, (the wanderer) comes upon the charming world of the **shells**, some hemmed with sweeping whorls, others shaped like cowls. »

A propos de :	« CÔTE », « RIVAGES », *etc...* *Notez*
côte *(de mer)*	**coast**
rivage	**shore**
bord de mer	**sea-side**
bord de rivière	**bank**
bord de lac	**margin**
grève	**strand**
côte *(d'homme)*	**rib**
côte *(de viande)*	**chop**
côte *(de colline)*	**slope, hill**
côte à côte	**side by side**

Quelquefois la côte s'épanouit en large **baie**, *mais elle n'est pas toujours hospitalière :*

« A ma gauche la dune... brusquement finit ; le terrain s'élève, s'escarpe et les rochers s'entassent, dégringolent... ou bien s'enfoncent dans la mer, la **fendent** violemment comme des étraves de navires géants. Là, plus de grève ; la mer resserrée contre la côte, **bat le flanc des rochers**, s'acharne, **bondit**, sans cesse furieuse et **blanche d'écume**. Et la côte continue, **déchiquetée**, entaillée, minée par l'effort éternel des vagues, s'éboulant ici en un monstrueux chaos, là se redressant et découpant sur le ciel des silhouettes inquiétantes. »

(O. Mirbeau)

« Autour des **pointes de terre** qui enserrent la baie, la côte déploie de chaque côté un rempart de **falaises** rouges d'aspect sévère, où un **ruisseau** [(1)] ou deux parviennent à s'ouvrir un passage jusqu'au bord de l'eau. »

Sometimes the coastline opens out into a wide **bay**, *but it is not always friendly :*

« To my left the sand-dunes... end abruptly ; the land rises, falls away sharply, and the rocks pile up, fall tumbling down... or else thrust down into the sea, **cleaving** it forcefully like the bows of giant ships. Here there is no beach : the sea, pressed back against the coast, **batters against the face of the rocks**, rages, **leaps** in perpetual fury, **white with foam**. And the coast-line continues, **ragged**, gashed, eaten into by the ceaseless action of the waves, here crumbling into monstrous chaos, there rearing up in sharp forbidding outlines against the sky. »

« Round the **horns of land** which enclose the bay, the coast shows on either side a battlement of stark red **cliffs** through which a **burn** [(1)] or two makes a pass to the water's edge. »

(J. Buchan)

---

(1) *Ruisseau* (général) = *stream*, (caniveau) = *gutter*, (poétique) = *brook. Burn* est un terme dialectal (écossais).

La côte bretonne, tout comme la côte écossaise que décrit Buchan, est particulièrement dangereuse :

« A Plouha commence le pays breton... La mer et la côte deviennent ensemble plus dures. L'une envahit l'autre, la perfore de **fjords** profonds, la découpe en **pointes** et en sillons, l'émiette en **îles** et en **récifs**. »

(R. Vercel)

*Mais les **phares** élevés sur les presqu'îles guident les marins vers les **anses**, les **criques** et les **ports**.*

B) *LE LARGE*

Au large la mer est avant tout spectacle, celui des vagues, plus fascinantes à regarder lorsque le vent s'est levé :

« **La mer**, ce matin là, était **mauvaise** et pure ; les longues **lames houleuses** de l'aurore s'avançaient, s'élevaient et s'émiettaient, glissant en ellipses incolores sur le sable, tandis que les pélicans matinaux chassaient, se retournant et **plongeant**, plongeant et se retournant, plongeant de nouveau dans l'**écume**, se déplaçant avec la précision de planètes. »

*Quand elle n'est pas seulement **agitée**, mais vraiment **démontée**, la mer revêt un aspect terrifiant :*

« La **houle** s'avance, roule, monte, secoue ses crinières d'écume tordue, crève en bouillonnant et retombe, écrasée, émiettée. »

(O. Mirbeau)

Elle cesse d'être exclusivement spectacle pour devenir symphonie discordante :

« Le vaste trouble des solitudes a une gamme ; crescendo redoutable : le **grain**, la **rafale**, la **bourrasque**, l'**orage**, la **tourmente**, la **tempête**, la **trombe** ; les sept cordes de la lyre des vents, les sept notes de l'**abîme**. »

(V. Hugo)

et Conrad peut parler

« ... du **fracas de la mer** et de cette vibration de l'air, profonde et prolongée, qui semble le lointain roulement d'un tambour immense battant la charge de l'ouragan. »

*L'océan, depuis l'ère des transatlantiques, a peut-être perdu un peu de sa terreur. La peur du **naufrage** n'en reste pas moins ancrée au*

The coast of Brittany, like the coast of Scotland described by Buchan, is particularly dangerous :

« At Plouha the Breton country begins... The sea and the coast both become rougher. The one invades the other, hollowing out deep **fiords**, cutting it into **headlands** and inlets, breaking it up into **islands** and **reefs**. »

*But **lighthouses** have been erected on peninsulas to guide the sailors towards **coves**, **creeks** and **ports**.*

B) *THE OPEN SEA*

Above all the open sea offers the spectacle of the waves, more fascinating to watch when the wind has risen :

« **The sea**, that morning, was **rough** and pure, the long dawn **rollers** advancing, rising, and crashing down to glide, sinking, in colourless ellipses over the sand, while early pelicans hunting turned and dived, dived and turned, and **dived** again into the **spume**, moving with the precision of planets. »

(M. Lowry)

*When the sea is not just **choppy**, but really **raging**, it looks terrifying :*

« The **swell** advances, rolls, rises up, shakes its mane of tangled foam, boils over and falls, smashed and fragmented. »

It ceases to be merely a spectacle and becomes a discordant symphony :

« The mighty torment of the wastes has a gamut of its own, a fearful crescendo ; **scud**, **gust**, **squall**, **storm-wind**, **whole gale**, **tempest**, **tornado** ; the seven strings of the lyre of the winds, the seven notes of **the deep**. »

and Conrad can write of :

« ... the **crashes of the sea**, with that prolonged deep vibration of the air, like the roll of an immense and remote drum beating the charge of the gale. »

(J. Conrad)

*Since the days of transatlantic liners, the ocean has lost some of its terror. The fear of **shipwreck** is none the less deep-rooted in the*

cœur du voyageur même s'il est rare aujour-
d'hui qu'un bateau **sombre** et si un cauchemar
comme celui que raconte Smollett est une
vision du passé :

« Je fus éveillé par un vacarme effroyable,
provoqué par le glissement des affûts de
canon au-dessus de moi sur le pont, par le
craquement des cabines, **le hurlement du
vent dans les haubans**, les cris confus de
l'équipage...

La mer s'était **enflée** jusqu'à former des **lames** aussi hautes que des montagnes. Par
moments, notre navire restait suspendu en
haut de celles-ci et donnait l'impression qu'il
allait se précipiter dans l'**abîme** béant. »

C) *FLORE ET FAUNE MARINES*

*Flore et faune contribuent à donner à la
mer une odeur très particulière :*

« La mer bat la terrasse, elle fermente, fuse en
mousse jaune, elle miroite, couleur de poisson mort, elle emplit l'air d'une odeur d'**iode**
et de fertile pourriture. »

(Colette)

*Il n'est pas besoin d'aller plus loin que la
côte à marée basse pour se faire une idée de
la richesse de* VIE VÉGÉTALE *qui la caractérise :*

« L'enfant écarquilla les yeux d'émerveille-
ment devant l'abondance des **laminaires** et la
largeur des andains d'herbes marines dont la
courbe suivait de part et d'autre celle de la
plage... Quand il mit le pied sur le **varech**,
celui-ci se déroba sous lui comme le cuir
d'une bête. »

« Sur nos côtes, en eau calme, nos rochers se
tapissent de lanières brunes, d'**algues** en
éventail, de grappes couleur de vin ou de
sang, de houppes à pompons rouges, de
longues franges... Le **goémon frisé** couvre au
printemps, de ses feuilles tantôt carminées,
tantôt lilas, nos rochers normands et bre-
tons. »

(E. Herriot)

*Mais les **grands fonds** présentent évidemment à l'explorateur une luxuriance plus
extraordinaire où il est parfois difficile de faire
la différence entre le règne végétal et le règne
animal :*

« **Méduses** irisées... **astéries** écarlates, orangées, bleues, avec des ventouses violettes...

heart of the traveller even if to-day it is unusual
for a ship to **sink**, and if the nightmare that
Smollett describes belongs to the past :

« I was awakened by a most horrible din,
occasioned by the play of the gun carriages
upon the deck above, the cracking of cabins,
**the howling of the wind through the
shrouds**, the confused noise of the ship's
crew...

The sea was **swelled** into **billows** mountain
high at the top of which our ship sometimes
hung as if it was about to be precipitated to
the **abyss** below ! »

(T. Smollett)

C) *MARINE FLORA AND FAUNA*

*The plant and animal life in it gives the
sea its distinctive smell :*

« The sea beats on the terrace, it seethes,
dissolves into yellow **froth**, sparkles with the
colour of dead fish ; it fills the air with the
smell of **iodine** and fertile decaying matter. »

*To gain an idea of the richness of the
VEGETABLE LIFE of the sea, there is no
need to go further than the coast at low tide :*

« The boy's eyes opened in wonder at the
quantity of **sea-tangle**, at the breadth of the
swath which curved with the curving beach
on either hand... When he stepped on the
wrack, it slithered under him like a living
hide. »

(N.-M. Gunn)

« Along our shores, in calm water, the rocks
are covered with brown strips, fan-shaped
seaweed, bunches the colour of wine or
blood, tufts with red tassels, long fringes... In
the spring the **curly seaweed** covers our
rocks of Normandy and Brittany with its
leaves, here bright red, there lilac-coloured. »

*But the depths of the ocean obviously
reveal to the explorer a wilder profusion where
it is sometimes difficult to distinguish between
plant and animal life :*

« Rainbow-hued **jelly-fish**... **asterias** scarlet,
orange-coloured, blue, with purple suckers...

êtres mystérieux placés sur les fragiles confins de la vie animale et de la vie végétale ; **anémones** autour desquelles se nouent et se dénouent des rubans d'or vif ou de pourpre, **éponges** en bouquets ou à multiples racines. »

(E. Herriot)

Pour en venir à la VIE ANIMALE *proprement dite, citons parmi les* **crustacés** :

les bouquets
les crabes
les crevettes
les homards
munis de **pinces** puissantes
les langoustes
les langoustines

etc...

Parmi les **mollusques** *notons :*

les huîtres
les moules

qui sont évoquées dans une célèbre chanson :

« Elle poussait sa brouette
Par les rues larges et étroites
Criant : "qui veut des **coques** ou bien des **moules**
Bien fraîches, toutes fraîches". »

les oursins
la pieuvre
aux multiples **tentacules**
la seiche.

La mer est aussi le repaire d'un certain nombre de mammifères :

cétacés *comme la* **baleine** *qui est entrée dans la légende avec "Moby Dick". »*

« Ce n'était pas tant sa taille extraordinaire qui le distinguait des autres **cachalots** que son front particulier, ridé et d'une blancheur de neige, et une grande bosse blanche pyramidale. »

le dauphin
le marsouin

pinnipèdes *comme :*

le morse
l'otarie
le phoque.

Avec les **requins**, *par contre, nous en arrivons aux poissons.*

Leur pêche s'opère au moyen de **chaluts** *et autres* **filets**, *parfois* **au large des côtes** *fran-*

---

mysterious creatures on the shadowy border between animal and vegetal life ; **anemones** around which curl and uncurl living ribbons of bright gold or purple, **sponges** in bunches or with multiple roots. »

To come to ANIMAL LIFE *proper, let us note, among the* **shell-fish** :

prawns
crabs
shrimps
lobsters
equipped with powerful **claws**
crayfish
Norway lobsters

etc...

Among the **molluscs** *let us mention :*

oysters
mussels

that figure in the well-known ballad :

« She wheeled her wheel-barrow
Through streets broad and narrow
Crying "cockles and **mussels**, alive, alive,
O !" »

(an Irish ballad)

sea-urchins
the octopus
with its numerous **tentacles**
the cuttle-fish.

The sea is also the haunt of a certain number of mammals :

cetaceans *like the* **whale** *which, with "Moby Dick", takes its place in legend :*

« It was not so much his uncommon bulk that so much distinguished him from other **sperm-whales**, but a peculiar snow-white wrinkled forehead, and a high pyramidical white hump. »

(H. Melville)

the dolphin
the porpoise

pinnipeds *such as :*

the walrus
the sea-lion
the seal.

With the **sharks**, *however, we come to the fish.*

They are caught by means of **trawls** *and other* **nets**, *sometimes* **off the coast** *of France,*

çaises, parfois aussi loin que l'Islande ou même Terre-Neuve, célèbre pour ses **bancs de morue**.

Parmi les **poissons de mer**, nous nommerons :

l'aiglefin
l'anchois
le carrelet *ou* plie
le congre
le flétan
le hareng
la limande
la lotte
le maquereau
le merlan
le mulet
la raie
le rouget
la sardine
la sole *et* la sole-limande
le thon
le turbot

etc...

Dans un pays maritime comme l'Angleterre, il est normal que le poisson soit sinon roi, au moins traité comme un prince, le prince des gens affamés qui dévorent les « fish and chips » enveloppés de papier journal et relevés de vinaigre ; le prince des amateurs de clichés et proverbes qui, chez nous, ont recours à d'autres symboles.

Ainsi :

« boire comme un trou »

« avoir d'autres chats à fouetter ».

Chez les uns comme chez les autres, néanmoins, les mécontents, les blasés,

« se retirent dans leur coquille ».

sometimes as far as Iceland or New-Foundland, famous for its **shoals** of **cod**.

Among the **sea-fish** we shall mention :

haddock
anchovy *or* sprat
plaice
conger-eel
halibut
herring
dab
monkfish
mackerel
whiting
grey *or* striped mullet
skate *or* ray
red-mullet
sardine *or* pilchard
sole *and* lemon sole
tunny-fish
turbot

etc...

In a maritime country like England, it is not surprising that the fish is, if not king, at least treated like a prince, the special favourite of those hungry characters who tuck into « fish and chips » wrapped in newspaper and sprinkled with vinegar ; the favourite of those who like clichés and proverbs, which in France make use of different symbols.

Thus :

« to drink like a fish »

« to have other fish to fry ».

In both countries, however, the disgruntled and the disillusioned,

« retire into their shell ».

CHAPITRE 8

VOYAGES AUTOUR DU MONDE

GOING ROUND THE WORLD

I – LA GÉOGRAPHIE

La géographie en chambre peut être un substitut des voyages :

« Quand j'étais petit, j'avais la passion des **cartes** de géographie. Je contemplais pendant des heures l'**Amérique du Sud**, l'**Afrique** ou l'**Australie** et me perdais dans toutes les splendeurs de l'**exploration**. A cette époque, il y avait beaucoup d'**espaces vierges** sur la terre et quand j'en repérais un qui me semblait particulièrement attirant sur la carte, j'y mettais le doigt et disais : « Quand je serai grand, j'irai là ». Le **pôle nord** était l'un de ces endroit, je m'en souviens. »

Un livre de géographie peut suffire à l'étudiant pour s'informer du **climat**, *du* **sol**, *du* **relief** *d'un pays, mais aussi de ses productions (géographie économique), des hommes qui l'habitent (géographie humaine).*

Ainsi, pour l'Amérique du Nord, présentera-t-il les quatre grandes **zones** *de relief,* **bouclier** *canadien, Appalaches, plaine* **sédimentaire** *centrale, montagnes de l'Ouest édifiées aux* **ères secondaire et tertiaire.**

Ainsi parlera-t-il de l'énormité et de la variété des **ressources** *des Etats-Unis avec son* **agriculture mécanisée,** *son* **élevage,** *son utilisation des* **forces motrices** *(houille, pétrole, électricité), et de l'***énergie nucléaire,** *sa production de* **matières premières,** *sa métallurgie et ses* **industries** *de toutes sortes.*

Ainsi évoquera-t-il les problèmes du **peuplement** *:* **indigènes** *qu'il a fallu refouler,* **immigrants** *qu'il a fallu assimiler,* **terres vierges** *qu'il a fallu* **coloniser** *dans une exaltante* **marche** *vers* **l'Ouest,** *question de la*

I – GEOGRAPHY

Armchair geography can be a substitute for travel :

« When I was a little chap I had a passion for **maps**. I would look for hours at **South America**, or **Africa**, or **Australia**, and lose myself in all the glories of **exploration**. At that time, there were many **blank spaces** on the earth, and when I saw one that looked particularly inviting on a map I would put my finger on it and say : « When I am a man I will go there ». The **north pole** was one of those places, I remember. »

(J. Conrad)

A geography book will allow the student to learn all about the **climate**, **soil** *and* **relief** *of a country as well as about its products (economic geography) and the people who inhabit it (human geography).*

Thus, for North America, it will show us the four great relief **divisions**, *the Canadian* **shield**, *the Appalachian Mountains, the Central* **sedimentary** *plain and the mountains of the West, formed in the* **secondary and tertiary epochs**.

It will reveal the vast and varied **resources** *of the United States with its* **mechanised agriculture**, *its* **stock-farming**, *its utilisation of* **power** *(coal, oil, electricity) and of* **nuclear energy**, *its production of* **raw materials**, *its* **metallurgy** *and* **industries** *of every kind.*

It will remind us of the problems of **settlement** *: the* **native population** *that had to be driven back,* **immigrants** *who have had to be assimilated,* **virgin territory** *that had to be settled in a stirring* **drive westward**, *the*

95

ségrégation *sans cesse renaissante,* **villes champignons**.

Mais chacun peut, aussi, aller y voir sur place.

II – LES VOYAGES

A) *RÉTROSPECTIVE DES VOYAGES*

La **marche à pied** *avait ses adeptes qui préféraient aux trépidations d'une voiture les charmes de la flânerie :*

« J'aime à marcher à mon aise, et m'arrêter quand il me plaît. **La vie ambulante** est celle qu'il me faut. »

(J.-J. Rousseau)

Quelques imprudents allaient **à cheval** *:*

« Comme il faisait chaud et que j'avais envoyé mon serviteur en avant, je **chevauchais**, insouciant, à la faveur de l'ombre, lorsque surgirent deux coupe-jarrets ; ils frappèrent mon cheval avec de longs gourdins, se saisirent des **rênes**, me renversèrent, prirent mon épée et me jetèrent dans un épais fourré. »

D'autres plus imprudents encore, **à dos d'âne** *:*

« Durement cahotée sur son âne essoufflé, Dame Pluche gravit la colline ; son **écuyer** transi **gourdine** à tour de bras le pauvre animal, qui hoche la tête, un chardon entre les dents. »

(A. de Musset)

Mais heureusement il exista très tôt des moyens de transport plus rapides et plus confortables : **berlines**, **calèches** *et aussi la* **diligence**, *si pittoresque,* **menée bon train** *par le* **cocher** *et le* **postillon**, *qui s'arrêtait aux différents* **relais** *:*

« Les roues effleurent le sol dur et gelé ; et les chevaux, partant au **galop** au claquement sec du fouet, avancent le long de la route comme si la **charge** qu'ils traînent derrière eux — **voiture**, **passagers**, morue, bourriches d'huîtres et tout le reste — avait la légèreté d'une plume. Les notes joyeuses du bugle du **postillon** résonnent dans l'air froid et pur. »

ever-recurring question of **segregation**, **mushroom towns**.

But you may prefer to go and see for yourself on the spot.

II – TRAVELLING

A) *A LOOK AT TRAVEL IN THE PAST*

Walking *was popular with those who preferred the pleasures of a quiet stroll to the jolting of a carriage :*

« I like to walk quietly along, stopping when I please. **A roving life** is the one for me. »

A few rash spirits travelled **on horse-back** *:*

« The weather being hot, and having sent my man on before, I **rode** negligently under favour of the shade, till two cut-throats started out, and striking with long staves at the horse, and taking hold of the **reins**, threw me down, took my sword and hauled me into a deep thicket. »

(J. Evelyn)

Others, still more imprudent, **on a donkey** *:*

« Jogging painfully up and down on her panting donkey, Dame Pluche climbs the hill ; her **equerry**, perished with cold, **cudgels** the poor animal with all his might ; it shakes its head, a thistle between its teeth.

But luckily faster and more comfortable methods of transport appeared very soon : **berlins**, **light carriages** *and also the picturesque* **stage-coach**, **driven speedily along** *by the* **coach-man** *and the* **postilion**, *stopping at the various* **posting-houses** *:*

« The wheels skim over the hard and frosty ground ; and the horses, bursting into a **canter** at a smart crack of the whip, step along the road as if the **load** behind them, **coach**, **passengers**, cod-fish, oyster-barrels, and all, were but a feather at their heels. The lively notes of the **guard's** keybugle vibrate in the clear cold air. »

(Ch. Dickens)

B) D'HIER À DEMAIN

*Est-il besoin de le dire : de la diligence à
la **fusée interplanétaire**, une véritable révolution s'est opérée. Et, même en restant sur les
routes terrestres, quelle différence entre les
autos d'aujourd'hui et celles de nos pères !*

« Il y avait toujours une partie du mécanisme
qui ne fonctionnait pas ; je me souviens avoir
conduit un invité à la gare et le **frein** à pied,
le frein à main, l'**embrayage**, les **vitesses**, rien
ne marchait ; même le **volant** tournait fou. »

« ... Une dizaine de fois, mon père lança le
volant sans résultat. **Le moteur toussait, râ-
lait**, renaclait sans se décider. Et soudain, il
partit : « tap, tap, tap » et la voiture se mit à
trembler toute entière, avec un bruit de fusil-
lade. »

(G. Duhamel)

*Quelle différence aussi entre le **tortillard**
de jadis :*

« C'était un train composé de vieux **wagons**
démodés et sans couloirs. Il craquait de toute
sa charpente et cliquetait de toutes ses vitres. »

(G. Duhamel)

et le TGV d'aujourd'hui.

*Les **tortillards** ont disparu comme les
tramways qui avaient remplacé, dans les
villes, l'**omnibus à chevaux** et la **chaise à
porteur**. Nous sommes déjà demain.*

B) FROM YESTERDAY TO TOMORROW

*Needless to say, a real revolution has taken
place between the stage-coach and the **interplanetary rocket**. And even if we remain on
the ground, what a difference between to-day's
cars and our fathers' !*

« There was always one part of the mecha-
nism that was not working ; I remember
taking one visitor to the station in it when
neither foot **brake** nor handbrake, **clutch** nor
gears were doing duty, and even the **steer-
ing-wheel** was all loose. »

(J.-B. Priestley)

« ... A dozen times or so my father swung the
starting handle with no result. **The engine
coughed, spluttered, jibbed**, but couldn't
make up its mind. And suddenly it started up,
bang, bang, bang, and the whole car began to
shake, with a noise like rifle fire. »

*What a difference too between the **little
local train** of yesterday :*

« It was a train composed of antiquated **carriages** with no corridor. It creaked through
its whole frame and all its windows rattled. »

and the high speed trains of today.

*The little local railways have gone, along
with the **trams** which, in the towns, had replaced the **horse-drawn omnibus** and **sedan
chair**. Tomorrow is already with us.*

III – LES MOYENS DE TRANSPORT

A) SUR ROUTE

Les CYCLES *ont encore leurs adeptes :*
**motocyclettes
vélomoteurs
bicyclettes.**

III – METHODS OF TRANSPORT

A) ON THE ROAD

CYCLES *still have their enthusiasts :*
**motor-cycles
mopeds
bicycles.**

UNE BICYCLETTE   A BICYCLE

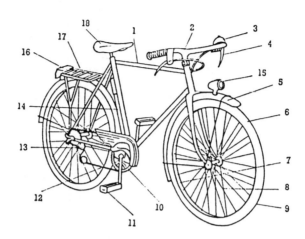

(1) cadre	(1) frame
(2) guidon	(2) handlebars
(3) timbre	(3) bell
(4) freins	(4) brakes
(5) garde-boue	(5) mudguards
(6) roue	(6) wheel
(7) jante	(7) rim
(8) rayons	(8) spokes
(9) pneu, chambre à air	(9) tyre, inner tube
(10) pédalier	(10) crank-gear
(11) pédale	(11) pedal
(12) chaîne	(12) chain
(13) dérailleur	(13) three-speed
(14) pompe	(14) pump
(15) phare	(15) headlamp
(16) sacoche à outils	(16) tool-bag
(17) porte-bagages	(17) carrier
(18) selle.	(18) saddle.

La plupart des hommes veulent avoir une ou plusieurs VOITURES, encore qu'aucun ne s'accorde sur le modèle et la marque idéals ni sur la manière de conduire.

Most men want a car or several CARS even though they cannot agree on the ideal model or make, nor on how to drive.

UNE VOITURE   A CAR

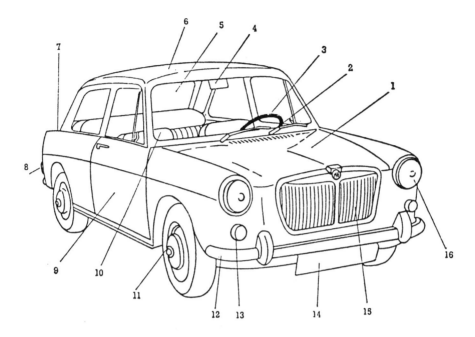

(1)	**capot**	(1)	**bonnet**
(2)	**essuie-glace**	(2)	**windscreen-wipers**
(3)	**volant**	(3)	**steering-wheel**
(4)	**rétroviseur**	(4)	**mirror**
(5)	**pare-brise**	(5)	**windscreen**
(6)	**toit**	(6)	**roof**
(7)	**coffre**	(7)	**boot**
(8)	**feux arrière**	(8)	**rear lights**
(9)	**portière**	(9)	**door**
(10)	**sièges**	(10)	**seats**
(11)	**pneu**	(11)	**tyre**
(12)	**pare-choc**	(12)	**bumper**
(13)	**feux de position**	(13)	**side lights**
(14)	**plaque minéralogique**	(14)	**number plate**
(15)	**calandre**	(15)	**radiator-grill**
(16)	**phares.**	(16)	**headlamps.**

La femme moderne est, elle aussi, motorisée, bien que – d'après les hommes – elle confonde volontiers le **clignotant** *gauche et le droit, ait sur la* **priorité** *et le* **parking** *des idées fantaisistes et ne facilite jamais la* **circulation** :

« Ce n'est pas tant que l'Américaine **conduise** plus mal qu'une autre femme, c'est qu'elle conduit mal avec le plus dangereux

Modern woman too, has become motorized, although according to men, she cannot tell the right hand **blinker** *from the left, and has fantastic notions about* **priority** *and* **parking** *and is a menace to* **traffic** :

« It isn't so much that the American woman **drives** worse than other women, it is that she drives badly with the most dangerous excess

excès de prudence imaginable : hésitante, indécise, respectant dix règlements à la fois pour être certaine de n'en manquer aucun, elle **embouteille** deux rues entières à chaque **carrefour** par manque d'inspiration. Tout cela généralement **à 25 km à l'heure**. »

(P. et R. Gosset)

*Calomnies ? c'est ce que prétend le beau sexe qui n'admet d'incapacité que mécanique et de terreur que celle de la **panne** ou de la **crevaison**.*

« Elle sortit et regarda le pneu morne et informe. Un **cric**, pensa-t-elle, et un **levier** ; des **écrous à dévisser**, des **boulons** et des **clefs anglaises**, des mains sales. Se débattre et lutter. Un **cric hydraulique** peut-être. Mais comment s'en servir ? »

Heureusement que rien n'empêche alors une brève réconciliation avec l'ennemi héréditaire :

« Un jeune homme demanda très poliment s'il pouvait l'aider. "Certainement", dit Nelly en lui souriant gentiment. Et pendant qu'il retirait son veston, se salissait les mains... et finalement **changeait le pneu**, elle lui parla avec tant de charme qu'il en oublia la nature désagréable du travail. »

ou de poursuivre son voyage par le train.

B) *PAR FER*

*Dans le hall de LA GARE, les voyageurs achètent des **billets de 1ʳᵉ ou 2ᵉ classe** aux **guichets**, tandis que ceux qui les accompagnent trouvent des **billets de quai** aux distributeurs automatiques. Les voyageurs peuvent consulter l'**indicateur**, la pancarte précisant la direction, ou se rendre aux **renseignements**. Ils vont ensuite au **buffet** ou dans la **salle d'attente** après avoir acheté des illustrés au **kiosque**.*

*Il n'y a qu'aux gares de grandes villes ou **nœuds ferroviaires** importants que les rapides et les express s'arrêtent. Ils sautent par contre les arrêts secondaires dont la traversée à vive allure distrait ceux qui sont dans le train :*

« Si le train entrait à toute vitesse dans une de ces gares, qu'il sautait, elle se dressait et

of caution imaginable : hesitant, uncertain, obeying ten regulations at once, to be sure of not missing any, at every **cross-roads** she will **jam** two whole streets with cars because she cannot make up her mind. And all this, as a rule, **at about 15 m. p.h.** »

*Slanders ? That is what the fair sex claims. The only lack of skill they will admit to is mechanical, the only fear that of **breakdown** or **puncture**.*

« She got out and looked at the dismal mis-shapen tyre. **Jacks**, she thought, and **levers**. **Nuts to unscrew**, **bolts** and **spanners**, dirty hands. Struggling and wrestling. A **patent hydraulic jack**, perhaps. But how did you use them ? »

(E. Linklater)

Fortunately at such times nothing prevents a brief reconciliation with the hereditary foe :

« A young man asked, very politely, if he could be of assistance. "You can", said Nelly, smiling kindly at him. And while he took off his coat, dirtied his hands... and finally **changed the tyre**, she talked to him with such charm that he forgot the unpleasant nature of his work. »

(E. Linklater)

or prevents her continuing her journey by train.

B) *BY RAIL*

*In THE STATION entrance hall, passengers buy **1st or 3rd class tickets** at the **booking offices**, while those who have come to see them off obtain **platform tickets** from a machine. Passengers can consult the **timetable**, the notice-board indicating the direction, or go to the **inquiry-office**. They next enter the **buffet** or the **waiting-room** after buying magazines at the **station bookstall**.*

*Fast trains and expresses only stop at large towns or big **railway junctions**. Passengers watch with interest as the trains dash through the little stations without stopping :*

« When the train raced into one of these stations where it was not stopping, she would

s'approchait de la portière. Elle écoutait passer les **plaques tournantes**, claquer le joint des **rails**, souffler les murs et les hangars. Elle regardait défiler les **voies de garage**, les réservoirs d'eau, les bâtiments de la gare, les **quais** où s'envolaient les papiers... Elle avait à chaque instant des questions personnelles à régler avec les **disques**, les **signaux**, les sifflets, les enjambements d'**aiguillage**. »

(J. Giono)

On atteint le quai de départ par une **passerelle** *ou, plus souvent, par un* **passage souterrain**. *Il faut parfois se faire aider pour ses* **bagages** :

« Mrs. Mc Gillicuddy s'essoufflait sur le quai dans le sillage d'un **porteur** qui avait sa **valise**.
En outre, Mrs. Mc Gillicuddy était chargée d'une multitude de **colis**. Une voix rauque et cependant distinguée fit une annonce au-dessus de sa tête. "Le train à l'arrêt au quai 3", lui dit la Voix, "est celui de 16 h 50 en direction de Brackhampton"... Mrs. Mc Gillicuddy trouva son billet et le présenta au contrôleur qui le **poinçonna** et murmura : "A droite — **en queue de train**". »

Voici enfin notre voyageur dans le TRAIN. *Il s'installe dans le* **compartiment** *(de fumeurs ou de non fumeurs) où il a réservé, de préférence, une place de coin. Il a posé ses bagages dans le* **filet**, *vérifié la présence de la* **sonnette d'alarme**, *il n'a plus qu'à attendre le départ. La* **locomotive** *électrique ou diesel entraînera bientôt son lot de wagons munis de* **tampons** *et de* **soufflets** *et son* **fourgon** *vers les régions proches et lointaines.*

C) *PAR MER*

Les passagers embarquent ou débarquent dans UN PORT, *composé de divers types de* **bassins** *(bassins de cale sèche, bassin de radoub, etc.) et d'un* **avant-port** *qui se termine par une* **passe** *ou un* **goulet**.

Une ville côtière qui comporte un port est souvent pittoresque, ainsi Cherbourg :

« Avec sa **rade** barrée de son immense **digue** rectiligne, les constructions sévères et régulières de son **arsenal**, ses **cales de radoub**, ses navires de commerce aux **coques** rouges

get up and go to the window, listening as they passed over the **turntables**, to the wheels clattering over joints in the **rails**, walls and sheds swishing past. She would watch the **sidings** slip by, the watertanks, the station buildings, the **platforms** where pieces of paper were sent flying about. At each moment she had personal questions to settle with the **discs**, the **signals**, the whistles, the **points**... »

You reach the departure platform via a **footbridge**, *or, more often, a* **subway**. *You sometimes have to have help with your* **luggage** :

« Mrs. Mc Gillicuddy panted along the platform in the wake of the **porter** carrying her **suitcase**.
In addition, Mrs. Mc Gillicuddy was burdened with a large quantity of **parcels**. A voice, raucous yet refined, burst into speech over her head. "The train standing at Platform 3", the Voice told her, "is the 4.50 for Brackhampton"... Mrs. Mc Gillicuddy found her ticket and presented it. The man **clipped** it, murmured : "On the right — **rear portion**". »

(A. Christie)

At last then, our traveller is in the TRAIN. *He takes his seat in a* **compartment** *(smoking or non-smoking compartment) in which he has reserved a seat, a corner one for preference. He has put his luggage in the* **rack**, *checked that there is a* **communication cord**, *and now has only to wait for the train to start. The* **engine** *(electric or diesel) will soon be pulling, to places near and far, its load of coaches with their* **buffers** *and* **concertina vestibules** *and its* **luggage van**.

C) *BY SEA*

Passengers board ships or disembark in A HARBOUR, *made up of various* **docks** *(dry dock, graving-dock, etc.) and of an* **outer harbour** *culminating in a* **channel** *or* **narrows**.

A coastal town which has a harbour is often picturesque ; take Cherbourg :

« With its **roads** closed by an immense straight **breakwater**, the severe regular buildings of its **arsenal**, its **graving-slips**, its trading ships, their **hulls** painted with red-lead,

101

de minium, aux "châteaux" d'un blanc cru sous le soleil d'avril et ses fumées qui se déroulaient, se déchiraient. »

(P. Vialar)

Dans un port on voit, entrant, sortant, passant parmi les **bouées** *et les* **balises** *ou* **amarrés** *le long des* **jetées** *ou des* **quais**, *des navires de toute espèce, bâtiments de la* MARINE MARCHANDE *surtout :*

**baleinières
caboteurs
chalutiers
charbonniers
dragueurs
navires-ateliers
pétroliers
remorqueurs
vaisseaux-citerne**

où s'affairent, sur le **pont**, *les membres de l'*équipage, *le* **capitaine**, *le* second, *le* **commissaire**, *le* **steward**, *le* **maître d'équipage**, *le* **timonier**, *les* **marins**, *le* **chauffeur**, *etc.*

Dans un port d'embarquement, il n'y a plus guère de NAVIRES DE LIGNE *(paquebots) ou* TRANSATLANTIQUES *avec leurs longues rangées de* **hublots** *et leurs majestueuses* **cheminées** *ni même, au milieu de* **yachts** *et autres* NAVIRES DE PLAISANCE, *de* VOILIERS *(par exemple* **bricks**, **cotres**, **goélettes** *et* **lougres***), ces seigneurs d'hier que tant de pages de la littérature anglaise et française décrivent* **levant l'ancre**, **larguant les amarres**, **mettant à la voile**, **faisant force de voiles**.. *et, par mauvais temps,* **louvoyant**, **réduisant la voilure**, *que sais-je !*

their super-structures harshly white in the April sunshine, its columns of smoke uncoiling and raggedly dispersing. »

In the harbour we can see, entering, leaving, moving along the **buoys** *and the* **beacons**, *or* **moored** *alongside the* **jetties** *and* **quays**, *ships of every kind, particularly ships of the* MERCHANT NAVY :

**whalers
coasters
trawlers
colliers
dredgers
repair-ships
oil-tankers
tugs
tankers**

on which the **crew** *are working busily on the* **deck** : *the* **captain**, *the* **mate**, *the* **purser**, *the* **steward**, *the* **boatswain** [1], *the* **helmsman** *(or* **steersman***), the* **sailors**, *the* **stoker**, *etc.*

In a port of embarcation, there are few PASSENGER SHIPS *and* LINERS *to be seen with their long rows of* **port-holes** *and their majestic* **funnels** *and even among the yachts and* PLEASURE BOATS *it is rarely that you can sight these days any* SAILING SHIPS *(for instance* **brigs**, **cutters**, **schooners** *and* **luggers***), those stately ships of the past which so many pages in English and French literature describe* **weighing anchor**, **casting off the mooring ropes**, **setting sail**, **crowding on all sail**... *and, when the weather was bad,* **bearing to windward**, **shortening sail** *and what not !*

---

(1) Autre orthographe plus phonétique : *bos'n*.

UN VOILIER
À SEC DE VOILE

A SAILING SHIP
UNDER BARE POLES

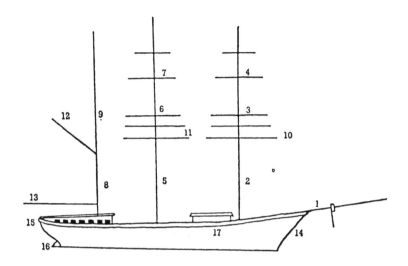

(1) beaupré	(1) bowsprit
(2) mât de misaine	(2) foremast
(3) petit mât de hune	(3) fore-topmast
(4) petit mât de perroquet	(4) fore-top gallant mast
(5) grand mât	(5) main mast
(6) grand mât de hune	(6) main-topmast
(7) grand mât de perroquet	(7) main-top gallant mast
(8) mât d'artimon	(8) mizzen-mast
(9) mât de hune d'artimon	(9) mizzen-topmast
(10) vergue de misaine	(10) fore-yard
(11) grande vergue	(11) main yard
(12) corne de brigantine	(12) spanker-gaff
(13) gui d'artimon	(13) spanker-boom
(14) avant (proue)	(14) bows
(15) arrière (poupe)	(15) stern
(16) gouvernail	(16) rudder
(17) coque.	(17) hull.

Notez aussi quelques **voiles** :

foc (avant)
perroquet
cacatois
hunier
misaine
grand voile
artimon

Note also some **sails** :

jib
top-gallant sail
royal sail
topsail
foresail
main sail
spanker

etc...   etc...

D) PAR AIR

Le passager se rend à l'**aéroport** où, dans le **hall de départ**, l'**hôtesse** lui fournit son billet et **enregistre** ses bagages.

Il attend alors l'appel de son **vol** pour monter à bord (après être passé par la douane s'il s'agit d'un vol international et non **intérieur**), tandis que ses valises sont mises dans la **soute**.

Il s'installe dans l'appareil, attache sa **ceinture de sécurité** et attend que l'avion **décolle** de la **piste d'envol** après le mot de bienvenue du capitaine et de son équipage.

Il n'y a plus de «**point fixe**» et plus d'**hélices**, non seulement les longs **courriers** mais même les moyens utilisent des **avions à réaction**.

Le voyage en avion est rapide, pratique, mais aux yeux de certains il ne va pas sans quelques inconvénients :

« Le voyageur par avion doit supporter de nombreux désagréments : les «**trous d'air**», se lever tôt. Mais il en est un dont on ne peut blâmer personne car il est d'ordre psychologique : on ne profite jamais du plaisir de voyager... on **atterrit** le soir, on décolle avant l'aube, et le seul contact qu'on ait ainsi avec le monde extérieur est un défilé de salles à manger d'hôtel toutes semblables. »

Au fond, malgré tous les perfectionnements techniques, rien ne semble devoir remplacer pour le poète la bonne marche à pied de grand-papa. Mais sait-on jamais ? Et ne verra-t-on pas demain les agences de tourisme organiser des vols interplanétaires pour amoureux en **voyage de noces** ?

D) BY AIR

The passenger goes to the **airport** where, in the **departure-lounge**, a **hostess** issues him a ticket and registers his luggage (**checks him in**).

He then waits for his **flight** to be called to go on board (after going through customs if he is on an international and not a **domestic flight**), while his suitcases are put into the **hold**.

He takes his seat in the plane, fastens his **safety-belt** and waits till the plane **takes off** from the **runway**, after the welcome of the captain and his crew.

There is no more « **revving up** » and **propellers** have disappeared as not only long–hauls but also short-hauls now use **jets**.

Air-travel is speedy, practical, but in some people's eyes it is not without certain disadvantages :

« There are many inconveniences that the air-traveller must suffer : « **bumps** », early rising. But there is one disadvantage for which no one is to blame, since it is purely psychological : you never enjoy the consciousness of travelling... **landing** at night, leaving before dawn, your only contact with the outer world is a procession of similar hotel dining-rooms. »

(R. Wyndham)

At heart, in spite of all the technical improvements, for the poet, nothing seems able to replace a good old fashioned walk. But can we ever be sure ? And shall we not see tomorrow's travel agencies organizing interplanetary flights for the young couple on **honey-moon** ?

B. LES ÊTRES VIVANTS
LIVE BEINGS

CHAPITRE 9

LE PORTRAIT

I – LES TRAITS

A) *FORMES DU VISAGE*

C'est la forme du **visage** *que l'on remarque en premier chez un être :*

Visage **allongé** *et* **gracieux** *comme celui de la duchesse de Langeais :*

« Sa **figure** un peu trop **longue** avait quelque chose de **fin**, de **menu** qui rappelait des figures du Moyen Age. »

(H. de Balzac)

Rond *et faussement* **naïf** *comme celui du jeune Garrigou :*

« Le diable, ce soir-là, avait pris la face ronde et les **traits indécis** [1] du jeune sacristain. »

(A. Daudet)

Pointu *et* **rusé** *à la manière de Scapin :*

« Le Scapin avait une tête de renard, **futée, pointue, narquoise.** »

(Th. Gauthier)

Il existe aussi des visages ovales, carrés ou même en forme de poire, des profils réguliers ou non.

B) *CHEVEUX*

Avec l'harmonie des traits, c'est **la chevelure** *qui attire et retient d'emblée le regard, surtout si elle est* **soyeuse, abondante** *et d'une jolie nuance.*

Depuis Yseult la **blonde**, *les* **cheveux dorés** *ont fait la joie des poètes.*

Les **cheveux châtains** *ont aussi leur charme, bien que l'on prétende parfois que leur couleur est* **terne** *et* **indéfinissable.** *Fielding n'est pas de cet avis :*

« Ses cheveux étaient **châtain foncé** et la nature l'en avait pourvue avec générosité ;

---

(1) *Traits accusés* se dit au contraire : *bold features.*

CHAPTER 9

WHAT PEOPLE LOOK LIKE

I – THE FEATURES

A) *SHAPE OF THE FACE*

The first thing you notice when you see someone is the general shape of the **face** *:*

A **long** *and* **pleasant** *face, like that of the duchess of Langeais :*

« Her **face**, rather too **long**, had something **delicate** about it, something **finely-drawn**, that called to mind the faces of the Middle Ages. »

Round *and deceptively* **ingenuous** *like young Garrigou's :*

« That evening, the devil had assumed the round face and the **soft features** of the young sacristan. »

Sharp-featured *and* **cunning** *after the style of Scapin :*

« Scapin had a fox's face, **astute, pointed, sly.** »

There are also faces which are oval, square or even pear-shaped, profiles that are regular or otherwise.

B) *HAIR*

Together with the harmony of the features, it is **the hair** *that straight away attracts and holds the gaze, especially if it is* **silky, thick** *and a pretty colour.*

Ever since Yseult the **fair**, **golden hair** *has been the delight of poets.*

Brown hair *has its charm too, even though it is claimed at times that its colour is* **dull** *and* **nondescript.** *Fielding is not of this opinion :*

« Her hair was of a **chestnut brown**, and nature had been extremely lavish to her of it ;

elle les faisait tailler et, le dimanche, les portait en boucles dans le cou, à la manière moderne. »

Les **cheveux noirs** *évoquent pour certains tout un monde de parfums exotiques.*

Les **cheveux roux** *sont fort prisés des peintres :*

« Par-dessus la haie, on apercevait son **chignon roux**, flambant dans la lumière.

(M. Tinayre)

Les cheveux sont **drus, épais** *ou* **fins, bouclés, ondulés, frisés, crépus, gonflants, mousseux, ébouriffés** *ou* **plats** *et* **raides** *comme des baguettes de tambour :*

« Ses cheveux étaient collés, serrés sur sa tête, sans une **ondulation**. »

(M. Barrès)

Ils **flottent** *dans le dos, sont* **épars** *ou sagement* **relevés** *:*

« **Elle était coiffée** simplement, les cheveux **ramassés** au sommet de la tête. »

Les petites filles ont parfois des **nattes** *ou des* **tresses** *:*

« J'avais deux longues tresses, sifflantes comme des fouets autour de moi... Elles me servaient de pinceaux à tremper dans l'encre ou la couleur... de lanières à corriger le chien. »

(Colette)

Certains, peu favorisés par la nature, sont **chauves** *:*

« A peine avait-il aux tempes quelques touffes de cheveux rares et déjà gris. »

(V. Hugo)

Ils peuvent heureusement dissimuler leur **calvitie** *en portant une* **perruque** *sur le crâne.*

C) *DÉTAILS DU VISAGE*

Des YEUX, *les portraitistes notent la* **forme** *:*

« Les yeux de l'Abbé de Percy n'étaient pas des yeux ; c'étaient deux petits trous ronds, sans **paupière**, et la prunelle de ce bleu était si disproportionnée et si large, que ce n'était pas l'**orbe** de la **prunelle** qui tournait sur le **blanc** de l'œil, mais la lumière qui faisait une

which she had cut and, on Sundays, used to curl down her neck, in the modern fashion. »

(H. Fielding)

Black hair *conjures up for some people a whole world of exotic perfumes.*

Painters set a high value on **auburn hair** *:*

« Above the hedge, you could see her **red chignon** blazing in the sunlight. »

Hair is **dense, thick** *or* **fine, curly, wavy, frizzy, crimped, fluffed out, fluffy, dishevelled,** *or* **smooth** *and* **straight** *as a poker :*

« His hair was plastered down tight on his head, with not a **wave** in it. »

It **hangs** *down the back, is* **loose,** *or neatly* **put up** *:*

« **Her hair was done** simply, **coiled** on top of her head. »

(D.H. Lawrence)

Little girls sometimes have **pigtails** *or* **plaits** *:*

« I used to have two long plaits, whistling around me like whips... They were useful as brushes to dip into ink or paint, or as lashes to beat the dog. »

Some people whom nature has not treated very kindly, are **bald** *:*

« On the temples, he had just a few strands of hair, sparse and already grey. »

Fortunately they may conceal their **baldness** *by wearing a* **wig** *on their scalp.*

C) *DETAILS OF THE FACE*

Portrait-painters note the **shape** *of the* EYES *:*

« The eyes of the Abbé de Percy were not eyes ; they were two little round holes, with no **eyelids**, and the blue iris was so out of proportion and so enlarged that is was not so much the **circle** of the **pupil** that moved on the **white** of the eye, as light that shifted

perpétuelle et rapide rotation sur les facettes de saphir de ces yeux de lynx. »

(B. d'Aurevilly)

« Ses yeux gris acier étaient si profondément **enfoncés** que les paupières supérieures étaient invisibles ; le regard était particulier : interrogateur et direct, mais prompt à briller tout à coup de **lueurs malicieuses.** »

Il y a également les **yeux en amande** *et les* **yeux à fleur de tête** :

« Sa figure toute ronde s'éclairait de deux gros **yeux en boule de loto**, si **proéminents** qu'à chaque parole ils semblaient prêts à se projeter sur l'interlocuteur. »

(H. de Monfreid)

La **couleur**, *aussi, a son importance ainsi que les* **cils** *et les* **sourcils** [1] *qui mettent les yeux en valeur :*

« Ses yeux étaient **vert clair** sans la moindre trace de **brun**, ombragés de cils noirs abondants et légèrement recourbés aux extrémités. »

« Ses **farouches yeux gris** lançaient des flammes sous deux grands **sourcils broussailleux et saillants.** »

Le NEZ *a les formes les plus diverses suivant le caprice de la nature.*

Le **nez droit** *est l'exception. Certains ne s'en plaignent pas :*

« Un petit nez, délicat et **retroussé**, n'était pas le moindre ornement d'un visage tout aimable. »

(A. Hamilton)

« Il avait le nez **crochu** mais finement dessiné. »

(A. Dumas)

D'autres, par contre, ont été moins bien servis :

« Sa figure plutôt ronde et gaie, s'ornait d'un nez **charnu**, un peu **fendu** à son extrémité comme celui d'un hérisson. »

(P. Mac Orlan)

Le nez peut être également **camus**, **épaté** *ou* **busqué**. *Les* **narines** *sont minces ou larges ;* *l'* **arête du nez**, *fine ou épaisse.*

---

ceaselessly and rapidly on the sapphire facets of those lynx eyes. »

« His iron-grey eyes... were **set in** deep, so that their upper lids were invisible, and had a peculiar questioning directness, apt to change suddenly into **twinkles.** »

(J. Galsworthy)

There are also **almond eyes,** *and* **prominent eyes** :

« His roly-poly face was lit up by two huge, **bulging eyes**, so **protuberant** that at each word they seemed ready to pop out at whomever he was talking to. »

The **colour**, *too, is important, and so are the* **eye-lashes** *and the* **eyebrows** [1] *that heighten the effect of the eyes :*

« Her eyes were **pale green** without a touch of **hazel**, starred with bristly black lashes slightly tilted at the ends. »

(M. Mitchell)

« His **fierce grey eyes** flashed fire from beneath a pair of great, **bushy, beetling eyebrows.** »

(S. Butler)

The NOSE *has extremely varied shapes, according to the whims of nature.*

A **straight nose** *is the exception. Some people do not complain about it :*

« A small nose, delicate and **tiptilted** was not the least ornament of a wholly delightful face. »

« His nose was **hooked** but remarkably thin. »

Others, on the other hand, have been less fortunate :

« His rather round, jolly face was adorned with a **fleshy** nose, a little bit **split** at the tip like a hedgehog's. »

Noses, too, can be **snub, flat** *or* **aquiline.** *Nostrils are thin or wide ;* **the bridge of the nose**, *narrow or broad.*

---

(1) *Arcade sourcilière :* brow ridge.

Les OREILLES *en feuilles de chou ne sont pas inconnues. Il en est, heureusement, de plus poétiques :*

« O quelle prose non pareille
Que d'esprit n'ai-je pas jeté
Dans le dédale duveté
De cette merveilleuse oreille. »

(P. Valéry)

Cauliflower EARS *are not unheard of. Fortunately, there are ears of a more poetic type :*

« Oh what peerless prose
What wit have I not tossed
Into the downy maze
Of that wonderful ear. »

Les JOUES *sont* **fermes, flasques** *ou* **creuses.**

Chez ce personnage :

« Les joues maigres, tendues, sans graisse, dessinaient en relief les méplats vigoureux des **pommettes** et des muscles de la **mâchoire.** »

(M. Van der Meersch)

CHEEKS [1] *are* **firm, flabby** *or* **sunken.**

With this man :

« Hollow, thin cheeks, the skin stretched tight, only served to emphasize the vigorous plant of the **cheekbones** and of the **jaw** muscles. »

Les jeunes enfants sont souvent **joufflus** *et ont des* **fossettes.**

Young children are often **chubby** *and have* **dimples.**

La BOUCHE, *a dit André Prévot, est :*

« Tantôt un bouton de rose ; tantôt une pomme d'arrosoir. »

C'est visiblement la première comparaison que préfère cet autre auteur :

« Son visage n'avait rien d'éthéré ; il était de chair bien vivante et chaude. Et la bouche écarlate en résumait toute la séduction... Pour un jeune homme tant soit peu ardent, ce petit retroussis au milieu de la **lèvre** supérieure était affolant. Jamais il n'avait vu de lèvres et de dents de femme lui rappeler avec cette persistance l'ancienne comparaison élizabéthaine des roses mêlées à la neige. »

The MOUTH, *André Prévot has said, is :*

« Sometimes a rose-bud ; sometimes the rose of a watering-can. »

It is obviously the former comparison which would appeal to this author :

« There was nothing ethereal about her face ; all was real vitality, real warmth, real incarnation. And it was in her mouth that this culminated... To a young man with the least fire in him that little upward lift in the middle of her red top **lip** was distracting. He had never before seen a woman's lips and teeth which forced upon his mind with such persistent iteration the old Elizabethan simile of roses filled with snow. »

(Th. Hardy)

---

(1) Noter qu'au singulier le mot *cheek* a également le sens d'« *aplomb* » :

Il a le toupet de...	*He has the cheek to...*
effronté :	*cheeky.*

*Les **lèvres pincées** sont infiniment moins agréables. Il est vrai que certains ont intérêt à ne pas montrer leurs **dents** ; témoin ce personnage dont son créateur peut dire :*

« Il avait des **dents** désordonnées, ébréchées çà et là comme les créneaux d'une forteresse. »

(V. Hugo)

*La bouche renferme également les **gencives**, le **palais** et la **langue**.*

*Les hommes portent parfois la **moustache** ou la **barbe** :*

« Il portait moustache et barbe en pointe mais n'avait pas de **favoris**. »

Notez aussi :

un visage imberbe
un visage glabre.

LE BAS DU VISAGE :

« Le visage carré s'élargissait vers le bas en un puissant **maxillaire** pesant, largement projeté en avant : un **menton** de statue romaine. »

(M. Van der Meersch)

Notez aussi :

un menton en galoche
un menton fuyant.

*Il y a enfin la **gorge**, la **nuque**, le **cou** :*

« Sur ton **cou** large et rond, sur tes épaules grasses
Ta tête se pavane avec d'étranges grâces. »

(Ch. Baudelaire)

***Pursed lips** are infinitely less pleasing. It is true that some people have good reason for not showing their **teeth** ; witness this character, of whom his creator can say :*

« He had uneven **teeth**, with gaps here and there, like the battlements of a fortress. »

*The mouth encloses also the **gums**, the **palate** and the **tongue**.*

*Men sometimes wear a **moustache** or a **beard** :*

« He wore a moustache and pointed beard but no **whiskers**. »

(A. Bierce)

Note also :

a beardless face
a clean shaven face.

THE LOWER PART OF THE FACE :

« His square face widened lower down to a powerful, heavy **jaw**, jutting forwards boldly : the **chin** of a Roman statue. »

Note also :

an undershot jaw
a receding chin.

*Finally we have the **throat**, the **nape**, the **neck** :*

« Over your tall round **neck** and those plump shoulders
Your head swans forth its pride to all beholders. »

(Trans. Roy Campbell)

II – LA PERSONNE

A) *GÉNÉRALITÉS*

LE CORPS HUMAIN

II – THE PERSON

A) *GENERALITIES*

THE HUMAN BODY

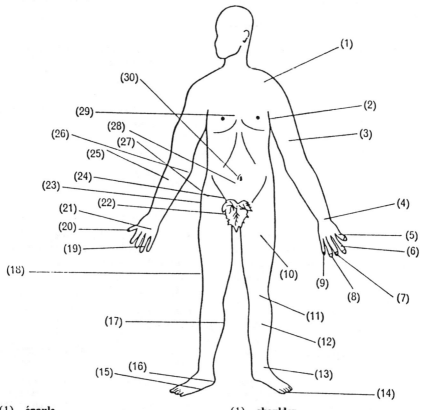

(1) épaule	(1) shoulder
(2) aisselle	(2) arm-pit
(3) bras	(3) arm
(4) poignet	(4) wrist
(5) pouce	(5) thumb
(6) index	(6) fore-finger
(7) médius	(7) middle-finger
(8) annulaire	(8) ring-finger
(9) petit doigt, auriculaire	(9) little-finger
(10) cuisse	(10) thigh
(11) genou	(11) knee
(12) tibia	(12) shin
(13) cheville	(13) ankle
(14) orteils	(14) toes
(15) plante du pied	(15) sole of the foot
(16) talon	(16) heel
(17) mollet	(17) calf

(18)	jambe		(18)	leg
(19)	doigts		(19)	fingers
(20)	ongle		(20)	nail
(21)	paume de la main		(21)	palm of the hand
(22)	feuille de vigne / organes sexuels		(22)	fig-leaf / genitals
(23)	hanche		(23)	hip
(24)	aine		(24)	groin
(25)	avant-bras		(25)	fore-arm
(26)	coude		(26)	elbow
(27)	fesse		(27)	buttock
(28)	ventre *ou* abdomen		(28)	belly *or* abdomen
(29)	poitrine		(29)	chest
(30)	nombril.		(30)	navel.

B) *LE TRONC*

C'est la largeur des **épaules** *qui détermine la* **carrure** :

« Ses épaules partaient d'un **cou de taureau** et moulaient sa chemise en daim si étroitement que le cuir semblait s'être ajusté à elles. La largeur de sa **poitrine** donnait l'impression qu'il retenait un souffle puissant. »

On ne pourrait trouver de contraste plus frappant avec le **gringalet** *que décrit J.-B. Priestley :*

« Il avait les **épaules tombantes** et la poitrine étroite. »

ou ce personnage de Maupassant qui ressemble à un **pantin désarticulé** :

« Quand il s'asseyait on eu dit que toute l'**ossature** de son corps se courbait suivant la forme du fauteuil. Son torse plié devenait tout petit, s'affaissait comme si la **colonne vertébrale** eut été en caoutchouc. »

(G. de Maupassant)

Si l'homme met sa fierté dans l'ampleur de sa **cage thoracique** *et bombe le* **torse** *pour faire saillir ses* **pectoraux**, *la femme veut faire alterner la finesse d'une* **taille de guêpe** *et un* **buste** *avantageux, volonté que servaient bien les crinolines d'antan :*

« La robe moulait parfaitement sa taille de 17 pouces, la plus fine de trois comtés, et le corsage ajusté montrait des **seins** bien développés pour ses seize ans. »

B) *THE TRUNK*

Your **build** *depends chiefly on the breadth of your* **shoulders** :

« His shoulders sloped down from a **bull-like neck**, filled his buckskin hunting shirt so solidly that the leather might have been shrunk to fill them. The breadth of his **chest** gave him the look of holding a deep breath. »

(K. Roberts)

There could not be a more striking contrast than this **weedy little man** *described by J.-B. Priestley :*

« He had **drooping shoulders** and a narrow chest. »

(J.-B. Priestley)

or this character of Maupassant's rather like a **disjointed puppet** :

« When he sat down, it was as if his whole **frame** curved to fit the shape of the armchair. His body doubled up very small, collapsed as if his **spine** were made of rubber. »

Whereas a man prides himself on the size of his **rib-cage** *and expands his* **torso** *to make his* **pectoral muscles** *stand out, women would have a shapely* **bust** *shown to advantage by the slimness of a* **wasp-like waist** − *a wish admirably satisfied by the old-fashioned crinoline :*

« The dress set off to perfection the seventeen-inch waist, the smallest in three countries, and the tightly fitting basque showed **breasts** well matured for her sixteen years. »

(M. Mitchell)

Notez aussi :

la pointe du sein

*Le tronc comporte non seulement la poitrine mais l'**abdomen**, ou **ventre**, que les Anglais, néanmoins, n'appellent jamais qu'«**estomac**».*

Notez aussi :

prendre du ventre

C) *LES MEMBRES*

*Chez les gros et gras une **chair** épaisse recouvre les **os** des membres. Mais il y a aussi les décharnés, les **hâves**, les **chétifs**, les **squelettiques** :*

« A treize ou quatorze ans **il n'avait que la peau et les os** et le haut de ses **bras** n'était pas plus gros que les **poignets** des autres enfants de son âge. »

« Monsieur, **j'ai maigri de vingt livres** ; regardez plutôt mes **mollets**, si on ne dirait pas des bougies. »

(G. Courteline)

*Il ne faut pas néanmoins confondre **maigreur** et **minceur**, l'excès et la qualité :*

« Elle admirait la finesse extraordinaire de ses **chevilles**. Ses poignets et ses chevilles paraissaient presque absurdes tant ils étaient minces, mais Annette en était fière. Elle tortilla un **pied** de-ci de-là, regardant la peau blanche se tendre sur l'os. »

*Les portraitistes ont toujours été attirés par les **jambes** :*

« Ses jambes **croisées** l'une sur l'autre semblaient deux rubans enroulés. »

(G. de Maupassant)

*Par les **mains** aussi, que les **doigts** en soient frêles ou **boudinés**, rudes et abîmés par les travaux du ménage :*

« Des manches de sa camisole rouge dépassaient deux longues mains à **articulations noueuses**. »

(G. Flaubert)

Note also :

the nipple [1] **of a (woman's) breast**
the pap of a (man's) chest.

*The trunk comprises not only the chest but the **abdomen**, or **belly**, which the English never refer to as anything but «**the stomach**».*

Note also :

to develop a corporation.

C) *THE LIMBS*

*With fat people, the **bones** of the limbs are amply covered with **flesh**. But there are emaciated people, the **gaunt**, the **puny**, the **skeleton-thin** !*

« At thirteen or fourteen **he was a mere bag of bones**, with upper **arms** as thick as the **wrists** of other boys of his age. »

(S. Butler)

« Sir, **I have lost twenty pounds** ; just you look at my **calves**, and tell me if they're not exactly like candles. »

*Nevertheless we must distinguish : the attribute of **slimness** carried to excess becomes **thinness** :*

« She was admiring the extraordinary slimness of her **ankles**. Both her wrists and ankles were narrow almost to the point of absurdity ; but Annette was pleased with them. She twisted one **foot** slowly to and fro, watching the stretching of the white skin over the bone. »

(I. Murdoch)

*Portrait-painters have always been attracted by the **legs** :*

« Her legs, **crossed** one over the other, were like two lengths of ribbon intertwined. »

*And by the **hands**, too, whether the **fingers** are delicate or **podgy**, rough and worn from housework :*

« From the sleeves of her red jacket hung down two long hands with big **bony knuckles**. »

---

(1) *tit (téton)* est plus vulgaire.

ou aristocratiques :

« La main des Maletroit était célèbre. Il serait difficile d'imaginer quelque chose qui soit à la fois aussi charnu et d'un **modelé** aussi délicat ; les doigts **effilés** et sensuels évoquaient ceux des femmes peintes par Léonard de Vinci ; la fourche du **pouce** faisait une bosse et des fossettes lorsque la main était fermée. Les **ongles** avaient une forme parfaite et leur blancheur de mort était surprenante. »

or aristocratic :

« The Maletroit hand was famous. It would be difficult to imagine anything at once so fleshy and so delicate in **design** ; the **tapering**, sensual fingers were like those of one of Leonardo's women ; the fork of the **thumb** made a dimpled protuberance when closed ; the **nails** were perfectly shaped, and of a dead, surprising whiteness. »

(R.L. Stevenson)

D) *LA SILHOUETTE*

Thomas Wolfe décrit avec beaucoup de charme la silhouette **gracieuse** *et juvénile de Laura :*

« Elle était faite à ravir : elle évoquait le printemps par sa **ligne** ferme et jeune ; riche de promesses, mince, virginale. »

D) *THE SILHOUETTE (or FIGURE)*

Thomas Wolfe describes with much charm the **graceful** *young figure of Laura :*

« She was exquisitely made : she had the firm young **line** of Spring, budding, slender, virginal. »

(Th. Wolfe)

Mais la silhouette n'est pas toujours aussi **fine** *; le corps est parfois* **déjeté** *ou* **difforme**, *comme celui d'un* **bossu**.

La **taille** *varie selon les races et les individus. Le héros de « Look Homeward Angel » souffre de son allure* **dégingandée** *:*

« On le remarquait de suite, non seulement à cause de ses bévues mais aussi à cause de son grand corps maigre et longiligne, aux jambes en ciseaux qui lui donnaient une démarche bondissante. »

But the figure is not always so **delicate** *: the body is at times* **crooked** *or deformed like that of a* **hunchback**.

Size *varies according to nationality and the individual. The hero of « Look Homeward Angel » is distressed by his* **ungainly** *appearance :*

« He was conspicuous at once, not only because of his blunders, but also because of his great raw length of body, with the bounding scissor legs. »

(Th. Wolfe)

D'autres ont, au contraire, une taille au-dessous de la moyenne :

« Elle était **petite** et **menue**. »

Others, on the contrary, are less than average in size :

« She was **small** and **slight** in person. »

(W.M. Thackeray)

Dans les cas extrêmes l'on trouve :

le géant
le nain.

In extreme cases, you might have :

a giant
a dwarf.

La **corpulence** *doit être en harmonie avec la taille :*

« C'était un homme de **taille moyenne** mais **solidement bâti**. »

One's **corpulence** *should match one's height :*

« He was a man of **medium height** but of **a massive build**. »

(J.B. Priestley)

« C'était un homme de **taille médiocre** mais **vigoureux** et **râblé** comme un vieux loup. »

(B. d'Aurevilly)

« He was **rather on the short side** but **sturdy** and **solid**, like an old wolf. »

Notez également la silhouette **trapue** *et* **ramassée**, *ou le solide* **gaillard bien planté** *sur ses jambes :*

« Cet homme, dont on remarquait le teint coloré et la vigueur, était dans la **force de l'âge**. »

Une femme peut être **rondelette** *ou* **potelée**. *Lorsqu'elle atteint la limite dangereuse, elle devient* **boulotte, forte**, *ou pire encore :*

« Elle était forte et **grasse** et portait des couleurs trop vives pour sa taille. »

Une silhouette **svelte** *ou* **élancée** *est plus élégante, et en peinture, aux* **rondeurs** *des modèles de Renoir a succédé la maigreur des silhouettes de Buffet.*

Le corps est **léger** *ou* **lourd** ; *les mouvements sont* **souples** *ou* **gauches**.

Notez aussi :

avoir de la prestance

La **démarche**, *enfin, importe fort. C'était au moins l'avis de Balzac qui en écrivit une* « *Théorie* » *(1846).*

Note also the **stocky, thickset** *figure, or the well built,* **hefty fellow, firmly braced** *on his two feet :*

« He was a man beautifully ruddy and burly in **the prime of life**. »

(D.H. Lawrence)

A woman may be **plump** *or* **chubby**. *When she reaches the dangerous stage, she becomes* **dumpy, stout**, *or worse still :*

« She was large and **fat**, and she wore colours too bright for her size. »

(H. Walpole)

A **slim, slender** *figure is more elegant, and in painting, the* **curves** *of Renoir's models have given way to the spare figures of Buffet's women.*

The body is **light** *or* **heavy** : *movements are* **easy** *or* **awkward**.

Note also :

to have a presence
to have a bearing.

The **gait** *is extremely important. At least, that was Balzac's opinion ; in 1846, he wrote a* « *Theory* » *of it.*

III — LA BEAUTÉ ET SES SOINS

A) *BEAUTÉ ET LAIDEUR*

L'éclat du **teint** *contribue à la beauté du visage :*

« Les étoiles pâliraient devant l'éclat de sa joue
Tout comme une lampe pâlit devant l'éclat du jour. »

A noter le teint **vermeil, nacré, olivâtre, doré, hâlé, basané**.

Certains sont moins gâtés par la nature :
« Son visage était tout **couvert de taches de rousseur** et grêlé par la **petite vérole**. »

Notez aussi :
un grain de beauté
une verrue.

III — BEAUTY AND BEAUTY CULTURE

A) *BEAUTY AND UGLINESS*

A dazzling **complexion** *is a part of the beauty of the face :*

« The brightness of her cheek would shame those stars
As daylight doth a lamp. »

(W. Shakespeare)

Note the complexion colours, **rosy, pearly, olive, golden-brown, sunburned, suntanned**.

Some folk are less pampered by nature :
« His face was heavily **freckled** and **pitted** by the **small-pox**. »

(R.L. Stevenson)

Note also :

a beauty spot, a mole
a wart.

La **carnation de la peau** *est tout aussi importante que le teint :*

« Dans le fouillis poussiéreux de la pièce, la carnation égale et très **pâle** de ses bras et de sa gorge suggérait à l'œil une matière extraordinairement précieuse, **radiante** comme la robe blanche d'une femme dans un jardin. »

(J. Gracq)

Notez aussi :

le grain de la peau.

Teint et carnation sont, pourtant, sans doute plus des éléments de **joliesse** *que de beauté.*

La **beauté**, *difficile à définir, est aussi affaire de* **grâce**, *indéfinissable et subtile. Et la grâce découle de l'***harmonie** *des lignes du corps tout autant que du visage.*

*Une femme est rarement, d'ailleurs, « ni tellement belle qu'elle tue, ni tellement laide qu'elle épouvante ». Vaste est la gamme, de « moyennement laide » à « adorable » et le « ***sex-appeal*** » compense bien des choses...*

The **colouring of the skin** *elsewhere is as important as on the face :*

« Among the dusty clutter in the room the even-toned, **pallid** skin of her arms and throat suggested to the gaze something extraordinarily precious, something **luminous**, like a woman's white dress in a garden. »

Note also :

the texture of the skin.

The complexion and colour of the skin are, however, probably characteristics of **prettiness** *rather than of beauty.*

Beauty, *which is so difficult to define, is a matter of* **grace**, *indefinable, subtle. And grace lies in the* **harmony** *of the lines of the body as much as of the face.*

Anyway a woman is rarely « fatally beautiful nor appallingly ugly ». From « rather plain » to « adorable », the gradations are infinite, and **sex-appeal** *makes up for a lot...*

B) *SOINS*

Et puis la beauté est aussi artifice. Combien une femme doit au COIFFEUR, *par exemple !*

« Sa **queue de cheval** était taillée par le meilleur **coiffeur** de la ville. »

Le coiffeur **fait une coupe**, *un* **effilage**, *une* **permanente**, *une* **mise en plis**, *ou* **donne** *simplement un* **coup de peigne**, *et* **laque** *les cheveux.*

Une **teinture** *ou une* **décoloration** *permettent de dissimuler les cheveux blancs et de changer la couleur des cheveux.*

Un **rinçage**, *des* **reflets**, *un* **shampooing colorant** *ou un* **balayage** *donnent de l'éclat à des cheveux ternes.*

Et l'on peut, chez soi, prolonger les efforts de l'artiste. Hier, c'étaient les **papillotes**, *les* **bigoudis** *et le* **fer à friser** *:*

« Le matin, elle est tout en papillotes comme un porc-épic, l'après-midi, tout en **boucles**,

B) *BEAUTY CARE*

And then beauty moreover can be contrived. How much a woman owes to her HAIRDRESSER, *for example !*

« Her **pony-trim** was shaped by the best **barber** in town. »

(G. Greene)

The hairdresser **cuts**, **tapers the hair**, *gives a* **perm**, *a* **set** *or simply* **gives the hair a comb-through**, *and* **lacquers** *it.*

Dyeing *or* **bleaching** make it possible to conceal grey hairs and to alter the colour of the hair.

A rinse, **tinting**, *a* **colour rinse** *or* **highlighting** *give lustre to dull hair.*

And one may continue the work of the hair-stylist in one's own home. At one time, it was **curl-papers**, **haircurlers** *and* **curling tongs** *:*

« She is all curl-papers in the morning, like a porcupine, all **curls** in the afternoon, like a

comme un caniche ; elle a plus de volants que de papillotes et plus d'amoureux que de boucles. »

Aujourd'hui les **rouleaux** *et les* **pinces** *ou, tout simplement, un* **brushing**.

La mode, en matière de coiffure masculine a aussi évolué. La **nuque bien dégagée** *a passé puis est revenue. Cheveux longs ou* **coupes en brosse**, *peu importe !*

Pour le soin des mains, il y a la MANUCURE. *Elle enlève les peaux,* **lime** *les ongles, les* **polit**, *met une couche de* **vernis** *incolore, vif ou nacré.*

Les ESTHÉTICIENNES *veillent à la santé de la peau et à la beauté du corps. Elles fabriquent ou vendent la gamme infinie des* **produits de beauté**, *« puissances* **cosmétiques** », *comme dit Pope,* **crèmes** *de protection,* **tonique**, *crèmes de soins pour nourrir la peau ; les* **maquillages** : *crèmes de base,* **fond de teint, rouge à joues, rouge à lèvres**, *tout l'attirail des rites du matin chez les membres du beau sexe :*

« Elle s'asseyait devant sa toilette, et, avec une tension de pensée aussi ardente que pour la prière, elle maniait les **poudres**, les pâtes, les **crayons**, les **houppes** et les **brosses** qui lui refaisaient une beauté de plâtre, quotidienne et fragile. »

(G. de Maupassant)

et parfois même chez les vieux beaux :

« Il passait dix minutes trois fois par semaine à **effiler ses sourcils** avec une **pince**. ("Je les effile, William ; je ne les **épile** pas ; c'est là un raffinement féminin que je déteste.")... Et puis il y avait le **massage** profond de ses joues avec de la crème (sept ou huit minutes). »

Et il faut aussi mentionner les diverses **lotions, eaux de toilette, eau de Cologne, désodorisants**, *etc.*

Dans les **instituts de beauté**, *les esthéticiennes appliquent les traitements les plus divers, de la* **désincrustation** *de la peau pour enlever les* **points noirs** *aux* **vibro-massages** :

« Grondant et sifflant, quatre-vingts **vibromasseurs** pétrissaient et aspiraient simulta-

poodle, with more flounces than curl-papers, and more lovers than curls. »

(M. Mitford)

Today **rollers** *and* **clips** *or just a* **blow-dry**.

Men's hair fashions have changed too. The **short back-and-sides** *went out, but has come back. Flowing locks or* **brush-cut**, *anything goes.*

To have your hands attended to there is the MANICURIST. *She removes loose skin,* **files** *the nails,* **polishes** *them, puts a layer of colourless (natural), vivid or pearly* **varnish**.

BEAUTY SPECIALISTS *look after the health of the skin and the beauty of the body. They manufacture or sell an endless range of* **beauty products**, *« the* **cosmetic** *powers » as Pope has it : protective* **creams, tonic water**, *beauty cream that nourishes the skin ; all the varieties of* **make-up** : **foundation cream, powder base, rouge, lip-stick**, *all the paraphernalia needed for a woman's morning ceremony :*

« She would sit in front of her dressing table and, with a concentration of thought intent as if in prayer, her hands moved among the **powders**, the pastes, the **pencils**, the **powder puffs** and the **brushes**, that created a mask of beauty, renewed each day, fragile. »

and sometimes for the ageing dandy's :

« He spent ten minutes three times a week in **thinning his eyebrows** with a pair of **pincers**. ("Thinning, William ; not **plucking**. That's a piece of effeminacy which I abhor.")... And then there was a thorough **manipulation** of his cheeks with face cream (seven or eight minutes). »

(Ch. Isherwood)

And we must include a number of **lotions, toilet waters, eau de Cologne, deodorants**, *etc.*

In the **beauty-parlours**, *the beauty specialists apply the most varied treatments from the* **cleansing** *of the skin to remove* **blackheads** *to vibrovacuum massages :*

« Rumbling and hissing, eighty **vibrovacuum massage machines** were simultaneously

nément la chair ferme et dorée de quatre-vingts magnifiques spécimens féminins. »

Et si quelqu'un ne parvient toujours pas à réparer des ans l'irréparable outrage, il y a, en dernier recours, la CHIRURGIE ESTHÉTIQUE. *Plus de* **poches** *sous les yeux, plus de* **rides** *récalcitrantes. Plus de* **faciès chevalins**, *plus de* **chairs flasques**... *Mais est-ce prudent ? On l'a dit :*

« La laideur a ceci de supérieur à la beauté (naturelle ou contrefaite), elle dure. »

(Daniel Mussy)

kneading and sucking the firm and sunburnt flesh of eighty superb female specimens. »

(A. Huxley)

And should someone yet fail in succeeding to repair the irreparable depredations of time, there is, in the last resort, PLASTIC SURGERY. *No more* **bags** *under the eyes, no more obstinate* **wrinkles**. *Goodbye then to the* **horsy features**, *the* **sagging flesh**... *But is this wise ? It has been said :*

« Ugliness has a quality which beauty (natural or artificial) lacks ; it lasts. »

CHAPITRE 10

LE COSTUME

WHAT PEOPLE WEAR

I – LE VÊTEMENT FÉMININ

I – WOMEN'S CLOTHES

A) *SOUS-VÊTEMENTS*

A) *UNDERWEAR*

Les sous-vêtements féminins comprennent ou comprenaient le **soutien-gorge***, le* **bustier** *ou le* **balconnet** *; la* **gaine** *ou le* **combiné** *; la* **guêpière** *que l'on portait sous les robes du soir ; le* **porte-jarretelles** *; le* **corset***.*

Women's underwear includes or used to include **bra(ssiere)***, strapless* [1] **brassiere***, or* **half-cup bra** *; girdle or* **corselette** *;* **waspie** *worn under evening dresses ;* **suspender-belt** *;* **stays** *(obsolete :* **stomacher***).*

La **lingerie** *comporte aussi la* **culotte** *ou le* **slip** *; la* **combinaison** *; le* **dessous de robe** *ou le* **jupon** *:*

Undies *also include* **knickers (panties)** *or* **briefs** *; the* **slip***, the* **underskirt** *or the* **petti-coat** *:*

Les femmes peuvent porter des **bas***, avec ou sans coutures, ou des* **collants***.*

Women may wear **stockings** *with or without seams or* **tights***.*

Notez aussi :

Note also :

mon bas file
j'ai fait une échelle à mon bas.

my stocking's laddered
I've got a ladder (run) in my stocking.

Avec un **pantalon** *ou un* **jean***, elles peuvent préférer des* **chaussettes** *ou des* **socquettes***.*

With **trousers** *or* **jeans***, they may prefer* **socks** *or* **ankle-socks***.*

Le matin, elles mettent une **robe de chambre***, un* **peignoir** *ou un* **deshabillé** *sur leur* **chemise de nuit***.*

In the morning, women slip a **dressing-gown***, a* **house-coat** *or a* **wrapper** *over their* **night-dresses***.*

B) *VÊTEMENTS*

B) *CLOTHES (or GARMENTS)*

Dans la journée, la TENUE DE VILLE *comporte des vêtements pratiques : un* **man-teau***, un* **trois-quarts***, une* **veste** *ou un* **im-perméable***. L'on sacrifie parfois l'élégance au confort. Au* **tailleur** *sport, accompagné d'un* **chemisier** *ou d'un* **pull-over***, l'on peut préférer un* **ensemble en tricot***, plus douillet, une* **robe chemisier** *en lainage ou tout simplement un* **pantalon** *ou une* **jupe** *et une blouse :*

During the daytime, for TOWN-WEAR *sensible clothes are selected : a* **coat***, a* **three-quarter-length** *coat, a* **jacket***, or a* **raincoat***. Sometimes smartness is sacrified for the sake of comfort. In preference to the casual* **suit***, worn with a* **shirt blouse** *or a* **jumper***, you might like the softer* **knitted ensemble***, a woollen* **shirt dress** *or quite simply,* **slacks** *or a* **blouse** *and* **skirt** *:*

« Elle portait une blouse de soie rose et une **jupe plissée** blanche très courte. »

« She wore a pink silk blouse and a very short **pleated** white **skirt**. »

(Ch. Isherwood)

Il existe des **jupes droites** *avec une fente, un* **pli** *creux, ou un pli couché ; des jupes rondes, en forme,* **à** **fronces***, à godets ou à* **volants***.*

There are **straight skirts** *with a slit, an inverted* **pleat***, or skirts with flat pleats ; full skirts, gored skirts,* **gathered***, flared skirts, skirts with* **frills***.*

---

(1) *Bretelle* de soutien-gorge, combinaison, etc. : *strap.* Brettelles de pantalon : *braces.*

La **blouse** *est en* **crêpe**, *en* **foulard**, *en* **voile**.

*Notez aussi que « blouse » peut avoir le sens de « **tablier** ».*

L'été, les robes sont en **coton** *imprimé, en* **toile**, *en* **popeline**, *en* **mousseline** *ou en* **nylon**.

« Elle avait un **fichu** de fine mousseline blanche **croisé** par devant sur une robe du même tissu vaporeux, garnie de rose foncé. Elle tenait une **ombrelle** [1] de soie grise, aux bords soulignés de plantes grimpantes vertes... »

L'on ferme une robe grâce à des **boutons**, *des* **boutons-pressions**, *des* **agrafes** *ou une* **fermeture éclair**.

L'on met parfois des **épaulettes** *ou des* **dessous de bras**.

A l'heure du thé ou du COCKTAIL, *l'on peut porter un* **deux-pièces** *ou un* **fourreau décolleté**.

Le SOIR, *la robe de dîner courte était de rigueur, ou la* **robe de soirée** *longue et somptueuse en* **velours**, *en* **faille**, *en* **dentelle**, *en* **tulle**, *en* **satin** *uni ou broché, en* **lamé**, *avec une* **étole** *ou une* **cape de fourrure**.

L'essentiel était que le style de la robe fût en harmonie avec la personnalité :

« Elle ne choisissait pas les vêtements de coupe masculine qui eussent convenu à son allure martiale. Son **manteau de vison**, digne d'une reine, ses perles, sa robe de dîner en **taffetas**, lui donnaient l'air d'être **travestie**, presque comme si le solide capitaine d'une canonnière s'était présenté **déguisé** en riche femme du monde. »

Non seulement l'héroïne de T. Williams n'a **aucun chic**, *mais elle est ridicule.*

Le STYLE ET L'ENTRETIEN DU VÊTEMENT *importent grandement. Une femme de goût préfère une toilette* **sobre** *et* **raffinée** *à une élégance* **tapageuse** ; *les couleurs* **discrètes** *aux couleurs* **voyantes**.

Elle s'habille chez un **grand couturier**, *une maison de* **prêt-à-porter** *ou chez une* **couturière** *qui s'inspire des* **gravures de**

The **blouse** *is made of* **crepe**, **silk** *or* **voile**.

*Note also that the French « blouse » can have the meaning of « **overall** ».*

In summer, dresses are of printed **cotton**, **linen**, **poplin**, **muslin** *or* **nylon**.

« She wore a **fichu** of thin white muslin **crossed** in front of a dress of the same light stuff, trimmed with deep rose. She carried a grey-silk **parasol** [1], traced at the borders with green creepers... »

(G. Meredith)

Dresses are fastened by means of **buttons**, **snap-fasteners**, **hooks** *(and eyes) or a* **zip fastener**.

You sometimes put **shoulder pads** *or* **dress shields** *in a dress.*

At tea-time, or for COCKTAILS, *you might wear a* **two-piece** *or a low necked* **sheath**.

In the EVENING, *a short dinner dress used to be a must, or a long, rich-looking* **evening dress** *in* **velvet**, **faille**, **lace**, **tulle**, *in plain or figured* **satin**, *in* **lamé**, *with a* **stole** *or a* **fur cape**.

The important thing was that the style of the dress should suit the personality :

« She did not choose to wear the tailored clothes that would be congruous with her military bearing ; the queenly **mink coat** that she wore, the pearls and the **taffeta** dinner gown gave her a rather **travestied** appearance, almost as though the burly commander of a gunboat had presented himself **in the disguise** of a wealthy club-woman. »

(T. Williams)

Not only is T. William's heroine **not smart**, *she is ridiculous.*

STYLE AND THE CARE OF CLOTHES *are of great importance. A woman of taste prefers her clothes* **sober** *and* **refined**, *rather than* **loud** *though elegant ;* **discreet** *colours, rather than* **showy** *ones.*

She gets her clothes from the **big fashion houses** *or* **ready-made** *or from a* **dress-maker** *who takes her inspiration from the* **fashion**

---

(1) *Ombrelle*, aussi : *sunshade*.

122

mode... *ou elle peut travailler elle-même selon* un **patron**.

Un modèle **vieillot** *ou* **démodé** *ne convient pas à une jeune femme* **coquette**. *Elle choisit une façon* **seyante** *et un* **tissu** *qui ne se chiffonne pas.* Plusieurs **essayages** *sont nécessaires lorsque la couturière doit faire des* **retouches** : **ceintrer** *la robe ou l'élargir.* On *laisse un* **ourlet** *à la robe et l'on* **double** *les jupes.*

Lorsqu'un vêtement est **usagé** *mais non* **élimé** *on le* **raccommode**. *L'on met une* **pièce** *ou l'on* **fait une reprise**. *C'est alors qu'une* **machine à coudre** *est précieuse !*

plates... *or she can make her clothes herself from a* **pattern**.

An **out-of-date** *or* **old-fashioned** *style does not suit on* **attractive** *young woman. She chooses a* **becoming** *style and uncrushable* **material**. *Several* **fittings** *are necessary when the dress-maker has to make some* **alterations** : **take the dress in** *or* **let it out**. *A* **hem** *is left in a dress, and skirts are* **lined**.

When a garment is **worn** *but not* **worn out**, *it is* **mended**. *You* **patch** *or you* **darn** *it. That's when a* **sewing-machine** *is invaluable !*

A propos de :	**« COUDRE »** **« COUTURE »**, etc... *Notez*
coudre un bouton	to sew a button on
coudre *(piquer)*	to stitch
coudre une plaie	to sew up a wound
coudre un vêtement à gros points, bâtir	to tack a garment
raccommoder	to mend
rapiécer	to patch
repriser	to darn
la couture *(sens général)*	sewing, needlework
une couture	a seam
sans couture	seamless
	(*attention à* seamy : *cf.* the seamy side of life : l'envers, les dessous, le vilain côté)
couturier *(grand)*	dress designer
couturière	dress-maker
couturière *(ouvrière)*	seamstress
modiste	milliner
tailleur	tailor
	Notez aussi :
broder	to embroider
broderie	embroidery, fancy work
faire du crochet	to crochet
filer	to spin
machine à filer le coton	spinning jenny
ourler	to hem
tisser	to weave
métier à tisser	weaving loom
tricoter	to knit

C) *ACCESSOIRES ET PARURES*

Le CHAPEAU *complète la toilette.*

Le **béret** *a une allure plus « sport ». La* **toque** *se porte en hiver ; elle est généralement en fourrure.*

C) *ACCESSORIES AND ORNAMENTS*

A HAT *completes the outfit.*

The **beret** *has a more « sporty » look. The* **toque** *is worn in winter ; it is usually made of fur.*

123

Dans les provinces, quand elles se remettent en costume local, les femmes portent encore parfois le **béguin**, la **coiffe** ou le **bonnet**.

Il ne faut pas négliger non plus LES CHAUSSURES en **daim**, en **box** ou en **vernis** :

« Ses pieds étaient compressés dans des souliers dont les **talons** étaient démesurément hauts ; il en sortait des coussinets de chair gainée de soie. »

L'hiver, les femmes portent des **bottes** ou des **botillons** ; à la maison, des **mules** ou des **pantoufles**.

Il y a enfin LE SAC qui renferme le porte-monnaie ou le portefeuille ; la **pochette** ou le **manchon** ; les **gants** ; le **foulard** ou l'**écharpe** ; le **parapluie**. Le parapluie pliant est pratique pour le voyage.

Si LES BIJOUX détonnent sur une femme laide, ils mettent en valeur l'éclat d'une jolie femme.

Les **perles** ont infiniment de grâce et de douceur. Il y a les **perles fines** et les **perles de culture**.

L'**argent** est apprécié mais surtout les **pierres précieuses** :

« Toute jeune, elle s'était mis dans la tête de faire collection de pierres précieuses : **diamants, saphirs, émeraudes, améthystes et rubis**. »

Le diamant est **brut** ou **taillé**. Parmi les autres pierres, les plus connues sont :

le **jade**
l'**opale**
la **topaze**
la **turquoise**.

Les pierres sont **véritables** ou **fausses**. L'**or** est **serti** de pierres précieuses :

« Les feuilles d'or furent serties de **pierreries** d'un vert accentué et précis. »

(K. Huysmans)

Une femme porte un **collier**, une **rivière de diamants**, un **pendentif**, un **bracelet**, une **gourmette**, un **clip**, une **barrette** ou une **bro-**

In the provinces, when in local costume, the women still sometimes wear the **beguin** (little bonnet), the **coiffe** or a **bonnet**.

THE SHOES must not be forgotten either ; in **suede**, **calf** or **patent leather** :

« Her feet were jammed into absurdly small high-**heeled** shoes, out of which bulged pads of silk-stockinged flesh. »

(Ch. Isherwood)

In winter, women wear **(high) boots** or **ankle-boots** ; in the house, **mules** or **slippers**.

Then there is THE HAND-BAG which holds the purse or note-case ; the **pochette** or the **muff** ; the **gloves** ; the **square** or the **scarf** ; the **umbrella**. A folding umbrella is handy for travelling.

JEWELRY may be out of place on a plain woman, but they enhance the radiance of a pretty one.

Pearls have a wonderful satin grace. There are **genuine pearls** and **cultured pearls**.

Women value **silver** but **precious stones** much more :

« She had taken it into her head at an early age to collect precious stones : **diamonds, sapphires, emeralds, amethysts and rubies**. »

(I. Murdoch)

The diamond is **uncut** or **cut**. Among the other stones, the best known are :

jade
opal
topaz
turquoise.

Stones are **genuine** or **imitation**. **Gold** is **set** with precious stones :

« Leaves of gold were set with **stones** of a vivid, clear green. »

A woman will wear a **necklace**, a diamond **riviere**, a **pendant**, a **bracelet**, a **curb-bracelet**, a **clip**, **pin** or **brooch** ; ear-rings, either

che ; des **boucles** ou des **pendants d'oreille** ; une **bague** ou un **solitaire**.

Notez aussi :

le chaton d'une bague
une alliance
une chevalière.

II − LE VÊTEMENT MASCULIN

A) *VARIATIONS SELON L'ÂGE*

Au commencement étaient les **couches**, *les* **langes**, *les* **bavoirs**, *les* **barboteuses**, *les* **bonnets**, *les* **burnous**.

Puis vint l'enfance qui ne parait pas si loin :

« Trente-trois ans déjà ! Pourtant c'était bien hier que, vêtu d'un **tablier noir**, les **chaussettes** mal tirées sur des mollets maigres, il se glissait dans la rue. »

(G. Duhamel)

Et la gloire des vingt ans où chacun est :

« Le type même de l'élégant **tiré à quatre épingles**. Ce **costume** gris-clair, cette **cravate** lavande, ces chaussures où alternent le chevreau et le cuir verni − magnifique ! »

Avec l'âge mûr, la cravate perd volontiers sa couleur lavande, elle n'en garde pas moins son prestige :

« Faire impeccablement son nœud de cravate ne peut, sans doute, se mettre sur le même rang, comme signe d'élégance, que l'art de manier avec adresse une **canne** en bois marbré ; mais les cravates ont quand même leur petite importance... Chaque cercle, chaque association se fait un devoir d'avoir la sienne. »

A moins d'être détrônée par le **nœud papillon**. *Mais en voilà assez sur la cravate ! L'élégant d'âge respectable a, en effet, à toutes les époques, d'autres cordes à son arc. Ainsi le commandant Pendennis :*

« Le commandant faisait invariablement son apparition, chaussé des **bottes** les mieux cirées de tout Londres, arborant une **régate**, **à carreaux**, qui restait toujours impeccable jusqu'à l'heure du dîner, portant un **gilet chamois** dont les boutons étaient ornés de la

studs or **drop ear-rings** ; a **ring** or a diamond **solitaire ring**.

Note also :

the setting of a ring
a wedding ring
a signet ring.

II − MEN'S CLOTHES

A) *VARIATIONS ACCORDING TO AGE*

In the beginning were **napkins**, **baby-clothes** *(obsolete : swaddling clothes)*, **feeders**, **rompers**, **bonnets** *and* **hooded cloaks**.

Then childhood which doesn't seem so long ago :

« Already thirty three ! Was it not only yesterday, though, that, in a **black pinafore**, with his **socks** sagging on his skinny calves, he would slip out into the street. »

And then to be in the wonderful twenties, when every man is :

« A model of **dapper** elegance. That pale-grey **suit**, that lavender-coloured **tie**, those piebald shoes of white kid and patent leather − marvellous ! »

(A. Huxley)

With middle age, the tie is quite ready to leave the lavender colour behind ; it nevertheless remains an important item :

« The faultless tying of a tie may not rank as a mark of elegance with the nice conduct of a clouded **cane**, but ties have an importance of their own... Every club and society must have one. »

(The Times)

Unless it is dethroned by the **bow tie**. *But that's enough about ties ! Indeed the smartly dressed man of middle age has, in every century, other strings to his bow. Thus Major Pendennis :*

« The major invariably made his appearance in the best blacked **boots** in all London, with a **checked** morning **cravat** that never was rumpled until dinner time, a **buff waistcoat** which bore the crown of his sovereign on the buttons, and **linen** so spotless that

couronne royale et du **linge** si immaculé que M. Brummel lui-même avait demandé l'adresse de sa **blanchisseuse**. »

Voilà quelqu'un, en tout cas, qui n'aurait jamais sacrifié à la mode de la **machine à laver** *ou de la* **confection** *— pour ne pas parler des* **vêtements** *« sports » ou du* **débraillé**... *Autres temps, autres mœurs ?*

B) *VARIATIONS SELON LE LIEU ET L'HEURE*

« Le jeudi 12 août à 7 h 30 du matin... après s'être rasé et avoir passé une **chemisette** bleu foncé de coton à longue soie et un **pantalon** de colonial **en peigné** bleu-marine, James Bond glissa ses pieds nus dans des **sandales** de cuir noir. »

Mr. Brummel himself asked the name of his **laundress**. »

(W.M. Thackeray)

There is a man, at all events, who would never have conformed to the fashion of **washing-machines** *and* **ready-made clothes** *— much less to the fashion of* **leisure wear** *or* **untidy dress**... *Other days, other ways ?*

B) *VARIATIONS ACCORDING TO TIME AND PLACE*

« At 7.30 on the morning of Thursday August 12th... after shaving and putting on a sleeveless dark blue Sea Island cotton **shirt** and navy blue tropical **worsted trousers**, James Bond slipped his bare feet into black leather **sandals**. »

(I. Fleming)

A propos de :	« SLEEVE » « MANCHE » *Notez*
manche de vêtement	**sleeve**
être en manche de chemise	**to be in one's shirt sleeves**
manche d'aviron	**loom**
manche à balai *(maison)*	**broom-stick**
manche à balai *(avion)*	**joy-stick**
manche de parapluie	**stick of umbrella**
manche de charrue	**stilt**
manche d'épée	**half**
manche de fouet	**stock**
manche de hache	**helve**
manche d'outil	**handle**
manche de violon	**neck**
la Manche	**the (English) Channel**
c'est une autre paire	**that is another story**
de manches	**that's another kettle of fish !**
manchettes *(de chemise)*	**cuffs** (hand-cuffs : menottes)
manchettes *(de journal)*	**headlines**
manchon	**muff**
manchot *(homme)*	**a one-armed man**
manchot *(animal)*	**penguin**

Le commun des mortels n'adopte une telle tenue qu'en vacances, période aussi du **short**, *des* **chemises-polo** *ou, pour sortir, du* **blazer** *sombre et du pantalon de* **flanelle** *grise, à moins que leur sport favori ne les incite à enfiler la* **culotte de cheval** *ou le* **pantalon de golf**...

The ordinary mortal wears clothes like that only when on holiday, which is also the time for **shorts**, **polo-neck shirts** *or, when he goes out, the dark* **blazer** *and grey* **flannel** *trousers unless his favourite sport leads him to put on* **riding breeches** *or* **plusfours**...

126

At 7 h 30, M. Dupont a toutes les chances d'être en **caleçon** et **maillot de corps**. Dans un instant, il attachera ses **boutons de manchettes** et le **bouton de son col**, bouclera sa **ceinture** ou passera ses **bretelles**, lacera ses chaussures, brossera son **veston croisé ou droit** (particulièrement les **revers** et les épaules, terrain de chute des pellicules et poussières diverses), jettera un œil critique sur le **pli de son pantalon** trop souvent en tire-bouchon, mettra son **écharpe**, son **pardessus** doublé de crylor et, selon l'humeur du moment, son **chapeau melon ou mou**.

Son voisin de palier, qui est ouvrier, sera déjà parti, vêtu de sa **salopette** ou de son **bleu de travail**, **musette** sur l'épaule, et coiffé de l'inévitable **casquette**.

8 h 00 du soir. Les messieurs importants revêtent le **smoking**, voire l'**habit**, surmonté ou non d'un **haut de forme**. Mais pourquoi faut-il qu'au moment où les femmes vont briller de leur éclat varié, les hommes adoptent une tenue uniforme ?

Il est vrai, si l'on en croit John Braine, qu'il n'est pas que les **queues de pie** pour ressembler aux autres queues de pie, ni les **redingotes** aux redingotes. Voyez ces jeunes gens avec :

« Des chaussures bleues en daim, à **semelles de crêpe**, des chaussures de cuir noir, avec des chaînettes en cuivre, des pantalons étroits, des **blue-jeans** collants, des vestes qui tenaient de l'imperméable et de la chemise — aucun d'entre eux ne portait un **costume** identique et pourtant l'effet produit était le même. »

Où est donc la **mode** fantasque d'antan ?

« Les **pourpoints** sont-ils courts ? Elle les allonge. Larges ? Elle les rétrécit. Elle en arrondit les **basques** jadis à angle droit ou encore en remplace les **ornements de dentelle** par d'autres en broderie. »

(E. Magne)

Et il en allait de même des **couvre-chefs**, des **gants** et des **hauts de chausse** !

At 7.30, Mr. Smith is most likely to be in his **pants** (absolete : drawers) and **vest**. In a moment, he will be fastening his **cuff-links** and **collar stud**, buckling his **belt**, slipping on his **braces**, lacing up his shoes, brushing his **single or double-breasted jacket** (or coat) (particularly the **lapels** and shoulders, the landing ground of dundruff and dust). He will cast a critical glance at the **crease of his trousers** too often wrinkled, will put on his **scarf**, his **overcoat** lined with crylor and, depending on his inspiration his **bowler** or his **soft-felt hat** (trilby).

His next-door neighbour who is a workman will already have left in his **overalls** or **dungarees**, **haversack** over his shoulder, and wearing the inevitable **cap**.

6 p.m., and men of distinction don their **dinner jackets**, or **evening suits** even, completed perhaps by a **top-hat**. But why, at a time when women appear in brilliant and varied splendour, must men all wear the same ?

It's true, if we are to believe John Braine, that it is not only **tails** and **frock-coats** that all look alike. Look at these young men with :

« Blue suede shoes with **crepe soles**, black leather shoes with brass chains, tapered slacks, tight **jeans**, jackets halfway between raincoat and shirt — none of them wore the same **outfit**, but the effect was as if they did. »

(J. Braine)

Where is the temperamental **fashion** of yesteryear ?

« Are **doublets** short ? It lengthens them. Wide ? It takes them in. It rounds the **basques** which were formerly squared, or else replaces **lace trimming** by embroidery. »

And to think that the same was true of **head-dresses**, **gloves** and **breeches** !

CHAPITRE 11

LES SENS, L'ACTIVITÉ CORPORELLE

SENSES AND BODILY ACTIVITY

I – LES CINQ SENS

A) *LA VUE*

L'action de VOIR *n'est pas si aisée qu'il y paraît, à en croire Rousseau :*

« Je ne sais rien voir de ce que je vois ; je ne vois bien que ce que je me rappelle. »
(J.-J. Rousseau)

*Mais il s'agit là d'une vision qui n'est point du domaine de l'***optique** *ou, pour être plus précis, de l'***optométrie**. *La* **rétine** *et le* **cristallin** *ne sont pas seuls en cause et* **oculistes** *ou* **opticiens**, **lunettes** *ou* **verres de contact** *seraient ici d'une utilité plus douteuse que pour la* **vue** *au sens étroit et concret du terme.*

Voir, c'est **percevoir** *par le moyen des* **yeux**.

Voir confusément, c'est **entrevoir** *; voir rapidement, c'est* **apercevoir**.

On opposera l'action instinctive de voir et l'action volontaire de REGARDER.

L'idée du regard attentif s'exprime au moyen d'une variété de synonymes qu'on trouvera ci-après :

« ... Il **examinait** cela et l'on voyait luire le bord de ses dents très blanches. »
(Vercors)

« Elle **observait** son visage avec le même sérieux que lui, la rivière. »

« Un vieux chat noir... **fixait** sur la marmite ses **prunelles** vertes traversées d'une **pupille** en forme d'i avec un air de surveillance intéressée. »
(Th. Gautier)

I – THE FIVE SENSES

A) *SIGHT*

The act of SEEING *is not as easy as it seems, if we are to believe Rousseau :*

« I am aware of little of what I see ; I really see only what I recall. »

But he is referring here to a perception outside the realm of **optics**, *or more precisely, of* **optometry**. *Here, it is not merely the* **retina** *and the* **crystalline lens** *that are involved and* **oculists** *and* **opticians**, **glasses** *or* **contact lenses** *could not afford the help they do with* **sight** *in the narrower and more concrete meaning of the word.*

To see is **to perceive** *by means of the* **eyes**.

To see vaguely is **to make out**, *to see for a short while is* **to catch a glimpse of**.

Beside the instinctive act of seeing, we can set the voluntary act of LOOKING.

The sense of « looking closely » can be expressed in a variety of ways, as in the following examples :

« ... He stood **surveying** it all and you could see the gleam of the tips of his beautifully white teeth. »

« She **watched** his face as earnestly as he watched the river.
(Ch. Dickens)

« An old black tom-cat... was **staring** at the pot with a watchful interested air, his green **irises** slit by i-shaped **pupils**. »

« Tel un oiseau devant un cobra, **il avait les yeux rivés sur** son bourreau, fasciné et impuissant. »

« Like a bird with a cobra, **his eyes were fastened upon** his interrogator in helpless fascination. »

(Ch. Isherwood)

« Plus loin Gilbert pouvait **discerner** seulement une forme grise et basse. »

« Farther away Gilbert could just **discern** a low, grey shape. »

(G. Gissing)

L'EXPRESSION DU REGARD *traduit les idées et les sentiments les plus divers :*

Widely different thoughts and feelings are WHAT LOOKS CAN EXPRESS :

— *La crainte, le recueillement, l'admiration :*

— *Fear, contemplation, admiration :*

« Assis dans la vallée, le berger **contemplait** la lune au milieu du brillant cortège des étoiles, et il se réjouissait dans son cœur. »

(F.-R. de Chateaubriand)

« In the valley, the shepherd sat and **gazed at** the moon amid its shining retinue of stars, and he rejoiced in his heart. »

« Seigneur, je n'ai jamais **contemplé** qu'avec crainte
L'auguste majesté sur votre front empreinte. »

(J. Racine)

« My lord, I have never **beheld** but with fear
The stately majesty imprinted upon your brow. »

— *La tendresse, la passion, la coquetterie ou l'impertinence :*

— *Tenderness, passion, coquetry or impudence :*

« Mes yeux **dévorent** des charmes dont ma bouche n'ose approcher. »

(J.-J. Rousseau)

« My eyes **devour** her charms that my lips dare not approach. »

« Avec adresse ses yeux **dardent** chaque regard. »

« With skill her eyes **dart** ev'ry glance. »

(W. Congreve)

« En faisant un salut militaire à la jeune femme, le capitaine hasarda de lui jeter une **œillade**. »

(H. de Balzac)

« As he gave the young woman a military salute, the captain ventured a quick **ogling glance**. »

« Ces bourgeois, sur le pas de leur porte, **clignent de l'œil** derrière vous. »

(H. Taine)

« The townsfolk, on their doorsteps, **give a wink** when you have gone by. »

Il faut noter également les expressions suivantes : **suivre** *ou* **accompagner du regard** *;* **caresser du regard**, **couver du regard**.

The following expressions should also be noted : **to follow someone with one's glance (to keep one's eyes fixed on someone)** *;* **to look fondly at** *;* **to look intently at someone.**

— *La curiosité, l'indiscrétion :*

— *Curiosity, indiscretion :*

« Je passais mon après-midi à **parcourir des yeux** le superbe et ravissant coup d'œil du lac et de ses rivages. »

« I spent my afternoon **surveying** the superbly beautiful view of the lake and its banks. »

« De temps à autre **il jetait un coup d'œil** par la vitre du taxi, comme s'il eut voulu demander au chauffeur de s'arrêter. »

« Occasionally **he cast a glance** out of the taxi window, as though he would have liked to ask the driver to stop. »

(Ch. Isherwood)

(A la lune)

(To the moon)

« Es-tu l'œil du ciel borgne ?
Quel chérubin cafard
Nous **lorgne**
Sous ton masque blafard ? »

(A. de Musset)

« Are you the single eye of the sky ?
What sly cherub
Spies on us
Behind your pallid mask ? »

« Et puis **regarder à la dérobée** les dépenses, les arrière-cuisines, qui fleurent bon l'antique hospitalité. »

Notez aussi :

explorer du regard
fouiller du regard
plonger son regard dans.

— *La distraction :*

« Mais bien que **le regard de Peggotty vagabonde**, elle est très fâchée lorsque j'en fais autant. »

— *L'attente, la menace, la colère :*

« Guillaume s'avança jusqu'au pied d'un rocher grisâtre, s'y arrêta, regarda autour de lui si personne ne l'**épiait**. »

(A. Dumas)

« Une souris craignait un chat
Qui dès longtemps la guettait au passage. »

(J. de la Fontaine)

Notez aussi :

regarder quelqu'un de travers
regarder quelqu'un d'un air menaçant.

« Il **regarda d'un œil courroucé** sa pauvre bru, ce qui rabattit un peu de sa joie. »

(P. Scarron)

Notez aussi :

lancer un regard noir.

Ce que l'œil perçoit, pour en revenir au monde objectif, ce sont les FORMES *et les* COULEURS : **formes rectilignes droites, horizontales, verticales, obliques, perpendiculaires, parallèles, convergentes** *ou* **divergentes** ; *lignes* **brisées** *formant* **angle droit, aigu** *ou* **obtus** ; *formes* **courbes, rondes, circulaires, elliptiques**...

Les couleurs viennent souligner les formes. On ne saurait les nommer toutes, évidemment, mais on ne peut trop insister sur leur importance dans les descriptions littéraires. Voyez cet auteur qui peint un paysage sous le soleil de minuit :

« Les falaises de granit, **aux teintes rougeoyantes**... les nuages, lit de repos du soleil, tendu de **pourpre** et de drap d'**or**. »

« Then **to take a peep** in by the way at the butteries, and sculleries, redolent of antique hospitality. »

(Ch. Lamb)

Note also :

to scan
to peer at, into
to peer into.

— *Absent-mindedness :*

« Though **Peggotty's eye wanders**, she is much offended if mine does. »

(Ch. Dickens)

— *Expectation, a threat, anger :*

« Guillaume moved forward to the foot of a grey-looking rock, halted, looked around to see if anyone was **spying** on him. »

« A mouse was afraid of a cat
Who had long lain in wait for him as he went by. »

Note also :

to look askance at
to look threateningly at someone.

« He **glared angrily** at his poor daughter-in-law, which somewhat lessened her joy. »

Note also :

to scowl (to give a black look).

Returning to the objective world, the eyes perceives SHAPES *and* COLOURS : **straight line figures, with lines horizontal, vertical, oblique, perpendicular, parallel, converging** *or* **diverging** ; **broken** *lines forming* a **right angle**, an **acute** *or* **obtuse** angle ; **curves, round, circular, elliptical** *shapes*...

Colour can emphasize shape. Obviously we cannot name every colour, but their importance in literary description cannot be over-emphasized. Here is an author describing a landscape in the light of the midnight sun :

« The granite cliffs **ruddy-tinged**... the cloud-couch of the sun wrought of **crimson** and cloth of **gold**. »

(Th. Carlyle)

ou cet autre qu'attire la campagne vue de jour :

« La crête **bleue** du Mont Alban se dresse sur une étendue solennelle de ciel **vert**, serein et clair. »

(J. Ruskin)

*Et notez encore parmi les couleurs simples ou combinées, **criardes** ou **fades**, ou **acides**, tendres ou **agressives**, tristes ou riantes, parmi les **tons froids** ou **chauds**, **mats** ou **pastels** :*

argenté
blanchâtre
bleu ardoise
bleu marine
bleu nuit
bleu roi
bleu de Prusse
bleuté
carmin
cobalt
émeraude
fauve
glauque
gris
grisaille
indigo
jaunâtre
jaune de chrome
noirâtre
ocre
outremer
rouge sang
vermillon
violacé
violet

etc...

B) *L'OUÏE*

*Sauf dans l'Evangile, les **aveugles** ne voient point ni les **sourds** n'entendent.*

ENTENDRE, *néanmoins, est pour le commun des mortels une action instinctive de tous les instants, comme voir, et ceci qu'on se donne ou non la peine d'*ÉCOUTER :

« Il **distinguait** vers le chenil le souffle **ronflant** de son vieux chien. »

(M. Genevoix)

---

and another attracted by the country-side seen in daylight :

« The **blue** ridge of the Alban Mount lifts itself against a solemn space of **green**, clear, quiet sky. »

*Note, too, among the primary or secondary colours, colours which are **loud (gaudy)** or **dull (washed-out)**, or **acid (shrill)**, **soft** or **blatant**, dreary or cheerful, and among the **warm** or **cold tints**, the **mat** colours or **pastels** shades :*

silvery (silver)
whitish
slate blue
navy blue
midnight blue
royal blue
Prussian blue
steely blue (bluish)
carmine
cobalt
emerald
fawn (tawny)
sea-green (glaucous)
grey
shadowy grey
indigo
yellowish
chrome yellow
blackish
ochre
ultramarine
blood red
vermillion (bright red)
purplish (-blue)
violet (purple)

etc...

B) *HEARING*

*Except in the Gospels, the **blind** cannot see and the **deaf** cannot hear.*

HEARING, *nevertheless, is for most people an instinctive and unceasing act like seeing, whether one takes the trouble of* LISTENING *or not :*

« He could **make out** from the direction of the kennel the **stertorous** breathing of his old dog. »

« Approchez et venez **de toutes vos oreilles**
Prendre part au plaisir d'entendre des mer-
veilles. »
(Molière)

« **Prêtez-moi**, l'un et l'autre, **une oreille
attentive.** »
(J. Racine)

« Oh, vous parlez si bien que **je suis tout
oreille.** »
(L. de Boissy)

Notez aussi :

tendre l'oreille

faire la sourde oreille.

Et ce que l'on entend, ce sont les SONS,
les BRUITS *les plus* DIVERS, **légers, sourds,
perçants, profonds**...

bourdonnement
ou **brouhaha** *des voix*
bruit sec *des détonations*
bruissements
friselis
frous-frous.

« Il n'y avait pas un **chuchotement** dans
l'édifice ; seul le frou-frou des robes, lorsque
les femmes gagnaient leurs bancs, en troublait
le silence. »

chari-vari
claquements
des baisers
des fouets
des langues
des portes
des sabots
cliquetis *des verres*
qui **s'entrechoquent** *avant qu'on entende le*
fracas *de ces mêmes verres brisés.*

cliquetis *des épées*
coups à la porte.

«Y a-t-il quelqu'un ici ? dit le voyageur,
Frappant à la porte éclairée par la lune. »

coup de feu
coup sonore *(sur métal).*

« Entendez les bruyantes cloches d'alarme
Cloches de bronze !
Qu'elles frappent et choquent et **rugissent !** »
(Trad. S. Mallarmé)

« Draw near, come and **with close attention**
Share in the pleasure of hearing these marvels. »

« **Listen attentively** (obsolete : **Hark !**) to
me, both of you... »

« Oh, you speak so well that **I am all ears.** »

Note also :

to strain one's ears
to prick up one's ears
to turn a deaf ear to something.

And what we hear are SOUNDS *and*
NOISES *of every kind,* **slight, muffled, shrill,
deep**...

the hum *or* **clamour** *of voices*
the sharp crack (report) *of rifle-fire*

rustles.

« There was no **whispering** in the house ;
only the rustling of dresses, as the women
gathered to their seats, disturbed the silence
there. »
(M. Twain)

racket

smacking *kisses*
cracking *whips*
clicking *tongues*
slamming (banging) *doors*
clattering *clogs*
the chink *of glasses*
clinking *together before a* **crash** *is heard
when they get broken.*

the **rattle** *of swords*
taps, knocks *on the door.*

« Is there anybody there ? said the traveller,
Knocking on the moonlit door. »
(W. de la Mare)

shot
clang.

« Hear the loud alarum bells
Brazen bells !
How they clang, and clash, and **roar.** »
(E. Poe)

coup sourd
coup de tonnerre
coup de trompette
craquements.

« Le moindre craquement de la boiserie, le plus léger **grésillement** de la chandelle le faisait tressaillir. »

(Th. Gauthier)

crépitements.

« Comme elle passait le peigne dans ses cheveux, l'on entendit de petites étincelles électriques crépiter légèrement. »

(La pluie aussi crépite sur le toit.)

crissements.

« La neige crisse sous vos pas. »

échos.

« Il souleva son fusil, et, dans la seconde, tira. Ce fut un bruit énorme qui bouscula au loin les ténèbres, s'enfla, répercuté longuement par les échos des bois. »

(M. Genevoix)

grincements.

« Le **grincement d'une faux** qui coupe le gazon. »

(V. Hugo)

« Le **grincement des ancres**. »

(L. Bertrand)

« Il y aura des pleurs et des **grincements de dents**. »

(Bible)

Le **grincement de la plume** *sur le papier.*

grondements *(ou* roulements*)*
mugissements *(ou* rugissements*).*

« Les trains grondaient et mugissaient. »

« Au loin, par intervalles, on entendait les sourds mugissements de la cataracte du Niagara qui, dans le calme de la nuit, **se prolongeaient** de désert en désert et **expiraient** à travers les forêts solitaires. »

(F.-R. de Chateaubriand)

murmures.

« Le murmure du fleuve remplissait les ténèbres. Eternel bruissement, plus triste que la mer par sa monotonie. »

(R. Rolland)

thud, thump
clap, peal of thunder
blast of the trumpet
creaking.

« The slightest creaking of the woodwork, the least **sputtering** of the candle made him start. »

crackling.

« As she drew the comb through her hair, there was a small crackling of electric sparks. »

(A. Huxley)

(As for the **rain** *it* **patters** *or* **rattles** *on the roof.)*

crunching.

« You crunch the snow as you tread. »

(L. Hunt)

echoes.

« He raised his gun, and, in the same moment, fired. There was a deafening report that shattered the distant darkness, grew in volume, as it rolled echoing back through the woods. »

scraping *and* grating, *etc.*

« The **scrape of a scythe** mowing the grass. »

« **Anchors grating**. »

« There will be much wailing and **gnashing of teeth**. »

(The Bible)

The **scratching** *(or* **squeaking***) of a pen on the paper.*

rumbling
roaring.

« Trains rumbled and roared. »

(S. Crane)

« Far off, at intervals, could be heard the dull roar of the Niagara Falls, which, in the stillness of the night, **was wafted** on from wilderness to wilderness and **died away** through the lonely forest. »

murmurs.

« The murmur of the river filled the darkness. An unceasing wash, more woeful than the sea in its monotony. »

ronflement
ronronnement *de machine*
sifflements
ou chuintements.

« Le sifflet des machines. »

(L. Bertrand)

« D'un atelier voisin montait **le sifflement** bref et répété d'**une scie mécanique.** »

(A. Camus)

« **Le chuintement** dans les conduites vibrantes. »

(G. Duhamel)

sonneries *diverses.*

Ainsi : **l'argent qui sonne.**

« Sur le **coup** de dix heures. »

(J. Prévert)

tapage, vacarme
ou tintamarre
tintements.

« Le **tintement des coques de fer** sous les marteaux des radoubeurs. »

(L. Bertrand)

« Entendez les traîneaux à cloches
Cloches d'argent !
Quel monde d'amusement annonce leur
mélodie !
Comme elle **tinte,** tinte, tinte,
Dans le glacial air de la nuit ! »

(Trad. S. Mallarmé)

tohu-bohu
vibrations.

« Lorsque **vibra** une flèche tirée de l'arc mystérieux de l'amour. »

vrombissements
d'avions
d'insectes
de machines
de moteurs

etc...

snoring
whirr
whistling, hissing
screaming.

« Engines whistling. »

« From the near-by workshop came the staccato **scream of a mechanical saw.** »

« The **hiss** along the vibrating tubes. »

various **ringing sounds.**

Thus : **money jingling (chinking).**

« On the **stroke** of ten. »

din

clanking, clinking *(clearer)*
tinkling *(slighter).*

« **Iron hulls clanking** to the fitters' hammer. »

« Hear the sledges with the bells
Silver **bells** !
What a world of merriment their melody
foretells !
How they **tinkle,** tinkle, tinkle,
In the icy air of night ! »

(E. Poe)

uproar
vibrating sounds.

« When **twanged** an arrow from love's mystic string. »

(S.T. Coleridge)

throbbing
buzzing
humming
purring

etc...

C) *L'ODORAT*

L'odorat nous permet de SENTIR, *de respirer les odeurs :*

« Il se tenait sur les marches de la ferme où était installé le mess des officiers et il essayait de sentir les buissons de lilas. »

C) *SMELL*

This third sense makes SMELLING *possible, breathing in odours :*

« He stood on the steps of the farmhouse where the officer's mess was, trying to smell the lilac bushes. »

(K. Amis)

humer
renifler *(ou* **flairer***).*

« Tu flaires comme un chien novice, tu frissonnes. »

(Colette)

Quand il est sur la trace du gibier, on utilise pour le chien le verbe « éventer ».

Sentir est non seulement percevoir mais aussi **répandre une odeur** *:*

« Ma mère sentait la cretonne lavée, le fer à repasser. »

(Colette)

Notez aussi :

« Le linge **fleure bon** la lavande. »

« L'aubépine était en fleurs, et la haie **embaumait** autour de moi. »

(H. Bosco)

« Le chien Macaire n'arrivait pas à oublier le sol de la campagne et son **exhalaison**, qui est loin d'être uniforme. »

(J. Romains)

Voici QUELQUES ODEURS :

Il y a les odeurs agréables : les parfums rustiques, les odeurs fraîches et pénétrantes :

« Avril, c'est ta douce main
Qui, du sein
De la nature, desserre
Une moisson de **senteurs**
Et de fleurs
Embaumant l'air et la terre. »

(R. Belleau)

Certaines fleurs ou plantes ont une **odeur étouffante** *ou* **capiteuse.**

Viennent ensuite les odeurs **âcres, piquantes, poivrées** *:*

« Quel doux parfum de musc et d'ambre
Me vient le cerveau réjouir
Et tout le cœur épanouir ? »

(G. de Saint-Amant)

Les odeurs familières de la rue :

« Si je ressuscite un jour, c'est au nez que je reconnaîtrai la patrie de mon enfance : senteurs d'une fruiterie, fumet de la blanchisserie, **bouquet** chimique du pharmacien... **haleine** de la boulangerie, noble, tiède, maternelle. »

(G. Duhamel)

Note also :

to inhale
to sniff.

« You sniff around like an untrained dog, you are trembling. »

When he is on the scent of game one says of a dog that he « scents » it.

To smell means both to perceive and to **emit a smell** *:*

« My mother smelt of freshly washed cretonne, the smoothing iron. »

Note also :

« Linen **smelling sweetly** of lavender. »

« The hawthorn was in blossom, and the hedge **perfumed** the air around me. »

« The dog Macaire could not forget the soil of the countryside and **the odour it breathes**, which is by no means the same everywhere. »

Here are A FEW SMELLS :

There are pleasant smells ; country odours, fresh, and penetrating odours :

« April, it is your gentle hand
Which,
From nature's bosom
Frees a harvest of **scents**
And flowers
To perfume the air and the ground. »

Some flowers and plants have a **stifling** *or* **heady scent.**

Then come **acrid, pungent, spicy** *odours :*

« What sweet scent of musk and amber
Comes to rejoice my mind
And gladden my heart ? »

Familiar street smells :

« If ever I am born again it is by my nose that I shall recognize the land of my childhood : a greengrocery's fruity tang, the laundry's streamy smell, the aromatic **fragrance** of the chemist's shop, the warm, kindly, maternal **exhalation** from the bakery. »

Il y a également les odeurs désagréables :

« Il venait du fleuve, aux eaux basses, et des égouts, de **fades** odeurs. »

(J. Romains)

Notez aussi :
odeurs fétides
odeurs nauséabondes

empester le tabac
puer.

D) *LE GOÛT*

GOÛTER *est à la portée de tous ceux qui possèdent des papilles gustatives, à la portée du* glouton *donc.*

Seul le **gourmet**, *pourtant, sait* **savourer** *un mets, le* **déguster**.

On **se régale**, *on se* **délecte** *d'un mets* **appétissant**. *Si, au contraire, il ne nous tente guère,* **on le goûte du bout des lèvres**, *on* **fait la petite bouche** :

« ... Le monarque irrité
L'envoya chez Pluton **faire le dégoûté**. »

(J. de La Fontaine)

La **faim** *est, évidemment, le meilleur auxiliaire de l'appétit, et, à l'homme* **assoiffé**, *voire* **altéré**, *un verre d'eau a le charme des plus subtiles liqueurs.*

Par « goût », on notera enfin qu'on désigne souvent le sens esthétique ou même éthique :

« Le goût est une aptitude à bien juger des choses du sentiment. »

(L. de Vauvenargues)

Multiples sont les SAVEURS.

— *Il y a des saveurs nettement définies :* le **sucré**, *le* **salé**, *l'* **amer** *et l'* **acide** :

« Il arracha une poignée de cresson, l'écrasa sous ses dents, tiges et feuilles, heureux de cette **acidité** brûlante qui giclait dans sa bouche et lui rapait la langue. »

(M. Genevoix)

— *On trouve par ailleurs, les saveurs* **relevées**, **corsées**, **épicées**, *ou* **fades** :

« S'il est question d'une boisson **insipide**, on n'a ni goût, ni arrière goût ; on n'éprouve rien, on ne pense à rien : on a bu, et voilà tout. »

(A. Brillat-Savarin)

There are unpleasant smells too :

« From the river, at low water, and from the drains, came **stale** odours. »

Note also :
fetid (rank) odours
nauseous (noisome, foul, evil-smelling) odours
to reek of tobacco
to stink.

D) *TASTE*

All those who have taste buds have the possibility of TASTING, *so that includes the* **glutton**.

Only the **gourmet** *however, knows how to* **savour** *a dish, to* **taste** *it* **properly**.

When a dish is **appetizing**, *we* **have a feast**, *we* **relish** *it. If, on the other hand, we are not exactly keen on it,* **we toy with it, we pick at it** :

« ... The angry monarch
Packed him off to Pluto **to turn up his nose**. »

Hunger, *of course, is the best of sauces, and for the man who is* **thirsty**, *or* **parched**, *a glass of water appeals as much as the finest liqueurs.*

« Taste », it will be noted, is often used of an aesthetic sense, or even an ethical one :

« Taste is the ability to make correct judgments in the realm of feeling. »

There are very many FLAVOURS.

— *Some flavours are clearly defined :* **sweet**, **salty**, **bitter** *and* **tart** :

« He picked a handful of cress, crushed it between his teeth, stalks and leaves, delighting in the burning **tartness** that squirted into his mouth, searing his tongue. »

— *In addition,* **highly-seasoned**, **full-bodied**, **spicy** *or* **insipid flavours** *are to be met with :*

« With a **tasteless** drink, there is neither taste nor after-taste ; you feel nothing, you think of nothing : you have had a drink, and that is all. »

E) *LE TOUCHER*

TOUCHER *c'est entrer en contact avec un objet.*

Le contact est souvent léger.

« Voilà l'errante hirondelle
Qui **rase** du bout de l'aile
L'eau dormante des marais. »

(A. de Lamartine)

Notez aussi :

effleurer, frôler
caresser
lisser.

Dans l'obscurité, il est difficile de se diriger, si ce n'est au toucher :

« L'escalier n'allait pas plus haut...
Je me tournai et **descendis à tatons**. »

— *Ensuite le* **contact** *peut se faire* **insistant** *:*

« Diego Laynez marcha vers Ruy, le dernier-né.
Il l'étreignit, **tâtant** et **palpant** avec rage
Ces épaules, ces bras frêles, ces poignets blancs,
Ces mains, faibles outils pour un si grand ouvrage. »

(J.-M. de Heredia)

Notez aussi :

appuyer, presser
pétrir.

Les SENSATIONS TACTILES *les plus courantes sont celles du* **chaud** *et du* **froid**.

Notez aussi :

brûlant
cuisant
frais
tiède.

Les objets que l'on touche sont **mous, flasques, malléables, souples**... *ou au contraire,* **résistants, raides, fermes** :

« J'ai trouvé une de ces choses rejetées par la mer ; une chose blanche... **polie** et **dure**, et **douce** et **légère**. »

(P. Valéry)

Les **surfaces** *ont, au toucher, diverses qualités : il y a les surfaces* **lisses, planes,**

E) *TOUCH*

TOUCHING *is making contact with an object.*

The touch is often **light**.

« And there the restless swallow
Flies, **grazing** with his wing-tip
The still waters of the marshes. »

Note also :

to skim, brush against
to caress, pat, stroke
to smooth
(birds **preen** *their feathers).*

In the dark, it is difficult to find one's way except by touch :

« The stairs went no higher...
I turned and **groped my way down**. »

(R.L. Stevenson)

— *Then the* **touch** *may become* **firm** :

« Diego Laynez walked towards Ruy, the last-born,
He clasped him, **feeling** and **pressing** in fury
Those shoulders, those frail arms and white wrists
And hands, weak tools for so great a task. »

Note also :

to squeeze
to knead.

The commonest SENSATIONS OF TOUCH, *are of* **heat** *or* **cold**.

Note also :

burning
biting, smarting
cool
tepid, lukewarm.

The objects we touch are **soft, flabby (flaccid, limp), malleable, supple**... *or else,* **tough, stiff (unyielding), firm** :

« I found one of those things thrown up by the sea ; a white object... **polished** and **hard**, **delicate and light**. »

Surfaces *have different qualities to the touch : there are* **smooth, even, level, regular**

unies, égales... *Certaines sont* **douces, soyeuses, veloutées, duveteuses.**

D'autres sont, au contraire, **inégales, rugueuses, raboteuses, rêches.** *Enfin, il y a les surfaces désagréables au toucher parce que* **collantes** *ou* **visqueuses.**

surfaces... *Some are* **soft, silky, velvety, downy.**

Others, on the other hand, are **uneven, rough, coarse.** *Lastly there are surfaces unpleasant to the touch because they are* **sticky** *or* **viscous.**

II – LA PAROLE

A) *LA VOIX*

La voix a des TIMBRES *variés :*

« La voix **embuée** du colonel Berriou ? Fenns s'étonna de l'adjectif qui lui était venu naturellement à l'esprit. C'était bien cela, pourtant. Berriou avait une voix **grave**, mais de **timbre plat** ; légèrement voilée, elle semblait détacher avec hésitations les vibrations des **cordes vocales.** Une sorte de pellicule, une taie, – une buée, oui – la recouvrait. Avec cela, tendre ou câline ou caressante, on ne savait pas très bien, jusqu'à effacer les **articulations** des mots en simulant un **bredouillement monocorde.** »

(R. Ikor)

Il y a également les **voix de tête, argentines** *et* **cristallines** *; ou* **aiguës** *et* **pointues** *:*
« Non il n'y a point de ville au monde où les crieurs et les crieuses des rues aient une voix **plus aigre** et plus **perçante.** »

(S. Mercier)

« Les deux enfants se mirent à **hurler** ensemble en entendant pleurer leur mère, et le dernier-né clama d'une voix aiguë comme un fifre **faux.** »

(G. de Maupassant)

Certaines voix sont **rauques** *:*
« L'accent était désagréable, le timbre **éraillé,** la voix **rêche.** »

(H. Bosco)

Notez aussi :
une voix **aigrelette**
une voix **chaude**
une voix **éteinte**
une voix **sèche**
une voix **sourde.**

II – SPEECH

A) *THE VOICE*

THE QUALITY OF THE VOICE *may vary :*

« Colonel Berriou's **misty** voice ? Fenns was surprised at the adjective that had come naturally to his mind. And yet that's what it was. Berriou's voice was **low-pitched,** but its **timbre lacking resonance,** slightly blurred, it seemed to falter as it detached the vibrations of the **vocal cords** hesitantly. A sort of film, a membrane, – a mist covered it. And in addition, gentle or wheedling or caressing, one could never be quite sure, to the point of slurring the **articulation** of the words by simulating a **monochord mumble.** »

There are also **head voices, silvery** *and* **clear** *;* **high-pitched** *and* **shrill** *:*
« No, there is no town in the world where the street criers have **shriller** and more **piercing** voices. »

« The two children both began **to howl** when they heard their mother crying, and the youngest wailed shrilly like a fife **out of tune.** »

Some voices are **raucous, hoarse** *:*
« The accent was unpleasant, the timbre **harsh,** the voice **rough.** »

Note also :
a **sour** *voice*
a **warm** *voice*
a **toneless** *voice*
a **dry** *voice*
a **hollow** *voice.*

*Un même timbre peut varier d'*INTONATION :

« Jamais je ne l'entendis ni **hausser ni presser la voix** ; elle conduisait cette voix un peu **voilée**, un peu rauque, et où traînait un léger accent, avec une telle délicatesse de nuances qu'il semblait en effet qu'elle s'écriât, murmurât, parlât plus haut, bien que l'intensité fût toujours la même, et que seule **l'inflexion** changeât. »

(F. Mallet-Joris)

« Il n'y avait rien d'effrayant dans ce qu'avait dit Mr. Hooper ; du moins, aucune violence ; et cependant à toutes les **vibrations** de sa voix plaintive, les **auditeurs** tremblaient. »

« Habituellement taciturne, quand il prenait la parole, c'était **d'un ton bas, lent et volontaire**, s'échauffant par degrés. »

(M. de Vogüe)

B) *LE LANGAGE*

Il y a DIFFÉRENTS TYPES *de langage.*

Selon le milieu social, on utilisera des **tournures**, *des* **expressions** *plus ou moins élégantes ou populaires.*

L'âge et la **capacité d'élocution** *importent également. Un enfant* **gazouille**. *Un timide* **bégaye** *ou* **balbutie** *d'émotion. Certaines personnes* **zézayent**. *Et puis il y a les gens pressés :*

« Vite, vite, dépêchons-nous... et le malheureux officiant se rue sur le missel et dévore les pages. Entre le clerc et lui, c'est à qui **bredouillera** le plus vite. Les mots à **demi-prononcés**, sans ouvrir la bouche, ce qui prendrait trop de temps, s'achèvent en **murmures** incompréhensibles. »

(A. Daudet)

*Le langage sert à l'*EXPRESSION DES SENTIMENTS :

– L'éloquence :

« Tout ce que vous **prêchez** est, je crois, bel et bon,
Mais je ne saurais, moi, parler votre **jargon**. »

(Molière)

Notez aussi :

clamer
discourir

Though the quality remains the same, the voice may adopt varying INTONATIONS :

« Never did I hear her **raise her voice** or **speak hurriedly** ; her voice, slightly **husky**, slightly hoarse with the lingering trace of an accent, she controlled with such skill, with such subtlety of expression that she seemed indeed to be speaking sharply, softly, loudly, although the strength of her speech never varied, and only the **inflexion** changed. »

« There was nothing terrible in what Mr. Hooper said ; at least, no violence ; and yet with every **tremor** of his melancholy voice, the **hearer** quaked. »

(N. Hawthorne)

« Normally a silent man, when he did speak, it was **in a quiet, slow**, and **firm voice**, gradually becoming more heated. »

B) *SPEAKING*

There are DIFFERENT WAYS *of speaking.*

According to their social background, people use **turns of speech** *and* **phrases** *that are more or less elegant or popular.*

Age and **articulateness** *count also. A child* **gurgles**. *A shy man* **stammers** *or* **stutters** *with emotion. Certain people* **lisp**. *Then there are hurried characters :*

« Quickly, quickly, hurry... and the wretched priest rushes to the missal and devours its pages. It is a contest between him and the clerk as to who will **gabble** faster. The words, **half-pronounced**, without opening the mouth, which would take too much time, end in an unintelligible **mumble**. »

Language serves for THE EXPRESSION OF FEELINGS :

– Eloquence :

« What you are **preaching** is all very fine, I think
But I could never use your **jargon** myself. »

Note also :

to shout
to discourse

haranguer
proclamer
réciter.

— **L'appel** :

« On nous **héla** d'une des portes de la ville. »
(F.-R. de Chateaubriand)

Notez aussi :

apostropher *quelqu'un*
interpeller.

L'enfant **appelle** *sa mère, mais* :

« Il **fit appeler** le Duc de Buckingham. »

« Le reste pour son Dieu montre un oubli
fatal
Et blasphème le nom qu'ont **invoqué** leurs
pères. »
(J. Racine)

— **La colère** *ou* **la peur** :

« Il se tut. Je n'osais pas respirer. J'avançai la
tête, n'entendant plus sa **voix tonnante**, pour
voir si le pauvre vieillard était mort d'effroi. »
(A. de Vigny)

« Je criais, je **hurlais**, j'étouffais. »
(A. France)

Notez aussi :

rugir
tempêter
tonitruer
vociférer.

— **La mauvaise humeur** :

« Une voix grondeuse de femme **cria** qu'il
était l'heure de tout clore. »
(M. Schwob)

Notez aussi :

grommeler.

« Il se passait rarement une journée sans qu'il
réprimandât l'un ou l'autre des membres du
barreau lorsqu'il siégeait à la cour de justice. »

« La reine se mit en colère, en proférant de
son **fausset aigre** et **élevé** ces propres mots :
"Il y a de la révolte à s'imaginer que l'on
puisse se révolter". »
(Cardinal de Retz)

— **Des propos frivoles** *ou* **vulgaires** :

« Ouais, notre servante Nicole, vous avez le
caquet bien affilé pour une paysanne. »
(Molière)

---

to harangue
to proclaim
to recite.

— **Calls** :

« Somebody **hailed** us from one of the gates
of the town. »

Note also :

to address *someone*
to challenge.

The child **calls** *its mother, but* :

« He **summoned (called for)** the Duke of
Buckingham. »
(A. Hamilton)

« The rest show a fatal neglect of their God
And blaspheme the name which their fathers
invoked. »

— **Anger** *and* **fear** :

« He stopped speaking. I dared not breathe.
When I could no longer hear his **thundering
voice** I craned my head forward to see if the
poor old man had died of fright. »

« I **screamed**, I **howled**, I was stifling. »

Note also :

to roar
to storm
to thunder
to yell.

— **Bad temper** :

« A woman's voice irritably **shrieked** that it
was closing time. »

Note also :

to mutter, grumble.

« Scarce a day passed that he did not **chide**
some one or other of the bar, when he sat in
the chancery. »
(R. North)

« The queen flew into a rage, snapping out in
her **high-pitched, shrewish voice** these very
words : "It is rebellion to fancy that there can
be such a thing as a rebellion." »

— **Frivolous** *and* **common utterances** :

« Oh yes, Nicole my girl, you've got a **pretty
sharp tongue** for a country lass. »

« On sentait qu'elle ne **jasait** tant que parce qu'elle avait l'innocente faiblesse d'aimer à parler. »

(P. de Marivaux)

Notez aussi :

babiller
bavarder
cancaner
jacasser.

« L'on aurait dit que les enfants pleuraient tous à la fois. Harry les appelait les **brailleurs** aux visages de pleine lune. »

Notez aussi :

piailler.

« You felt that she only **chattered** so much because she had an innocent weakness for liking to talk. »

Note also :

to babble
to chatter
to gossip
to jabber.

« It seemed as if the children were all crying at once. Harry called them the pudding-faced **bawlers**. »

(J. Braine)

Note also :

to squall, squeal.

III – L'ACTIVITÉ PHYSIQUE

A) *POSITIONS ET ATTITUDES*

Les citations suivantes vous en indiquent quelques-unes :

« Je me **prosternai**, il fut surpris de voir un inconnu en cette **posture**. »

(F. Fénelon)

« Khous, tranquille et parfait, le roi des dieux thibétains
Est assis gravement dans sa barque dorée. »

(Leconte de Lisle)

« Auprès de ces sœurs aimées, on en voyait une troisième qui **se tenait** un peu en arrière, avec les plus petites. »

(A. de Lamartine)

« Et là-bas, sous le pont **adossé** contre une arche,
Hannibal écoutait, pensif et triomphant,
Le piétinement sourd des légions en marche. »

(J.-M. de Heredia)

« "Je **saute** du lit comme un lion !" C'est encore une de ses expressions favorites. Il faut alors le voir **se glisser lentement** hors de ses draps, **plié en deux** par les rhumatismes, pour saisir tout le charme du personnage. Ce n'est que pendant les mois les plus chauds de l'année que ses os dégèlent assez pour lui permettre de **se tenir bien droit**. »

III – PHYSICAL ACTIVITY

A) *POSITIONS AND ATTITUDES*

The following quotations will illustrate a few :

« I **prostated** myself ; he was surprised to see a stranger adopting that **posture**. »

« Khous, perfect and serene, the king of the Tibetan gods,
Sits gravely in his gilded bark. »

« Near these beloved sisters could be seen a third, **standing** slightly behind with the little ones. »

« And yonder, **leaning** against an arch under the bridge,
Hannibal, thoughtful and triumphant,
Listened to the dull tramp of the legions on the march. »

« "**Bounding** from my bed like a lion !" That is another of his phrases. You have not experienced the full charm of the man until you have actually seen him, **bent double** with rheumatism, **crawling out** from between his sheets... Only in the warmest months of the year do his bones thaw out sufficiently to enable him **to stand fully erect**. »

(L. Durrell)

« J'aime les vieux. Ils sont **courbés** vers la terre, parce que le ciel éblouit leurs prunelles usées. »

(J. Giraudoux)

« Ils mangeaient **accroupis** autour de grands plateaux, ou bien, **couchés** sur le ventre, **appuyés sur les coudes**, dans la **pose** pacifique des lions lorsqu'ils dépècent leur proie. »

(G. Flaubert)

« Laïde **se recroquevillait** sous le coup suspendu. »

(H. Bosco)

B) *MOUVEMENTS*

On peut REMUER *les jambes, ou les bras ;* **faire un signe de tête, de la main, gesticuler, agiter** *la main ou le mouchoir, et tout cela* **majestueusement** *ou* **nerveusement** *ou* **frénétiquement**, *et de bien d'autres manières encore.*

Même MARCHER *a ses nuances :*

« "Maman, je veux aller cracher sur le Monsieur." Le Monsieur distingue avec effroi une jeune personne, âgée d'environ trois ans, qui **se dirige** sur lui en **vacillant** selon les secousses du train et dont les intentions ne sont pas douteuses. »

(A. Lichtenberger.)

« Tandis que **nous faisions un tour** dans le jardin, j'aperçus un peu plus loin, Lord Orville qui **se promenait** en compagnie de quelques dames. »

« Un vieux chef de gare bêchait dans son jardin, et, la bêche sur l'épaule, **avança d'un pas nonchalant** vers le train. »

« Il **marchait à grandes enjambées** énergiques, **martelant** victorieusement le tablier du pont. »

(P. Boulle)

« C'était bien Mr. Dawkins qui pénétra dans le bureau en **traînant les pieds** ; il **précédait** le gardien, se **dandinant** de manière indescriptible. »

« Je ris souvent quand je le vois le dimanche, **se pavaner** comme un dindon tout le long du cimetière, entre les rangées de paroissiens. »

« I am fond of old men. They walk along **bent over** towards the ground, because the sky dazzles their worn old eyes. »

« They are **squatting** round large dishes, or, **lying on their stomachs, resting on their elbows,** in the peaceful **attitude** of lions when they are tearing their prey to pieces. »

« Laïde **curled up** under the impending blow. »

B) *MOVEMENTS*

MOVING *legs and arms is possible ; one can also* **nod or wave, gesticulate, wave** *hand or handkerchief, and do all these things* **majestically, nervously, frantically,** *and in lots of other ways.*

Even WALKING *varies :*

« "Mummy, I want to go and spit on that man." The man perceives with alarm a little girl of about three **coming towards** him **swaying** with the movement of the train and whose intentions leave no room for doubt. »

« While **we were strolling** round the garden, I perceived, **walking** with a party of ladies at some distance, Lord Orville. »

(F. Burney)

« An old station-master was digging in his garden and with his spade over his shoulder **sauntered** to the train. »

(J. Buchan)

« He **strode** energetically along, his steps triumphantly **pounding** the deck of the bridge. »

« It was indeed Mr. Dawkins who, **shuffling** into the office, **preceded** the jailer, with **a rolling gait** altogether indescribable. »

(Ch. Dickens)

« I often laugh when I behold him on Sundays **strutting** along the churchyard like a turkey-cock through rows of his parishioners. »

(H. Fielding)

« Puis passa, **hautain**, un akali, un de ces sikhs fanatiques à l'œil fou et aux cheveux en désordre. »

« Le laboureur, **à pas lassés, rentre au logis**. »

« Le jeune Edwin, éclairé par l'étoile du soir, **S'attardait**, à l'écoute, **errant** par le vallon. »

« **A pas de loup,** je **traversai** le jardinet et **entrai** sous la tonnelle. »

(H. Bosco)

« Je me **faufilai** simplement chez Madame Van, je dînai chez elle et y passai l'après-midi. »

« Il avait **une démarche** de séminariste, l'art de **raser les murs** et de **se glisser** dans les portes. »

(A. Camus)

« Rentrant chez lui tard cette nuit là, en **titubant**, son impression de découragement dissipée, et la tête encore assez claire, il éclata d'un rire bruyant. »

« Il **recula, trébucha** dans les cordages et **s'écroula** sur les coffres. »

(P. Mac Orlan)

Il y a également diverses façons de SE HÂTER (se dépêcher), de courir :

« Plus d'une fois elle **hâta le pas**, pour le **ralentir** encore en croyant sa dernière heure venue. »

(H. de Balzac)

« Ces gens tenaient bien leur côté de la route, avançant d'un **trot saccadé**, rapide et furtif. »

« Nous nous **élançâmes** vers les fenêtres protégées par des jalousies. »

(P. Mac Orlan)

« Elle **bondit** et essaya de se **précipiter** en avant mais la force lui manqua. »

« Avec ses deux colis encombrants, il **s'éloigna à grands pas** vers son train. Le quai était rempli de monde, le train était en gare. Des portières s'ouvraient et se fermaient violemment. Puis la locomotive émit un sifflement tel que les gens eurent un air abasourdi en se **précipitant** de-ci de-là. »

« Then an akali, a wild-eyed, wild-haired sikh devotee **stalked past**. »

(R. Kipling)

« The ploughman **homeward plods his weary way**. »

(Th. Gray)

« Young Edwin, lighted by the evening star **Lingering** and listening, **wandered** down the vale. »

(J. Beattie)

« I **crossed** the garden **stealthily** and **went into** the arbour. »

« I just **crept out** to Mrs. Van's and dined and staid there the afternoon. »

(J. Swift)

« He had a seminarist's **gait**, the art of **hugging walls** and **gliding** into doorways. »

« **Staggering** homeward late that night, with all his sense of depression gone, and his head fairly clear still, he began to laugh boisterously. »

(Th. Hardy)

« He **stepped back, tripped** over the rope and **collapsed on** to the chests. »

There are also various ways of HURRYING (hastening) and running :

« Several times she **quickened her pace**, only **to slacken it** again, thinking that her last hour had come. »

« These people kept their own side of the road, moving at a quick furtive **jog-trot**. »

(R. Kipling)

« We **dashed** to the windows, shaded by Venitian blinds. »

« She **sprung up** and attempted **to rush** forward but her strength gave way. »

(W. Scott)

« With his two very awkward parcels he **strode off** to his train. The platform was crowded, the train was in. Doors banged open and shut. There came such a loud hissing from the engine that people looked dazed as they **scurried** to and fro. »

(K. Mansfield)

« Deux fillettes **se poursuivaient**. Une seconde, elles **tournent** sur elles-mêmes, par jeu ; leurs amples jupes légères se soulèvent et se gonflent ; puis ensemble, après une pirouette, elles **bondissent** dans la pièce et referment la porte. »

(Alain-Fournier)

« Il **déguerpissait** toujours avant qu'on se fût aperçu de sa présence. »

(G. de Maupassant)

Notez aussi :

décamper
détaler
fuir.

« Quand il apercevait les gendarmes, il trouvait soudain une **agilité** singulière pour gagner quelque cachette. Il **dégringolait** de ses béquilles, se laissant tomber à la façon d'une loque, et il se roulait en boule. »

(G. de Maupassant)

Différentes façons de SAUTER :

« Il **sauta** dans l'embarcation et poussa vivement au large de crainte d'être retenu de force. »

(H. de Monfreid)

« Tantôt elle **sautait** une flaque **à pieds joints,** tantôt elle s'arrêtait au bord du chemin pour casser une branche... Puis elle repartait **à cloche-pied.** »

(J. Gracq)

« Elle **bondissait** et **tourbillonnait** devant eux. Ses grands bras maigres battaient l'air. Ses jarrets élastiques se détendaient en mouvements brusques comme ceux d'un **ressort** lâché. Elle **voltait, pirouettait, s'enlevait sur des entrechats.** »

(J. Richepin)

Notez aussi :

gambader
faire un saut périlleux.

Pour terminer, notez quelques MOUVEMENTS VIOLENTS :

*L'enfant **lance** une pierre.*

*Le boxeur **lance** l'éponge.*

*Il **lance** son poing à la figure de son adversaire.*

« Two girls were **chasing** each other... Suddenly they **spin** round on their heels, for fun ; their wide skirts balloon out ; then after a pirouette, together they **bound** into the room and close the door. »

« He always **slipped away** before you even realized he had been there. »

Note also :

to decamp
to make off
to run away, flee.

« When he caught sight of the police, he would suddenly discover unusual **agility** in reaching a hiding place. He would **tumble** from his crutches, dropping limply, rolling himself into a ball. »

Various ways of JUMPING :

« He **leapt** into the boat and pushed off vigorously for fear of being held back by force. »

« Sometimes she would **jump** over a puddle **feet together**, sometimes stop at the side of the road to snap off a branch... then set off again **hopping**. »

« She **leapt** and **whirled** in front of them, waving her long thin arms. She flexed her supple knees with quick movements like those of a slack **spring**. She **gave sudden leaps, pirouettes, and soaring entrechats**. »

Note also :

to gambol
to somersault.

Finally note a few VIOLENT MOVEMENTS :

*A child **throws (flings)** a stone.*

A boxer throws (fam. chucks) in the sponge.

He throws a punch at his opponent's face.

« Comme il continuait, je me sentis extrêmement tentée de lui **jeter** un livre à la tête. »
(Mme de Sévigné)

« Il a promis au roi sur sa tête et positivement de guérir Monseigneur dans quatre jours... que s'il ne réussit pas, je crois qu'on le **jettera** par les fenêtres. »
(Mme de Sévigné)

« Son corps plongea sous la surface de l'eau dans un tourbillon d'écume jaune. Rogers le saisit, le **rejeta** sur la berge et l'officier à demi noyé sortit de l'eau en se traînant sur les mains et les genoux, en toussant et en suffoquant. »

« Peut-être notre héros eût-il été arrêté au début de ses aventures si une main de fer n'avait **saisi** fort opportunément le poignet du bandit. »
(Th. Gautier)

« Il **empoigna** le gourdin et le **serra** fortement. »
(A. Dumas)

Notez aussi :

être aux prises avec
étreindre corps à corps.

« Ses doigts **s'aggripèrent** aux draps et aux couvertures et les ramenèrent sur ses yeux... Toute tremblante et affolée elle **s'accrochait** à moi. »

« Je te supllie, t'implore et **embrasse** tes genoux. »

« Adams fit mine **d'arracher** le fusil des mains de son compagnon. »

« Il **traîna** le petit malheureux, qui pleurait par avance, hors de la pièce. »

Notez aussi :

frapper
tirer

etc...

« As he went on I felt very tempted to **hurl** a book at his head. »

« He has promised the king upon his head and positively to cure Monseigneur within four days... if he does not succeed I think they will **toss** him out of the window. »

« His body plunged beneath the surface in a welter of yellow foam. Rogers caught him, **swung** him **back** to shore and the half-drowned officer crawled out on hands and knees, coughing and choking. »
(K. Roberts)

« Perhaps our hero would have got no further than the beginning of his adventures had not a hand of iron very opportunely **seized** the bandit's wrist. »

« He **grasped** the cudgel in his hand and **gripped** it firmly. »

Note also :

to be at grips with
to wrestle with.

« Her fingers **clutched** the bedclothes and gathered them over her eyes... Trembling and bewildered she **held** me fast. »
(E. Brontë)

« Thy suppliant, I beg, and **clasp** thy knees. »
(J. Milton)

« Adams offered to **snatch** the gun out of his companion's hand. »
(H. Fielding)

« He **lugged** the little wretch, crying by anticipation, out of the room. »
(S. Butler)

Note also :

to hit, strike
to pull

etc...

CHAPITRE 12

LA VIE PHYSIOLOGIQUE

PHYSIOLOGICAL LIFE

I – LA VIE ET SA DURÉE

I – THE SPAN OF LIFE

A) *CONCEPTION ET NAISSANCE*

A) *CONCEPTION AND BIRTH*

Lorsqu'un **ovule** *a été* **fécondé** *par un* **spermatozoïde**, *la première* **cellule** *d'un nouvel être humain est formée. Ce sera bientôt l'embryon, puis le* **fœtus** *qui :*

« reçoit la **nourriture** et l'**oxygène** dont il a besoin pour **se développer** par l'intermédiaire de deux organes : le **placenta** et le **cordon ombilical**. »

(L. Pernoud)

Le rythme de **développement** *est vertigineux pendant les neuf mois de* **grossesse** *qui précèdent le terme ou* **accouchement** *de la mère dans une* **clinique** *ou une* **maternité**.

Nature et mystère président à la **naissance** *:*

« Vous ne vous trouvez au monde que par une infinité de hasards ; votre naissance dépend d'un mariage ou plutôt de tous les mariages de ceux dont **vous descendez**. »

(B. Pascal)

Il n'en a cure

« L'**enfantelet**
Qui **vagit** et vomit au bras de sa **nourrice**. »

Tout ce qu'exige le **nouveau-né** *c'est qu'on l'allaite et... qu'on le laisse dormir.*

B) *CROISSANCE ET ÂGE MUR*

Bientôt le **nourrisson** *sera un* **enfant**, *puis un* **adolescent**, *puis un* **adulte** *:*

« Il sait que, depuis huit ans, (cet homme de 33 ans) le dernier **point d'ossification** a fini de se bloquer dans l'épaisseur de l'**armature**. Il a, depuis huit ans déjà, pris toute la **taille** qu'il devait prendre. Un mètre soixante neuf centimètres : ce n'est pas une trop fière sta-

A) *CONCEPTION AND BIRTH*

When an **ovule** *has been* **fertilized** *by a* **spermatozoon**, *the first* **cell** *of a new human being is formed. This will soon become the* **embryo**, *then the* **fœtus**, *which :*

« receives the **nourishment** and **oxygen** which it needs in order **to develop** by means of two organs : the **placenta** and the **umbilical cord**. »

Growth *proceeds at a fantastic pace during the nine months of* **pregnancy** *which precede the time of* **confinement** *of the mother in a* **clinic** *or a* **maternity home**.

Nature and mystery preside at the **birth** *:*

« You come into this world only as the result of an infinite number of accidental chances ; your birth depends on a marriage, or rather on all the marriages of those from whom **you are descended**. »

He doesn't care

« The **infant**
Mewling and puking in the **nurse's arms**. »

(W. Shakespeare)

All that the **new born baby** *demands is to* **be suckled** *and... to sleep.*

B) *GROWTH AND MATURITY*

Soon the **nursling** *will be a* **child**, *then an* **adolescent**, *then an* **adult** *;*

« He realizes (this man of 33) that it is eight years since the last **point** of **ossification** completed itself in the thickness of his **framework**. It is already eight years since he reached his full **height** : five foot six and a half, not a particularly impressive **stature**.

ture. Il y a déjà huit ans qu'il est un « sujet adulte » comme diraient les zoologistes. »
(G. Duhamel)

*Ce sera ensuite l'**entre-deux-âges** et l'inéluctable **vieillesse**.*

C) *MORT*

On voudrait l'éviter, la chasser au moins de ses pensées :

« Son corps émacié était devenu comme un morceau de cendre. Ses yeux étaient sombres et pleins de tourment... Elle pensait à la douleur, à la morphine du lendemain ; rarement à la mort. »

*Le vieillard avancé ou le grand malade de tout âge entre bientôt en **agonie** :*

« Elle haletait, cherchait à chaque souffle avec une force désespérée une gorgée d'air dans l'immense salle. Par instant, elle paraissait suffoquer complètement et elle se redressait, les narines battantes, les yeux exorbités... comme pour mieux happer cet air inaccessible, elle tendait sans cesse en avant une face hagarde. »
(A. Soubiran)

*Son état est maintenant désespéré. Il **rend le dernier soupir (l'âme)** et **expire**. C'est alors l'**ultime toilette** :*

« Emilie, tremblant d'horreur et de douleur, aidée d'Annette, prépara le cadavre pour l'**enterrement** [1] ; l'ayant enveloppé de **toiles** et recouvert d'un **linceul**, elles le **veillèrent** jusqu'à minuit. »

*et le froid du **tombeau** dans un **cimetière** qu'ombragent les **ifs**, à moins qu'on ait exprimé dans son testament le désir d'être **incinéré**. Que reste-t-il ? Une œuvre, peut-être, une progéniture, des regrets, un temps de **deuil**, une **plaque** :*

Ci-gît...

Le reste est du domaine de la littérature ou de la foi.

For eight years now he has been an « adult subject » as zoologists would say. »

*Next will come **middle age** and inescapable **old age**.*

C) *DEATH*

We should like to avoid it, or at least banish it from our mind :

« Her body was wasted to a fragment of ash. Her eyes were dark and full of torture... She thought of the pain, of the morphia of the next day ; hardly ever of the death. »
(D.H. Lawrence)

*And soon, for the very old or the very sick the **death throes** begin :*

« She gasped, striving with desperate strength at every breath for a mouthful of air in the vast room. At times she seemed to be suffocating and she would sit up, nostrils quivering, eyes staring... as if better to snatch at this inaccessible air she kept her haggard face strained forward. »

*The sick man's condition is now hopeless. He **breathes his last and passes away**. Then comes the **laying-out** :*

« Emily, shuddering with horror and grief, assisted by Annette, prepared the corpse for **interment** [1] ; and having wrapped it in **cerements** and covered it with **a winding-sheet**, they **watched** beside it, till midnight. »
(A. Radcliffe)

*and the chill of the **tomb** in a **cemetery** shaded by **yew-trees**, unless in one's will one has expressed a wish to be **cremated**. And what remains ? Some creative work perhaps, offspring, regrets, a period of **mourning**, an **inscription** :*

Here lies...

The rest belongs to literature or is a matter of faith.

---

(1) *Enterrement* se dit normalement *burial* ou *funeral* ; *enterrer* : to *bury*.

II – LES FONCTIONS ORGANIQUES

A) *LA RESPIRATION*

*L'*appareil respiratoire *comprend la* trachée artère, *les* bronches *et les* poumons. *Lorsque les poumons fonctionnent bien, la respiration est* régulière, égale, aisée, ample *et* profonde. *Le souffle est libre. Un air pur lui est favorable :*

« On respire santé et vie dans La Pignada. De toutes leurs blessures les arbres laissent s'évaporer une odeur balsamique qui, saturant l'air, le rend particulièrement tonique et délectable. »

(J. de Pesquidoux)

Lorsque les bronches fonctionnent mal, le souffle est irrégulier, court, haletant, inégal. *L'on est vite* essoufflé. *L'on éprouve de l'angoisse, de l'oppression, de la* suffocation *ou même de l'*étouffement. *Il faudra alors recourir à des procédés artificiels :*

« Le médecin fit une piqûre de morphine et pour rendre la respiration moins pénible demanda des ballons d'oxygène... Dégagé par la double action de l'oxygène et de la morphine, le souffle de ma grand-mère ne peinait plus, ne geignait plus mais vif, léger, glissait vers le fluide délicieux. »

(M. Proust)

On aspire *et* expire *par la bouche et le nez. On respire aussi par les* pores *de la peau.*

B) *LA CIRCULATION*

*L'*appareil circulatoire *de l'homme est essentiellement composé d'un organe central, le* cœur :

« Il pose ses doigts ridés sur sa poitrine et constate avec satisfaction que son cœur accomplit toujours son travail, maintenant une timide circulation dans ce système veineux dont les déficiences (réelles ou imaginaires, je ne sais) ne sont compensées que par le cognac pris à doses quotidiennes et quasi mortelles. »

Viennent ensuite les vaisseaux : *les* artères *partant du cœur qui conduisent le sang oxygéné aux différents organes, les* veines *qui y ramènent le sang chargé d'acide carbonique*

II – THE ORGANIC FUNCTIONS

A) *BREATHING*

The respiratory system *consists of the* windpipe, *the* bronchial tubes *and the* lungs. *When the lungs are functioning well, breathing is* regular, even, easy, deep chested *and* deep. *Breathing is free. Pure air is beneficial to it :*

« One breathes health and life in La Pignada. From all their wounds the trees exhale an aromatic odour, saturating the air and making it remarkably pleasant and invigorating. »

When the bronchial tubes are not functioning well, breathing is irregular, *one is* short of breath, panting, *the breathing is* uneven. *One is soon* out of breath. *One feels distress, tightness, a feeling of* suffocation, *or even of* stifling. *One must then have recourse to artificial methods :*

« The doctor gave a morphine injection and to ease the laboured breathing asked for an oxygen mask... Eased by the twin action of the oxygen and the morphine, my grandmother's breathing ceased to labour and whine ; eagerly and easily it flowed freely towards the delicious fluid. »

We breathe in and out *through the mouth and nose. Respiration also takes place through the* pores *of the skin.*

B) *THE CIRCULATION*

Man's circulatory system *consists basically of a central motivating organ, the* heart :

« He places his wrinkled fingers to his chest and is comforted by the sound of his heart at work, maintaining a tremulous circulation in that veinous system whose deficiencies (real or imaginary I do not know) are only offset by brandy in daily and all-but lethal doses. »

(L. Durrell)

Then come the vessels ; *the* arteries *going from the heart and distributing the oxygenated blood to the various organs, the* veins *which return the blood to it laden with carbonic acid*

et de déchets ainsi que les petits vaisseaux du **système capillaire**.

Le sang est riche ou pauvre selon le nombre et la proportion des **globules rouges et blancs**.

Une **mauvaise circulation** *est responsable des* **varices**, **phlébites**, **engelures**, *ou tout simplement de l'*engourdissement, *des* « **fourmis** » *dans les jambes*.

Avec la circulation sanguine, il faut enfin mentionner la **circulation lymphatique**.

C) *LA DIGESTION*

*Il est vrai que c'est un phénomène complexe depuis l'*ingestion des aliments, *leur* **mastication**, *leur* **déglutition**, *jusqu'à leur* **infiltration** *dans le sang après leur passage dans l'*appareil digestif *et leur mélange à divers* **sucs**.

L'APPAREIL DIGESTIF

and waste matter, and the little vessels of the **capillary system**.

Blood is rich or thin *according to the number and proportion of* **white and red corpuscles**.

Bad circulation *is responsible for* **varicose veins**, **phlebitis**, **chilblains**, *or merely for* **numbness**, « **pins and needles** » *in the legs*.

In addition to the circulation of the blood we must mention the **lymphatic circulation**.

C) *THE DIGESTION*

The phenomenon is indeed a complex one, from the moment when **food is taken in**, **masticated** *and* **swallowed**, *until it is* **absorbed** *into the blood, after passing through the* **digestive system** *and being mixed with various* **juices**.

THE DIGESTIVE SYSTEM

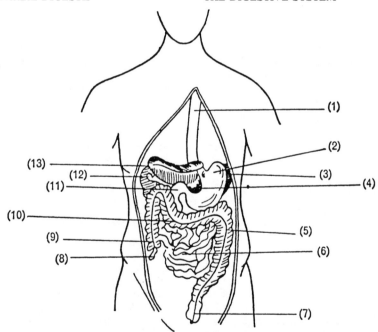

(1)	œsophage	(1) œsophagus
(2)	estomac	(2) stomach
(3)	rate	(3) spleen
(4)	pancréas	(4) pancreas
(5)	gros intestin	(5) large intestine

(6) intestin grêle	(6) small intestine
(7) rectum	(7) rectum
(8) appendice	(8) appendix
(9) caecum	(9) caecum
(10) côlon	(10) colon
(11) pylore	(11) pylorus
(12) vésicule biliaire	(12) gall-bladder
(13) foie.	(13) liver.

*Parmi les organes qui servent à l'*élimination *on nommera encore les* reins *et la* vessie.

Among the organs which assist in elimination, *mention must be made too of the* kidneys *and the* bladder.

III – LA SANTÉ ET LA MALADIE

A) *LA SANTÉ*

C'est le hasard qui donne aux gens une constitution robuste, *qui fait les êtres* bien portants, endurants, résistants, solides, vigoureux *et* sains.

Néanmoins un régime *bien étudié, un minimum de* gymnastique *font beaucoup pour l'*équilibre *physique aussi bien que mental.*

Peut-on pour autant parler de santé ? Au dire de ce personnage de Jules Romains, le fameux Knock :

« La santé n'est qu'un mot, qu'il n'y aurait aucun inconvénient à rayer de notre vocabulaire. Pour ma part, je ne connais que des gens **plus ou moins atteints de maladies** plus ou moins nombreuses, à **évolution** plus ou moins rapide. »

(J. Romains)

B) *LES MALADIES*

Un individu délicat, fragile *ou* chétif *semble a priori plus* vulnérable *et prédisposé aux* AFFECTIONS DIVERSES.

Mais il y a bien des malades imaginaires *:*

« A longueur de journée, Bellienaz **se tâte, se palpe, se compte, s'examine**, l'œil fixe, les traits crispés. La semaine dernière il a eu un peu de **courbature fébrile** ; il est sûr d'avoir échappé miraculeusement à une **poliomyélite** ; c'est au moins, rien que pour cette maladie, son troisième miracle. »

(A. Soubiran)

III – HEALTH AND SICKNESS

A) *HEALTH*

It is chance that endows people with a strong constitution, *makes* healthy *bodies*, tough, resistant, hefty, vigorous *and* hale.

However, careful attention to diet *and a certain amount of* exercise *will do a lot for one's physical and mental* well-being.

But can one, for all that, speak of health ? According to Jules Romains' well-known character, Doctor Knock :

« Health is only a word that we could easily wipe out of our vocabulary. For my part, I only know people **afflicted to a greater or lesser degree with illnesses** of a greater or lesser number and of more or less rapid **development**. »

B) *ILLNESSES*

A person who is delicate, weak *or* sickly *seems a priori more* vulnerable *and predisposed to* VARIOUS AILMENTS.

But there are many hypochondriacs *:*

« All through the day, Bellienaz is **feeling his pulse, sounding himself, checking his heart-beat, examining himself**, his gaze fixed, his face contorted. Last week he had a slight **feverish ache** ; he is sure that he has miraculously escaped **poliomyelitis** ; this is – taking this disease alone – his third miraculous escape. »

« Nous ne nous sentions pas dans notre assiette et cela nous rendait très nerveux. Harris disait que par moment il était pris d'étourdissements tels qu'il savait à peine ce qu'il faisait... Quant à moi c'était le foie qui était dérangé car je venais de lire une réclame de pilule pour le foie où l'on indiquait tous les symptômes d'après lesquels un homme peut dire si son foie est dérangé ; je les avais tous. »

« We were all feeling seedy, and we were getting quite nervous about it. Harris said he felt such extraordinary fits of giddiness come over him at times, that he hardly knew what he was doing... With me it was my liver that was out of order because I had just been reading a liver-pill circular in which were detailed various symptoms by which a man could tell when his liver was out of order. I had them all. »

(J.K. Jerome)

Les maladies ne sont pas toutes d'égale gravité : il y a les **gênes**, *les* **petites misères**, *les* **bobos**, *les* **malaises**, *l'*indisposition, *la* langueur, *les* troubles, *la* maladie, *l'*épidémie, *la* maladie chronique, *les* infirmités.

Illnesses are not all equally serious : there are **discomforts, minor ailments, bumps and scratches, feeling faint,** *indisposition, listlessness, disorders, illness, epidemic, chronic complaint, infirmities.*

Certains TROUBLES BÉNINS *sont néanmoins désagréables. Ainsi :* l'**indigestion**, *les* **troubles gastriques**, *la* **colique**, *l'*engourdissement, *les* **crampes**, *le* **point de côté**, *le* **saignement de nez**, *le* **mal de tête**, *les* **névralgies**, *les* **maux de dents**.

Certain MILD DISORDERS *are none the less unpleasant. Thus :* **indigestion, bilious attack, stomach-ache, numbness, cramp,** *the* **stitch** *(in one's side),* **nose-bleed, headache, neuralgia, toothache.**

A propos de :	« MAL » *Notez*	
J'ai mal aux oreilles	I have **ear-ache**	
J'ai mal au ventre	I have **a stomach-ache**	
*(**ache** indique un malaise sourd et persistant)*		
J'ai mal dans le dos	I have **a pain** in my back	
J'ai mal à la jambe	I have **a bad leg**	
*(**bad** et **pain** s'emploient pour désigner une douleur rhumatismale ou une douleur causée par un effort violent)*		
J'ai mal à la gorge	I have **a sore throat**	
J'ai mal aux yeux	**my eyes are sore**	
*(**sore** correspond à un malaise causé par une plaie ou par l'inflammation d'une partie du corps)*		
J'ai mal au cœur	I feel **sick**	
J'ai le mal de mer	I am **sea-sick**	
*(**sick** donne souvent l'idée de nausée)*		
J'ai mal au foie	I feel (a bit) **liverish**	
Mal moral	**harm, wrong, evil**	
Avoir du mal à faire quelque chose	**to find it difficult to do something, to have trouble doing something**	

*L'*urticaire *est tout aussi* **gênant** *car il provoque des* **démangeaisons** *; le visage et le corps sont couverts de* **boutons** *; la peau est irritée. Le* **clou** *et* **l'abcès** *s'enflamment facilement et* **supurent.**

A **rash** *is just as* **annoying** *because it causes* **itching** *; face and body are covered with* **pimples** *; there is irritation of the skin. A* **boil** *and an* **abcess** *easily* **become inflamed** *and* **suppurate.**

Notez aussi :

une ampoule
un furoncle
un panaris

vider un abcès.

En hiver, à la suite d'un **refroidissement,** *on attrape facilement un* **rhume de cerveau,** *on* **éternue,** *on* **se mouche,** *on* **crache,** *on* **s'enroue,** *on* **tousse.**

Notez aussi :

des quintes de toux
la coqueluche.

Lorsque le rhume s'aggrave, le malade présente souvent les symptômes de la **grippe** *; Il doit alors* **s'aliter** *et* **garder la chambre.**

*La grippe s'accompagne d'*****accès de fièvre** *et de* **frissons.**

Le malade **a les jambes en coton** *; il* **transpire,** *il se plaint de* **douleurs.** *La douleur est* **lancinante, sourde** *ou* **atroce.**

Si elle n'est pas **soignée** *énergiquement, la grippe dégénère en* **angine,** *en* **fluxion de poitrine,** *en* **pneumonie** *ou en* **pleurésie.**

Certaines personnes ont le don d'attraper toutes les maladies même à contretemps :

« Il attrapait la **bronchite** en pleine canicule et le **rhume des foins** à Noël. Après une période de six semaines de sécheresse, il était frappé de **rhumatisme articulaire** ; il sortait en novembre dans le brouillard et il rentrait chez lui avec une **insolation.** Il n'était jamais sans un rhume sauf une fois pendant neuf semaines où il eut la **scarlatine.** Pendant la grande épidémie de **choléra** de 1871, notre voisinage fut singulièrement épargné. Il n'y eu qu'un cas célèbre dans toute la paroisse et ce fut le jeune Stivvings. »

Mais avec ce personnage inquiétant nous sommes déjà passés dans le domaine des MALADIES GRAVES.

La scarlatine et le choléra sont des **maladies contagieuses,** *ainsi que la* **rougeole,** *la* **rubéole,** *les* **oreillons,** *la* **fièvre typhoïde,** *le* **typhus,** *la* **variole,** *la* **lèpre,** *la* **diphtérie,** *où le malade* **étouffe** *et* **halète.**

La **peste** *faisait autrefois des ravages, la grande peste de Londres en 1665 par exemple.*

Note also :

a blister
a carbuncle
a whitlow
to drain an abcess
to lance a boil.

In winter, as the result of a **chill,** *one easily catches a* **head cold,** *one* **sneezes, blows one's nose, spits, becomes hoarse, coughs.**

Note also :

fits of coughing
whooping (*or* hooping) cough.

When the cold develops, the patient often shows symptoms of **influenza** *(fam. :* **flu***). He must then* **take to his bed,** *and* **keep to his room.**

Flu is accompanied by **bouts of feverishness** *and* **shivers.**

The invalid **feels unsteady on his legs** *; he* **sweats,** *complains of pains. The pain is* **throbbing, dull** *or* **excruciating.**

If it is not properly **tended to,** *influenza can develop into* **angina, inflammation of the lungs, pneumonia** *or* **pleurisy.**

Some people have the knack of catching every complaint there is, in and out of season :

« He would take **bronchitis** in the dogdays, and have **hay-fever** at Christmas. After a six-weeks' period of drought, he would be stricken down with **rheumatic fever** and he would go out in a November fog and come home with a **sunstroke.** He was never without a cold except once for nine weeks when he had **scarlet fever.** During the great **cholera** scare of 1871 our neighbourhood was singulary free from it. There was only one reputed case in the whole parish : the case of young Stivvings. »

(J.K. Jerome)

But with this alarming character we have already entered the domain of SERIOUS ILLNESSES.

Scarlet fever and cholera are **infectious diseases,** *like* **measles, German measles, mumps, typhoid fever, typhus, smallpox, leprosy, diphteria,** *when the patient* **chokes** *and* **gasps for breath.**

At one time the **plague** *wrought great havoc, the Great Plague of London in 1665 for*

Le héros de « La Peste » de Camus en énumère les symptômes :

« Quelques cas ne font pas une **épidémie** et il suffit de prendre des précautions. Il fallait s'en tenir à ce qu'on savait, la stupeur et la **prostration**, les **yeux rouges**, la bouche sale, les maux de tête, les **bubons**, la soif terrible, le **délire**, les **taches** sur le corps.

(A. Camus)

Les maladies contagieuses sont dues à des **bacilles**, **bactéries**, **germes**, **microbes**, **virus**. *Grâce au* **vaccin**, *l'on est* **immunisé** *contre ces maladies. C'est Lady M.W. Montagu qui introduisit en Angleterre au XVIII* ᵉ *siècle l'* **inoculation** *contre la* **variole**.

La **tuberculose** *est contagieuse. Le* **cancer**, *cette* **tumeur maligne**, *ne l'est probablement pas.*

Parmi ces maladies non contagieuses nommons, les **maladies de cœur** *dont les victimes souffrent de* **palpitations**, *de* **syncopes**, *d'* **évanouissements**, *de* **défaillances**, *d'* **embolies**, *le* **diabète**, *la* **goutte**, *l'* **hydropisie**, *l'* **ulcère**, *etc...*

Il faut enfin parler des MALADIES NERVEUSES ET CÉRÉBRALES : *à la suite de* **fatigue**, *de* **surmenage** *ou de* **contrariétés**, *un individu peut ressentir certains troubles d'ordre nerveux : par exemple l'* **insomnie**.

Le malade est inquiet, irritable ; **surexcité** *ou au contraire* **las**, **abattu**, *découragé, sans ressort*, **amorphe**, **neurasthénique** :

« Il était généralement actif et éveillé mais il avait parfois des **crises de découragement**. »

La **dépression nerveuse** *est la maladie du siècle. De même le* **déséquilibre** *et le* **détraquement nerveux**.

A un degré supérieur, on a les gens atteints de **caprices**, **manies**, **lubies**, *et les* **fous** *dangereux à qui il faut passer la* **camisole de force** *avant de les interner dans ce qu'on appelait jadis un* **asile d'aliénés** *et, maintenant, un* **hôpital psychiatrique**.

A défaut de folie caractérisée, **méningites**, **congestions cérébrales**, **attaques d'apoplexie**, **paralysie** *guettent, hélas, nombre d'entre nous sur la fin de nos jours, à moins que le* **gâtisme** *ne vienne insensiblement.*

instance. The hero of Camus's « La Peste » lists the symptoms of it :

« A few cases do not constitute an **epidemic** and it is sufficient to take precautions. One had to confine oneself to what one observed — the stupor and **prostration**, the **inflamed eyes**, furred tongue, headaches, **buboes**, the terrible thirst, **delirium**, **patches** on the body. »

Infectious diseases are due to **bacilli**, **bacteria**, **germs**, **microbes**, **viruses**. *Thanks to the* **vaccine** *one is* **immunized** *against these diseases. It was Lady M.W. Montagu who, in the 18th century, introduced into England* **innoculation** *against* **smallpox**.

Tuberculosis *is contagious*. **Cancer**, *that* **malignant growth**, *is probably not.*

Among such diseases that are not infectious, let us name **heart complaints**, *the victims of which have* **palpitations**, **fainting** *or* **swooning fits**, **attacks**, **embolisms** ; **diabetes**, **gout**, **dropsy**, **ulcer**, *etc...*

We must finally say a word of NERVOUS AND CEREBRAL COMPLAINTS ; *as a result of* **fatigue**, **overwork** *or* **worry**, *a person can experience certain nervous disorders :* **insomnia**, *for example.*

The patient is worried, irritable ; **overexcited**, *or on the other hand*, **weary**, **dejected**, *depressed*, **listless**, **lifeless**, **nervy** :

« He was usually active and interested but sometimes he would have **fits of depression**. »

(D.H. Lawrence)

Nervous depression *is the illness of our time, along with* **instability** *and* **nervous breakdown**.

There are, and this is more serious, people who suffer from **odd fancies**, **manias**, **fads**, *as well as dangerous* **madmen** *who have to be constrained in a* **straight-jacket** *before they are confined to what used to be called a* **lunatic asylum** *and is now a* **mental hospital**.

Even if we do not become certifiably insane, **meningitis**, **strokes**, **apoplectic fits**, **paralysis** *lie in wait, alas, for many of us towards the end of our days, unless it's* **senile decay** *that sets in by slow degrees.*

C) *LES BLESSURES, etc.*

Comme les maladies, les **brûlures** *ou les* **morsures**, *les* BLESSURES *peuvent être de gravité variable. On peut* **s'écorcher** *légèrement la peau et avoir une* **égratignure**. *Une* **coupure** *ou une* **entaille** *laisseront une* **cicatrice** *dont la guérison peut se faire attendre.*

« L'agitation violente dans laquelle j'étais fit rouvrir ma **plaie** qui n'était pas encore bien fermée ; je perdis tant de sang que je tombai en faiblesse. »

(Mme de Tencin)

Les **plaies à vif** *font plus d'effet mais sont moins graves que les* **blessures internes**. *Il n'empêche qu'une plaie qui n'est pas soignée à temps peut* **s'infecter**. *Et, si la* **gangrène** *s'y met il faut* **amputer** *le membre blessé.*

Sportifs et moins sportifs sont souvent victimes de FOULURES. *On se donne une* **entorse**, *on* **se foule le poignet** *ou la cheville, on* **se démet le genou**, *que sais-je !*

Heureux les cascadeurs qui n'ont connu dans leur vie que **bosses** *et* **bleus** *!*

On n'a pas attendu le perfectionnement des moyens de communication pour **se casser le bras** *ou la jambe. Le plaisir d'avoir un membre* **dans le plâtre** *ou de porter le bras en écharpe ne date pas d'hier. La circulation accélérée a, néanmoins, grandement multiplié les* FRACTURES :

« "Le chauffard s'enfuit après l'accident". Charles Lumley, 23 ans, a été **hospitalisé** hier soir après qu'on l'eût trouvé **sans connaissance** sur un accotement... encore un cas de chauffard renversant un piéton et qui ne s'arrête pas. »

annonce ce journal. Quand l'accidenté se réveille :

« "Qu'est-ce-qui m'est arrivé ?" demanda-t-il d'une voix éteinte.

"Ce qui vous est arrivé" répondit le docteur, "eh bien, outre quelques **excoriations**, une **fracture de la clavicule** et une sévère **commotion** – qui s'atténue maintenant bien sûr – vous avez les jambes **paralysées**, et c'est ça le plus grave". »

C) *INJURIES, etc.*

Like diseases, **burns** *or* **bites**, INJURIES *can be of varying degrees of seriousness. The skin may be only slightly* **grazed** *or* **scratched**. *A* **cut** *or a* **gash** *will leave a* **scar** *and recovery may be long.*

« The state of violent agitation I was in caused my **wound**, which was not yet properly healed, to re-open : I lost so much blood that I fell down in a faint. »

Raw wounds *are more spectacular but less serious than* **internal injuries**. *All the same, when a wound is not attended to in time, it may* **become infected**. *And, if* **gangrene** *sets in, the injured limb has to be* **amputated**.

Whether keen on games or not, few people escape occasional SPRAINS. *They give themselves a* **wrench**, **sprain their wrist** *or ankle,* **put their knee out of joint** *and what not !*

Lucky indeed are the stunt men who have got away with just **bumps** *and* **bruises** *in their lifetime.*

We did not have to wait for improvements in road travel in order **to break an arm** *or a leg. The pleasure of having a limb* **in plaster** *or your arm* **in a sling** *is no new thing. Nevertheless, faster traffic has greatly increased the number of* FRACTURES :

« "Hit and run". Charles Lumley (23) was **admitted to hospital** last night... after being found lying **unconscious** by the roadside... another case of a motorist failing to stop after knocking down a pedestrian. »

announces the newspaper. When the victim wakes up :

« "What's the matter with me ?" he asked faintly.

"The matter", said the doctor, "Well, apart from **abrasions** and **a broken-bone**, and considerable **concussion** – that's wearing off now, of course – the main trouble is **paralysis of the legs**". »

(J. Wain)

Même un homme bien portant doit se faire suivre, par le MÉDECIN *comme, d'ailleurs, par le* **dentiste** *chargé de* **détartrer les dents,** *de les* **plomber,** *voire de les* **arracher** *si elles sont* **gatées.**

La profession médicale a eu mauvaise presse chez les écrivains. Qu'on songe au médecin du « Malade imaginaire » de Molière :

« Je suis médecin passager qui vais de ville en ville, pour trouver des malades dignes de m'occuper, capables d'exercer les grands et beaux secrets que j'ai trouvé dans la **médecine.** Je dédaigne de m'amuser à ce menu fatras de maladies ordinaires, à ces bagatelles de rhumatismes et de **fluxions,** à ces fiévrottes, à ces **vapeurs** et à ces **migraines.** Je veux des maladies d'importance...

(Molière)

ou à ce **praticien** *anglais qui avouait ingénument :*

« D'autres, mesquins, demandaient des mois
pour trucider,
Moi j'expédiais souvent mon **malade** dans la
journée. »

Nos contemporains distinguent plus aisément les médecins authentiques des **rebouteux, guérisseurs** *et* **charlatans.** *L'on respecte le* **médecin de médecine générale** *comme le spécialiste (***cardiologue, gynécologue, otho-rhyno-laryngologiste, urologue,** *etc...) et si tel roman se moque encore d'un grand patron c'est plus à cause de la personnalité amusante que de l'incompétence de ce dernier. Voyez, par exemple, Sir Lancelot dans « Doctor in the House ».*

« "**Infirmière** !" s'écria Sir Lancelot, "pensez-vous que je puisse **opérer** avec un couteau à étaler la confiture ? Ce **scalpel** est une honte." Il le jeta par terre. "Allons, voyons, Strubbins, ne pouvez-vous éviter d'être toujours dans les jambes de Crate ? Votre travail consiste à vous servir intelligemment du **rouleau de gaze,** et non à l'agiter autour de vous comme une bannière de l'Armée du Salut. Pourquoi suis-je toujours affligé d'assistants empotés ? Il me faut une **pince,** infirmière. Depêchez-vous ma fille. Je ne vais pas attendre toute la nuit." »

Even a man in good health has to have a check-up by the DOCTOR *and by the* **dentist** *as well, whose job it is* **to scale one's teeth,** *to* **fill** *and even* **extract** *them if they are* **decayed.**

Writers have dealt rather severely with the medical profession. Take the doctor in Molière's « Malade imaginaire ».

« I'm an itinerant physician, and I go from town to town, to find patients worthy of my attentions and giving scope for the grand and marvellous secrets which I've discovered in **medicine.** I disdain to amuse myself with the small fry of common diseases, with the trifles of rhumatisms and **fluxions, agues, vapours** and **migrains.** I would have diseases of importance...

or the English **practitioner** *who confessed ingeniously :*

« Whilst others meanly ask'd whole months
to slay,
I oft dispatch'd the **patient** in a day. »

(S. Garth)

Our contemporaries make a clearer distinction between genuine doctors and **bonesetters, healers** *and* **quacks.** *The* **general practitioner** *is held in as much respect as the specialist (***heart specialist, gynaecologist, ear, nose and throat specialist, urologist***) and if a particular novel pokes fun at a medical big-wig, it is because of his amusing personality rather than his incompetence. Take Sir Lancelot in « Doctor in the House » for example :*

« "**Sister** !" exclaimed Sir Lancelot, "do you expect me to **operate** with a jam spreader ? This **knife's** a disgrace." He threw it on the floor. "Now look here, Stubbins, can't you and Crate keep out of each other's way ? Your job is to use the **gauze swab** sensibly, not wave it around like a Salvation Army banner. Why am I always cursed with assistants who have a couple of left hands ? and I want a **clip,** Sister. hurry-up, woman, I can't wait all night !" »

(R. Gordon)

Les débutants compensent souvent leur inexpérience en prêtant une attention particulière au malade qui se présente à LA VISITE MÉDICALE ou qu'ils examinent à domicile :

« Il était seul devant un cas qu'il devait **diagnostiquer** et traiter sans l'aide de personne... La **température**, la langue, le **pouls**, tout indiquait des troubles graves. Son premier cas. Supposez qu'il commit une erreur, une impardonnable bévue ? Et pire encore supposez qu'il se trouvât incapable d'établir un **diagnostic** ? »

*Si nécessaire, le médecin **ausculte** le malade à l'aide d'un **stéthoscope**, lui fait une **radioscopie** ou l'envoie au laboratoire pour une **radiographie**, une **échographie** ou une **prise de sang**.*

*Il lui rédige ensuite une **ordonnance** :*

« Vous vous coucherez en arrivant. Aucune alimentation solide pendant une semaine. Un verre d'eau de Vichy toutes les deux heures... Vous ne direz pas que je vous ordonne des **remèdes** couteux. »

(J. Romains)

LES MÉDICAMENTS *ont évolué aussi radicalement que les médecins. Hier les remèdes pouvaient être barbares :*

« Il était un docteur aussi prudent que grave,
Soucieux de ses malades comme nul autre au monde ;
Ses **purges**, ses **clystères** les soulageaient au mieux
Et il connaissait bien l'art des **vésicatoires** ;
Maint fut **guéri** par lui (il en eut voulu plus),
Grâce aux **vomissements**, aux purges et aux **saignées**.
Ses malades, pourtant le revenaient trouver,
La plupart se plaignant des maux déjà connus. »

et même dangereux :

« Il y a chaque jour des nuées de soi-disant médecins qui n'ont jamais porté la robe. Ils inondent la ville et la campagne d'une camelote dangereuse faite d'ingrédients dont ils ne comprennent pas la composition. Pourtant ils vendent ces produits affreux et meurtriers, concoctés au hasard, comme des remèdes aux propriétés miraculeuses, de merveilleux **cordiaux** et des **élixirs** infaillibles. »

Those new to the profession often make up for their lack of experience by taking special care when a patient is ATTENDING SURGERY or when they examine him in his own house :

« He was alone, confronted by a case which he must **diagnose** and treat unaided... **Temperature**, tongue, **pulse**, they all spoke of serious trouble... His first case. Suppose he made an error, a frightful blunder ? and worse, suppose he found himself unable to make a **diagnosis** ? »

(A.J. Cronin)

*If it is necessary, the doctor **sounds** the patient with the help of a **stethoscope**, gives him an X-ray **examination** or sends him to the laboratory for an X-ray **photograph**, a **scan** or a **blood test**.*

*He then makes out a **prescription** :*

« As soon as you get home you will go to bed. No solid foods for a week. A glass of Vichy water every two hours... You can't say I'm prescribing costly **remedies**. »

There has been as radical a change in MEDECINES *as in doctors. Not long ago remedies might be barbarous :*

« There was a prudent grave physician,
Careful of patients as you'd wish one ;
Much good he did with **purge** and **clyster**,
And well he knew to raise a **blister** ;
Many he **cur'd** and more he wou'd,
By **vomit**, flux and **letting blood** ;
But still his patient came again,
And most of their old ills complain. »

(C. Sedley)

and even dangerous :

« We have every day swarms of pretended physicians that never wore gown... They cloy city and country with pernicious trash, made of ingredients whose separate natures they do not understand. Yet this horrid murderous stuff, jumbled together at random, they vend abroad as wonderworking arcanums, infallible **elixirs**, never-failing **cordials**. »

(« *Hippocrates Ridens* » 1686)

Il existe encore aujourd'hui des **remèdes de bonne femme, tisanes, herbes,** *etc... Dans l'ensemble, pourtant, les produits utilisés pour faire les* **fortifiants,** *les* **potions,** *les* **pilules,** *les* **cachets,** *les* **gouttes,** *les* **calmants,** *les* **piqûres** *(pour ne pas parler des* **antibiotiques***) sont hautement contrôlés. Votre* **pharmacien** *vous coûte cher (surtout si vous n'êtes pas à la* **Sécurité Sociale***), mais il est sûr.*

Il est évidemment des cas où l'on ne saurait se soigner chez soi. On demande alors son admission à L'HOPITAL. *Les services y sont spécialisés, il y a des* **pavillons** *pour malades contagieux, des* **salles** *pour les vieux :*

« On roulait une série de petits lits au bout de la salle et on les disposa dans le nouveau service **gériatrique**... Puis on amena les malades sur des fauteuils roulants. Les nouveaux venus se trouvaient dans un état plus ou moins avancé de **sénilité** ; ils étaient en outre particulièrement bouleversés par ce changement ; aussi faisaient-ils plus de bruit et **bavaient**-ils davantage qu'à l'ordinaire. »

Il y a aussi le **bloc opératoire** *où l'on doit passer sur le* **billard** *s'il on a, par exemple,* **l'appendicite** *:*

« Tout en parlant, Sir Lancelot avait coupé dans la **paroi abdominale**, comme un enfant impatient de regarder ce que contient son colis de Noël. Il sortit **l'appendice** de la plaie. »

Mais il est peut-être temps de laisser nos malades, en leur souhaitant, bien sûr, un prompt **rétablissement.**

Old wives' remedies, infusions, herbs *etc... are still in use today. On the whole however, the ingredients of* **tonics, potions, pills, cachets, drops, tranquillizers** *and* **injections** *(not to mention* **antibiotics***) are highly scientific and drastically controlled. Your* **dispensing chemist's** *bill will be high (especially if you do not contribute to the* **National Health Service***) but he is reliable.*

Obviously there are occasions when you cannot be looked after at home. You then seek admission to a HOSPITAL. *The nursing there is specialized, there are separate* **blocks** *for infectious patients,* **wards** *for the elderly :*

« A line of cots was being wheeled up the ward and arranged in the new **geriatric** corner... Next, the patients were wheeled in... Being in varying advanced states of **senility**, and also being especially upset by the move, the new arrivals were making more noise and **dribbling** more from the mouth than usual. »

(M. Spark)

There is also the **surgical wing** *where you are put on the* **operating table** *if you have, for example,* **appendicitis** *:*

« Sir Lancelot had cut through the **abdominal wall** while he was talking, like a child impatient to see inside a Christmas parcel. He produced the **appendix** from the wound... »

(R. Gordon)

But it is perhaps time to leave our patients, wishing them, naturally, a speedy **recovery.**

LA VIE PSYCHOLOGIQUE

PSYCHOLOGY, MENTAL LIFE

I – LA PSYCHOLOGIE : UNE SCIENCE

I – PSYCHOLOGY AS A SCIENCE

A) *MÉTHODES*

A) *METHODS*

Nulle science humaine n'a peut-être autant évolué au cours du demi-siècle qui vient de s'écouler que la psychologie, au moins dans ses méthodes.

Perhaps no human science has developed so much in the last fifty years as psychology, at least in its methods.

L'INTROSPECTION, *jadis souveraine, s'est révélée pernicieuse :*

INTROSPECTION, *at one time unchallenged, has proved harmful :*

« **Connais-toi toi-même,** maxime pernicieuse autant que laide, quiconque s'observe arrête son développement, qui songe à soi s'empêche... La chenille qui chercherait à bien se connaître ne deviendrait jamais papillon. »

(A. Gide)

« **Know then thyself** – a maxim as pernicious as it is repellent. The man who is always watching himself arrests his development ; who thinks of himself retards himself... A caterpillar seeking to know itself would never become a butterfly. »

ou, à tout le moins, incomplète.

or, to say the least of it, inadequate.

De plus en plus, on s'est tourné vers les MÉTHODES OBJECTIVES, *particulièrement l'observation du* **comportement,** *notion-clef de la* **psychologie expérimentale.**

More and more we have turned towards OBJECTIVE METHODS *particulary the observation of people's* **behaviour,** *the basic concept of* **experimental psychology.**

B) *OBJETS*

B) *AIMS*

Un philosophe définit pour nous l'objet de la psychologie :

A philosopher defines the aims of psychology for us :

« L'objet de la psychologie est la vie mentale, la vie **psychique** saisie dans sa réalité concrète. »

(L. Meynard)

« Psychology is concerned with the life of the mind, the **psychic** mind apprehended in its concrete reality. »

Elle étudie d'abord les DISPOSITIONS NATURELLES *:* TENDANCES, INSTINCTS.

Its first study is that of INNATE CHARACTERISTICS *:* TENDENCIES AND INSTINCTS.

L'instinct coexiste en l'homme avec la **raison** *:*

In man instinct exists side by side with **reason** *:*

« Il y a des choses que l'**intelligence** seule est capable de chercher mais que par elle-même elle ne trouvera jamais ; ces choses l'instinct seul les trouverait mais par lui-même il ne les cherchera jamais. »

(H. Bergson)

« There are things which only the **intelligence** is capable of seeking but which, by itself, it will never find ; these things instinct alone could find but by itself will never seek. »

Puis viennent les DISPOSITIONS AC-QUISES : LES HABITUDES *dont l'utilité n'est pas douteuse, mais dont il ne faut pas devenir esclave (ce serait autrement de la* **routine***), qu'il faut savoir rompre, auxquelles on doit être capable de déroger.*

Autrement :

« L'habitude peut être considérée comme une menace pour la vie de l'esprit par tout ce qu'elle comporte d'**inertie**, de **mécanisation**, de **torpeur**. »

(L. Meynard)

La psychologie s'attache ensuite à décrire les FACULTÉS MENTALES : VOLONTÉ, ATTENTION, INTELLIGENCE, IMAGI-NATION, MÉMOIRE...

— *La* **volonté** *est la faculté de se déterminer à certains actes, c'est-à-dire de* **délibérer***,* **choisir***, et* **décider***, ce que tout le monde n'aime pas faire :*

« La nécessité de **l'option** me fut toujours intolérable. Quelle insolence que le choix ! »

(A. Gide)

Le **velléitaire** *hésite :*

« Je suis demeuré **partagé, perplexe**, et j'ai **oscillé** entre les contraires, ce qui est une façon de sauvegarder l'équilibre, mais ce qui empêche toute cristallisation. »

(H.F. Amiel)

*L'*aboulique *refuse complètement de* **trancher***.*

Outre ces deux maux, notons les anomalies suivantes : la **suggestibilité**, *l'*idée fixe, *l'*entêtement *et l'*esprit de contradiction, *le* caprice, *l'*instabilité, *l'*inconstance, *l'*irréso-lution, *le* scrupule.

— *L'*attention *est la faculté de* concentra-tion *de l'esprit sur un objet. On la distinguera de l'*attente :

« L'attente est passive, l'attention est active ; la première implique un énervement, une anxiété aggravés par l'inaction jusqu'à l'exas-pération, tandis que la seconde, dynamique et féconde, occupe l'esprit et en canalise l'éner-gie. »

(L. Meynard)

L'attention s'oppose à la **distraction** *et à l'*étourderie, *encore qu'il y en ait différents types :*

« La distraction de La Fontaine est tout simplement une espèce d'extase laïque avec

Then come ACQUIRED CHARACTER-ISTICS : HABITS *whose utility cannot be doubted provided we don't become the slaves of habit (it would be* **routine** *otherwise), provided we can break it, depart from it.*

Otherwise :

« Habit may be considered as a threat to the life of the mind because of the **inertia**, the **mechanisation**, the **lethargy** associated with it. »

Psychology is further concerned with des-cribing MENTAL FACULTIES : WILL, ATTENTION, INTELLIGENCE, IMAGI-NATION, MEMORY...

— **Will-power** *is the ability to decide upon certain actions : that is to say* **to deliberate***,* **choose** *and* **decide** *— which is a thing not everybody likes doing :*

« The necessity for **choice** I always found intolerable. What an insolent tyrant choice is ! »

The **indecisive** *type will hesitate :*

« I have remained **undecided, unsure, waver-ing** between opposites, which is a way of maintaining a balance, but which prevents the crystallization of any definite ideas. »

The **aboulic** *simply will not* **make a deci-sion***.*

Beside these two maladies we have the following anomalies : **suggestibility, the « idée fixe », obstinacy,** *and* **a spirit of contradiction, caprice, instability, fickle-ness, irresolution, scruple.**

— **Attention** *is the faculty of* **concentrating** *the mind on an object. It is to be distinguished from* **anticipation** :

« Anticipation is passive, attention active : the former implies a state of nervous anxiety increased by inaction to the point of exaspe-ration, while the latter, dynamic and product-ive, occupies the mind and canalises its energy. »

Attention is the opposite of **absent-mind-edness** *and* **thoughtlessness***, although there are several sorts :*

« La Fontaine's absent-mindedness is quite simply a sort of non-religious ecstasy with all

tous les caractères de l'extase : le bien-être, la tiédeur, l'oubli des maux et une insensibilité complète à la présence d'amis ou d'importuns. »

(J. Giraudoux)

— *L'intelligence permet à l'homme de connaître et de comprendre. Les signes extérieurs, les plus superficiels, en sont la* **vivacité**, *l'*ingéniosité, *les* **traits d'esprit.**

Plus profondément, l'homme intelligent se reconnaît à sa **lucidité**, *sa* **rapidité d'esprit**, *son* **sens critique**, *son* **discernement**, *sa capacité à* **juger justement**, **impartialement**, *en évitant l'*erreur *comme le* **préjugé**. *Cela s'apprend si l'on est* **habile** *et* **doué**.

Mais combien de gens sont trop **irréfléchis**, **lourds** *ou même* **sots** *et* **stupides**, *pour y parvenir ! Combien de* **têtes de linottes** *pour ne pas parler, bien sûr, des* **arriérés** *et des* **idiots** *!*

— *L'intelligence est une faculté critique plutôt qu'une aptitude à créer ; ce dernier rôle est alors dévolu à une autre faculté reproductrice, mais aussi créatrice :* l'**imagination**.

Pascal l'appelle « La Folle du Logis ». D'autres la louent sans réserve :

« Le bonheur, c'est peut-être ça : l'imagination. Quand on en manque, il ne reste que les platitudes de la vie. »

(H. Duvernois)

— *Parmi les facultés qu'étudie la psychologie, se trouve enfin la* **mémoire** *plus ou moins* **prompte**, **fidèle** *et* **sûre** *selon les individus, et qui fut ainsi définie :*

« La mémoire est la connaissance d'un événement ou d'un fait auquel nous n'avons pas songé entre-temps, avec en outre le sentiment d'y avoir déjà songé ou de l'avoir déjà éprouvé. »

the characteristics of ecstasy: a feeling of well-being, of relaxed contentment, a forgetting of misfortune and a complete indifference to the presence of both friends and bores. »

— **Intelligence** *allows man to know and to understand. The outward signs of it, the most superficial ones, are* **vivacity**, **ingenuity**, **wit.**

On a deeper level, the intelligent man is known by the **clarity** *of his mind, his* **quick-wittedness**, *his* **critical sense**, *his* **discernment**, *his capacity for* **judging soundly**, **with an open mind**, *avoiding* **error** *as well as* **prejudice** *(or* **bias**). *It can be learned, by such as are* **clever** *and* **gifted.**

Yet how many people are too **thoughtless**, **dull-witted** *or even* **foolish** *and* **stupid**, *ever to succeed in this. How many* **hare-brained fellows**, *not to mention, of course,* **backward persons** *and* **half-wits** *!*

— *Intelligence is the ability to understand rather than the ability to create ; the latter role belongs to another faculty, reproductive (=* **fancy**) *but creative also :* **imagination** *proper.*

Pascal calls it « the eccentric of the family ». Others have nothing but praise for it :

« Happiness is perhaps that : imagination. Without it, only the platitudes of life remain. »

— *Among the faculties that psychology deals with is* **memory**, **ready**, **reliable** *and* **accurate** *in varying degrees according to the individuals, and which has been defined in this way :*

« Memory is the knowledge of an event or fact, of which meantime we have not been thinking, with the additional consciousness that we have thought or experienced it before. »

(W. James)

A propos de :	« **MÉMOIRE** », *etc...*
	Notez
Apprendre par cœur	**to memorize**
La mémoire	**memory**
Un mémoire	
(comptes)	**an account, a report**
(universitaire)	**a small thesis**
(de société savante)	**transactions**

Des mémoires *(homme célèbre, etc.)*	**memoirs**
Mémorial, monument commémoratif	**memorial**
L'oubli	**oblivion**
Un oubli	**an omission**
Capacité d'oubli	**forgetfulness**
Rappeler quelque chose à quelqu'un	**to remind somebody** **of something**
Se rappeler quelqu'un	**to recall somebody**
Se souvenir de quelque chose	**to recall, remember something**
Un souvenir *(mental)*	**memory, recollection,** **remembrance**
Un souvenir *(objet)*	**a souvenir**

*Parmi les troubles de la mémoire, le plus grave est sans doute l'**amnésie**, thème d'une œuvre comme « Le Voyageur sans bagages » de Jean Anouilh.*

*La psychologie a d'*AUTRES OBJETS *que les dispositions ou les facultés. Elle étudie encore, et peut-être essentiellement, l'activité de ces facultés ou vie mentale, consciente ou inconsciente, que nous avons choisi, quant à nous, de traiter séparément comme la **caractérologie** et la **psycho-pathologie** qu'a beaucoup servies la **psychanalyse**.*

*Peut-être faut-il également dire ici un mot de la **para-psychologie**. Elle traite des **phénomènes métapsychiques** : **télépathie**, **prémonition**, **communication avec les esprits** ; certains philosophes, Gabriel Marcel par exemple, ont protesté contre le parti-pris de refuser a priori l'expérience des **spirites**.*

*Quoi qu'en pensent les hommes de science, les écrivains font bon usage du spiritisme. Ainsi Noël Coward dans « Blithe Spirit » où le **médium**, Madame Arcati, **fait tourner les tables et revenir les morts** :*

« Mme Arcati :
"Esprit, es-tu là ?... Un coup pour oui, deux coups pour non. Allons-y...Esprit es-tu là ?..."
(Après un court intervalle la table donne un petit coup)
"C'est toi, Daphné ?"
(La table donne un coup plus fort). »

*Probably the most serious of the disorders that can affect the memory is **amnesia**, the theme of J. Anouilh's « The Traveller without Luggage. »*

Psychology deals with OTHER SUBJECTS, *in addition to characteristics and faculties. It studies also, and perhaps principally, the working of these faculties, our mental life, conscious or unconscious, which we have decided to treat separately like **characterology** and **psycho-pathology**, both of which have been greatly assisted by **psychoanalysis**.*

*Perhaps we should here say a word about **parapsychology**. It is concerned with **metapsychic phenomena** : **telepathy**, **premonition**, **communication with spirits** ; some philosophers, Gabriel Marcel for instance, have protested against the prejudice which refuses a priori to accord any significance to the testimony of **spiritualists**.*

*Whatever scientists may think of it, writers find it very useful. Thus Noel Coward in « Blithe Spirit » in which the **medium**, Madame Arcati, **sets tables rocking and summons up the dead** :*

« Mad. Arcati :
"Is there anyone there ?... One rap for yes...two raps for no... Now then... Is there anyone there ?..."
(After a short pause, the table gives a little bump)
"Is that you, Daphne ?"
(The table gives a louder bump). »

(N. Coward)

II – LA VIE MENTALE

A) *CONSCIENCE ET INCONSCIENCE*

Pour William James, la vie de l'esprit est comparable à un fleuve qui passe et dont les eaux s'écoulent sans arrêt dans une continuité sans coupure : c'est le COURANT DE CONSCIENCE.

II – MENTAL LIFE

A) *CONSCIOUSNESS AND THE UNCONSCIOUS*

For William James, the life of the mind is like a river flowing, whose waters flow ceaselessly on with never a pause : the STREAM OF CONSCIOUSNESS.

A propos de :	« CONSCIENCE », *etc...* *Notez*
Conscience morale	**conscience**
Conscience chargée	**guilty conscience**
Conscience nette	**clear conscience**
Consciencieux	**conscientious**
Cas de conscience	**point of conscience**
Par acquit de conscience	**for conscience's sake**
	as a matter of duty
Science sans conscience n'est que	**science without scruples is the**
ruine de l'âme	**death of the soul**
Conscience psychologique	**consciousness**
Consciemment	**consciously**
	unconsciously
Inconsciemment	**unwittingly**
	unawares
Avoir conscience de	**to be aware of**
Prendre conscience de	**to become aware of**
	to realize

Nombreux sont les écrivains modernes qui ont tenté, dans le roman, de rendre cette durée : Proust, James Joyce, V. Woolf, etc...

« Examinez un instant un esprit ordinaire par un jour ordinaire. Cet esprit reçoit une myriade d'**impressions**, banales, fantasques, **évanescentes** ou gravées comme au burin... La vie n'est pas une série de lanternes disposées symétriquement ; la vie est un halo lumineux, une enveloppe à demi-transparente... La tâche du romancier n'est-elle pas alors de représenter cet esprit **changeant**, inconnu, mal **délimité**, toutes les aberrations et les complexités qu'il offre en y mêlant aussi peu de faits étrangers et extérieurs que possible ? »

Le déroulement de la conscience est secret, au moins pour les autres.

Secret non seulement pour les autres mais pour soi-même est le SUBCONSCIENT, *la*

Many modern writers have attempted in their novels to convey this continuous flow : Proust, James Joyce, Virginia Woolf, etc...

« Examine for a moment an ordinary mind on an ordinary day. The mind receives a myriad **impressions** – trivial, fantastic, **evanescent**, or engraved with the sharpness of steel... Life is not a series of gig lamps symmetrically arranged ; life is a luminous halo, a semi-transparent envelope... Is it not the task of the novelist to convey this **varying**, this unknown and **uncircumscribed** spirit, whatever aberration or complexity it may display, with as little mixture of the alien and external as possible. »

(V. Woolf)

The flow of consciousness is secret, for others at least.

Hidden not only from others but from oneself is the SUBCONSCIOUS, *which is,*

partie la plus importante, pourtant de la personnalité, où l'**affectivité** plonge ses racines.

S. Freud a défendu la réalité du fait de l'**inconscient** et la légitimité de la notion :

« L'hypothèse de l'inconscient est nécessaire... parce que les renseignements que fournit le conscient sont pleins de lacunes ; tant chez les êtres normaux que chez les malades on observe souvent des actes psychiques qui, pour être compris, présupposent d'autres actes dont **le conscient** cependant ne sait pas témoigner. »

(S. Freud)

Critiques et écrivains expliquent volontiers par le subconscient la **création artistique**. *Pour Albert Béguin, les caractéristiques du romantisme allemand sont :*

« La descente aux **profondeurs** de l'être, la confiance accordée aux révélations du **songe**, de la **folie**, des **vertiges** et des **extases**, l'esprit du poète aux écoutes des dons du hasard. »

(A. Béguin)

Et André Breton définit ainsi son école :

« L'idée de surréalisme tend simplement à la récupération totale de notre **force psychique** par un moyen qui n'est autre que la **descente vertigineuse** en nous, l'**illumination** systématique des lieux cachés et l'**obscurcissement** progressif des autres lieux, la promenade perpétuelle en pleine zone interdite. »

(A. Breton)

LE RÊVE, *le* **cauchemar**, *ont un contenu* **latent** *qui ressortit au subconscient, un contenu* **manifeste** *qu'on peut évoquer au réveil, qui est semi-conscient donc.* **Songerie, rêverie** *sont de ce dernier type. Dans l'attitude qui est la leur devant ces phénomènes s'opposent l'esthète ou le contemplatif et l'homme d'action :*

« Laissez au poète son soleil et sa fleur entre les dents — et qu'il fasse un long somme, les mains à la nuque sur le talus herbeux, quand sonne la sirène de l'usine. Sinon, pour citer Essenine, vous ramerez vers l'avenir avec des mains coupées. »

(M. Lebesque)

however, the most vital part of the personality, in which our **affective life** seems to have its roots.

Freud has maintained the reality of the fact of the **unconscious** and the validity of the concept :

« The hypothesis of the unconscious is necessary... because the information which the conscious mind furnishes is full of gaps ; in normal people as well as in the mentally sick, psychic actions are observed which, to be understood, presuppose other actions which cannot be known to **the conscious mind**. »

(S. Freud)

Critics and writers find a ready explanation of **artistic creation** *in the subconscious. Albert Béguin considers that the characteristics of German romanticism are :*

« The descent into the **depths** of the self, the belief in the revelations of **dreams**, **madness**, **vertigo** and the **trance**, the soul of the poet listening for the chance revelation. »

And André Breton defines his school in this way :

« Surrealism simply aims at the total recovery of the **psychic strength** by a means which is no less than the **dizzy descent** into ourselves, the systematic **illumination** of the secret places and the progressive **obscuring** of the other places, a perpetual journeying through forbidden territory. »

DREAMS *and* **nightmares** *have a* **latent** *content which belongs to the subconscious, a* **manifest** *material which we can remember on awakening and which is therefore semi-conscious.* **Day-dreams** *and* **reveries** *are of this latter type. In their attitude to these phenomena the aesthete and the dreamer differ completely from the man of action :*

« Leave the poet his sun and the flower between his teeth, and when the factory hooter sounds, let him go on sleeping, lying on the grassy bank with his hands clasped behind his head. Otherwise, to quote Essenine, you will be rowing towards the future with your hands amputated. »

« Si tu sais rêver sans être esclave du rêve,
Si tu sais penser sans faire de la pensée ton but...
Le monde t'appartient et tout ce qu'il comporte. »

« If you can dream — and not make dreams your master ;
If you can think — and not make thoughts your aim...
Yours is the Earth and everything that's in it. »

(R. Kipling)

B) *LA CONNAISSANCE*

La connaissance présente n'est souvent que LE SOUVENIR *du passé :*

« Les souvenirs font boule de neige et se conservent. Conscience signifie d'abord mémoire... **conservation** et **accumulation** du passé dans le présent. Le passé tout entier **se conserve**. »

(H. Bergson)

Ce passé, néanmoins, demeure plus ou moins **vivace** *selon les êtres :*

« Certains esprits ressemblent à de la cire sous un sceau. Aucune impression aussi indépendante fût-elle des autres, ne s'en efface. D'autres esprits, au contraire, vibrent au moindre contact comme de la gelée, mais dans des conditions normales, ne conservent aucune **empreinte permanente**. »

La volonté de **revenir** *ou non* **sur les événements** *écoulés intervient également. « La Recherche du Temps Perdu » de Proust est un effort pour retrouver le passé que l'on croyait* **aboli** *et pour* **s'affranchir du temps**.

Notez aussi :

autant que je me souvienne

ne pas oublier
oublions le passé
(= nos griefs passés)
cela m'est sorti de l'esprit.

A la base de la connaissance passée comme de la présente, il y a la **perception** *et la* **sensation** *que celle-ci nous communique.*

« Quiconque a beaucoup vu peut avoir beaucoup **retenu**. »

(J. de La Fontaine)

Retenir, néanmoins, ne suffit pas et, si l'on en croit cet auteur :

« Il se voit par expérience que les mémoires excellentes se joignent volontiers aux jugements débiles. »

(M. de Montaigne)

B) *KNOWLEDGE*

Present knowledge is often merely the REMEMBRANCE *of things past :*

« Memories snowball and are preserved. Consciousness means in the first place memory... the **conservation** and **accumulation** of the past in the present. The whole of the past **is preserved**. »

How **vivid** *this past remains, however, depends on the person :*

« Some minds are like wax under a seal. No impression, however disconnected with others, is wiped out. Others, like a jelly, vibrate to every touch, but under usual conditions retain no **permanent mark**. »

(W. James)

The will **to rake up bygone events** *or not intervenes as well. Proust's « Remembrance of Things Past » is an attempt to find the past that one had assumed to be* **dead**, *and therefore* **to free oneself from the grip of time**.

Note also :

as far as I can remember
to the best of my recollection
to bear in mind
let bygones be bygones

it went quite out of my head.

At the base of past as of present knowledge there is **perception** *and the* **sensation** *communicated by it.*

« He who has seen much may have **remembered** much. »

And yet **to retain the past** *is not enough, if we are to believe this author :*

« Experience teaches us that a good memory is often allied to feeble judgment. »

Le mode de connaissance le plus direct est L'INTUITION, ou **appréhension** *immédiate de la réalité, ou de la vérité : l'intuition pouvant être aussi introduction à la métaphysique :*

« Pour adorer sans comprendre, il faut sans doute une intuition et un élan du cœur que je n'ai plus. »

(P. Loti)

L'être **intuitif devine, prévoit** *; il* **a le pressentiment** [1] *de ce qui va se passer ; un* **doute,** *une* **supposition** *lui fournissent une* **conviction** *; une* **hypothèse** *: une* **certitude** *; une* **vague notion** *: une* **conclusion,** *sans qu'il ait besoin de* **faire un plan** *et de* **se creuser la cervelle,** *de* **peser le pour et le contre** *et de* **méditer** *longtemps en* **coupant les cheveux en quatre.**

*A lui, l'***esprit de finesse,** *et non l'***esprit de géométrie,** *les clefs du royaume où règnent ces réalités dont on a pu dire que :*

« On les voit à peine, on les sent plutôt qu'on ne les voit ; on a des peines infinies à les faire sentir à ceux qui ne les sentent pas d'eux-mêmes. »

(B. Pascal)

Le mode de connaissance le plus courant est **discursif,** il est fourni par LE RAISONNEMENT. Ce dernier peut prendre mainte forme :

– **inférence,** qui procède du particulier au particulier ;
– **induction,** qui va du particulier au général ;
– **déduction,** phénomène inverse ;
– **raisonnement par analogie...**

Chaque forme, à son tour, a ses procédés propres qu'étudie la **logique formelle,** *ainsi le* **syllogisme** *avec sa prémisse ou majeure, sa mineure et sa conclusion :*

Ex :

– *Tout ce qui est rare est cher ;*
– *Or un cheval de quatre sous est rare ;*
– *Donc un cheval de quatre sous est cher.*

Le syllogisme, très prisé de la **philosophie thomiste,** a été quelque peu discrédité dans la suite des âges, comme présentant un caractère **spécieux** et trop **abstrait.**

Knowledge is most directly communicated by INTUITION, or the immediate **apprehension** of reality or truth : while intuition may also lead us into metaphysics :

« To worship without understanding requires, I suspect, an intuition and a faith which I no longer possess. »

Intuitive man **guesses, anticipates (foresees),** he has a **foreboding** of what is going to happen ; a **doubt,** a **supposition** provide him with a **conviction** ; an **assumption,** with a **certainty** ; an **inkling of the truth,** with a **conclusion,** without his having **to think out a plan** or **rack his brains, to weigh the pros and cons** and **ponder** a long time **splitting hairs.**

For him **insight,** not a **mathematical mind,** provides the keys of the kingdom where the realities that prevail have been described like this :

« One hardly sees them, in fact one feels rather than sees them : and one has infinite difficulty in making anyone feel them who does not feel them for himself. »

The most common mode of acquiring knowledge is the **discursive** : it is provided by REASONING. The latter can assume many forms :

– **inference,** which proceeds from the particular to the particular ;
– **induction,** which goes from the particular to the general ;
– **deduction,** the reverse procedure ;
– **reasoning by analogy...**

Each form has its own procedures, which form part of the province of **formal logic** – like the **syllogism** with its major premise, minor premise, and conclusion :

Ex :

– *Everything which is rare is expensive ;*
– *Now a threepenny horse is rare ;*
– *Therefore a threepenny horse is expensive.*

The syllogism, greatly esteemed in **Thomist philosophy** has been somewhat discredited with time as having a **specious** and too **abstract** a character.

---

(1) *Pressentiment* d'un malheur : *misgiving.*

*La science moderne insiste sur le **doute méthodique**, la **table rase**, qui consiste à tout mettre en question, à **ne rien admettre a priori**, la démonstration expérimentale fondée sur des **preuves valables**.*

*Pour bien raisonner, c'est-à-dire saisir les **rapports** entre les choses, les comprendre ; concevoir une explication, examiner, **analyser** avant de parvenir à la **synthèse**, tout en sachant se rendre compte de ses limites et du caractère relatif de ses pensées, de ses idées, de ses notions, de ses opinions, il faut du **bon sens**. Il faut de la **mesure** aussi si l'on ne veut pas se retrouver dans la situation de cette maisonnée de Molière :*

« Raisonner est l'emploi de toute la famille,
Et le raisonnement y bannit la raison. »
(Molière)

C) *DE LA PENSÉE À L'ACTION*

*On peut raisonner gratuitement, on peut le faire aussi dans un but précis : résoudre un problème pratique, CONVAINCRE autrui. Dans ce dernier cas, on **insistera** sur les bonnes **raisons** qu'on a — en essayant de ne pas être trop **catégorique** pourtant — ; on tentera de **persuader** son interlocuteur pour qu'il adopte le **point de vue** présenté, qu'il en admette le **bien-fondé**, qu'il consente à **se rallier** à la **thèse** exposée.*

Le raisonnement mène l'homme de talent à INVENTER, à CRÉER. Nous avons souligné la part d'inconscient dans ces démarches. Mais écoutons ces paroles d'un mathématicien :

« Ce qui frappera d'abord ce sont ces apparences d'**illumination subite**, signes manifestes d'un long travail inconscient antérieur. Il y a une autre remarque à faire au sujet des conditions de ce travail inconscient : c'est qu'il n'est possible et en tout cas **fécond** que s'il est d'une part précédé et d'autre part suivi d'une période de travail conscient. »
(H. Poincaré)

*Il est vrai que la pensée consciente n'est peut-être pas dosée également dans l'**invention mathématique** et dans la création artistique. La première exploite le réel. La seconde peut se contenter de le traduire, d'imiter les*

---

*Modern science insists on **methodical doubt**, the **tabula rasa**, which consists in questioning everything and **accepting nothing a priori**, experimental demonstration founded on **valid proof**.*

*Reasoning soundly, that is to say catching the **relationship** between things and understanding it ; conceiving an explanation, examining, **analysing**, before arriving at a **synthesis**, and being capable, at the same time, of realizing one's limits and the relative value of one's thoughts, ideas, notions and opinions, requires **common sense**. **Moderation** too, is necessary if one is not to find oneself in the same situation as this family in Molière :*

« Everyone in the family wants to display his
powers of reasoning,
So that good sense is talked out of the
house. »

C) *FROM THOUGHT TO ACTION*

*One can reason gratuitously, one can also reason towards a specific conclusion : to solve a practical problem, CONVINCE others. In the latter case you insist (**lay stress**) on the good **reasons** you have — trying at the same time however, not to be too **positive** — ; you attempt to **persuade** the person you are talking to, to adopt the **point of view** you defend, to admit it is **well grounded**, to consent (agree), **to come round** to the **proposition** put forward.*

Reasoning leads the talented man TO INVENT, TO CREATE. We have emphasized the part played by the unconscious in this process. But listen to a mathematician speaking :

« What is immediatly striking are the sudden **flashes of illumination**, obvious signs of a long unconscious activity beforehand. There is another thing to notice about the conditions of this unconscious activity, and that is that it is only possible and **rewarding** if it is both preceded and followed by a period of conscious work. »

*It's true that conscious thought is not present in the same degree in **mathematical discovery** and artistic creation. The former explores the resources of the real. The latter is content to translate it, to present a picture of*

*apparences, d'exprimer une expérience vécue, mais souvent aussi elle puise dans l'**intériorité** du créateur, **sublime** les désirs insatisfaits et vise à transfigurer la nature, à **élaborer** un nouvel univers :*

« Toute grande œuvre nous atteint en tant que démiurgie... les grands artistes ne sont pas les transcripteurs du monde, ils en sont les rivaux. »

(A. Malraux)

AGIR *aussi est une forme de création. Pour agir, il faut d'abord vouloir :*

« Même si les épreuves vous **arrêtent** et vous **entravent**,
Avancez avec confiance et soyez certains de la réussite
Car **vouloir c'est** aussi **pouvoir**. »

*L'homme **persévérant** multiplie les **efforts**, tire le meilleur parti des **occasions**, ne remet pas à demain pour **rattraper le temps perdu** ou **exécuter un plan**, se remue et ne cède pas même s'il essuie un **échec**...*

*it, to express experience. But it, too, often draws on the **inner life** of the creator, **sublimates** unsatisfied desires and aims at transfiguring nature, at **elaborating** a new world :*

« Every great work of art affects us in so far as it is a demiurge... the great artists are not transcribers of the world, they are its rivals. »

Action is a form of creation. TO ACT *we must first have the will :*

« Hardships may **hinder** and **stay**,
Walk with faith, and be sure you'll get through it
For « **where there's a will there's a way** ». »

(E. Cook)

*The **persevering** man increases his **efforts** (**endeavours**, **exertions**), avails himself of every **opportunity**, never **procrastinates to make up for lost time** or **carry out a plan**, **hustles on** and doesn't **give up** even when he meets with **failure**...*

III – LA PERSONNALITÉ

A) *LE TEMPÉRAMENT*

Les actions extrêmes de l'homme proviennent, non de sa volonté, mais de sa nature, de son tempérament.

*Ce tempérament, on l'a considéré de diverses manières selon les âges. Avant la physiologie moderne régnait la notion d'*HUMEURS.

« Pour l'Elizabéthain, le tempérament était la conséquence de ces dosages mystérieux d'humeurs qui déterminaient les **désirs**, les **aspirations** et les actions de l'homme. »

(R. Davril)

Il y avait quatre humeurs :

« **Le sang** ; **la bile jaune ou colère**, qui ouvre, pousse, pénètre , empêche les obstructions, jette les excréments, apporte l'allégresse ; **la bile noire et aspre, ou mélancolie** qui provoque l'appétit à toutes choses, modère les mouvements subits ; **la pituite douce** qui adoucit la force des deux biles et toutes ardeurs. »

(P. Charron)

III – PERSONALITY

A) *TEMPERAMENT*

The extremes of man's actions are not prompted by his will but by his nature, his temperament.

Temperament has been explained in various ways according to the times. Before modern physiology the theory of HUMOURS *had general acceptance.*

« For the Elizabethan, the temperament depended on the mysterious proportions in which the humours were mixed, those humours which determined a man's **desires**, **aspirations** and actions. »

There were four humours :

« **Blood** ; **yellow bile or choler** which opens, pushes, penetrates, prevents obstructions, casts out waste matter, brings cheerfulness : **black and bitter bile**, or melancholy which stimulates the appetite for all things and restrains impulses : **phlegm**, which tempers the strength of the two biles and all violent passions. »

A chacun des états physiologiques qu'elles déterminaient correspondait un comportement psychologique et donc un type humain. Ainsi le « **mélancolique** », encore que celui que nous allons présenter, le Jaques de « Comme il vous plaira », se distingue en bien des points des autres :

« — On dit que vous avez l'humeur mélancolique...

— Je n'ai ni la mélancolie du savant qui est jalouse, ni celle du musicien, qui est **fantasque**, ni celle du courtisan, qui est **fière**, ni celle du soldat, qui est **ambitieuse**, ni celle de l'homme de loi, qui est **calculatrice** ; ni celle de la dame, qui est **délicate**, ni celle de l'amoureux, qui est tout cela. La mienne est bien à moi, composée de bien des simples, extraite de maint objet ; elle tient à vrai dire à la considération diverse de mes voyages, la fréquente **méditation** que j'en fais m'enveloppant d'une très forte humeur de **tristesse**. »

(Trad. J.-J. Mayoux)

Ne rions pas de ces conceptions un peu simplistes : nous n'avons guère changé au siècle de la **psycho-physiologie**. *Le concept d'*héridité *a eu hier ses fanatiques peu éclairés et, aujourd'hui encore, les* INFLUENCES ASTRALES *continuent d'être article de foi pour les lecteurs de journaux du soir et de magazines féminins. Sous la conduite d'*astrologues *plus ou moins compétents, ils scrutent leur* horoscope, *gobent avidement les* prédictions *conjecturales qui figurent à leur* signe du zodiaque. *D'autres étudient leurs tendances et leur* destin *dans les* lignes de la main *; d'autres encore dans les caractères de l'écriture codifiés par la* graphologie...

B) LE CARACTÈRE

On appelle CARACTÉROLOGIE *la branche de la psychologie qui traite du caractère. Elle distingue deux types fondamentaux :*

*L'*introverti, *qui préfère la vie intérieure, le* repliement *sur soi, le refuge dans le monde des rêves et des chimères.*

*L'*extroverti, *qui préfère l'action, l'agitation, la projection hors de soi, la recherche de l'objet.*

Les **caractérologues**, *par ailleurs, ont retenu quatre facteurs ou propriétés fonda-*

To each of the physiological states which they established corresponded a psychological behaviour, and therefore a human type. Thus the « **melancholy** » **man**, though the one we are going to present, Jaques in « As you like it » differs in many points from the others :

« — They say you are a melancholy fellow...

— I have neither the scholar's melancholy, which is emulation ; nor the musician's, which is **fantastical** ; nor the courtier's, which is **proud** ; nor the soldier's, which is **ambitious** ; nor the lawyer's, which is **politic** ; nor the lady's, which is **nice** ; nor the lover's, which is all these : but it is a melancholy of mine own, compounded of many simples, extracted from many objects ; and indeed the sundry contemplation of my travels, in which my often **rumination** wraps me in a most humorous **sadness**. »

(W. Shakespeare)

Let us not scoff at these somewhat naive ideas : we in this age of **psycho-physiology**, *have not changed very much. Not long ago the principle of* **heredity** *had its blind adherents, and today, readers of the evening papers and women's magazines still believe in* THE INFLUENCE OF THE STARS. *Guided by* **astrologers** *of varying competence, they study their* **horoscopes**, *greedily swallow the* **predictions** *which appear under their* **sign of the zodiac**. *Others read their character and their* **future** *in the* **lines of the hand** *; others in handwriting characteristics, which* **graphology** *has codified.*

B) CHARACTER

The branch of psychology which deals with character is called CHARACTEROLOGY. *It distinguishes two main types :*

The **introvert**, *who prefers the inner life,* **withdrawal** *into himself, finding refuge in a world of dreams and fantasy.*

The **extrovert**, *who prefers action, movement, projection, outside himself, the search for the non-ego.*

Characterologists *have established, moreover, four factors or fundamental character-*

mentales comme autant de points cardinaux de l'univers caractérologique : l'**émotivité**, l'**activité**, la **primarité**, la **secondarité**. *En combinant ces dispositions, on obtient huit types de caractérologie principaux :*

Les **colériques** :

« Mgr le Duc de Bourgogne était né avec un naturel à faire trembler. Il **était fougueux** jusqu'à vouloir briser ses pendules lorsqu'elles sonnaient l'heure qui l'appelait à ce qu'il ne voulait pas et jusqu'à **s'emporter** de la plus étrange manière contre la pluie quand elle s'opposait à ce qu'il voulait faire. »

(L. de Saint-Simon)

les **passionnés**, *les* **sanguins**, *les* **flegmatiques**, *les* **nerveux**, *les* **sentimentaux**, *les* **amorphes**, *et les* **apathiques**.

Les PORTRAITS PSYCHOLOGIQUES, *auxquels nous ont habitués les* **portraitistes** *comme La Bruyère et Overbury et tous les grands romanciers, présentent parfois, eux aussi, des* **types**. *Mais, le plus souvent, on a affaire à des personnages* **complexes**, *voire à des êtres si* **médiocres**, *si* **neutres** *qu'il est bien difficile de les classer :*

« Le Capitaine Mac Whirr, du vapeur *Nan-Shan*, avait une physionomie, qui, dans le domaine des apparences extérieures, correspondait exactement à son esprit : elle ne présentait aucun caractère particulier de **fermeté** ou de **stupidité** ; elle n'avait en fait aucun **caractère marqué** ; elle était tout simplement **banale**, **froide**, et **placide**. La seule chose que son aspect eut pu suggérer parfois était la **timidité**. »

istics as the four cardinal points of the world of the character : **emotivity**, **activity**, **primarity**, **secondarity**. *By combining these characteristics, we get eight main character types :*

The **choleric** :

« My Lord the Duke of Burgundy had been born with a most violent nature, **passionate** to the point of smashing his clocks when they struck the hour for him to do something he did not want to do and in the most amazing way **flying into a rage** with the rain when it prevented his doing what he wanted to do. »

the **passionate**, *the* **sanguine**, *the* **phlegmatic**, *the* **excitable**, *the* **sentimental**, *the* **weak(-willed)**, *the* **apathetic**.

CHARACTER STUDIES *familiar to us through such* **portrayers** *of character as La Bruyère, Overbury and all the great novelists, are sometimes of* **types**. *But more often we are confronted with* **complex** *characters, or with people so* **ordinary**, *so* **negative** *that it is difficult to classify them :*

« Captain Mac Whirr, of the steamer *Nan-Shan*, had a physiognomy that, in the order of material appearances, was the exact counterpart of his mind : it presented no marked characteristics of **firmness** or **stupidity** ; it had no **pronounced** characteristics whatever ; it was simply **ordinary**, **irresponsive**, and **unruffled**. The only thing his aspect might have been said to suggest at times, was **bashfulness**. »

(J. Conrad)

A propos de :	« TIMIDITÉ », etc... Notez
timidité : crainte gêne hésitation sauvagerie pudeur virginale honte et rougeur facile timide	**timidity** **self-consciousness** **diffidence** **shyness, wildness** **coyness** (maidenly modesty) **bashfulness** **timid** or **timorous** **self-conscious, diffident,** **shy, coy, bashful**

C) LES TROUBLES DE LA PERSONNALITÉ

La psycho-pathologie étudie les TROU-BLES MENTAUX. *Elle a des liens étroits avec la* **psychiatrie** *proprement dite qui est l'étude des* **troubles fonctionnels** *diffus de* **système nerveux** *en rapport avec l'esprit.*

Les **névroses** *sont des troubles dont le sujet a conscience mais qui ne modifient pas sérieusement son comportement social. Parmi les névroses, il faut compter les* **dysthymies,** *les* **obsessions,** *l'***angoisse** *et l'***anxiété** *:*

« La vie de l'**anxieux** est une perpétuelle et douloureuse **alerte.** Enfant, il est la proie de **peurs** nocturnes ; timide, craintif, **impressionnable** à l'excès, il redoute la solitude comme il redoute la société. Il a besoin dès ce moment d'une tendresse prévenante... A la puberté, il est dévoré de pudeur, de scrupules, d'**inquiétudes** sexuelles. »

(E. Mounier)

Les **psychoses** *sont des troubles plus graves encore ; parmi les psychoses, il faut compter la* **mélancolie grave,** *la* **schizophrénie** *et la* **paranoïa.**

Il faut également rattacher à la pathologie de la personnalité les diverses formes de **délire** *aigu : le délire* **onirique,** *dû à des* **traumatismes** *passagers, le* **delirium tremens** *accompagné d'***hallucinations,** *etc...*

Selon Freud, névroses et psychoses sont liées au **refoulement.** *Les* **tendances refoulées** *s'associent entre elles pour former des* **complexes.** *Toutefois le refoulement est pour certains philosophes une fonction normale de la vie psychique :*

« Toute pensée cohérente est construite sur un système d'**inhibitions** solides et claires. »

(G. Bachelard)

La psychanalyse offre une CURE *aux malades mentaux les moins avancés, en leur faisant prendre conscience de leurs complexes par une exploration du subconscient.*

On respecterait davantage ces sciences nées d'hier à vrai dire, si elles n'abusaient pas du jargon pseudo-scientifique.

« Il n'y a pas si longtemps, en Amérique, à un congrès, un psychologue mettait en garde ses collègues contre le fait suivant : ils n'obtenaient pas tant de guérisons qu'ils ne créaient

C) DISORDERS OF THE PERSONALITY

Psycho-pathology is the study of MENTAL ILLNESS. *It is closely connected, strictly speaking, with* **psychiatry,** *which is the study of* **functional disorders** *of the* **nervous system** *in its relationship with the mind.*

Neuroses *are disorders of which the subject is aware but which do not seriously affect his social behaviour. Among neuroses we must place* **dysthymies, obsessions, spasm** *and* **anxiety** *:*

« The **nervous** man lives in a constant and painful state of **alarm.** As a child he is a prey to nocturnal **terrors** ; shy, timorous, excessively **sensitive,** he is afraid of solitude as well as of company. From childhood he needs care and tenderness... At puberty he is consumed by bashfulness, scruples and sexual **misgivings.** »

Psychoses *are more serious disorders still ; among these psychoses are* **melancholia, schizophrenia** *and* **paranoïa.**

Pathology of the personality is also concerned with the various forms of **delirium** *:* **oneiric** *delirium caused by* **traumatisms** *of brief duration ;* **delirium tremens** *with its* **hallucinations,** *etc...*

According to Freud neuroses and psychoses are caused by **repression.** *The* **repressed urges** *join together to form* **complexes.** *For some philosophers however repression is a normal function of the psychic life :*

« Every coherent thought is built on a system of strong and obvious **inhibitions.** »

Psycho-analysis provides TREATMENT *for the mentally ill, if their case is not too serious, by making them aware of their complexes by exploring the subconscious.*

These new sciences would in fact enjoy more respect if they were less free with pseudo-scientific jargon.

« A psychologist in America not long ago warned his colleagues at a convention that they were not so much arriving at cures as inventing new terms for the incurable. I heard

de termes nouveaux pour les incurables. J'ai entendu parler d'une femme qui se précipitait, affolée, dans le cabinet de son médecin, en criant : "Je pense que j'ai la **psycho-thérapie**." Le docteur fut à même de lui prouver sans mal qu'elle n'avait pas cette maladie-là. »

of one frightened woman who burst into her doctor's office crying : "I think I have got **psycho-therapy**." The doctor was able to prove to her quite simply that she did not have that. »

(J. Thurber)

CHAPITRE 14

LA VIE SENTIMENTALE

I – LE PLAISIR ET LA DOULEUR

A) *LE PLAISIR*

Le plaisir est une impression de BIEN-ÊTRE *que peuvent procurer une saveur, une senteur, une sensation tactile,* **agréables**, **plaisantes**, *ou encore la sensualité*[1], *la détente, la « forme » physique, la conscience de vivre pleinement :*

« Chaque matin, **se griser** de lumière et d'espace ; connaître au réveil, l'insouciante **ivresse** de seulement respirer, de seulement vivre. »

(P. Loti)

Sous sa forme plus spirituelle, le plaisir se nomme JOIE. *Ce peut être la* **bonne humeur** *qui préside aux relations entre camarades, l'*entrain *qui règne entre les convives à un repas :*

« Dans un repas un peu nombreux le plaisir **s'anime**, la joie naît et le moment qui suit est de l'**allégresse**. Il y a peu de plaisirs purs, il y a encore moins d'allégresses durables. Une feuille de rose plissée **gâte** le plaisir , un mot déplacé gâte l'allégresse. »

(D. Diderot)

La **joie du risque** *:*

« Il est inconcevable que nous soyons encore entiers. Alors **je me détends**, et je suis envahi par une sourde **jubilation**... L'**ivresse de la vie** me gagne. On dit "l'ivresse du combat". C'est l'ivresse de la vie. »

(A. de Saint-Exupéry)

Il y a aussi **l'élan esthétique** *qu'on éprouve devant la joliesse, la grâce, le charme, la beauté, le sublime.* **L'ivresse** *de la découverte et de la création ; l'*extase *mystique...*

---

(1) La source du **plaisir sexuel** de l'homme se trouve dans son **pénis** (ou **verge**), celle de la femme dans son **clitoris** et son **vagin**.

Notez : **orgasme**
jouir.

CHAPTER 14

FEELINGS AND SENTIMENTAL LIFE

I – PLEASURE AND PAIN

A) *PLEASURE*

Pleasure is a feeling of WELL BEING *induced by* **pleasant**, **agreeable** *flavours and scents, sensations of touch, or again by sensuality*[1], *relaxation, physical fitness, the consciousness of living life to the full :*

« To wake up each morning **revelling** in the light and space ; to know, on waking, the careless **rapture** of just breathing, of just living. »

Pleasure in its more spiritual form is called JOY. *This can be the* **cheerfulness** *that reigns when friends meet, the* **high spirits** *that prevail among a party round the dining table :*

« When a goodly company is gathered for a meal, pleasure **quickens**, joy arises, and the moment that follows is one of **high glee**. Few pleasures are unalloyed, and even fewer delights are lasting. Pleasure can be **marred** by a wrinkled rose-leaf, cheerfulness destroyed by a word out of place. »

The **delight in danger** *:*

« It is inconceivable that we are still in one piece. Then **I begin to relax**, and a feeling of quiet **jubilation** comes over me... I am filled with the **joy of living**. They talk of "the joy of battle". It is the joy of living. »

There is also the **sudden feeling of aesthetic pleasure** *at the sight of prettiness, grace, charm, beauty, sublimity ; the* **heady excitement** *of discovery and creation ; mystical* **ecstasy**...

---

(1) The source of man's **sexual pleasure** is in his **penis**, of woman's in her **clitoris** and **vagina**.

Note : **an orgasm**
to come.

Le BONHEUR *est un état de joie perma-nente, de sérénité que n'entame pas même l'inconfort :*

« Ils n'étaient pas bien habillés ; leurs chaus-sures étaient loin d'être à l'abri de l'eau. Leurs vêtements ne les protégeaient guère contre le froid... Mais ils étaient heureux, **reconnaissants**, **contents** les uns des autres, et **satisfaits de** l'époque. »

Le SOURIRE *est l'apanage des gens heureux, de ceux qui voudraient le paraître et de ceux qui aiment bien montrer leurs dents :*

« Au bout du quai un ouvrier eut **un large sourire** au passage du train. »

« Un **sourire glacial** voltigeait sur son visage ridé et tordait ses lèvres minces et pâles. »

« A-t-elle quelque bon mot à débiter, elle l'assaisonne d'un **sourire malin et plein de charmes**, qui lui donne un nouveau prix. »
(A.-R. Le Sage)

Tous les sourires ne sont pas **exquis** *ce-pendant : il y a le* **ricanement** *muet, le sourire* **minaudier**, *si lassant chez certaines femmes, et les* **grimaces**.

La gaieté s'exprime par le RIRE. *Certains en sont chiches :*

« Il parlait peu. Il ne riait pas. Il fallait quelque émotion extrême pour lui arracher une ou deux fois l'an, ce **lugubre rire du forçat** qui est comme un écho du rire du démon. »
(V. Hugo)

Le rire peut être discret :

« Il se mit à **glousser**. »

ou bruyant :

« Ils semblaient en bonne humeur, du moins à en juger par leurs **éclats de rire** conti-nuels. »
(P. Mérimée)

« Le **rire perçant** des enfants lui écorchait les oreilles. »

Tout le corps peut y participer :

« Il faisait toutes sortes de **grimaces de singe**... et moi, de mettre mes deux poings sur mes côtés et de **crever de rire**, en les voyant. »
(D. Diderot)

HAPPINESS *is a state of permanent joy, a serenity that even discomfort cannot disturb :*

« They were not well-dressed ; their shoes were far from being waterproof ; their clothes were scanty... But they were happy, **grateful**, **pleased** with one another, and **contented with** the time. »
(Ch. Dickens)

SMILING *is the badge of a happy man, of those who would like to seem so and of those who like showing their teeth !*

« A workman at the end of the platform **grinned** at the passing train. »
(K. Mansfield)

« A **chill smile** flitted across her wrinkled face and twitched her thin bloodless lips. »
(O. Wilde)

« If she has some witty remark to make, she seasons it with **a charming, sly little smile**, which makes it seem wittier. »

All smiles are not **delightful** *however : there is the soundless* **sneering** *laugh, the* **simpering** *smile, so wearisome in some wo-men, and* **grimaces**.

Gaiety expresses itself in LAUGHTER. *Some people are very sparing with it :*

« He rarely spoke. He never laughed. It needed some very strong emotion to draw from him once or twice a year, that **mirthless convict's laugh** which is like an echo of the devil's laugh. »

Laughter can be restrained :

« He started to **chuckle**. »
(J. Braine)

or noisy :

« They seemed in good humour, judging at least by the continual **roars of laughter**. »

« The **shrill laughter** of the children grated on his ears. »
(O. Wilde)

The whole body can share in it :

« He pulled all sorts of **comic faces**... and I, both hands holding my ribs, nearly **split my sides with laughing** as I watched him. »

Le rire est sagesse, politesse, quand on entend une **astuce**, *un* **jeu de mots**, *une* **plaisanterie** ; *réaction spontanée devant une situation* **cocasse** *ou* **ridicule**.	*Laughter is wisdom, politeness, when someone makes a* **witty remark**, *a* **pun**, *a* **joke** : *it is a spontaneous reaction to an* **amusing** *or* **ridiculous** *situation*.

A propos de :	« **RIRE** » *Notez encore*
avoir le fou rire	**to shake with uncontrollable laughter**
être la risée de	**to be the laughing stock of**
partir d'un gros rire	**to guffaw**
rire aux larmes	**to be convulsed with laughter**
rire avec mépris	**to laugh scornfully** **to sneer at**
rire de quelqu'un	**to laugh at, mock** **to make fun of someone**
rire d'une manière désobligeante	**to scoff at**
rire jaune	**to give a forced laugh**
rire nerveusement	**to titter**
rire sottement	**to giggle**
rire sous cape	**to laugh up one's sleeve**

A) *LA DOULEUR*

Ce n'est pas à la DOULEUR PHYSIQUE *que nous nous attacherons ici, sans minimiser pour autant les affres de la* **souffrance** :

« Il souffrait plus qu'un autre enfant de ces jeûnes **cruels**. Son robuste estomac était à la **torture** ; parfois il en tremblait... Mais il ne **se plaignait** pas.

(R. Rolland)

mais nous en avons déjà parlé. Tout au plus soulignerons-nous que certains pervers se complaisent dans la souffrance, celle d'autrui (ce sont les **sadiques**), *la leur propre (ce sont les* **masochistes**) :

« **Masochisme** : perversion absurde qui consiste à se **faire du mal** à soi-même, alors qu'il y a les autres pour cela. »

(G.-A. Masson)

Notez aussi :

un martyr
le martyre.

LA SOUFFRANCE MORALE *comme la physique a ses degrés ; il arrive parfois que l'on se sente* **déprimé** *sans raison précise. On est* **découragé** *ou* **maussade**. *On éprouve de la* **mélancolie**, **un ennui** *profond que rien ne peut chasser. Mais à la suite d'un chagrin profond, d'une* **affliction** *réelle, on est* **bouleversé** *ou* **accablé**, **abattu**. *On est* **au désespoir** *et on se*

A) *PAIN*

It is not with PHYSICAL PAIN *that we shall be dealing here, without in any way wishing to minimize the horrors of* **suffering** :

« He suffered more than would another child, from these **cruel** fasts. It was **torture** for his sturdy frame ; sometimes he would tremble... But he did not **complain**.

but we have already dealt with it. We shall merely stress that some depraved people take pleasure in pain, either in the suffering of others (**sadists**), *or their own (* **masochists**) :*

« **Masochism** : an absurd perversion which consists of **hurting** oneself when there are others to hurt. »

Note also :

a martyr
martyrdom.

MENTAL SUFFERING *like physical pain has its degrees ; it sometimes happens that we feel* **depressed** *for no particular reason. We are* **despondent**, *or* **peevish**. *We feel melancholy, an overwhelming* **weariness**, (*boredom, ennui) which nothing can dispel. But after a period of profound* **sorrow**, *a genuine* **affliction**, *we are* **upset**, **low-spirited**, **de-**

révolte contre l'injustice du sort ou bien on ressent une **tristesse** *voisine de la résignation :*

« Le sentiment qui me remplit tout entier fut, non pas une douleur aiguë, mais la tristesse profonde et tranquille d'une âme docile aux grands enseignements de la nature. »

(A. France)

PLEURS *et* **sanglots** *sont les marques de la douleur.*

« Une des femmes s'est mise à pleurer... Je la voyais mal. Elle pleurait à petits cris, régulièrement : il me semblait qu'elle ne s'arrêterait jamais... Nous sommes restés un long moment ainsi. Les **soupirs** et les sanglots de la femme se faisaient plus rares. Elle **reniflait** beaucoup. Elle s'est tue enfin. »

(A. Camus)

pressed. We are **in despair** *and we rebel against the injustice of fate or we feel a* **sadness** *that is akin to resignation :*

« The feeling which filled my whole being was not a keen anguish, but the deep, quiet sadness of a heart submissive to nature's great lessons. »

TEARS *and* **sobs** *are the signs of grief.*

« One of the women began to cry. I could not see her very well. She wept steadily with little whimpering cries : I thought she would never stop... We remained for some time like this. The woman's **sighs** and sobbing diminished. She **sniffed** a good deal. At last she was silent. »

A propos de :	« **PLEURER** », *etc...* *Notez encore*
au bord des larmes	**on the verge of tears**
avoir la gorge serrée	**to have a lump in one's throat**
geindre	**to whimper**
gémir	**to wail**
larmes de sang	**tears of blood**
pleurard *(voix, etc.)*	**maudlin**
pleurer *(sens général)*	**to cry, weep**
pleurer à chaudes larmes	**to cry bitterly**
pleurer comme un veau *(familier)*	**to blubber**
pleurer de joie	**to weep for joy**
pleurer quelqu'un	**to grieve over someone** **to mourn (for) someone**
pleurnicher	**to snivel**
pousser un soupir	**to heave a sigh** **to sigh**

L'attitude devant les pleurs dépend des individus et des croyances :

« Gémir, pleurer, prier est également lâche. »
(A. de Vigny)

« Heureux ceux qui pleurent : ils seront consolés. »

(Bible)

The attitude adopted to tears varies with the individual and the belief :

« Lamentation, tears and prayers are all equally cowardly. »

« Blessed are they that mourn for they shall be comforted. »

(The Bible)

176

II – ÉMOTIONS, SENTIMENTS, PASSIONS

A) *LES ÉMOTIONS*

L'émotion est un **choc,** *une*

« **perturbation** de l'équilibre, **violente, vive** et **brève** comme un feu de paille ou un éclair dans la nuit. »

(L. Meynard)

La définition s'applique moins bien à un premier type d'émotions qu'on appellera les ÉMOTIONS FINES, *plus prolongées et spiritualisées. Ainsi l'***attendrissement** :

« Mes vives **agitations** commencèrent à prendre un autre cours ; un sentiment plus doux s'insinua peu à peu dans mon âme, l'attendrissement surmonta le désespoir. »

(J.-J. Rousseau)

La **pitié**, *la* **compassion**, *etc.*

« Or, avec mon ami, je ne désire point tant partager ses peines ou m'y associer que de les absorber toutes. »

Notez aussi :

attendri
compatissant
ému
touchant
touché.

Les émotions les plus typiques sont les ÉMOTIONS FORTES, *la* **surprise** *provoquée par certains événements, par exemple :*

« J'ai voulu lui parler, et ma voix s'est perdue. Immobile, **saisi d'un long étonnement,** Je l'ai laissé passer dans son appartement. »

(J. Racine)

Suivant le degré de surprise, nous sommes **étonnés, ébahis, ahuris, stupéfaits** *ou* **frappés de stupeur.**

La **peur** *est une émotion brutale :*

« La nuit vient, et toujours, **tremblant,** pleurant, fuyant,
L'enfant **effaré** court devant l'homme effrayant. »

(V. Hugo)

On est **inquiet, anxieux, craintif,** *ou bien* **saisi de frayeur,** *de* **terreur,** *d'***épouvante.** *On est alors* **paralysé par la peur** :

II – EMOTIONS, FEELINGS, PASSIONS

A) *THE EMOTIONS*

Emotion is a **shock**, *a*

« **disturbance** of the equilibrium, **violent, sharp** and **short-lived,** like a blaze of straw or a flash of lightning in the night. »

This definition does not apply so well to the first type of emotion, the sort we may call the DELICATE EMOTIONS, *more prolonged and spiritualised. Thus* **tenderness** :

« My great **perturbation** began to take a different direction : a softer emotion flowed gradually into my heart and despair gave way to a feeling of tenderness. »

Pity, compassion (sympathy), *etc.*

« Now with my friend I desire not to share or participate, but to engross, his sorrows. »

(Th. Browne)

Note also :

touched
sympathetic
moved
touching
touched.

The more typical emotions are the STRONG EMOTIONS, *the* **surprise** *caused by some events, for instance :*

« I tried to speak to her and my voice failed me.
Unmoving I stood, **transfixed with wonder,** And let her pass freely into her apartment. »

According to the degree of surprise we are **astonished, amazed, dumbfounded, aghast,** *or* **lost in amazement.**

Fear *is a destructive emotion :*

« Comes the night, and always, **trembling,** weeping, fleeing,
The **frightened** child flees from the dreadful man. »

One is **uneasy, anxious, fearful,** *or in the* **grip of fright, terror, dread.** *Then one is* **paralysed with fear** :

« **Raidi, crispé**, je n'entendais rien... Mes regards, **pleins d'horreur**, nageaient dans les ombres animées par la peur féconde. »

(A. France)

« Je m'efforçai de raisonner l'**agitation nerveuse** qui me dominait. J'essayai de me persuader que je devais ce que j'éprouvais, en partie, sinon absolument, à l'influence **déconcertante** de l'ameublement **mélancolique** de la chambre... Mais mes efforts furent vains. Une insurmontable **terreur** pénétra graduellement tout mon être. Dominé par une sensation intense d'**horreur**... je mis mes habits à la hâte... et je m'efforçai, en marchant çà et là à grands pas dans la chambre, de sortir de l'état déplorable dans lequel j'étais tombé. »

(Trad. Ch. Baudelaire)

La **colère** *est une autre émotion brutale. On éprouve à l'égard de quelqu'un qui vous a offensé de l'*irritation*, du* **ressentiment**, *du* **courroux**, *de la* **fureur**, *de la* **rage**. *On s'emporte, on s'échauffe :*

« **Je cède aux mouvements d'une juste co-**
lère
Et je ne réponds pas de ce que le puis faire. »

(Molière)

B) *SENTIMENTS ET PASSIONS*

Les SENTIMENTS *ont leur siège dans la* **sensibilité** *de l'individu. Si cette sensibilité est excessive, on parlera selon le cas, de* **sentimentalité** *ou de* **sensiblerie**.

Parmi les sentiments autres que l'amour (dont nous parlerons plus loin), citons :

l'admiration
l'aversion
la confiance
le dégoût
le dépit
la jalousie
le mépris
la rancune
le sentiment de l'honneur.

que Vigny a décrit ainsi :

« Tantôt il porte l'homme à ne pas survivre à un **affront**, tantôt à le soutenir avec un éclat et une grandeur qui le réparent et en effacent la **souillure**. D'autres fois, il sait cacher

« **Rigid, tensed**, I could hear nothing... My **panic-stricken** glance probed the shadows peopled with the creatures of my terrified imagination. »

« I struggled to reason off the **nervousness** which had dominion over me. I endeavoured to believe that much, if not all of what I felt, was due to the **bewildering** influence of the **gloomy** furniture of the room... But my efforts were fruitless. An irrepressible **tremor** gradually pervaded my frame. Overpowered by an intense sentiment of **horror**... I threw on my clothes with haste... and endeavoured to arouse myself from the pitiable condition into which I had fallen, by pacing rapidly to and fro through the apartment. »

(E. Poe)

Anger *is another fierce emotion. Towards anyone who has offended us, we feel* **irritation, resentment, anger, fury, rage**. *We* **lose our temper,** *we* **grow heated** :

« **I yield to the impulse of righteous anger**
And cannot answer for what I may do. »

B) *FEELINGS (or SENTIMENTS) AND PASSIONS*

FEELINGS *are centred in a person's* **sensibility**. *If that sensibility is excessive we speak of* **sentimentality** *or* **mawkishness** *as the case may be.*

Among the feelings other than love (which we shall speak of later) we may cite :

admiration
dislike
confidence
loathing
spite
jealousy
contempt
malice (rancour)
the concept of honour.

which de Vigny has described like this :

« Sometimes it makes a man not want to live on after an **insult**, sometimes it enables him to bear it with a shining courage which restores him and effaces the **stain**. Someti-

ensemble l'injure et l'**expiation**. En d'autres temps il invente de grandes entreprises, des **luttes** magnifiques et **persévérantes**, des **sacrifices** inouïs. »

(A. de Vigny)

Les verbes correspondants sont :

admirer
détester
se confier
éprouver du dégoût
être dépité
envier
mépriser
en vouloir à quelqu'un
honorer

etc...

Les émotions, les sentiments peuvent devenir des PASSIONS, *c'est une question de* **durée** *et d'***intensité** *:*

« Toutes les passions sont **exagérées** ; elles ne sont des passions que parce qu'elles **exagèrent**. »

(Chamfort)

*Ainsi, l'***admiration** *peut devenir* **idolâtrie**, *l'***aversion**, **haine**, *le* **patriotisme**, **chauvinisme** *et* **fanatisme**. *De même les qualités* **excessives** *deviennent vices passionnels ; l'***économie** *vire à l'***avarice**, *le désir de progresser à l'***ambition**. *On est* **tourmenté**, **rongé**, **dévoré** *par le besoin de s'élever, de poursuivre les honneurs, de rechercher le pouvoir afin d'exercer sa* **volonté de puissance**...

Toutes les passions ne sont pas pour autant **néfastes** *:*

« Rien de grand ne s'est accompli dans le monde sans passion. »

(G. Hegel)

III – L'AMOUR

A) *L'AMOUR-ÉMOTION*
L'AMOUR-PASSION

ÉMOTION : *Ici tout le monde s'accorde, sauf, parfois, les partenaires :*

« Elle est si près de moi que **j'en ai le vertige** et je glisse de petits coups d'œil vers elle tout le temps en me demandant si elle est vrai-

mes it can hide both the insult and the **atonement**. Then again it can inspire noble actions, magnificent, **dogged struggles**, incredible **sacrifices**. »

The corresponding verbs are :

to admire
to dislike
to confide (in)
to loathe
to be sore (offended)
to envy
to scorn
to bear a grudge to someone
to honour

etc...

Emotions, feelings can become PASSIONS *; it is a question of* **duration** *and* **intensity** *:*

« All passions are **exaggerated** ; they are passions only because they **are excessive**. »

Thus **admiration** *may turn to* **idolatry**, *a* **dislike** *to* **hatred**, **patriotism** *to* **jingoïsm** *and* **fanaticism**. *In the same way good qualities* **carried to excess** *become vices and passions :* **thrift** *turns to* **avarice**, *the desire to improve becomes* **ambition**. *One is* **tormented**, **eaten up** *or* **devoured** *by the urge to rise, to run after honours, to seek important positions where the* **love of power** *can be given full play...*

All passions are not **evil**, *for all that :*

« Nothing great in this world has been achieved without passion. »

(G. Hegel)

III – LOVE

A) *LOVE : AN EMOTION*
LOVE : A PASSION

EMOTION : *About this everyone is in agreement except occasionally the couple concerned :*

« She's so near **I'm dizzy with it**, and I'm sneaking little looks at her all the time and wondering if she's really all eyes and ears for

ment aussi attentive au film qu'elle en a l'air et quand je pourrai mettre mon bras autour d'elle. »

the picture like she seems, and how soon I can put my arm round her. »

(S. Barstow)

PASSION : *Deux écoles cette fois, ceux qui éprouvent :*

PASSION : *Two schools of thought this time, those who feel :*

« Je le vis, je **rougis**, je **pâlis** à sa vue.
Un trouble s'éleva dans mon âme **éperdue**.
Mes yeux ne voyaient plus, je ne pouvais parler,
Je sentis tout mon corps et **transir** et **brûler**...
Ce n'est plus une **ardeur** dans mes veines cachées ;
C'est Vénus tout entière à sa proie attachée. »

(J. Racine)

« As I beheld, I **reddened**, I **turned pale**.
A tempest raged in my **distracted** mind.
My eyes no longer saw. I could not speak,
I felt my body **freezing, burning**...
It is no longer a **fever** running in the blood :
It is Venus, with all her strength fastening on her prey. »

ceux (ou celles) qui désapprouvent. Ainsi les épouses peuvent admettre la passion, dans l'abstrait :

those men (or women) who disapprove. Thus wives can accept the existence of passion in the abstract :

« Mais que leur mari s'avise un jour d'être **consumé** par la même **flamme**, habité par la même **langueur**, hanté par le même désir, que reste-t-il alors de ces **orages du cœur**, de ce **feu qui dévaste**, du **coup de foudre**, bref de l'Amour avec un grand A ? Rien, ou plutôt si : cette "**irrésistible inclination**", ces "**tendres penchants**", ces "**délices**", ce "**brûlant désir**", tout ce **délirant** vocabulaire si volontiers savouré dans la fiction, tous ces termes tendrement lus ou écoutés, tout cela se résume en un mot ou en quatre : coucher, **coucher avec une fille.** »

(P. Daninos)

« But let their husband one day venture **to burn** with the same flame, to be filled with the same **languishment**, haunted by the same desire, what then is left of those **turmoils of the heart**, of that **all-consuming fire**, that **love at first sight**, in a word of Love with a capital L ? Nothing, or rather something : that "**irresistible attraction**", that "**fond inclination**", those "**raptures of delight**", that "**ardent desire**", all the **delirious** vocabulary so readily savoured in fiction, all those terms tenderly read or harkened to, the whole thing is summed up either in one word or four : sleeping, **sleeping with a woman.** »

B) *L'AMOUR-SENSATION*

B) *LOVE : A SENSATION*

PLAISIR *du* **désir** :

PLEASURE *of* **desire** :

« Mon cœur s'ouvrit à mille sentiments de plaisir dont je n'avais jamais eu l'idée ; une douce **chaleur** se répandit dans toutes mes veines. J'étais dans une espèce de **transport**. »

(Abbé Prévost)

« My heart was filled with a thousand feelings of pleasure which I had never imagined. A gentle **warmth** spread through all my veins. I was in a kind of **ecstasy**. »

Plaisir des **baisers**, *plaisir des* **caresses** :

Pleasure of **kisses**, *the pleasure of* **caresses** :

« La chair des femmes se nourrit de caresses comme l'abeille de fleurs. »

(A. France)

« A woman's flesh thrives on caresses as a bee thrives on flowers. »

Plaisir de la **possession**...

The pleasure of **possession**...

SOUFFRANCE *de l'*attente, *de l'*indifférence, *de l'*absence, *du* doute, *de la* jalousie, *de l'*abandon.

SUFFERING *caused by* **delay, indifference, absence, doubt, jealousy, desertion.**

180

Certains **se consolent** *mal :*

« J'ai bu pour **oublier**, pour ne pas être **obsédé par votre image**... Hélas, quand j'étais saoul, je vous voyais deux fois. »

(M. Achard)

D'autres, **inconstants**, *plus aisément :*

« Il est doux de penser qu'en tout lieu parcouru
On est sûr de trouver objet aimable et cher,
Et que si l'on n'a plus les lèvres que l'on aime
On peut toujours aimer les lèvres que l'on a. »

Qui est le plus **léger**, *le plus* **volage** *: l'homme ou la femme ? L'autre bien sûr.*

C) *L'AMOUR-SENTIMENT*

*Peut-être est-il naïf de croire à l'***amour platonique** *et cet écrivain, fort sérieux au demeurant, a-t-il raison de noter :*

« L' **âme-sœur** finit malheureusement assez souvent par coucher avec le corps-frère. »

(G. Cesbron)

L'amour durable n'en exige pas moins des fondations proprement sentimentales, une attirance qui ne soit pas exclusivement physiologique, une **admiration** *des qualités morales du partenaire :*

« La bonté a vraiment un **charme** irrésistible,
Tout le reste n' **émeut** que bien plus faiblement ;
Elle sait **désarmer** la plus noire colère,
Rogner l'aile à l'amour quand il pourrait s'enfuir.
Beauté, d'un cœur règle l'invasion,
Bonté seule l'occupe à ravir. »

Une **communion** *intellectuelle et spirituelle :*

« Dans notre amitié nous étions capables de **partager** nos pensées intimes et nos idées, de les confronter. »

Sans cela, les jours de l'amour sont comptés. Les **scènes se multiplient** *:*

« J'avais vu les premières **petites querelles** devenir plus fréquentes, les larmes moins

---

There are some who cannot **find consolation** *:*

« I drank to try **to forget** you, not to be **tormented by the memory of your face.** Alas, when I was drunk, I saw two of you. »

Others, the **fickle** *ones, find consolation more easily :*

« 'Tis sweet to think that, where'er we rove,
We are sure to find something blissful and dear,
And that, when we're far from the lips we love,
We've but to make love to the lips we are near. »

(Th. Moore)

Who are the more **frivolous**, *the more* **flighty** *: men or women ? For each it's the other, of course.*

C) *LOVE : A FEELING*

Perhaps it's naive to believe in **platonic love***, and this writer, a serious one at that, may be right in saying :*

« Unfortunately **twin souls** often end up in a double bed. »

Lasting love nevertheless must be founded on feeling, an attraction which is not exclusively physiological, an **admiration** *for the moral qualities of the partner :*

« Kindness has resistless **charms,**
All things else but weakly **move** ;
Fiercest anger it **disarms,**
And clips the wings of flying love.
Beauty does the heart invade,
Kindness can alone persuade. »

(J.W. Rochester)

And intellectual and spiritual **communion** *:*

« In our friendship we were able **to share** our private thoughts and ideas, to test them upon one another. »

(L. Durrell)

Without it, love's days are numbered. **Scenes** *become more frequent :*

« I had found the early **tiffs** become more frequent, the tears less affecting, the **reconci-**

touchantes, les **réconciliations** moins douces. Finalement elles développèrent en moi une attitude d' **indifférence** et de froide critique. »

Et l'on parle bientôt au passé :

« C'est ici que mourut mon dernier amour... Je ressentais ce que ressentirait un mari qui, au bout de trois ans de mariage, se rendrait soudainement compte qu'il n'éprouve plus ni désir, ni tendresse, ni **estime** pour une femme jadis tendrement **aimée** ; qu'il n'a plus de plaisir à se trouver en sa compagnie, ou le désir de lui plaire ; ou de curiosité à l'égard de ce qu'elle pourrait bien faire, dire ou penser ; ou l'**espoir** d'arranger les choses ; ou de **remords** pour ce désastre. »

liations less sweet, till they engendered a mood of **aloofness** and cool criticism. »

(E. Waugh)

And soon love is a thing of the past :

« Here my last love died... I felt as a husband might feel, who, in the fourth year of his marriage, suddenly knew that he had no longer any desire, or tenderness, or **esteem** for a once-**beloved** wife ; no pleasure in her company, no wish to please, no curiosity about anything she might ever do or say or think ; no **hope** of setting things right, no **self-reproach** for the disaster. »

(E. Waugh)

D) *AMOUR-VARIATIONS*

Les lignes qui précèdent font déjà ressortir suffisamment la VARIÉTÉ DE SENS DU MOT « AMOUR ».

*Et encore n'avons-nous pas parlé de l'*amour-charité *qui est celui de Dieu pour les hommes, des hommes pour leur prochain ; de l'*amour filial, *de l'*amour maternel, *de l'*amour paternel, *souvent plus secret :*

« Je savais qu'il ne s'intéressait pas beaucoup, en apparence, du moins, à ses enfants. J'écris « en apparence ». La timidité étrange des pères, dans leurs rapports avec leurs enfants, m'a donné, depuis, beaucoup à penser. »

(Colette)

Pour en revenir à l'amour au sens habituel du terme, la variété est ici géographique et historique. Sans nous lancer dans une étude de sexologie comparée, il peut être intéressant de noter quelques VARIATIONS AMOUREUSES D'UN CLIMAT À L'AUTRE. *Les pays catholiques semblent avoir jusque récemment joui d'une moins grande liberté, attaché plus d'importance à des notions comme la* virginité *et la* chasteté *pré-conjugale, et s'être opposés plus violemment à la* contraception, *etc... Ce qui n'a pas empêché les Latines d'acquérir une mauvaise réputation dans les pays anglo-saxons, bien qu'elles aient été moins tôt familières avec les* rendez-vous, *les* câlins *et le* pelotage *ou l'institution du "*petit ami*" que leurs sœurs anglaises ou américaines :*

D) *LOVE : ITS DIVERSITY*

What has been said already clearly shows the DIFFERENT MEANINGS OF THE WORD « LOVE ».

And still we haven't mentioned love which is **compassion**, *the love of God for men, of man for his fellowmen, nor* **filial love**, *nor* **mother-love**, *nor* **father-love**, *which is often less obvious :*

« I knew that he was, apparently at least, not very interested in his children ; I say « apparently ». The shyness of fathers in their relationships with their children has since caused me to wonder. »

To return to love in the usual meaning of the word, the variety is here geographical and historical. Without embarking on a study of comparative sex it may be interesting to indicate a few differences in attitudes to LOVE *UNDER* THE INFLUENCE OF CLIMATE. *Till recently Catholic countries seem to have enjoyed much less freedom, attached greater importance to such things as* **virginity**, *pre-marital* **chastity**, *and been more violently opposed to* **contraception**, *etc... Latin girls have acquired a bad reputation in Anglo-Saxon countries all the same, in spite of the time they have taken to catch up with English and American girls for* **dating**, **necking** *and* **petting** *with their "*boy-friends*" :*

« Il avait suffi à bon nombre de nouvelles connaissances de penser qu'elle était française (ou italienne, espagnole, ou même, une fois, grecque ou portugaise) en se fiant uniquement à son air, pour **tenter leur chance** auprès d'elle dès la première rencontre. Il y avait même eu la fois où un homme l'avait abordée dans sa ville, place du Marché, et après s'être rendu compte qu'après tout ce n'était pas une **grue**, s'était excusé en ces termes : "Je suis navré, je croyais que vous étiez française". »

« Thinking she was French (or Italian, or Spanish, or — once each — Greek or Portuguese) on the evidence of the way she looked had evidently been enough to get quite a number of new acquaintances **to start trying it on** with her straight away. There had even been that time in Market Square at home when a man had accosted her and, on finding she was not **a tart** after all, had apologized by saying : "I'm awfull sorry, I thought you were French". »

(K. Amis)

Mais c'est surtout L'AMOUR À TRAVERS LES ÂGES *qui offrira une vaste moisson à l'amateur de variété.*

But it is above all LOVE THROUGH THE AGES *which offers a rich harvest for the student of variety.*

Le **Moyen Age** *connut avec les trouvères et les troubadours, l'***amour courtois***.*

The **Middle Ages**, *with the minstrels and the troubadours, knew what* **courtly love** *was.*

C'est la merveilleuse époque de Tristan et Iseult...

It was the glorious age of Tristan and Iseult...

A la **Renaissance** *domine l'influence du* **Pétrarquisme** *qui tend, souvent, à affadir le sentiment de l'amour dans la poésie. Chacun a sa* **Laure**, *vraie ou imaginée.*

At the **Renaissance** *the main influence is that of* **Petrarquism** *which often tends to make the emotion of love insipid in poetry. Each man has his* **Laura**, *real or imaginary.*

Le XVIIᵉ siècle connaît la **préciosité** *que raille doucement Molière :*

The XVIIth century sees the spread of « **preciosité** » *gently mocked by Molière :*

« Il faut qu'un amant, pour être agréable sache **débiter les beaux sentiments, pousser le doux, le tendre et le passionné**, et que sa recherche soit dans les formes. Premièrement, il doit voir au temple, ou à la promenade, ou dans quelque cérémonie publique, la **personne dont il devient amoureux** ; ou bien être conduit fatalement chez elle par un parent ou un ami, et sortir de là tout rêveur et mélancolique. »

« A lover, to be agreeable, must understand how **to utter fine sentiments, to sigh forth the soft, the tender, and the passionate** ; and his addresses must be according to the rules. In the first place, he should behold, either at church, or in the park, or at some public ceremony, the **person of whom he becomes enamoured** ; or, else, he should be fatally introduced to her by a relation or a friend, and come away melancholy and pensive. »

(Molière)

et le goût du **sublime**, *tel le renoncement de la Princesse de Clèves :*

and the love of **the sublime**, *such as the renunciation of the Princesse de Clèves :*

« Je crois que je ne vaincrai jamais mes scrupules et je n'espère pas aussi de surmonter l' **inclination** que j'ai pour vous. Elle me rendra malheureuse et je me priverai de votre vue, quelque violence qu'il m'en coûte. »

« I believe I shall never overcome my scruples, nor do I so much hope to overcome the **inclination** I have for you ; that inclination will make me unhappy and I will deny myself the sight of you, whatever violence it is to me. »

(Mme de La Fayette)

En Angleterre au moment de la **Restauration** *et, en France, au* **XVIIIᵉ** *siècle, le* **libertinage** *est de rigueur ; l'esprit n'y fait jamais défaut alors même que le cœur ne participe guère au jeu des corps :*

In England at the time of the **Restoration** *and in France in the* **XVIIIth** *century,* **licentiousness** *is expected of one ; wit is never lacking, although the heart is hardly ever involved in the activities of the bodies :*

« On se plaît, on se prend. S'ennuie-t-on l'un avec l'autre, on se quitte avec tout aussi peu de cérémonie que l'on s'est pris. Revient-on à se plaire ? On se reprend avec autant de vivacité que si c'était la première fois qu'on s'engageait ensemble. On se quitte encore et jamais on ne se brouille. Il est vrai que l'amour n'entre pour rien dans tout cela. »

(Crébillon fils)

Le **Romantisme** *apporte, dans la passion, son goût du* **tourment**, *du* **morbide**, *de l'***étrangeté**, *de l'***idéal** *aussi.*

Notre époque *est celle de la liberté, du libre-échange, de la lucidité, mais aussi, peut-être, celle de la dérision et de l'échec.*

CE QUI NE CHANGE PAS *ce sont les* **amourettes** *et les* **grands amours**, *les* **aventures** *et les* **demandes en mariage** *(même si on ne les fait plus tout à fait de la même façon), les ménages solides et les* **divorces**, *les époux* **fidèles** *et les époux trompés, l'***érotisme** *et la* **pureté**, *la* **jouissance** *et la* **frigidité**, *la guerre des sexes, et la chasse au mari, et les avis divergents... qui n'ont jamais influencé personne.*

« A liking, followed by a love. Should boredom come, they part with as little ceremony as they came together, and should love come again, they take each other again with as much enthusiasm as if it were the first time they had fallen in love. They part again without ill-feeling. It is true that love has no part in all this. »

Romanticism *introduces into passion its fondness for* **suffering** *and* **morbidity**, *its taste for* **the bizarre** *and* **the ideal**.

Our own age *is the age of freedom, of « sleeping around », clear-sightedness, but also, perhaps, one of mockery and defeat.*

THE THINGS THAT DO NOT ALTER *are* **passing love affairs** *and* « **the one true love** », **intrigues** *and* **proposals** *(even if they are no longer made in the same way), united households and* **divorces**, *husbands and wives who are* **faithful**, *and the ones who are* **deceived**, **eroticism** *and* **purity**, *(sexual) pleasure and* **frigidity**, *the war of the sexes, the hunt for a husband, the conflicting theories... that no one has ever listened to.*

CHAPITRE 15

MORALE ET RELIGION

ETHICS AND RELIGION

I – LA MORALE

I – ETHICS

La morale peut se définir comme "l'étude systématique des problèmes de la conduite humaine", de l'inconduite aussi, par conséquent.

Ethics [1] *can be defined as "the systematic study of the problems of human conduct", and consequently of misconduct as well.*

A) *LES VICES*

A) *THE VICES*

*Les vices sont le matériau de l'***inconduite**, *de l'*IMMORALITÉ *; les vertus celui de la* MORALITÉ. *La morale religieuse estime que les premiers ne profitent jamais :*

The vices form the material of **lax conduct,** *of* IMMORALITY. *The virtues that of* MORALITY. *Religious morality maintains that the former can never benefit us : ·*

« De chaque **mauvaise action** accomplie dans
le passé
Nous supportons les conséquences,
De la **paresse**, l'**avarice**, la **gloutonnerie**,
La **négligence** de la parole de Dieu,
De l'**orgueil**, la **luxure** [2], la **traîtrise**,
De chaque **péché** commis. »

« For every **ill-deed** in the past
We suffer the consequences,
For **sloth**, for **avarice**, **gluttony**,
Neglect of the word of God,
For **pride**, for **lechery** [2], **treachery**,
For every act of **sin**. »

(T.S. Eliot)

« L'**avare** se verra rappeler l'or qu'il a thésaurisé, le voleur ses biens **mal acquis**, ceux qui sont **colériques**, **vindicatifs**, **impitoyables**, les actions sanguinaires et les faits de **violence** dans lesquels ils se complaisaient, les **impurs** et les **adultères** les plaisirs **innommables** et **répugnants** dont ils faisaient leurs délices. »

« The **miser** will remember his hoard of gold, the robber his **ill-gotten** wealth, the **angry** and **vengeful** and **merciless** the deeds of blood and **violence** in which they **revelled**, and the **impure** and **adulterous** the **unspeakable** and **filthy** pleasures in which they delighted. »

(J. Joyce)

Surtout en ce qui concerne la **sexualité**, *pourtant, tous les esprits sont loin d'être aussi* **sévères**. *Pour beaucoup, l'immoralité dans ce domaine n'est guère qu'infraction au* **code sexuel** *établi, à une convention donc :*

Especially as regards **sexuality**, *however, such a* **strict** *attitude is far from being general. For many people, immorality in this field is but deviation from the accepted* **sexual code**, *and therefore a convention :*

« La masse de la population de chaque pays est persuadée que toutes les coutumes de mariage différentes des siennes sont **immorales**, et que ceux qui combattent ce point de vue le font uniquement pour justifier leur vie **dissolue**. »

« The bulk of the population of every country is persuaded that all marriage customs other than its own are **immoral**, and that those who combat this view do so only to justify their own **loose** lives. »

(B. Russell)

Et cet humoriste définit la moralité comme :

And this humorist defines morality as :

« L'attitude que nous adoptons envers les gens qui nous déplaisent personnellement. »

« The attitude we adopt towards people we personally dislike. »

(O. Wilde)

---

(1) Synonyme : *morals*. Attention que *morale* signifie : *le moral.*
(2) Autre traduction pour *luxure* : *lust*. Attention, *luxe* = *luxury*.

Dans d'autres domaines moraux, l'accord est plus général pour dénoncer les vices et leurs adeptes.

Parmi les VICES MAJEURS, *nous nommerons :*

la colère.

« Il n'est dans la nature
Rien qui **déforme et dégrade l'homme**
Autant que la colère **immodérée**. »

la couardise
(ou **lâcheté**
ou **poltronnerie***)*
la cruauté
l'égoïsme
l'égotisme
l'envie
le mensonge.

« La petite est très **menteuse**, Monsieur, dit Nurse... Toujours elle **invente des histoires**. »
(A. Maurois)

Notez aussi :

un sale menteur.

la flatterie

qu'attend le mécène :

« **Généralement, individu qui patronne avec insolence** et obtient la flatterie en retour. »

l'hypocrisie.

« Libérez votre esprit de l'hypocrisie. »

Molière nous a donné, pour désigner **l'hypocrite**, *un mot qui a été repris même par les Anglais :*

« Contemple maintenant le pasteur qui menait grand tapage,
Tartuffe déconfit, implorant pitié et merci par tous les pores. »

l'impolitesse
la grossièreté
l'ivrognerie.

« **Un ivrogne** ne cesse de rôder autour de notre table ; il prononce très haut des paroles incohérentes sur le ton de la protestation. Parmi ces paroles reviennent sans cesse un ou deux mots **obscènes** sur lesquels il appuie. »
(A. Breton)

With regard to the other aspects of moral behaviour, agreement is more easily reached in denouncing vices and the vicious.

Among the MAJOR VICES, *we shall name :*

anger, wrath.

« There is not in nature
A thing that **makes a man so deformed, so beastly**
As doth **intemperate** anger. »
(J. Webster)

cowardice

cruelty, inhumanity
selfishness, egoïsm
egotism
envy
falsehood, *the source of* **lies.**

« She's a very **untruthful** little girl, sir, said Nurse... She's always **telling stories**. »

Note also :

a liar.

flattery

which is expected by a patron :

« Commonly a wretch who supports with **insolence**, and is paid with flattery. »
(S. Johnson)
cant, hypocrisy.

« Clear your mind of cant. »
(S. Johnson)

Molière has given us a word for **the hypocrite**, *which has been adopted even by the English :*

« Behold you now, the caterwauling parson,
A punctured **tartuffe**, oozing mercy, ruth. »
(Roy Campbell)

rudeness, impoliteness
coarseness
drunkenness.

« **A drunkard** (**drunken man**) keeps hanging around our table talking incoherently in a loud truculent voice. In his talk, one or two **obscene** words, which he stresses, keep cropping up. »

186

la malveillance
la malice
la méchanceté.

Tous les défauts qui viennent d'être mentionnés sont considérés comme graves. Parmi les DÉFAUTS MINEURS, **faiblesses, insuffisances,** *citons :*

**l'inexactitude
la prodigalité
la rancune
la temporisation
la vanité.**

« Les hommes se répartissent en trois classes : **les vaniteux, les orgueilleux,** et les autres. Je n'ai jamais rencontré les autres. »
(A. Detœuf)

*Pour décrire le coté sombre de la nature humaine, il existe un large choix d'*ADJECTIFS CORRESPONDANTS *et de substantifs de personne :*

**arrogant
  autoritaire
  hautain
  outrecuidant
  suffisant
  tyrannique
avide
bon à rien, vaurien.**

A propos de ce mot, on notera les termes d'injures en français :

  **canaille
  chenapan
  fripouille
  goujat
  gredin
  mufle.**

« Puis petit à petit la bonne société se rend compte qu'elle avait été ridiculisée par un gueux **traîne-savate** de Dublin et il s'ensuivit une réaction de dégoût. Michaelis devint la quintessence de la goujaterie et de la muflerie. »

  **requin, escroc
  scélérat
chiche, parcimonieux
corrompu
espiègle** (enfant)
faux.

spite, malice.

All the vices which we have just referred to are considered serious. Among LESSER DEFECTS OF CHARACTER, **weaknesses, shortcomings,** *let us mention :*

**unpunctuality
extravagance
vindictiveness
procrastination
vanity.**

« Men are divided into three classes : **the vain, the proud,** and the others ; I've never met the others. »

To describe the dark side of man's nature, there is a wide choice of CORRESPONDING ADJECTIVES *and nouns relating to persons :*

**arrogant
  overbearing
  haughty
  presumptuous
  bumptious
  domineering
grasping
a wastrel** *(obs.),* **a waster** *(fam.)*
a good for nothing.

About this word, note how abuse is conveyed in English :

  **a scoundrel
  a scamp
  a rogue
  a cad** *(obs.)*
  **a rascal
  a bounder.**

« Then gradually smart society realized that it had been made ridiculous at the hands of a **down-at-heel** Dublin street-rat, and revulsion came. Michaelis was the last word in what was caddish and bounderish. »
(D.H. Lawrence)

  **a swindler, a crook, a twister
  a blackguard
niggardly
corrupt
mischievous** (child) [1], **naughty
false.**

---

(1) *Mischievous* (un peu démodé) employé pour un adulte signifierait : *malfaisant. Naughty,* toujours pour un adulte, n'est pas loin de *vicieux.*

fausse monnaie	**counterfeit coin**
faux monnayeur	**forger**
fausse note	**wrong note**
faux témoin	**false witness**
chanter faux	**to sing out of tune**
faire fausse route	**to be on the wrong track**
	to be mistaken

ignoble, abject.

« Loin des conflits abjects de la foule en
                                              délire,
Leurs modestes désirs jamais ne s'égarè-
                                              rent. »

imprévoyant
inconsidéré
infâme
louche
malpropre, **négligé**
mesquin, **vil**
mielleux,
   onctueux,
   servile
obstiné
répugnant, **sale**,
   sordide *(sens concret)*.

« Le porc-épic avait la démarche lourde et
répugnante d'un scarabée, pour tout dire
déplaisante. »

   sordide *(sens figuré)*.

« La guerre me paraît la recette la plus sordide et la plus hypocrite pour égaliser les
hommes. »

                                        (J. Giraudoux)

B) *LES VERTUS ET LES QUALITÉS*

« Sache donc cette vérité, suffisante pour
                                        l'homme
Seule la vertu apporte ici-bas le bonheur. »

Sur ce distique nous pouvons passer au
bon coté *de la nature morale de l'homme.*

Mais la vertu n'est point dans la **satisfaction** *de soi. L'homme vertueux peut aller
jusqu'à déguiser ses qualités en vices, comme
ce personnage :*

« Bien qu'il soit **généreux** à l'extrême, il
affecte de passer pour un prodige de **parci-**

ignoble.

« Far from the madding crowd's ignoble strife
Their humble wishes never learnt to stray. »
                                        (Th. Gray)

improvident
inconsiderate
despicable
disreputable
slovenly
mean
oily,
   unctuous,
   fawning
wilful

squalid.

« It (the porcupine) had a lumbering, beetle's
squalid motion, unpleasant. »
                                        (D.H. Lawrence)

   sordid.

« War appears to me to be the most sordid
and hypocritical recipe for making men
equal. »

B) *VIRTUES AND QUALITIES*

« Know then this truth, enough for man to
                                        know,
Virtue alone is happiness below. »
                                        (A. Pope)

With that couplet we can turn to the **brighter side** *of man's moral nature.*

But true virtue is not **self-righteousness**.
*The virtuous man may even hide his qualities
under the disguise of vice, like this character :*

« Though he is **generous** to profusion, he
affects to be thought a prodigy of **parcimony**

monie et de **prudence**. Je l'ai entendu faire profession de misanthropie, alors que ses joues brillaient de **compassion** ; et j'ai vu la **pitié** attendrir son regard tandis qu'il employait un langage d'une insondable méchanceté... Il est le seul homme à ma connaissance qui paraisse honteux de sa **bienveillance** naturelle. »

Sans qu'on doive pousser les choses si loin, il ne fait pas de doute que si l'on ajoute la **modestie** *aux autres vertus, leur éclat n'en est que plus vif :*

« En temps de paix, rien ne sied davantage à
un homme
Que la modestie tranquille et l' **humilité**. »

Parmi les autres vertus, nommons :

la bonne foi
la bravoure, le courage
la décence
la diligence
l'économie
la franchise.

comme chez cet homme qui :

« Ne veut de mal à personne, ne croit pas à la volonté de faire le mal, et agit, en conséquence, avec **candeur** et **franchise**. »

la gratitude,
 la reconnaissance
l'honnêteté
l'honneur
la magnanimité,
 la grandeur d'âme
la maîtrise de soi
la patience,
 la résignation
la persévérance
la pitié
la politesse
la pureté
la tolérance

etc...

C) *LES SYSTÈMES MORAUX*

Nombreux, au cours de l'histoire des idées, ont été les **systèmes moraux** *:*

l'épicurisme
l'eudaïmonisme
le stoïcisme

---

and **prudence**. I have known him profess himself a man-hater while his cheek was glowing with **compassion** ; and while his looks were softened with **pity**, I have heard him use the language of the most unbounded ill-nature... He is the only man I have ever known who seemed ashamed of his natural **benevolence**. »

(O. Goldsmith)

Without going as far as that, there is little doubt that if to the other virtues is added **modesty**, *they shine all the brighter :*

« In peace there's nothing so becomes a man
As modest stillness and **humility**. »
(W. Shakespeare)

Among the other virtues, let us mention :

simplicity, good faith
bravery, courage
decency
industry
thrift
candour, truthfulness.

as with this man who :

« Intends no ill, believes that none is intended, and therefore acts with **openness** and candour. »
(S. Johnson)

gratitude, gratefulness,
 thankfulness
honesty
honour
magnanimity

self-control
patience

perseverance
mercy
politeness
purity
tolerance

etc...

C) *MORAL SYSTEMS*

In the course of the history of ideas, there have been numerous **moral systems** *:*

epicureanism
eudemonism
stoicism

la morale naturaliste
l'humanitarisme

etc...

*Ces systèmes tendent vers l'***individualisme** *ou l'***altruisme**.

Celui qui n 'a aucune croyance morale est
amoral *; rares sont pourtant les êtres parfaitement amoraux.*

Certains penchent pour une sorte de **fata-
lisme** *qu'illustre une citation comme celle-ci :*

« Le doigt de la fatalité inscrit, puis ayant fait,
Poursuit : ni ta pitié ni ton esprit
Ne sauraient le tenter d'annuler une ligne,
Tes larmes effacer même un seul de ses
mots. »

Le **christianisme,** *la* **morale chrétienne**
est moins sévère :

« Le ciel est beaucoup plus heureux de voir
un **pécheur repentant** que quatre-vingt-dix-
neuf ayant mené une vie de constante **droi-
ture.**

Encore faut-il avoir la **contrition** *parfaite,
ne pas rester sourd aux appels de notre*
conscience, *cette petite voix tranquille qui* **fait
des reproches au coupable,** *le pousse à ressentir les tourments du* **remords,** *à* **se repentir**
et à **faire pénitence** *pour ses méfaits.*

naturalistic philosophy
humanitarianism

etc...

These systems tend either towards **indivi-
dualism** *or* **altruism**.

The man with no moral beliefs is **amoral** *;
completely amoral people, however, are rare.*

Some lean towards the sort of **fatalism**
illustrated by this quotation :

« The moving finger writes and having writ,
Moves on : nor all thy piety nor wit
Shall lure it back to cancel half a line
Nor all thy tears wash out a word of it. »
(E. Fitzgerald)

Christianity, *the* **christian ethic** *is less
stern :*

« Heaven is much more pleased to view a
repentant sinner than ninety-nine persons
who have supported a life of undeviating
rectitude. »
(O. Goldsmith)

There must be perfect **penitence** *though,
we must not remain deaf to the appeals of our*
conscience, *the still small voice that* **upbraids
the wrong-doer,** *causes him to suffer the
pangs (stabs, qualms, prickings) of* **remorse**
and leads him **to repent** *and* **to atone** *for his
misdeeds.*

II – LA RELIGION

*Une religion possède toujours une morale,
mais – plutôt que de « vices » – elle parlera
de « péchés ».*

Cf. : **les septs péchés capitaux** *:* **l'avarice,
la colère, l'envie, la gourmandise, la luxure,
l'orgueil, la paresse.**

*Car la faute n'est plus considérée unique-
ment par rapport à l'individu et à la société,
mais par rapport à Dieu.*

*Le but commun de toutes les religions est
d'éclairer les fidèles sur la nature du* **bien et
du mal,** *de la* **création,** *de la* **divinité** *; de
mener ses adeptes vers la* **perfection** *:*

« Soyez **parfaits** comme **votre Père céleste**
est **parfait.** »
(Bible)

II – RELIGION

*A religion will always have a morality, but
it will speak of « sins » rather than of « vices ».*

E.g. : **the seven deadly sins** *:* **Avarice,
Wrath, Envy, Gluttony, Lechery, Pride,
Sloth.**

*For the fault is no longer viewed only in
relation to the individual and society, but in
relation to God.*

*The common aim of all religions is to
enlighten the faithful about the nature of* **good
and evil,** *of* **creation,** *of* **divinity,** *to lead the
initiated towards a state of* **perfection** *:*

« Be ye therefore **perfect** even as **your Father
which is in heaven** is perfect. »
(The Bible)

190

et de donner à tous le **salut éternel**. *En dehors de ce but commun, les religions diffèrent considérablement.*

A) *LES DIFFÉRENTES RELIGIONS*

Les **religions orientales** *comprennent :*
le bouddhisme
l'hindouisme

etc...

Le Proche-Orient pratique :
le mahométisme
(les offices ont lieu dans une **mosquée***) et*
le judaïsme
d'où le christianisme est issu (les offices ont lieu dans une **synagogue***).*

Le christianisme *lui-même comporte trois branches principales :*
l'église orthodoxe
le catholicisme
et, depuis la **réforme** *:*
le protestantisme.

La France est un pays à majorité **catholique** *bien que l'église y soit* **séparée de l'état.**

L'Angleterre est un pays à majorité **protestante** *avec deux grandes divisions :*
l'anglicanisme
le non-conformisme.

L'Anglicanisme se divise à son tour en trois tendances :
la haute-église
(ou **anglo-catholicisme***)*
la basse église
(plus calviniste)
l'église large.

*Toutes trois reconnaissent l'autorité du souverain et celle de l'***archevêque** *de Cantorbery. Toutes trois ont longtemps utilisé le* **« Livre de la Prière Commune »** [1].

L'église non-conformiste comprend une multitude de sectes :
baptistes, méthodistes, presbytériens, quakers

etc...

Francesco Caraccioli et Voltaire soulignaient déjà cette multiplicité avec humour :

« Il existe en Angleterre soixante **sectes** religieuses, mais il n'y a qu'une seule sauce. »

---

and to obtain for all **eternal salvation**. *Apart from this common aim, religions differ considerably.*

A) *THE VARIOUS RELIGIONS*

Among **eastern religions** *there are :*
buddhism
hinduism (hindooism)

etc...

In the Middle-East we find :
mohammedanism
(services are held in a **mosque***) and*
judaism
from which christianity sprang (services are held in a **synagogue***).*

The Christian religion *itself has three main branches :*
the orthodox church
Roman catholicism
and, since the **reformation** *:*
protestantism.

France is largely a **Roman catholic** *country, although the church there is* **disestablished.**

England has a **protestant** *majority with two main divisions :*
the Anglican church
the non-conformist churches.

Within the Anglican church there are three tendencies :
the high church
(or **Anglo-catholic church***)*
the low church
(more calvinistic)
the broad church.

All three recognize the authority of the sovereign and of the **archbishop** *of Canterbury. All three used to use the* **« Book of Common Prayer »** [1].

The non-conformist churches embrace a great number of sects :
baptists, methodists, presbyterians, quakers

etc...

Francesco Caraccioli and Voltaire already drew attention humorously to this multiplicity of sects :

« There are in England sixty different religious **sects**, but only one sauce. »

---

(1) Remplacé presque partout maintenant par l'*"Alternative Service Book"*.

*L'opinion qu'on a de l'Eglise en Angleterre dépend des **convictions** d'un chacun. Pour ce catholique d'avant l'**œcuménisme** :*

« La séparation et la révolte contre l'autorité de l'église a été la source d'où sont dérivés tous les maux. »

(J.-B. Bossuet)

*Maint esprit, par contre, a été sensible aux vertus de l'anglicanisme, ainsi cet **unitairien** américain :*

« Elle porte le sceau des **martyrs** et des **confesseurs** ; elle possède les livres les plus nobles ; une architecture sublime ; un **rituel** que les siècles ont empreint des mêmes mérites ; elle n'offre rien de mesquin ni de mercantile. »

Mais, pour bien juger de l'Eglise d'Angleterre, il ne faut pas la séparer de son contexte historique, national et social. Autrement :

« L'église nationale apparaît souvent comme un compromis politique absurde, un **moyen-terme** qui n'est ni tout à fait catholique, ni vraiment protestant, ni d'un libéralisme cohérent... Contrastant vivement avec cette communion anglicane large, se dresse, ferme et rigide, l'édifice catholique avec sa **doctrine** clairement définie, sa **foi** et son **culte** bien fixes. »

*The opinion one holds of the Church in England depends on one's personal **beliefs**. For this catholic before the days of the **ecumenical movement** :*

« Separation from Rome and rebellion against the church's authority have been the source from which all ills have flowed. »

*Many minds, on the other hand, have been impressed with the virtues of the Church of England, like this American **Unitarian** :*

« It has the seal of **martyrs** and **confessors** ; the noblest books ; a sublime architecture ; a **ritual** marked by the same secular merits, nothing cheap or purchasable. »

(R.W. Emerson)

But if we are to form a just estimation of the Church of England we must view it in its historical, national and social context. Otherwise :

« The national church often appears to be either an irrational political compromise or a **via media** which is neither completely catholic, properly protestant, nor consistently liberal... In striking contrast to this comprehensive anglican communion, stands firm and erect the roman catholic edifice, with its clearly defined **doctrine** and regulated **faith** and **worship**. »

(E.O. James)

B) *L'OFFICE RELIGIEUX*

Il y a différents TYPES D'OFFICES.

Les Anglicans entendent :

l'office du matin
l'office du soir
l'office de communion.

*Les **catholiques** vont à la **messe** (messe basse, chantée ou grand' messe) et allaient jadis aux **vèpres**, aux **complies** et au **salut**.*

Dans l'Angleterre rurale du 18ᵉ siècle, on va souvent à l'office par devoir. En effet, un châtelain comme Sir Roger de Coverley :

« Se lève quand tout le monde est à genoux, pour compter **les fidèles** et voir si quelqu'un de ses gens manque à l'appel. »

B) *THE CHURCH SERVICE*

There are several TYPES OF SERVICES.

Anglicans go to hear :

matins, morning prayer
evensong
eucharist.

***Catholics** go to **mass** (low, sung or high) and also attended, in the old days, **vespers**, **compline** or **benediction**.*

For the country people of 18th century England, it was often a duty to go to church. Indeed, a country squire like Sir Roger de Coverley :

« Stands up when everybody else is upon their knees to count **the congregation** to see if any of his tenants are missing. »

(J. Addison)

De nos jours, les gens sembleraient aller à l'église par **conviction** *ou — comme Adam Bede — pour y chercher le* **réconfort** *:*

« Pour Adam, l'office religieux était le meilleur moyen de canaliser ses regrets mêlés d'aspirations et de résignation ; l'alternance d'**appels implorant au secours**, et d'élans de foi et de **louange** ; la répétition des **répons** et le rythme familier des **collectes** [(1)], semblaient lui parler comme aucun autre culte n'aurait pu le faire. »

Mais il y a encore des cérémonies religieuses qui ne sont pour beaucoup que des actes sociaux : le **baptême** *parfois, le* **mariage** *souvent, ainsi que les* **funérailles, inhumation** *ou* **incinération**, *cette dernière très fréquente dans les pays anglo-saxons :*

« Le **cercueil** se mit à glisser lentement le long de la pente vers une ouverture pratiquée dans le mur, tandis que l'**orgue** jouait un air suave de musique religieuse. Godfrey qui n'était pas croyant, fut profondément ému par cet ensemble et décida, une fois pour toutes, qu'il se ferait incinérer lorsque son heure serait venue...

L'**aumônier** [(2)] serrait tristement la main de tous ceux qui étaient massés près de la porte... On avait rassemblé les fleurs sur le vaste porche, certaines, disposées en gerbes harmonieuses, d'autres, plus rares, en **couronnes** démodées. »

Certains TRAITS *sont* COMMUNS *à la plupart des offices religieux, quelle que soit la* **secte**. *Il y a une* **quête**. *Dans leurs* **bancs**, *les gens écoutent le* **prédicateur** *prononcer, du haut de sa* chaire, *un* **sermon** *généralement fondé sur un texte* **biblique**.

*Ce sera peut-être une description terrible de l'*enfer :

« L'horreur de cette prison étroite et sombre est accrue par une puanteur effroyable. Toute la fange du monde, tous les déchets et les excréments du monde s'écoulent là comme vers un immense égout nauséabond. »

More recently, people would seem to go to church from **conviction** *or — like Adam Bede — to find* **comfort** :

« To Adam the church service was the best channel he could have found for his mingled regret, yearning, and resignation ; its interchange of **beseeching cries for help**, with outbursts of faith and **praise** ; its recurrent **responses** and the familiar rhythm of its **collects** [(1)], seemed to speak for him as no other form of worship could have done. »

(G. Eliot)

But there are also religious ceremonies which are for many people merely social occasions : **christenings** *sometimes,* **weddings** *often, and also* **funerals** : **burial** *or* **cremation**, *the latter very common in Anglo-Saxon countries :*

« The **coffin** began to slide slowly down the slope towards a gap in the wall while the **organ** played something soft and religious. Godfrey, who was not a believer, was profoundly touched by this ensemble, and decided once and for all to be cremated when his time came...

The **chaplain** [(2)] was shaking doleful hands with everyone at the door... On the floor of the long porch was a muster of flowers done up, some in tasteful bunches, one or two in old-fashioned **wreaths**. »

(M. Spark)

Certain COMMON FEATURES *are to be found in the religious services of all* **denominations**. *There is a* **collection**. *In their* **pews**, *the people listen to the* **preacher**, *from his* **pulpit**, *delivering a* **sermon** *usually based on a* biblical *text*.

It may be a blood-curdling description of **hell** :

« The horror of this strait and dark prison is increased by its awful stench. All the filth of the world, all the offal and scum of the world... shall run there as to a vast and reeking sewer. »

(J. Joyce)

---

(1) Il s'agit ici de l'oraison (la prière) de ce nom. Au sens de « quête », *collecte* se dit *collection*.
(2) Dans l'armée, on appelle l'aumônier militaire : *Padre*.

Tous les prédicateurs ne savent pas retenir l'attention de leurs « bien chers frères ». Ainsi celui-ci :

« Où il a prêché les **paroissiens** ont déserté, jusqu'aux **marguilliers** ont disparu... Les **ouailles** se sont dispersées et les orateurs voisins en ont grossi leur auditoire. »

(J. de La Bruyère)

Les offices religieux ont encore en commun les **chants** *(***cantiques***,* **motets***,* **psaumes***, etc., exécutés par le* **chœur** *) ; et aussi la* **bénédiction** *finale :*

« Les paroles à jamais sublimes, "la paix de Dieu qui surpasse l'entendement" semblaient, dans cet après-midi tranquille, se mêler aux rayons de soleil qui tombaient sur les fronts **inclinés** des fidèles. »

Enfin les grandes **fêtes** *de l'année sont approximativement les mêmes dans les pays chrétiens. Citons :*

l'**Epiphanie**
la **Chandeleur**
le **Mercredi des Cendres**

qui suit le **Mardi-Gras** *et ouvre le* **Carême***.*

le **Dimanche des Rameaux**
le **Jeudi Saint**
le **Vendredi Saint**
Pâques
l'**Ascension**
la **Pentecôte**
la **Trinité**
la **Saint Michel**
Noël

*enfin, qui clôt l'***Avent** *et qui, en Angleterre, prend, pour le meilleur comme pour le pire, des proportions grandioses.*

LA LITURGIE CATHOLIQUE

s'est considérablement simplifiée depuis le **Concile du Vatican***. A l'intérieur de l'église, l'***aube** *a remplacé la* **soutane** *et le* **surplis** *et l'on ne pourrait plus guère parler aujourd'hui de :*

« L'**autel**, au moment de la grand-messe, qu'illuminent cinquante **bougies** ou davantage, et que rehaussent, en dignité et en prestige, les riches **ornements** tout garnis de **dentelles** des prêtres et des **acolytes**, le fin

*Not all preachers know how to hold the attention of their « **dearly beloved brethren** ». This one for instance :*

« Where he preached, the **parishioners** deserted, even the **churchwardens** left... The **flocks** dispersed and swelled the audience of neighbouring speakers. »

*Another feature common to services is the singing (***hymns***,* **anthems***,* **psalms***, etc., performed by the* **choir** *) ; and also the final* **blessing** *:*

« The forever sublime words "the peace of God which passeth all understanding" seemed to blend with the calm afternoon sunshine that fell on the **bowed** heads of the congregation. »

(G. Eliot)

Lastly, the big **festivals** *of the year are approximately the same in Christian countries, for example :*

Epiphany (Twelfth Night)
Candlemas
Ash Wednesday

which follows **Shrove Tuesday** *and is the beginning of* **Lent***.*

Palm Sunday
Maundy Thursday
Good Friday
Easter
Ascension Day
Whitsun
Trinity Sunday
Michaelmas*, and finally*
Christmas

which ends **Advent** *and which in England, for better or for worse, is celebrated in a way that is quite fantastic.*

THE CATHOLIC LITURGY

has undergone considerable simplification since the **Vatican Council***. In church the* **alb** *has replaced the* **cassock** *(or* **soutane** *) and the* **surplice** *and one could hardly speak nowadays of :*

« The **altar**, during high mass, lit with a half-hundred or more **candles**, and made more impressive by the rich lacy **vestments** of the priests and the **acolytes**, the fine needlework and gorgeous colourings of the... **cha-**

travail et les coloris somptueux de... la chasuble, de la chape, de l'étole et du manipule. »

Restent parfois les ors des calices et des ciboires et les lumières de quelques cierges mais disparus sont les ostensoirs et le parfum de l'encens que prodiguait l'encensoir.

Pour retrouver tout cela, il faut chercher quelque lointaine abbaye ou... une cathédrale anglicane !

suble, cope, stole and maniple. »

(Th. Dreiser)

The golden gleams of the chalice and the pyx (or ciborium) sometimes remain as well as the glow of a few tapers, but gone are the monstrance and the perfume of the incense rising from the censer.

To find all that to-day, you must look in some remote abbey or... an Anglican cathedral.

C) LES MINISTRES DU CULTE

Chez les catholiques, au moins, rien ne distingue plus un prêtre séculier, un moine, un moine mendiant, d'un laïc, pas même le col romain. Il n'y a guère que les religieuses qui demeurent immanquables. Du Pape au plus humble clerc, comme de l'archevêque au pasteur dans l'Eglise d'Angleterre, la hiérarchie demeure pourtant compliquée même si elle l'est moins que dans le clergé du Barchester de Trollope :

« Un évêque résidant, un archiprêtre résident, un archidiacre, trois ou quatre prébendiers résidents, et tous leurs nombreux chapelains, curés et autres satellites ecclésiastiques. »

C) MINISTERS OF THE CHURCH

With Roman Catholics at any rate there is nothing now to distinguish a secular priest, a monk or a friar [1] from a layman, not even the clerical collar. Only nuns are still unmistakable. From the Pope to the humblest cleric, as from the archbishop to the parson in the Church of England, there still exists a complicated hierarchy even if it is less obvious than among the members of the clergy of Trollope's Barchester :

« A resident bishop, a resident dean, an archdeacon, three or four resident prebendaries and all their numerous chaplains, vicars and ecclesiastical satellites. »

(A. Trollope)

A propos de :	« CURÉ », etc. Notez
un « curé » (sens général et familier)	a cleric
un curé,	
(chef d'une paroisse :	
anglicane	a vicar
catholique)	a rector, the parish priest
un vicaire	a curate [1]
le presbytère	
(anglican	vicarage
catholique ou anglican	rectory
presbytérien)	manse
un abbé	
Oui, Monsieur l'Abbé	
Oui, mon Père	Yes, Father
l'Abbé X (anglo-saxon)	Father X
l'Abbé Prévot	(The) Abbé Prévot
l'abbé d'un monastère	the abbot of a monastery
(supérieur, prélat portant crosse et mitre)	(the superior, a prelate who has a right to the cross and mitre)

(1) Black friar : Dominicain ; Grey friar : Franciscain ; White friar : Carme.
(1) On prendra garde qu'en anglais d'Irlande, chez Joyce, par exemple, « curate » signifie aussi : barman.

Cette hiérarchie fait sourire certains :

« Les hommes d'église... ont des problèmes que la plupart des laïcs ne comprennent pas. Par exemple des questions de **préséance** entre les archidiacres et les plus anciens parmi les **chanoines** les jours de grande cérémonie.

*Avant d'exercer son ministère, le futur prêtre étudie la philosophie et la **théologie**, reçoit une formation philosophique et **théologique**, (précédée d'un **noviciat** s'il veut appartenir au **clergé régulier**) :*

« L'Abbé Deprety a été mon condisciple au petit **séminaire**, puis a terminé ses études je ne sais où et aux dernières nouvelles, il était procuré d'une petite **paroisse** *du* **diocèse** d'Amiens. »

(G. Bernanos)

*Dans toutes les églises, il existe de bons prêtres, et de moins bons. Certains, qui se sont fourvoyés, **jettent le froc aux orties**, d'autres s'installent dans le péché, ou — comme Mr. Dimmesdale dans « La Lettre Ecarlate » — en souffrent profondément.*

This hierarchy makes some people smile :

« The churchmen... have problems most of the laity do not understand. For example, questions of **precedence** between archdeacons and senior **canons** on ceremonial occasions.

(J.B. Priestley)

*Before he can enter the ministry, the intending priest studies philosophy and **divinity**, receives a philosophical and **theological** training (preceded by a **noviciate** if he wants to belong to the **regular clergy**) :*

« The Abbé Deprety was a fellow student of mine at the junior **seminary** ; then he completed his studies somewhere or other and the last I heard of him he was prorector in a little **parish** in the **diocese** of Amiens. »

*There are good priests in every church and some who are not so good. Some, having gone astray, **unfrock themselves**, others become hardened in sin, or — like Mr. Dimmesdale in « The Scarlet Letter » — suffer agonies.*

D) *L'ÉGLISE, L'ÉDIFICE*

L'INTÉRIEUR

D) *THE CHURCH BUILDING*

THE INTERIOR

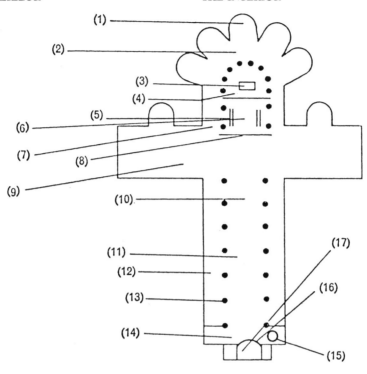

(1)	chevet	(1)	chevet
(2)	abside	(2)	apse
(3)	maître-autel	(3)	high-altar
(4)	sanctuaire	(4)	sanctuary
(5)	stalles	(5)	stalls
(6)	chœur	(6)	choir, chancel
(7)	déambulatoire	(7)	ambulatory
(8)	table de communion (*parfois* jubé)	(8)	communion-rail (*sometimes* rood-screen)
(9)	transept	(9)	transept
(10)	travées	(10)	bays
(11)	nef	(11)	nave
(12)	bas-côté	(12)	(side)-aisle
(13)	pilier	(13)	pillar
(14)	narthex	(14)	narthex
(15)	fonts baptismaux	(15)	font
(16)	tribune de l'orgue	(16)	organ-loft
(17)	porche.	(17)	porch.

Voici la description d'une **cathédrale** *française, celle de Chartres :*

« Elle stupéfiait avec l'essor éperdu de ses **voûtes** et la folle splendeur de ses vitres. Le

Here is the description of a French **cathedral**, *the one at Chartres :*

« It overwhelmed you with its dizzily soaring **vaults** and the wild splendour of its windows.

197

temps était couvert et cependant toute une fournaise de pierreries brûlait dans les lames des **ogives**, dans les sphères embrasées des roses. »

(K. Huysmans)

The day was overcast and yet a very furnace of jewels burned in the lancets of the **ogives**, in the glowing spheres of the rose-windows. »

L'EXTÉRIEUR

THE EXTERIOR

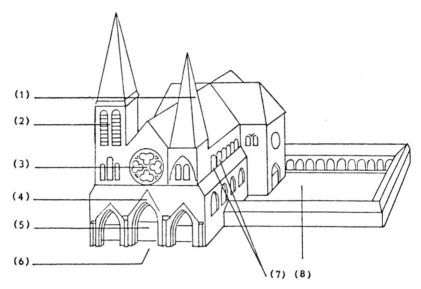

(1) **flèche**	(1) **spire**
(2) **tour, clocher**	(2) **(bell-) tower**
(3) **rosace**	(3) **rose-window**
(4) **tympan**	(4) **tympan**
(5) **portail central**	(5) **main portal**
(6) **façade**	(6) **front**
(7) **vitraux**	(7) **stained-glass windows**
(8) **cloître.**	(8) **cloister.**

Et voici ce qu'inspire à E. Zola la magnificence extérieure d'une autre cathédrale gothique :

« Puis elle quittait le sol, ravie, toute droite, avec les **contreforts** et les **arc-boutants** du chœur, repris et ornementés deux siècles après en plein flamboiement du gothique, chargé de **clochetons**, d'aiguilles et de pinacles. Des **gargouilles** au pied des arc-boutants déversaient des eaux des toitures. »

(E. Zola)

Nous terminerons en mentionnant ceux qui ne mettent jamais les pieds à l'église, les **athées**, *les* **agnostiques**, *les* **libres penseurs**,

And this is how the magnificent exterior of another gothic cathedral inspired E. Zola :

« Then it soared joyfully straight up from the ground, with the chancel's **close buttresses** and **flying buttresses** ornamented again two centuries later, in the heyday of flamboyant gothic style, covered with **turrets**, small spires and pinnacles. **Gargoyles** at the foot of the flying buttresses spouted down water from the roof. »

We shall conclude with a mention of those who never set foot inside a church, the **atheists**, *the* **agnostics**, **free thinkers**, *etc., or*

etc., ou même les chrétiens qui ont des positions **peu orthodoxes**, *les* **hérétiques**. *Mais pourquoi parler de ces derniers ? Il n'y en a pas en Angleterre :*

« Comment la croyance d'un Anglais pourrait-elle être une hérésie ? Il y a là contradiction dans les termes. »

even, among the Christians, the holders of **unorthodox** *opinions,* **heretics**. *But why mention these ? There aren't any in England :*

« How can what an Englishman believes be heresy ? It is a contradiction in terms. »

(G.B. Shaw)

APPENDICE

TROIS PRIÈRES

LE NOTRE PÈRE

Notre Père, qui es aux cieux,
Que ton nom soit sanctifié,
Que ton règne vienne,
Que ta volonté soit faite sur le terre comme au ciel.
Donne-nous aujourd'hui notre pain de ce jour.
Pardonne-nous nos offenses comme nous pardonnons aussi à ceux qui nous ont offensés.
Et ne nous soumets pas à la tentation.
Mais délivre-nous du mal.
Car c'est à toi qu'appartiennent le règne, la puissance et la gloire, pour les siècles des siècles
Amen.

LE CREDO

Je crois en un seul Dieu, le Père tout-puissant, créateur du ciel et de la terre, de l'univers visible et invisible.

Je crois en un seul Seigneur, Jésus-Christ, le Fils unique de Dieu, né du Père avant tous les siècles : Il est Dieu, né de Dieu, lumière née de la lumière, vrai Dieu, né du vrai Dieu, engendré, non pas créé, de même nature que le Père ; et par Lui tout a été fait.

Pour nous les hommes, et pour notre salut, il descendit du ciel ; par l'Esprit Saint il a pris chair de la Vierge Marie, et s'est fait homme. Crucifié pour nous sous Ponce-Pilate, il souffrit sa passion et fut mis au tombeau.Il ressuscita le troisième jour conformément aux Ecritures, et il monta au ciel ; il est assis à la droite du Père. Il reviendra dans la gloire, pour juger les vivants et les morts ; et son règne n'aura pas de fin.

APPENDIX

THREE PRAYERS

THE LORD'S PRAYER

Our Father, which art in heaven,
Hallowed be Thy Name.
Thy kingdom come.
Thy will be done in earth as it is in heaven.

Give us this day our daily bread.

And forgive us our trespasses, as we forgive them that trespass against us.

And lead us not into temptation.
But deliver us from evil.
For thine is the kingdom, the power and the glory, for ever and ever.

Amen.

THE CREED

I believe in one God the Father Almighty, Maker of heaven and earth, and of all things visible and invisible.

And in one Lord Jesus-Christ, the only begotten Son of God, begotten of his Father before all worlds, God of God, light of light, very God of very God, begotten, not made, being of one substance with the Father, by Whom all things were made.

Who for us men, and for our salvation, came down from heaven, and was incarnate by the Holy Ghost of the Virgin Mary, and was made man, and was crucified also for us under Pontius Pilate. He suffered and was buried, and the third day he rose again according to the Scriptures. And ascended into heaven. And sitteth on the right hand of the Father. And he shall come again with glory to judge both the quick and the dead ; Whose kingdom shall have no end.

Je crois en l'Esprit-Saint qui est Seigneur et qui donne la vie ; il procède du Père et du Fils ; avec le Père et le Fils, il reçoit même adoration et même gloire ; il a parlé par les Prophètes.

Je crois en l'Eglise une, sainte, catholique et apostolique. Je reconnais un seul baptême pour le pardon des péchés. J'attends la résurrection des morts, et la vie du monde à venir.

Amen

And I believe in the Holy Ghost, the Lord and giver of life ; who proceedeth from the Father and the Son, who with the Father and the Son together is worshipped and glorified ; who spake by the Prophets.

And I believe one Catholick and Apostolick Church. I acknowledge one baptism for the remission of sins. And I look for the Resurrection of the dead, and the life of the world to come.

Amen.

(Book of Common Prayer) [1]

L'AVE MARIA

Je vous salue, Marie, pleine de grâce.
Le Seigneur est avec vous.
Vous êtes bénie entre toutes les femmes
et Jésus, le fruit de vos entrailles, est béni.
Sainte Marie, mère de Dieu,
priez pour nous, pauvres pécheurs,
maintenant et à l'heure de notre mort,
Ainsi soit-il.

THE HAIL MARY

Hail Mary, full of grace ;
the Lord is with thee !
Blessed art thou among women,
and blessed is the son of thy womb, Jesus.
Holy Mary, mother of God,
pray for us, sinners,
now and at the hour of death,
Amen.

(1) La version catholique anglaise du Pater et encore plus du Credo varie considérablement par rapport à celle-ci.

CHAPITRE 16

LES ANIMAUX

OUR DUMB FRIENDS

I – LES DIFFÉRENTS TYPES D'ANIMAUX, LEUR ASPECT

I – THE DIFFERENT TYPES OF ANIMALS, THEIR APPEARANCE

A) *LES ANIMAUX SAUVAGES*

A) *WILD ANIMALS*

*Le morceau suivant nous présente toute une série d'***animaux exotiques*** :*

« Le petit **éléphant** demanda à sa tante, la grande **autruche**, pourquoi les **plumes** de sa **queue** poussaient ainsi, et sa tante, la grande autruche, le corrigea de sa **griffe**, dure, dure. Il demanda à sa tante, la grande **girafe**, ce qui rendait sa peau **mouchetée**, et sa tante, la grande girafe, la corrigea de son **sabot** dur, dur. Il demanda à son oncle, le gros **hippopotame**, pourquoi ses yeux étaient rouges... Et il demanda à son oncle velu, le **babouin**, pourquoi les melons avaient ce goût particulier, et son oncle velu le babouin, le corrigea de sa **patte** velue, velue... Il demanda : "Que mange le **crocodile** au dîner ?" »

Question malencontreuse, puisque le crocodile lui allongea le nez en **trompe**, *malgré ses* **défenses**. *Dans* « *Rikki-Tikki-Tavi* », *comme dans tous les contes du* « *Livre de la* **Jungle** », *Kipling décrit d'autres animaux sauvages, ainsi la* **mangouste** *(qu'on peut néanmoins* **apprivoiser***) :*

« C'était une mangouste. Elle rappelait assez un petit **chat** par la **fourrure** et la queue, mais tout à fait une **belette** par la tête et les habitudes... Elle pouvait **se gratter** partout où il lui plaisait... Elle filait à travers l'herbe haute. »

Il parle aussi des REPTILES, *comme le* **naja** *(serpent à lunettes, ou cobra) :*

« Alors, pouce par pouce, s'éleva de l'herbe, la tête au **capuchon** déployé de Nag, le gros naja noir. »

C'est ici qu'il faut nommer :

le boa
la couleuvre

The following extract introduces a whole series of **animals from distant lands** *:*

« The **elephant's** child asked his tall aunt, the **ostrich**, why her **tailfeathers** grew just so, and his tall aunt the ostrich spanked him with her hard, hard **claw**. He asked his tall uncle, the **giraffe**, what made his skin **spotty**, and his tall uncle, the giraffe spanked him with his hard, hard **hoof**... He asked his broad aunt, the **hippopotamus** why her eyes were red... and he asked his hairy uncle, the **baboon**, why melons tasted just so, and his hairy uncle, the baboon, spanked him with his hairy, hairy **paw**... He asked, "What does the **crocodile** have for dinner ?" »

(R. Kipling)

An unfortunate question, since the crocodile will pull his nose out into a **trunk** *in spite of his* **tusks**. *In* « *Rikki-Tikki-Tavi* », *as in all the stories of* « *The* **Jungle** *Book* », *Kipling describes other wild animals, like the* **mongoose** *which can nevertheless be* **tamed***) :*

« He was a mongoose, rather like a little **cat** in his **fur** and his tail, but quite like a **weasel** in his head and his habits... He could **scratch** himself anywhere he pleased... He scuttled through the long grass. »

(R. Kipling)

He also speaks of REPTILES, *like the* **cobra** *(spectacled snake, or hooded snake) :*

« Then inch by inch out of the grass rose up the head and spread **hood** of Nag, the big black cobra. »

(R. Kipling)

Here we must mention :

the boa
the (grass-) snake

« Le petit train... esquissa une ou deux contorsions en **rampant** et s'enfonça au plus épais de la verdure, telle une couleuvre. »

(G. Duhamel)

le crotale
(ou **serpent à sonnettes***)*
le lézard
l'orvet
la vipère.

« Une vipère se dressa, et dardant sa **langue bifide**, émit un **sifflement**. »

Les reptiles peuvent être **venimeux**, *ou sans venin ; ils* **muent** *(perdent leur peau).*

Ajoutons à cette liste de reptiles, quelques GASTÉROPODES, BATRACIENS, *etc.*

Le **crapaud** *personnifié par K. Grahame dans « le Vent dans les Saules » avec son amie la* **taupe**.

« Lorsqu'il fut sorti, je pus de nouveau fixer mon attention sur les crapauds. Je découvris très vite que ces deux **amphibiens** avaient une personnalité si accusée qu'ils auraient presque pu être des mammifères. »

la grenouille
les escargots.

« A l'enterrement d'une feuille morte
Deux escargots s'en vont
Ils ont la **coquille** noire
Du crêpe autour des **cornes**. »

(J. Prévert)

les limaces
les salamandres
la sangsue
la tortue domestique
  ou **de mer**
le ver
  de terre
  luisant

etc...

Pour en revenir aux MAMMIFÈRES, *voici, parmi les* **animaux tropicaux** *:*

l'antilope
le chacal
le chameau *avec ses* **bosses**
le dromadaire
la gazelle
le guépard.

« The little train... described one or two winding curves as it **crawled** into the thickest part of the greenery, like a snake. »

the rattlesnake

the lizard
the slow (blind-) worm
the adder (viper).

« A viper... rearing itself, darting its **forked tongue** and ejaculating a **hiss**. »

(W. Cowper)

Reptiles can be **poisonous** *or harmless ; they* **slough (shed)** *their skin.*

To this list of reptiles, let us add some GASTEROPODS, BATRACHIANS, *etc.*

The **toad** *which, as Mr. Toad, appears in K. Grahame's « The Wind in the Willows » with his friend* **Mole**.

« When he had gone, I could turn my attention back to the toads. I very soon found out that these two **amphibians** had personalities so striking that they might almost have been mammals. »

(G. Durrell)

the frog
snails.

« To the dead leaf's funeral
Two snails make their way
Their **shells** are black-covered
Crêpe-banded their **horns**. »

slugs
newts (efts)
the leech
the tortoise
  or **the turtle**
the worm
  the earth worm
  the glow worm

etc...

Returning to MAMMALS, *we have, among the* **tropical animals** *:*

the antelope
the jackal
the camel *with its* **humps**
the dromedary
the gazelle
the cheetah.

« Je feuilletai quelques bouquins et trouvai bientôt ce court article : "Guépard : **carnassier** du genre grand chat. Le guépard appelé aussi : **léopard** chasseur et léopard **à crinière**, habite l'Asie méridionale et l'Afrique. Il ressemble à un énorme chat mais il est susceptible d'éducation comme le chien. Sa **robe**, d'un **fauve** léger, est couverte de **taches** rondes et noires. Il mesure un mètre de long. Il possède la force, la souplesse et la puissante **mâchoire** des chats, mais il n'a pas leurs griffes aiguës ni leur caractère féroce ; son **poil** est frisé comme celui d'un chien". »

(Boileau-Narcejac)

le lion *(f.* **lionne***)*

auquel la Bible compare le démon :

« Votre adversaire, le Diable, rôde comme un lion rugissant cherchant qui dévorer. »

(St-Pierre, 1ère Ep.)

l'ours *(f.* **ourse***)*
le tigre *(f.* **tigresse***).*

« Les ours se glissaient hors de leurs **tanières** au milieu des rochers et descendaient lourdement le long des ravines ; les tigres sortaient majestueux et silencieux de leurs **repaires** dans l'herbe. »

la panthère.

« Silencieuse, à pas de velours et le ventre rasant le sol, elle arriva. »

(Péruchon)

Dans les pays nordiques, on trouvera les **animaux à fourrure** *:*

« Un Peau-Rouge... chassant le **renard** dans la forêt, le **castor** sur le bord des rivières, et le **vison** dans la steppe. »

(Péruchon)

ainsi que des **cervidés**, *dont certains habitent aussi nos régions. Dans cette catégorie, notons :*

la biche
le cerf *(avec ses* **bois***)*

*si souvent décrits « * **aux abois** *»,*

le chevreuil
le daim [1].

« I turned through the pages of a few books and soon came upon this short article : "Cheetah : **flesh eating mammal** of the cat family, also called the hunting **leopard** and **maned** leopard. Found in southern Asia and Africa. It resembles a huge cat but can be trained like the dog. Its **coat**, of pale **tawny** yellow, is covered with round black **spots**. It attains a length of about three feet. It has the strength, the suppleness and the powerful **jaw** of the cat family but has neither their sharp claws not their savage nature ; its **fur** is crisp like a dog's". »

the lion *(f.* **lioness***)*

to which the Bible compares the devil :

« Your adversary the Devil, as a roaring lion, walketh about, seeking whom he may devour. »

(Peter, I)

the bear *(f.* **she-bear***)*
the tiger *(f.* **tigress***).*

« The bears were creeping out of their **dens** amidst the rocks and blundering down the gullies ; the tigers stalking noiselessly from their **lairs** in the grass. »

(H.G. Wells)

the panther.

« Soundless, velvet-footed, and with belly close to the ground, it came. »

In northern lands, you will find the **fur-covered animals** *:*

« A Redskin... hunting the **fox** in the forest, the **beaver** on the riverbanks, and the **mink** out on the plain. »

as well as certain of the **deer** *tribe, some of which live in our regions also. In this category, let us note :*

the doe
the stag *(with his* **antlers***)*

*so often decribed « * **at bay** *»,*

the roebuck
the (fallow-) deer [1].

---

(1) Chaussures, etc. *en daim* = *buckskin, suede* shoes, etc.

« Mon cœur est dans les Highlands, à chasser le daim ;
A chasser le daim sauvage, et à poursuivre le chevreuil. »

« My heart's in the Highlands, a-chasing the deer ;
A-chasing the wild-deer and following the roe. »

(R. Burns)

Les bois nous offrent enfin des animaux divers, tels que :

And finally in the woods we find various animals, such as :

le hérisson
le porc-épic
le putois

the hedgehog
the porcupine
the polecat (skunk)

ou encore :

or yet again :

les loups
les sangliers.

wolves
boars.

Que sais-je ! Voyez « St Julien dans la forêt. »

And so it goes on ! Look at « St Julian in the Forest » :

« Une **fouine** glissa brusquement entre ses jambes... Un **choucas** monstrueux... regardait Julien et... des **écureuils**, des **hiboux**, des **perroquets**, des **singes**... »

(G. Flaubert)

« A **weasel** slid quickly between Julian's legs... A monstrous **jackdaw**... was watching him and... **squirrels**, **owls**, **parrots**, **monkeys**... »

Perroquets et hiboux nous amènent aux OISEAUX :

Parrots and owls bring us to BIRDS :

« Je te plumerai le **bec**. »

« I will pluck your **beak**. »

*dit une chanson à l'***alouette**.

says a song to the **lark**.

« Et les **plumes** » :

« And your **feathers** » :

A propos de :	**« PLUME »** *Notez*
plume d'oiseau	**feather**
plume d'oie *(pour écrire)*	**goose-quill**
plume de stylo	**nib**
plume d'ornement	**plume**

« Et les **ailes** » :

« And your **wings** » :

« Un **busard** et sa campagne... **tournoyaient** et **planaient** nonchalamment dans la lumière dorée, portés par de grandes ailes de **phalène**, immobiles et bigarrées. »

« A **buzzard** and his mate... **swirling** and **poising** idly in golden light, on great pied motionless **moth**-wings borne along. »

(M. Armstrong)

A propos de :	**« AILE »** [1] *Notez*
aile (d'avion)	**wing** (of a plane)
(d'armée)	(of an army)
(d'oiseau)	(of a bird)
aile (de moulin)	**sail** (of a wind-mill)
aile (d'hélice, pale)	**blade** (of a propeller)
aile (d'aigle, *poétique*)	**pinion** (of an eagle)

---

(1) On fera attention que l'anglais *aisle* signifie : *bas-côté* (dans une église).

Les oiseaux peuvent :

prendre leur essor
voler
battre des ailes.

*Au printemps, ils font leur **nid**.*

Voici le nom de quelques oiseaux :

la bergeronnette
le bouvreuil
la caille
les cigognes.

« Immobiles sur leur longues pattes avec...
leur cou flexible et leur bec de corail. »
(J.-J. Tharaud)

le coq de bruyère
le corbeau.

« Je poussai alors le volet
Et avec maint frôlement et battement d'ailes
Entra un corbeau majestueux. »

la corneille
le cygne.

« Il **glisse** sur le bassin comme un traîneau
blanc, de nuage en nuage. »
(J. Renard)

le faisan
la fauvette
la flamant rose
la grue
le marabout
la perdrix.

« **Compagnie** de perdrix se dit des perdrix
d'une même **couvée** qui volent ensemble. »
(E. Littré)

le pivert
la pie.

« Nous sommes là une centaine de pies,
toutes nobles, effilées, lestes ; et les **passe-
reaux**, les **mésanges** et les **chardonnerets** qui
vivent dans nos taillis, nous trouvent toujours
prêtes à les nourrir. »
(A. de Musset)

le pinson
le roitelet
le rouge-gorge
le serin.

Birds can :

take wing (soar)
fly
flap (flutter) their wings.

*In Spring, they build their **nests** (Spring
is nesting-time).*

Here are the names of a few birds :

the wagtail
the bullfinch
the quail
the storks.

« Motionless on their long legs, with ... their
supple necks and coral beaks. »

the grouse
the crow (raven).

« Open here I flung the shutter
When with many a flirt and flutter
In there steeped a stately raven. »
(E. A. Poe)

the rook
the swan.

« He **glides** over the lake like a white sledge,
from cloud to cloud. »

the pheasant
the warbler
the pink flamingo
the crane
the marabou stork
the partridge.

« Partridges of the same **brood** which fly
together are called **a covey.** »

the woodpecker
the magpie.

« There are about a hundred of us magpies
there, all noble, sleek, smart ; and the **sparrows**, the **tits** and the **goldfinches** who live
in our copse, find us ever ready to feed
them. »

the finch
the wren
the robin
the canary.

205

« Couché dans le duvet, il dort le long du jour
A côté des serins dont il se croit le frère
Reçoit la **becquée** à son tour
Et repose la nuit sous l'aile de la mère. »

(J.P. Florian)

le vanneau
le vautour

oiseau de proie *comme*

l'épervier

ou la buse déjà nommée :

« Une grande buse... survolait la cour ... prête à **fondre** sur une volaille imprudente pour l'emporter entre ses **serres**... La buse, ses grandes ailes déployées et immobiles, décrivait des cercles, au dessus de la cour. »

(M. Aymé)

Les INSECTES *proprement dits ont six* **pattes**, *des* **antennes**, *et subissent des métamorphoses. Certains sont* **nuisibles**, *d'autres utiles.*

« Je n'ai pas encore oublié la première **ruche** que je vis où j'appris à aimer les **abeilles**. »

(M. Maeterlinck)

Les abeilles forment des **essaims** *et produisent la* **cire** *et le* **miel**. *Les* **araignées** [1] *tissent une* **toile** *:*

« Voulez-vous entrer dans mon petit salon ? dit une araignée à une **mouche**. »

Si la **cigale** *et la* **sauterelle** *ordinaire sont très inoffensives, il n'en va pas de même de la* **locuste**, *ou sauterelle d'Afrique.*

Symbole d'oisiveté en France, la cigale se voit remplacée en Angleterre par la sauterelle :

« La cigale ayant chanté tout l'été...
Alla crier famine
Chez la **fourmi**, sa voisine. »

(J. de La Fontaine)

la coccinelle
  ou **bête à Bon Dieu**
le cousin *et* **le moucheron**
le frelon
le bourdon
le grillon
la guêpe

« Nestled in down, he sleeps the whole day long
At the canaries' side, their brother as he thinks
And in his turn he takes the **beakful** offered
And sleeps at night beneath the mother's wing. »

the lapwing (peewit)
the vulture

a bird of prey *like*

the sparrowhawk

or the buzzard already mentioned :

« A large buzzard... was flying above the yard... ready **to swoop down** on any incautious fowl and carry it off in its **talons**... The buzzard, its great unmoving wings outspread, circled round above the yard. »

INSECTS *properly called, have six* **legs**, **antennae**, *and undergo metamorphosis. Some of them are* **pests**, *others are useful.*

« I have not yet forgotten the first **hive** I saw, where I learnt to love **bees**. »

Bees **swarm** *and provide us with* **wax** *and* **honey**. *Spiders* [1] *spin a* **web** *:*

« Will you walk into my parlour ? said a spider to a **fly**. »

(M. Howitt)

The **cicada** *and the common* **grasshopper** *are quite harmless, not so the African* **locust**.

A symbol of idleness in France, the cicada is replaced as such in England by the grasshopper :

« The grasshopper, having sung all summer,
Went pleading hunger
To her neighbour the **ant**. »

the ladybird *or* **ladycow**

the gnat *and* **the midge**
the hornet
the bumble-bee (humble-bee)
the cricket
the wasp

---

(1) Notez : *il a une araignée au plafond : bats in the belfry.*

le hanneton
la libellule.

« L'**accouplement** – du moins dans les grandes espèces de libellules – se consomme durant le vol et le mâle continue d'enserrer la femelle tandis qu'**elle effectue sa ponte**. »

(J. Rostand)

la moustique
le papillon
le papillon de nuit
ou **phalène**
la puce.

the cockchafer
the dragon-fly.

« **Mating** – among the larger types of dragon-fly at least – takes place during flight and the male continues to cling to the female while **she lays her eggs**. »

the mosquito
the butterfly
the moth

the flea.

B) *LES ANIMAUX DOMESTIQUES*

Toutes sortes d'animaux peuvent devenir des FAMILIERS, **souris, cochons d'Inde, perruches** *et – si l'on s'appelle M. Seguin – même une* **chèvre**. *Mais ce n'était pas une chèvre comme les autres :*

« Qu'elle était jolie ! Et puis docile, caressante, se laissant **traire** sans bouger, sans mettre son pied dans l'**écuelle**. Un amour de petite chèvre ! »

(A. Daudet)

Les Anglais, à cet égard, n'ont rien à nous envier. Dans un livre de Mrs. Gaskell, une **vache** *joue un rôle identique :*

« Une vieille dame avait une vache d'Aurigny qu'elle considérait comme sa fille. »

On peut même dire qu'ils nous battent à plate-couture en ce qui concerne l'amour des animaux :

« Chaque année, au printemps, nous recevions, à la Chancellerie de l'Ambassade, une note du Foreign Office demandant au gouvernement français de prendre toutes mesures pour que les petits **oiseaux migrateurs** qui remontent d'Afrique vers le Nord ne soient pas fusillés au passage par nos gens du midi. »

(P. Morand)

Et une Hollandaise, écrivant en anglais, fait écho à P. Morand en s'écriant :

« Oh, pays bienveillant... où un vieux **cheval** municipal qui a travaillé pendant vingt ans dans les rues de Londres est mis à la retraite avec une pension. »

L'Angleterre est le pays où la **Société Protectrice des Animaux** *est reine. Mais c'est chez toutes les nations que le chat et le chien*

B) *DOMESTIC ANIMALS*

All sorts of animals can become PETS, **mice, guinea pigs, parakeets,** *and – if your name is M. Seguin – even a* **goat**. *But it was no ordinary goat :*

« What a pretty thing she was ! And she was so gentle, affectionate, letting herself be **milked**, without putting her foot in the **bowl**. A dear little goat. »

The English have no need to feel jealous about this. In one of Mrs. Gaskell's books, a **cow** *plays an identical role :*

« An old lady had an Alderney cow, which she looked upon as a daughter. »

(Mrs. Gaskell)

In fact you can say that they beat us hands down when it comes to love of animals :

« Each year in the spring, we used to receive, at the Embassy Chancellery, a note from the Foreign Office requesting the French Government to take every precaution to ensure that the little **migratory birds** flying from Africa to the North should not be shot down by the people in the south of France. »

And a Dutch lady, writing in English, echoes P. Morand when she exclaims :

« Oh, kindly land... where an old municipal **horse** that has worked twenty years in the London streets is pensioned off. »

(O. Keun)

England is the country where the **Royal Society for the Prevention of Cruelty to Animals** *reigns supreme. But in every nation*

trônent au foyer, bien qu'ils ne s'entendent pas toujours ensemble :

« Le chat **fit le gros dos**... son poil se hérissa et sa queue balaya la poussière. »

(M. Aymé)

Présentation de **chien** *à l'américaine :*

« La fois où j'éprouvai le plus d'embarras fut celle où un **griffon** appelé Jeannie, qui venait de mettre bas six **chiots** dans la penderie d'un appartement du quatrième étage, eut le septième et dernier — auquel on ne s'attendait pas — au coin de la Onzième Rue... Et puis il y eut aussi le **caniche**, vainqueur de concours... qui rendait lorsqu'il se trouvait avec moi dans le spider d'une voiture... Mais le pire de tous fut l' **Airedale**... grand, robuste, colérique ; pendant les quelques années où nous l'eûmes, il **mordit** tout le monde sauf ma mère : il fit bien une tentative sur elle, mais elle échoua. »

Présentation de chien à la française :

« — "Ça suffit, **couché !**"

Le chien **s'aplatit**... Baptiste se pencha, lui gratta le crâne... Le chien, d'un coup de reins, se remit sur ses quatre pattes, **s'ébroua**, éternua, **galopa** trois mètres, revint... s'assit sur le derrière, les deux **pattes de devant** bien raides.

— "Ah ! Je vois ce que tu veux, grosse bête ! Tu veux un caillou, hein !"

Au comble de la joie, le chien se mit à **japper** éperdument... (un instant après) Ploum... rappliquait, le caillou dans la **gueule**. »

(R. Ikor)

the cat and dog lord it at the fireside, although they do not always get on together :

« The cat **arched her back**... her fur bristled, her tail swept the dust. »

Introducing the **dog** *American fashion :*

« My moment of keenest embarrassment was the time a **Scotch terrier** named Jeannie, who had just had six **puppies** in the clothes closet of a fourth floor apartment had the unexpected seventh and last at the corner of Eleventh Street... Then, too, there was the prize-winning **French poodle**... who got sick riding in the rumble seat of a car with me... but the **Airedale**... was the worst of all my dogs... big, burly, choleric... in the years that we had him he **bit** everybody but mother, and he made a pass at her once but missed. »

(J. Thurber)

Introducing the dog French style :

« — "That'll do, **down !**"

The dog **crouched**... Baptiste bent down and scratched its head... The dog, in one bound, stood up again, **shook itself**, sneezed, **raced** a few yards, came back... sat down on its hind quarters, its two **fore paws** stiff.

— "Oh ! I see what you want, you silly old thing ! You want me to throw you a stone, don't you ?"

Mad with delight, the dog began to **yap** frantically... (a moment later) Ploum... was coming back with the stone in his **mouth**. »

A propos de :	« **DERRIÈRE** » *Notez*
derrière (*préposition*)	**behind**
derrière *d'être humain*	
— *sens général*	**backside, behind**
— *familier*	**bottom**
— *assez vulgaire*	**bum**
— *très vulgaire*	**arse**
un coup de pied au derrière	**a kick up the backside**
un coup de pied où je pense	**a kick in the pants**
derrière d'un petit animal	**tail, haunches**
derrière d'un grand animal	**buttocks, hindquarters**
pattes de derrière	**hind legs, back legs**

Autres types de chiens :	*Other types of dogs :*
un **bâtard**	a **mongrel**
un **bouledogue**	a **bulldog**
un **berger allemand**	an **Alsatian**
un **épagneul**	a **spaniel**
un **mâtin**	a **mastiff**
un **roquet.**	a **cur.**
Autres types de chats :	*Other types of cats :*
un **petit chat**	a **kitten**
un **chat persan**	a **Persian**
un **chat siamois**	a **Siamese**
raminagrobis.	**puss** *(modern),* **grimalkin** *(litt.).*

LES ANIMAUX DE LA FERME

comprennent les **animaux de trait,** *comme les* **ânes.**

« L'âne riait si fort qu'il se roulait dans l'herbe les quatre fers en l'air. »

(M. Aymé)

les **bœufs,** *etc...*

Il y a aussi la **volaille,** *les animaux qu'on* **engraisse :** **cochons, oies,** *etc., les animaux décoratifs comme le* **paon.**

Le **bétail** *est réuni en* **troupeaux.**

FARM ANIMALS

include : **draught animals** *such as* **donkeys** *(or* **asses***).*

« The donkey laughed so much he rolled in the grass with his legs in the air. »

oxen, *etc...*

There is also **poultry,** *animals that are* **fattened :** **pigs, geese,** *etc., and show animals like the* **peacock.**

Cattle *are kept in* **herbs** *or* **flocks** *(for smaller animals ; «* **flocks** *» being also used in the figurative sense).*

II – LES CRIS DES ANIMAUX

L'abeille, le bourdon, la guêpe **bourdonnent** *:*

« Autour du compotier de reines-claudes, une guêpe bourdonnait. »

(R. Martin du Gard)

l'âne **brait**
le canard **cancane** [1]
le chat **miaule** *et* **ronronne**
le cheval **hennit.**

« Il hennit trois ou quatre fois, mais avec une telle variété dans le rythme que je fus sur le point de penser qu'il parlait tout seul en un langage qui lui était propre. »

II – ANIMAL CRIES

The bee, the bumble bee, the wasp **buzz** *:*

« Around the dish of greengages a wasp was buzzing. »

the ass **brays**
the duck **quacks**
the cat **miaows (mews)** *and* **purrs**
the horse **neighs (whinnies).**

« He neighed three or four times, but in so different a cadence, that I almost began to think he was speaking to himself in some language of his own. »

(J. Swift)

---

(1) Le terme exact du français est donné ici, mais on préfère dans cette langue — au contraire de l'anglais — recourir à un terme générique (*crier* par exemple) ; *cancaner, glouglouter,* etc., sont rares.

le chien **aboie,**
      geint,
      grogne.

« Comme un chien qui aboie à la lune, j'ai été fasciné par un reflet. »

                    (F. Mauriac)

le cochon **grogne**
le coq fait entendre son **cocorico**
le corbeau **croasse**
le dindon **glougloute**
l'éléphant **barrit**
le hibou **ulule**
le loup **hurle.**

« Celui qui fraye avec les loups doit hurler avec eux. »

le mouton et la chèvre **bêlent**
l'oie **cacarde.**

« On entend cacarder les oies vigilantes d'une basse-cour à l'autre. »

                    (J. Renard)

l'oiseau **chante,**
      gazouille

et s'il est jeune :

      pépie
la poule **caquète,**
      glousse
la souris et le rat **chocotent**
    (émettent un **couic**).

« Il écoute les cris : comme le couic de souris derrière la boiserie ; un bruit aigu et répété. »

le taureau **beugle.**

« Au dernier acte d'une course en Espagne... le taureau blanchit d'écume et beugle. »

                    (M. Barrès)

la vache **meugle.**

III — DE L'UTILITÉ DES ANIMAUX

A) *NOURRITURE*

*Aux animaux nous devons le plus clair de notre nourriture : le miel à l'abeille, les œufs aux poules, le **lait** à la vache :*

« Pendant que le pain cuit, la mère est allée surveiller la soupe. Les enfants n'ont pas bougé ; ils savent que ce n'est pas fini. Elle

---

the dog **barks (bays),**
      whimpers (whines),
      growls.

« Like a dog which bays the moon, I have been fascinated by a visionary gleam. »

the pig **grunts**
the cock **crows** or goes **cock-a-doodle-doo**
the raven **croaks**
the turkey **gobbles**
the elephant **trumpets**
the owl **hoots**
the wolf **howls.**

« Who keeps company with the wolf will learn to howl. »

             (XVIth century proverb)

the sheep and the goat **bleat**
the goose **cackles.**

« You can hear the watchful geese cackling from farm-yard to farm-yard. »

the bird **sings,**
      twitters (warbles)

and if it is young :

      cheeps
the hen **cackles,**
      clucks
the mouse and the rat **squeak.**

« He listened to the cries : like the squeak of mice behind the wainscot ; a shrill twofold noise. »

                  (J. Joyce)

the bull **bellows.**

« In the last act of a bullfight in Spain... the bull is white with foam and bellows. »

the cow **lows (moos).**

III — ANIMALS AND THEIR USES

A) *AS FOOD*

*Most of our food comes from animals : honey from the bee, **eggs** from the hen, **milk** from the cow :*

« While the bread is baking, the mother has gone to see to the soup. The children haven't moved from the spot. They know it is not

casse quelques œufs dans la maie, y verse une jatte de lait...

— "Qu'est-ce que je fais ?"
— "Une tarte au **fromage**, m'man". »
(J. Leroux)

Par ailleurs, sauf chez les végétariens bien sûr, l'alimentation est largement à base de **viande**. *Citons le* **bœuf** *:*

« C'était un spectacle réconfortant que cette tablée que présidaient, à son extrémité, le visage rond et bon enfant et la personne imposante de Martin Poyser qui servait à ses domestiques le **rôti de bœuf** (rosbif) au fumet odorant. »

l'agneau
(les **côtelettes** *d'agneau sont particulièrement exquises)*

le mouton
(le **gigot** *est un plat luxueux)*

le veau
(qu'on mange en **escalopes**, *en* **côtelettes**, *ou en* **blanquette***)*

le porc

« En janvier, dans notre région, une cuisine sans **saucisses** et **boudins** pendus en chapelet sous le plafond serait déshonorée. »
(A. de Pesquidoux)

*Les Français sont connus comme amateurs d'*escargots *et de* **grenouilles**, *et font une plus grande consommation que les Anglais d'*huîtres, *et* **crustacés divers** *:*

« Chez lui, l'Anglais entonne des refrains sur les **coques** et les **moules** ; mais c'est à peu près tout ce qu'il sait en faire. De l'autre côté de la Manche, le **homard** mayonnaise cesse d'être ces deux malheureux morceaux égarés dans un labyrinthe de feuilles de laitue. »

Les Britanniques nous rattrapent avec le **poisson**, *en quantité sinon en variété.*

Quant aux **volailles** : **dinde, oie, pintade, poulet, canard**, *et au* gibier : **chevreuil, sanglier, faisan, perdreau, lièvre, lapin de garenne**, *etc., leur popularité est égale dans les deux pays.*

B) *GARDE, PLAISIRS*

Les chiens gardent les maisons contre les intrus et les cambrioleurs. Ils servent aussi la

---

over yet ! Here she is now breaking eggs into the kneading-trough, then pouring in a jug of milk...

— "What am I making ?"
— "A **cheese**-tart, Mum". »

Moreover, except in the case of vegetarians of course, **meat** *is the staple ingredient of our diet. Let us mention* **beef** *:*

« It was a goodly sight — that table with Martin Poyser's round good-humoured face and large person at the head of it, helping his servants to the fragrant **roast-beef**. »
(G. Eliot)

lamb
(lamb **chops** *are particularly delicious)*

mutton
*(*leg of mutton *is a very special dish)*

veal
(served as **collops** *of veal, veal* **cutlets** *or «* **blanquette** *»)*

pork

« In January, in our parts, a kitchen without its strings of **sausages** and **black-pudding** hanging from the ceiling would be a disgrace. »

The French are known to be very fond of **snails** *and* **frogs**, *and they eat many more* **oysters** *and various kinds of* **shell-fish** *than the English :*

« At home the Englishman sings about **cockles** and **mussels**, but does not do very much else about them... On the other side of the Channel, **lobster** mayonnaise ceases to be one or two samples lost in a maze of lettuce. »
(« The Times »)

The British make up for it with **fish**, *in quantity if not in variety.*

As for **poultry** : **turkey, goose, guinea-fowl, chicken, duck**, *or* game : **venison, wild boar, pheasant, partridge, hare, wild rabbit**, *etc., they are equally popular in both countries.*

B) *PROTECTION, DIVERSION*

Dogs guard our houses against intruders and burglars. They also assist the police :

loi : les **chiens-policiers** *partent à la recherche des criminels. Ils accompagnent le* **chasseur**. *Avec tous les animaux familiers ils partagent la notable fonction de peupler la solitude des hommes ; ce qui leur donne droit au regret lorsqu'ils disparaissent, voire même à quelque épitaphe au cimetière des chiens...*

Le cheval, « la plus noble conquête de l'homme », est présent à la chasse à courre pour la poursuite du renard. Il fournit également aux humains un sport apprécié : l' **équitation**, *tandis que les* **chevaux de bois** *font la joie des enfants.*

C) LES ANIMAUX ET LA LITTÉRATURE

Un des services que rendent les animaux à l'écrivain est de fournir un stock de COMPARAISONS *pour les hommes :*

« Ses sourcils retombaient sur ses yeux comme ceux d'un **Skye Terrier**. Sa lèvre supérieure, longue et profondément fendue se retroussait sur ses dents comme la petite trompe d'un **tapir**. »

« Ses doigts glissaient comme une **pieuvre**. Ils pouvaient s'agripper et tenir comme une **anémone**. »

Ces comparaisons, développées, donnent la FABLE.

Court extrait de deux fables parallèles (ceci n'est pas une traduction) :

LE LIÈVRE, SES AMIS ET LES DEUX CHEVREUILS

(Voici comment le taureau s'excuse de ne point aider son ami en danger de mort) :

« A quelques pas plus loin
Il rencontre un taureau que cent fois au besoin
Il avait obligé ; tendrement il le prie
D'arrêter un moment cette meute en furie,
Qui de ses cornes aura peur.
"Hélas !" dit le taureau, "ce serait de grand cœur ;
Mais des génisses la plus belle
Est seule dans ce bois ; je l'entends qui m'appelle
Et tu ne voudrais pas retarder mon bonheur". »

(J.-P. Florian)

police-dogs *set off to track down criminals. They run with the* **huntsman**. *With other pets they share in the important job of mitigating man's loneliness ; which justifies the regret we feel when they pass away, even entitles them to an epitaph in a dogs' cemetery...*

Then, at the hunt, chasing the fox, we find the horse, « man's noblest conquest ». He also provides man with a popular sport : **horseriding**, *while the* **wooden horses** *of the roundabouts bring delight to the children.*

C) ANIMALS IN LITERATURE

One of the services which animals render to the writer is to provide him with a stock of COMPARISONS *for men :*

« His eyebrows overhung his eyes like those of a **Skye Terrier**. His long, deeply channelled upper lip was raised over his teeth like the little trunk of a **tapir**. »

(J. Steinbeck)

« His fingers would creep like an **octopus**, could grab and hold like an **anemone**. »

(J. Steinbeck)

These comparisons, developed, give us the FABLE.

A short extract from two parallel fables (this is not a translation) :

THE HARE AND MANY FRIENDS

(This is how the bull apologizes for not helping his friend who stands in danger of her life) :

« She next the stately bull implored ;
And thus reply'd the mighty lord
"Since ev'ry beast alive can tell
That I sincerely wish you well
I may, without, offence, pretend
To take the freedom of a friend ;
Love calls me hence : a fav'rite cow
Expects me near yon barley mow :
And when a lady's in the case
You know, all other things give place". »

(J. Gay)

« *Animal Farm* » *de George Orwell est une longue fable ou allégorie.*

Les animaux servent aussi de SYMBOLES *mais qui varient selon les pays, on le voit dans les proverbes.*

Ainsi :

« Heureux comme un **coq** en pâte. »

Un parti politique peut avoir son symbole animal, ou sa **mascotte**.

Ainsi, aux Etats-Unis, les Républicains ont l'éléphant, les Démocrates ont l'âne.

Chaque poète, enfin, peut symboliser ses aspirations dans un animal donné. Shakespeare a écrit « **Le Phénix et la Tourterelle** » *; Wordsworth des vers au* **coucou** *; Shelley à* **l'alouette***, Keats au* **rossignol**.

Ils ont même parfois inventé ou utilisé des animaux fabuleux, comme la **licorne** *; ainsi W.-B. Yeats dans* « *La Licorne des Etoiles.* »

Et la mythologie antique abonde en **centaures, satyres, sirènes** *et autres hybrides.*

George Orwell's « *Animal Farm* » *is a lengthy fable or allegory.*

Animals are also used as SYMBOLS, *but these vary from country to country, as national proverbs show.*

Thus :

« As happy as a **dog** with two tails. »

A political party may have an animal as its symbol or **mascot**.

In America, for example, the Republicans have the elephant, the Democrats the donkey.

And finally, the poet can symbolize his aspirations by means of an animal. Shakespeare has given us « **The Phoenix and the Turtle** » *; Wordsworth has written lines to the* **cuckoo** *; Shelley to the* **skylark***, Keats to the* **nightingale**.

The poets have sometimes even invented or used fabulous animals, like the **unicorn** *; thus W.B. Yeats in* « *The Unicorn from the Stars* ».

And ancient mythology abounds in **centaurs, satyrs, mermaids** *and other half-human creatures.*

213

C. L'ACTIVITÉ QUOTIDIENNE
DAILY ACTIVITIES

CHAPITRE 17

LA MAISON
LA VIE FAMILIALE

HOME AND
FAMILY LIFE

I – LA MAISON

I – THE HOUSE

A) *LES TYPES D'HABITATION*

Il se peut que vous habitiez UN CHÂ-TEAU. *Espérons alors que ce ne sera pas celui-ci :*

« Un château horrible, désuet, en **briques** rouges, avec de hautes **cheminées** et des **pignons** à la mode élizabethaine. »

Même si ce n'est pas un château, telle habitation peut avoir un nom plus solennel que « maison » :

« Les Dashwood étaient établis depuis longtemps dans le Sussex. Ils y avaient un grand **domaine** et leur **demeure** se trouvait à Norland Park. »

Mais la plupart des gens habitent bien EN VILLE, *des* MAISONS *pures et simples, indépendantes ou* **jumelles**, *qu'ils* **louent**, *à moins, bien sûr, qu'ils puissent se permettre de* **faire bâtir** :

« Quand on veut faire bâtir une maison, on cherche d'abord un **terrain**. Ensuite on fait établir un **plan** par un **architecte**. Une fois les fondations creusées, les **maçons** commencent à construire les **murs** (**matériaux** : la **chaux**, le **sable**, le **mortier**, le **plâtre**, la pierre, la **brique**, le **ciment**, le **béton armé**). Quand les murs ont atteint la hauteur voulue, les **charpentiers** posent la **charpente**, que les **couvreurs** couvrent de **tuiles** ou d'**ardoises**, et les **ferblantiers** font les **gouttières** destinées à recevoir les eaux de pluie. Pour protéger la maison de la foudre, on installe un **paratonnerre** sur le **toit**. »

(E. Billaudeau)

A) *WHAT SORT OF DWELLING ?*

You may live in A MANSION, *although not, we hope, this one :*

« An odious old-fashioned, red-**brick** mansion, with tall **chimneys** and **gables** of the style of Queen Bess. »

(W.M. Thackeray)

Even if it's not a mansion, it may not be called just a house :

« The family of Dashwood had been long settled in Sussex. Their **estate** was large and their **residence** was at Norland Park. »

(J. Austen)

But most people live in ordinary TOWN-HOUSES, *detached or* **semi-detached**, *which they* **rent**, *unless, of course, they can afford* **to have a house built** :

« When you want to have a house built, you first of all select the **site**. Then you have the **plans** drawn up by an **architect**. Once the **foundations** are dug, the **brick-layers** can begin to build the **walls** (**materials** : **lime**, **mortar**, **plaster**, **stone**, **brick**, **cement**, **reinforced concrete**). When the walls have reached the required height the **carpenters** put the **rafters** into position : these are then roofed with **tiles** or **slates** by the **roofer** (tiler, slater) and the **tinsmiths** fix the **guttering** to catch the rainwater. To protect the house against lightning a **lightning conductor** is erected on the **roof**. »

A propos de :	« PLAN » *Notez*
plan *(estimation, projet)*	**plan, scheme**
plan sommaire	**sketch plan**
sans plan arrêté	**following no set plan**
plan *(dessin)*	**draft, map**
plan *(importance)*	**rank, rate**
un écrivain de premier plan	**a writer of the first rank**
un artiste de second plan	**a second rate artist**
plan *(position)*	**ground**
premier plan	**foreground**
arrière plan	**background**
plan *(surface plane)*	**plane**
plan incliné	**inclined plane**
laisser quelqu'un en plan	**to leave somebody in the lurch** **to leave somebody stranded**

Tout cela est affaire de revenus, comme le **quartier** *qu'on choisit. Dans les quartiers ouvriers, tout est loin de ressembler partout aux* **taudis** *de jadis :*

« Les maisons étaient de taille et très convenables. Lorsqu'on en faisait le tour, l'on pouvait voir des jardinets garnis d'auricules et de saxifrages... des œillets dans le **pâté** du haut, des belles fenêtres de **façade**, de petits porches, des haies de troènes, et des **lucarnes** pour les **mansardes**. »

Ce qui n'empêche pas qu'on se trouve souvent **à l'étroit** *dans le type d'habitat qui y prévaut :*

« Les quelques maisons de cette ruelle étaient d'étroites **bicoques**, mal alignées, et dont les **rez-de-chaussée** devaient servir d'échoppes depuis le XVIᵉ siècle. »

(R. Martin du Gard)

Qui ne préfèrerait pas le **côté Ouest** *de Londres, le XVI* **ᵉ** *arrondissement à Paris, et la* **zone** *dite «* **résidentielle** *» des conurbations modernes ?*

Et il y a généralement moins de place encore dans un APPARTEMENT, *si l'on excepte les* **appartements en terrasse** *des plus luxueux* **immeubles** *contemporains. Les appartements ont bien des inconvénients. On a nommé l'exiguïté ; ajoutons la sonorité, les* **escaliers** *lorsqu'il n'y a pas d'***ascenseur**, les* **concierges**.

*On conçoit que les prisonniers des villes rêvent d'*UNE VILLA *à la campagne, une*

It all depends on your income, as does the **district** *you select. In working-class districts, things are often very different now from the* **slums** *of the past :*

« The houses themselves were substantial and very decent. One could walk all round, seeing little front gardens with auriculas and saxifrage... and pinks in the sunny top **block**, seeing neat **front** windows, little porches, privet hedges, and **dormer windows** for the **attics**. »

(D.-H. Lawrence)

Which doesn't mean that you are not often **cramped** *in the sort of houses usually to be found there :*

« The few houses in this alley were cramped little **shanties**, out of alignment, whose **ground floors** must have been used as stalls ever since the XVIth century. »

Who would not prefer the **West End** *of London, the XVIth arrondissement in Paris, and what are called the «* **residential areas** *» of the modern conurbations ?*

And, as a rule, there is even less room in a FLAT, *unless it is one of those* **penthouses** *you find in the new luxury* **apartment blocks**. *There are a good many drawbacks about flats. They are tiny, as we have said ; you can hear every sound ; there are the* **stairs** *(if there is no* **lift***) and...* **caretakers**.

It is understandable that, imprisoned in towns, we should dream of A COTTAGE *in*

218

petite « bicoque » comme celle-ci, par exemple :

« C'était une petite chaumière basse avec un **toit de chaume** pyramidal... les murs de la maison étaient en grande partie tapissés de vigne-vierge. »

Notez aussi :

un bungalow
une cabane
une caravane
une case
un gratte-ciel.

B) *L'EXTÉRIEUR DE LA MAISON*

Un mot de l'ASPECT GÉNÉRAL d'abord : La plupart des bâtiments se composent d'une cheminée, d'un toit, de quatre murs, de fenêtres et de portes, qui peuvent être assemblés de bien des manières différentes.

Sur la **souche de la cheminée** *il peut y avoir un* **pot** *ou une demi-douzaine de ceux-ci. Les fenêtres de la maison peuvent être des* **portes-fenêtres,** *de larges* **baies** *ou des* **fenêtres en encorbeillement**. *Et il y en a bien d'autres.*

« Nous connaissons tous les belles fenêtres Tudor avec leurs **meneaux** épais et leurs **traverses** en pierre, se croisant d'un côté à l'autre en un point beaucoup plus proche du sommet que du bas. »

« Les cinq croisées percées à chaque étage ont de petits **carreaux** et sont garnies de **jalousies.** »

(H. de Balzac)

Au lieu de jalousies, on peut avoir des **volets** *de type ordinaire, peints de couleurs plus ou moins vives.*

La **porte d'entrée** *a parfois un* **porche.** *Cela peut être très impressionant :*

« Avant de franchir le **seuil**, je m'arrêtai pour admirer une quantité de sculptures grotesques dont on avait généreuseument orné la façade et l'entrée principale. »

Le **marteau de porte** *est remplacé de nos jours par une* **sonnette.** *Une* **boîte aux lettres** *est fixée sur la porte ou sur la* **grille** *où l'on*

the country, a little place of our own, like this one, for example :

« It was a small low cottage with a **thatched** pyramidal **roof**... the walls of the dwelling were for the most part covered with creepers. »

(Th. Hardy)

Note also :

a bungalow
a shack
a caravan
a cabin
a sky-scraper.

B) *THE OUTSIDE OF THE HOUSE*

A word about the GENERAL APPEARANCE *first : most buildings consist of a chimney, a roof, four walls, windows and doors, which can be assembled in ways that admit of considerable variety.*

On the **chimney stack** *we may have one or half a dozen* **chimney-pots**. *The house may have* **French windows, bay windows, oriel windows**. *And there are many other sorts as well :*

« We all know the beautiful red Tudor window, with its stout **mullions** and its stone **transoms**, crossing from side to side at a point much nearer to the top than to the bottom. »

(A. Trollope)

« The five windows on each floor have small **panes** and there is a **Venetian blind** at each one. »

Instead of blinds we may have the more usual sort of **shutters,** *brightly painted, more or less.*

The **front door** *may have a* **porch.** *It may be quite impressive :*

« Before passing the **threshold**, I paused to admire a quantity of grotesque carvings lavished over the front, and especially above the principal door. »

(E. Brontë)

The **doorknocker** *is being replaced these days by an electric* **door-bell**. *The door will be fitted with a* **letterbox** *or there will be one on*

219

a parfois apposé l'écriteau : « Porte à porte et prospectus interdits. »

Les MATÉRIAUX *utilisés, tant pour le toit (tuiles, ardoises, chaume) que pour les murs, varient selon les régions. Les Costwolds ou la Touraine font un large usage de la* **pierre de taille.** *Le Nord de la France, les Midlands anglais ou Londres ont plus volontiers recours à la* **brique rouge.** *Les grands immeubles utilisent souvent le* **béton.** *L'essentiel est de rester dans le style du pays, ce qu'on oublie souvent :*

« Les **entrepreneurs** ont souvent recours à ce qu'il y a de meilleur marché, sans se soucier de l'origine des matériaux ou de leur aspect. »

Les DÉPENDANCES *d'un appartement sont pratiquement inexistantes, à moins qu'on ne veuille classer ici le* **palier,** *la* **cave** *et l'éventuelle* **chambre** *de* **bonne** *!*

Une maison a généralement un **sous-sol** *avec ou sans* **cour,** *une* **cave à vins,** *une* **cave à charbon,** *une* **entrée de service,** *un* **garage** *et, dans le jardin, un* **appentis** *ou l'on range les outils de jardinage et des boîtes en fer blanc remplies de clous rouillés ainsi que les objets hétéroclites que l'on conserve parce qu'ils serviront peut-être un jour.*

C) *L'INTÉRIEUR*

Juste sous le toit, il y a un GRENIER *où l'on parvient par une* **trappe** *et qui renferme le* **réservoir** *d'eau froide d'où part une série de* **tuyaux** *:*

Cette pièce sert parfois de **débarras** *:*

« L'atmosphère de la chambre de débarras était suffocante. Elle fit l'effort de grimper sur un **escabeau** pour ouvrir la fenêtre. Avec l'air du dehors une lumière blessante inonda le **réduit,** accusant la tristesse, la laideur des objets entassés là : bagages vides, literies inutilisées, lampes à pétrole, livres de classe, **cartons** couverts de **flocons** gris et de mouches mortes. »

(R. Martin du Gard)

the **gate** *outside, to which sometimes a notice has been affixed : « No hawkers, no circulars. »*

The MATERIALS *used, both for the roof (tiles, slates, thatch) and for the walls, vary with the part of the country. In the Costwolds and Touraine there is widespread use of* **free-stone.** *The North of France, the English Midlands and London are quite prepared to make do with* **red brick.** *The big blocks of flats are built of* **concrete.** *The main thing is to preserve the local style — a thing often overlooked :*

« **Builders** often set to work with what is cheapest, no matter where it comes from or how it looks. »

(J.-B. Priestley)

There is no such thing as the OUTBUILDINGS *of a flat, unless you want to include under that heading the* **landing,** *the* **cellar,** *and, if you have a maid, the* **maid's room** *!*

A house usually has a **basement** *with a* **back-yard** *perhaps, a* **wine cellar,** *a* **coal cellar,** *a* **back-door,** *a* **garage,** *and in the garden, a* **shed,** *where the gardening tools are kept, and tins full of rusty nails, and the usual collection of things that we keep because they may come in useful one day.*

C) *THE INTERIOR*

Immediately under the roof there is a LOFT *or* ATTIC *reached by a* **trap-door,** *and containing the cold-water* **tank,** *from which run a medley of* **pipes** *:*

This room is sometimes used as a **box-room** [1] *:*

« The atmosphere of the box-room was stifling. She exerted herself to climb on to a **stool** to open the window. With the air from outside a harsh light came flooding into the **tiny room,** accentuating the sadness, the unsightliness of the objects piled up in there, empty suit-cases, spare bedding, oil-lamps, school books, **cardboard boxes** covered with grey **fluff** and dead flies. »

---

(1) Synonyme : *lumber-room.*

En dessous il y a les CHAMBRES À COUCHER *plus ou moins confortables selon le cas :*

« La chambre où je me revois est grande et presque nue. Au fond est une **alcôve** avec un **lit** : il y a deux **berceaux** sur des chaises au pied du lit : ... un grand feu de ceps de vigne brûle au fond d'une **cheminée** de pierre blanche. De grosses **poutres** noircies par la fumée, forment le plafond. Sous les pieds, ni **parquet** ni **tapis** : mais de simples **carreaux** de briques. »

(A. de Lamartine)

Ici, par contre :

« Des **carpettes** du Kazakstan, d'Afghanistan et du Caucase remuaient doucement sous les pas sur le **parquet. Palissandre**, bois satiné, **acajou** déployaient leurs courbes, leurs surfaces larges ou effilées, soignées, précieuses, brillantes... Des **rideaux** damassés s'agitaient légèrement à la brise estivale. »

Une **grande chambre** *peut contenir un* **grand lit** *ou des* **lits jumeaux**. *Dans ce cas une* **table de nuit** *se trouve généralement entre eux et une* **lampe de chevet** *y est posée.*

La **literie** *comporte le* **matelas**, *les* **couvertures**, *les* **draps**, *les* **oreillers** *dans leurs* **taies**, *peut-être un* **traversin** *et un* **dessus-de-lit** *(légèrement archaïque : la* **courte-pointe***). Les* **édredons** *ont presque entièrement remplacé le* **couvre-pieds** *en coton ou doublé de laine : toutefois le couvre-pieds fait à la main, aux dessins enchevêtrés, connaît un regain de popularité et nombreux sont ceux qui se blotissent sous une* **couette**. *Les* **bouillottes** *et les* **couvertures chauffantes** *apportent un supplément de chaleur.*

Le restant du mobilier de la chambre comprend une **coiffeuse**, *une* **armoire**, *et généralement un* **miroir**.

Les gens hospitaliers conservent la meilleure chambre pour leurs invités :

« La **chambre d'amis**, luxueuse, car il s'y trouvait un large **fauteuil** de bois et de **paille**, une **commode en bois de noyer**. »

(E. Lavisse)

Au même étage que les chambres se trouve LA SALLE DE BAINS :

« Mon ami m'emmenait au premier étage voir la salle de bains, car, cela va sans dire, je n'en

---

Below this will be THE BEDROOMS *comfortable or not, as the case may be :*

« I can see myself standing in a room which is large and almost bare. At the far end is a **recess** with a **bed** : there are two **cradles** on chairs at the foot of the bed... a big fire of vine-stocks is burning at the black of a **fire-place** of white stone. Stout, smoke-blackened **beams** form the celing. Underfoot, no **floorboards**, no **carpet** : just plain brick **tiles**. »

Here, on the other hand :

« **Rugs** from Kazakstan and Afghanistan and the Causasus shifted softly underfoot on the **parquet flooring. Rosewood**, and satinwood and **mahogany** curved and splayed and tapered in surfaces which glowed with care and quality... Damask **curtains** stirred gently in the summer breeze... »

(I. Murdoch)

A **double bedroom** *may contain a* **double bed** *or* **twin beds**. *If the latter, a* **bedside table** *usually stands between them on which there is a* **bedside lamp**.

The **bedding** *consists of* **mattress, blankets, sheets, pillow** *in their* **pillow-cases** *(pillow-slips), perhaps a* **bolster** *and* **bedspread** *(slightly older :* **counterpane***). Eiderdowns have almost entirely replaced the cotton or wool-lined* **quilt**, *although the hand-made patchwork quilt is coming back into fashion and many people snuggle under a* **duvet** *or* **continental quilt. Hot water bottles** *and* **electric blankets** *provide extra warmth.*

Other furniture in the room may include a **dressing-table**, *a* **wardrobe**, *and perhaps a* **mirror**.

Hospitable people keep their best bedroom for their guests :

« The **spare room**, luxurious, as it had a roomy **straw**-bottomed wooden **armchair**, a **walnut chest of drawers**. »

On the same floor as the bedrooms is the BATH-ROOM :

« My friend would take me upstairs to see the bathroom, a thing which, needless to say, I

221

avais encore jamais vu ; et il m'en montrait, d'un air solennel, la munificence, ouvrant les **robinets** d'eau chaude et d'eau froide, du **lavabo** et de la **baignoire, tirant la chasse d'eau** des **WC** pour me prouver qu'elle fonctionnait. »

Une **petite armoire** *de salle de bains fixée au mur renferme du talc, des sels de bains, un assortiment de* **blaireaux,** *des bâtons de sa-* *von à barbe ou des tubes de* **crème** *à raser, de la* lotion *après-rasage, des* **brosses à dents,** *du dentifrice – et quelques* **lames de rasoir** *rouillées. Les* **chauffe-bains** *sont maintenant remplacés par des* **chauffe-eau.** *Dans certai-* *nes salles de bain il y a une* **douche**.

Les « **toilettes** », *ou* « *petit coin* » *ou le* « *heu...* » *est souvent un endroit distinct, ce qui ne facilite pas les choses si, usant d'un euphé-* *misme, vous avez demandé à vous* « *laver les mains* ».

« Je fermai rapidement la porte à clef... et jetai un coup d'œil à la salle de bain. Outre le lavabo et le **porte-savon,** elle était équipée d'une grande baignoire, d'un **porte-serviette,** d'une petite **balance,** d'une paire de grands miroirs, d'une **armoire pharmaceutique** en- castrée dans le mur et d'une grande devise brodée à la main et encadrée qui disait : "La propreté est le régal des Dieux". Il n'y avait absolument rien d'autre. »

Descendons maintenant à la CUISINE, *dont voici une description amusante :*

« En général, la cuisine est assez haute pour mettre le **rayon** du dessus hors de votre portée... Dans chaque cuisine, un assortiment de **brochettes** pend à l'un des crochets – une annexe de la réserve principale dans le tiroir de la **table de cuisine...** Le **tiroir** d'une table de cuisine ordinaire s'ouvre lentement, c'est-à-dire qu'il commence par ne pas s'ou- vrir du tout et finit par s'ouvrir très rapide- ment, mais au total la lenteur est bien là. Les savants disent que cette secousse brutale à la fin, a pour but d'emmêler ou de séparer les brochettes et le **batteur à œufs.** »

Dans les appartements modernes sévit la cuisine-laboratoire avec sa **cuisinière électri-** **que,** *son réfrigérateur (frigidaire),* **sa ma-** **chine à laver,** *son essoreuse, son* **lave-vais-** **selle,** *son* **aspirateur** *et ses gadgets en plasti-* *que. Moderne ou ancienne, on trouve sur les*

had never seen before and solemnly point out to me its grandeur, turning on the **taps,** both hot and cold, of the **bath** and **flushing** the **closet** to prove to me that it worked. »

(W. Allen)

On the wall a bathroom **cabinet** *contains talcum powder, bathcubes, an assortment of* **shaving brushes,** *sticks of shaving* **soap** *or tubes of shaving* **cream,** *after-shave* **lotion,** **toothbrushes, toothpaste** *– and a few rusty* **razor** *blades. Geysers are being replaced by* **water heaters.** *Some bathrooms have a* **show-** **er.**

The « **toilet** » *or* « *the smallest room* » *or the* « *er* »*... is often a separate room, which doesn't make things any easier if you have asked, euphemistically, to* « *wash your hands* ».

« I quickly locked the door... and looked around the bathroom. In addition to the wash-basin and **soap-holder** it was equipped with a large bath, a **towel rack,** a bathroom **scale,** a couple of ample mirrors, a **medicine chest** let into the wall, and a framed, hand-embroidered motto which read : "Cleanliness is next to godliness". And that was absolutely all. »

(A.A. Dehan)

Downstairs is the KITCHEN *humorously described here :*

« Roughly a kitchen is high enough to put the top **shelf** out of reach... one hook in every kitchen has hanging from it a bunch of **skew-** **ers** – an off-shoot from the main supply in the drawer of the **kitchen table...** the **drawer** of the average kitchen table opens slowly : that is, it begins by not opening at all and ends by opening very quickly, but the time involved adds up as slow. Scientists say that this sudden jerk at the end is meant either to entangle or disentangle the skewers and the **egg-whisk.** »

(A. Milne)

In modern flats you usually get a labora- *tory-like kitchen, with its* **electric cooker,** **refrigerator** *(fridge),* **washing machine,** **spin-drier, dish-washer, vacuum-cleaner** *and plastic gadgets. Whether modern or not, you will find on the shelves a set of* **saucepans,**

rayons, une série de **casseroles**, des **poêles à frire**, une **bouilloire**. Une truelle à poisson, une **passoire**, un tamis, pendent à des crochets.

Sur l'**évier**, avec son **égouttoir**, nous voyons un cure-casseroles en plastique et une lavette. Sur le sol il y a une **poubelle**.

Quelque part, Dieu sait où, il y a un **tire-bouchon** et un **ouvre-boîte**, un **rouleau**, une **planche à pâtisserie**, des **boîtes à gâteaux**, des **moules à pudding**, un **casier à légumes**, des **plats**, etc...

Donnant dans la cuisine il y a parfois l'**office** (ou réserve),et, presque toujours, une SALLE À MANGER, souvent reliée à elle par un **passe-plat**. C'est une pièce incontestablement plus agréable chez soi que dans une pension de famille !

« Elle est plaquée de **buffets** gluants sur lesquels sont des carafes échancrées, ternies, des ronds de moire métallique, des piles d'assiettes en porcelaine épaisse, à bords bleus, fabriqués à Tournai. Dans un angle est placée une boîte à cases numérotées qui sert à garder les **serviettes**, ou tachées ou vineuses, de chaque pensionnaire. »

(H. de Balzac)

Dans certaines salles à manger il y a un **vaisselier** au lieu d'un buffet ; et nous trouvons ici tous les objets nécessaires pour **mettre la table** : des **assiettes**, des **tasses** et des **soucoupes**, des **couteaux**, des **fourchettes** et des **cuillers** et le **service à huile et vinaigre**.

La **nappe** et les **dessous de plats** se trouvent dans l'un des tiroirs, avec quelques morceaux de ficelle, une paire de ciseaux, un paquet de cartes, une paire de **casse-noisettes**, une balle de ping-pong bosselée, un bouton ou deux et une gomme.

La salle à manger est souvent la pièce de séjour principale, encore que, dans les bonnes maisons, ce rôle soit généralement dévolu au SALON :

« La salle de séjour avait un tapis havane décoré de motifs, des fauteuils roses et blancs, une cheminée en marbre noir avec de grands **chenêts** en cuivre, de hauts **rayonnages** encastrés dans les murs et des rideaux crème en toile rêche contre les jalousies baissées. »

frying pans, a **kettle**. Fish slice, **colander** and sieve hang on hooks.

On the **sink**, with its **draining board**, we see a plastic pot-scourer and a dish-cloth. On the floor is a **sanibin**.

Somewhere or other there is a **cork screw** and a **tin-opener**, a **rolling-pin**, a **pastry board**, **cake tins**, **pudding basins**, a **vegetable rack**, **dishes**, etc...

Opening off the kitchen there may be a **pantry** and nearly always, a DINING-ROOM often connected to it by a **hatch**. It is undoubtedly a much pleasanter room at home than in this boarding-house :

« Sticky **sideboards** line the room and are covered with a collection of chipped, stained decanters, discs of metal with a silk-like sheen, piles of thick blue-rimmed plates manufactured in Tournai. The food-spattered or wine-stained **table-napkins** of the boarders are kept in numbered pigeon-holes in a box standing in a corner. »

In some dining-rooms there is a **dresser** instead of a side-board ; and here we find all the things needed for **laying the table** : **plates**, **cups** and **saucers**, **knives**, **forks** and **spoons** and the **cruet**.

Table cloth and **table mats** are in one of the drawers with some bits of string, a pair of scissors, a pack of cards, a pair of **nut-crackers**, a ping-pong ball with a dent in it, a button or two, and a rubber.

The dining-room is often the principal living-room, although in middle-class houses that is usually the function of the LOUNGE :

« The living room had a tan figured rug, white and rose chairs, a black marble fireplace with very tall brass **andirons**, high **bookcases** built back into the walls and rough cream drapes against the lowered Venetian blinds. »

(R. Chandler)

« Le meilleur salon du manoir était une pièce assez longue, **aux boiseries sombres**, avec un haut chambranle et une vaste cheminée... Dans tous les recoins et sur toutes les consoles, il y avait des **chandeliers** anciens à quatre branches en argent massif. »

« The best sitting-room at Manor Farm was a good long, **dark-panelled** room with a high chimney-piece, and a capacious chimney... In all sorts of recesses, and on all kinds of brackets, stood massive old silver **candle-sticks** with four branches each. »

(Ch. Dickens)

Si la pièce est grande, peut-être y a-t-il un **lustre** *accroché au plafond.*

If the room is large, there may be a **chandelier** *hanging from the centre of the ceiling.*

Les salons modernes ont un **canapé** *ou un* **divan** *et des fauteuils et on n'y abuse pas des* **bibelots**. *Les salons d'autrefois avaient un autre aspect :*

Modern sitting-rooms have a **settee** *or a* **divan**, *and armchairs, and are uncluttered by* **knick-knacks**. *There was a time when sitting-rooms looked very different :*

« Dans la pièce obscure flottait une odeur de vétiver et de moisi. Son regard erra un moment sur des **consoles** dorées, des tabourets et des **bergères** Louis XVI. »

(A. d'Unienville)

« An odour of cuscus grass and mildew hung in the dim room. His glance strayed for a moment over the gilt **console-tables**, footstools and Louis XVI **easy chairs**. »

A propos de :	« SALON » *Notez*	
salon de café de coiffeur d'exposition (le Salon de l'Automobile)	**lounge, coffee-bar** **saloon** **show (the Motor Show)**	
salon dans une maison salle de séjour dans les maisons ouvrières	**lounge** **living-room** **front-room** *(becoming obsolete)*	
salon dans les maisons bourgeoises petit salon *(dans les maisons où il y en a plusieurs)*	**sitting-room** **drawing-room** *(somewhat old-fashioned)* **morning-room** *(obsolete)*	
salon de photographie	**studio**	

Dans certaines maisons d'autres pièces complètent le salon :

In some houses there are, in addition to the lounge, other rooms :

« Le petit **bureau** obscur, avec des fenêtres en verre de couleur pour interdire la vue, était garni de velours vert foncé et meublé d'acajou lourdement sculpté. »

« The gloomy little **study**, with windows of stained glass to exclude the view, was full of dark green velvet and heavily-carved mahogany. »

(J. Galsworthy)

Cette pièce peut renfermer un **bureau** *sur lequel on voit une* **machine à écrire**, *un* **sous-main**, *un* **coupe-papier** *et un* **presse-papiers** *et tout près, une* **corbeille à papiers**.

This room may have a **desk** *or* **writing table** *on which we see a* **type-writer**, **writing pad**, *a* **paper knife** *and* **paper weight**, *and near it, a* **waste-paper basket**.

Quel que soit le nom que l'on donne aux différentes parties de la maison, l'important

Whatever the name given to the various parts of the house, COMFORT is the one

est d'y trouver LE CONFORT et cela, c'est une question de place, de disposition des meubles, d'arrangement harmonieux des couleurs (**peintures**, **papier**, *rideaux*, **tableaux**), d'éclairage et de chauffage.

L'**éclairage** avec l'électricité, le **néon**, etc., ne pose plus guère de problème. La question du **chauffage** est moins facile à résoudre.

Certains préfèrent un **feu de bois** qui flamboie, pétille ou rougeoie ; cela a l'air gai, mais ne vous réchauffe pas le dos ni ne le protège des **courants d'air**.

On peut aussi utiliser les **poêles à feu continu** dont le **combustible** est le **coke** ou l'**anthracite**.

Rien ne vaut néanmoins le **chauffage central** alimenté par une chaudière à **mazout** ou à **gaz**.

II – LA FAMILLE, LA VIE FAMILIALE

C'est la présence de la famille qui transforme une maison en « **foyer** ».

A) *PARENTS ET ENFANTS*

En se mariant, en devenant **mari** et **femme**, le jeune **couple fonde le foyer**. Pour qu'on puisse parler de cercle de famille, il faut néanmoins qu'ils deviennent **père** et **mère**, qu'ils aient des enfants.

L'évènement capital que constitue l'arrivée d'un **nouveau-né**, il est bien des manières de le considérer. O. Wilde ne voit dans le bébé qu'un « organisme aux ouvertures impossibles à maîtriser », Wordsworth le décrit « traînant après lui des nuages de gloire », et c'est, sans doute, cette attitude qui domine lorsque l'enfant paraît.

Mais l'enfant grandit vite et bientôt se pose le problème de la **discipline** que chacun résoud comme il peut. La vieille école avait de sains principes :

« Qui aime bien, châtie bien. »

« Les enfants sont faits pour être vus et non entendus. »

« A ton âge tu devrais penser que si je te secoue, c'est pour ton bien. Plus tard tu

---

thing we ask for, and that is a question of space, the arrangement of the furniture, the harmony of colours (**paint**, **wall-paper**, *curtains*, **pictures**), and of lighting and heating.

Now that we have electricity and **neon lighting**, etc., **lighting** really presents no difficulty. It is not so easy to solve the **heating** problem.

Some people like an **open fire** – the fire blazing and crackling or glowing red – because it looks cheerful ; but your back freezes in the inevitable **draughts**.

You can also have **slow combustion stoves** which use **coke** or **anthracite** as **fuel**.

Nothing, however, comes up to **oil** or **gas** fired **central heating**.

II – THE FAMILY, FAMILY LIFE

It is the presence of the family that turns a house into a **home**.

A) *PARENTS AND CHILDREN*

When they get married and become **husband** and **wife**, the young **couple set up home**. But before we can talk about a family circle, they must become **father** and **mother**, they must have children.

There is more than a way of viewing the arrival of a **baby**, that momentous occasion. Oscar Wilde sees the baby as a « biological system of uncontrollable apertures ». Wordsworth describes it « trailing clouds of glory », and this is undoubtedly the feeling we all have when the child appears.

But the child quickly grows up and soon the problem of **discipline** has to be faced – a problem everyone solves in his own way. The old school had some sound principles :

« Spare the rod and spoil the child. »

« Children should be seen and not heard. »

« At your age, you should bear in mind that if I go on at you, it's for your own good.

diras : "il avait raison". Un père qui sait être sévère, il n'y a rien de meilleur pour l'enfant. »

(M. Aymé)

Mais il y avait aussi de criants abus :

« Il se peut que Mr. Pontifex ait été un peu plus **sévère** avec ses enfants que certains de ses voisins, mais guère plus. Il **fouettait** ses fils deux ou trois fois par semaine...

La pédagogie moderne tombe dans l'excès contraire. Bien fin qui trouvera le juste milieu.

B) *LA VIE QUOTIDIENNE CHEZ SOI*

C'est aux REPAS *que la famille est le plus souvent rassemblée.*

Tout de suite après le lever sonné par le réveil et la toilette sommaire, il y a le **petit déjeuner**, *plus substanciel en Angleterre qu'en France :*

« Il **faisait griller** son morceau de lard sur une fourchette et recueillait les gouttes de graisse sur son **pain** ; puis il mettait la tranche de lard sur un quignon de pain, coupait des morceaux avec un **canif**, se versait du **thé** dans sa soucoupe et se sentait très heureux. »

Le **déjeuner**, *s'il a lieu en famille, a tendance à être précipité. Le père et les enfants arrivent souvent en retard, avalent leur* **nourriture** *puis repartent en toute hâte avant qu'on puisse leur demander d'aider à* **laver la vaisselle**.

Le vrai repas familial est, en Angleterre, le **thé** ; *en France, le* **dîner**. *C'est aussi le repas le plus intime :*

« Et le petit repas, dans la pièce confortable, **éclairée aux chandelles**... La nuit d'hiver écartée par les rideaux, était l'incarnation même de la sécurité. La pluie pouvait tambouriner sur les vitres, le vent souffler le long des rues désertes ; cela ne faisait qu'accentuer la chaleur et le confort à l'intérieur, où la bouilloire chantait et **le chat lapait son lait**. »

Mais l'ambiance peut varier :

« Les statisticiens prétendent que l'on peut dire si une discussion a lieu au cours d'un repas, sans se donner la peine d'écouter : il suffit de regarder si les gens tournent leurs

Later on you'll say, "he was right". A father who knows when to be **strict** — there's nothing better for a child. »

But discipline could also be flagrantly excessive :

« Mr Pontifex may have been a little **sterner** with his children than some of his neighbours, but not much. He **thrashed** his boys — two or three times a week...

(S. Butler)

The modern method of teaching the young errs in the opposite direction. To find the happy medium is no easy matter.

B) *DAILY LIFE AT HOME*

It is at MEALS *that the family is most often gathered together.*

Immediately after the alarm has sounded for us to get up and after washing and dressing quickly, there is **breakfast**, *a more substantial meal in England than in France :*

« He **toasted** his **bacon** on a fork, and caught the drops of fat on his **bread** : then he put the rasher on his thick slice of bread, and cut off chunks with a **clasp-knife**, poured his tea into his saucer and was happy. »

(D.-H. Lawrence)

Lunch, *if eaten « en famille » tends to be rushed. Both the father and the children will often arrive late, bolt their* **food**, *then rush away before they can be asked to help with the* **washing up**.

The real family meal in England is **tea** ; *in France,* **dinner**. *It is also the most intimate meal :*

« And the little meal, in the cosy **candlelit** room... And the winter's night shut out by the curtains, was the very incarnation of security. The rain might drum on the windows, the wind whistle along the deserted street ; it only emphasized the warmth and comfort inside, where the kettle hummed and **the cat lapped up its milk**. »

(D. Cecil)

But the atmosphere can vary :

« Statisticians say we can tell if discussion is going on at a meal without bothering to listen : all we need do is watch if people are twisting their plates around, sweeping their

assiettes, ramassent les **miettes** éparses ou arrangent leurs cuillers et fourchettes. Plus ce genre de chose se produit, plus la conversation est relevée. »

La SOIRÉE *fournit sans doute l'aperçu le plus conventionnel de la vie de famille.*

Le père fait souvent de **menus travaux** *dans la maison, répare les vitres brisées, arrange les pieds de table branlants, installe des rayonnages, remplit le* **seau à charbon**, *remet les* **plombs**, *sort la* **poubelle**.

La mère **racommode, coud** *(avec une* **aiguille***), reprise,* **lave** *ou* **repasse**.

Les enfants **font leurs devoirs, jouent** *ou se querellent :*

« Dans la salle à manger brûlait, dès le crépuscule, notre grosse lampe de cuivre, toujours bien fourbie, toujours un peu moite de pétrole. Nous venions travailler et jouer là, sous cette lumière enchantée. Maman, pour disposer les assiettes du couvert, repoussait en grondant nos cahiers et nos livres. »

(G. Duhamel)

Et à cette image ancienne il faut maintenant ajouter la **télévision** *que trop d'enfants — et trop de parents — regardent souvent sans discrimination.*

Bientôt ce sera **l'heure du coucher** *et* **du sommeil**. *Demain la vie recommencera, identique, à moins que ne se présente une grande occasion.*

C) *LES GRANDES OCCASIONS*

Les grandes occasions sont essentiellement de deux types, les fêtes et les réceptions.

Les FÊTES *rassemblent tous les autres membres de la famille, c'est-à-dire, outre le père et la mère, les* **frères** *et les* **sœurs** *: le* **grand-père**, *la* **grand-mère**, *les* **arrières grands-parents**, *la* **belle-famille**, *les* **oncles**, *les* **tantes**, *les* **neveux**, *les* **nièces**, *les* **cousins germains** *ou* **issus de germains**, *tous les* **proches**.

Il peut s'agir d'un **baptême**, *auquel cas on trouve, en plus, un* **parrain** *et une* **marraine**. *Ou ce peut-être des* **fiançailles** *ou un* **mariage** *:*

« Quel tumulte éclate à travers cette porte ! Les invités de la **noce** sont là. »

local **crumbs** up or tidying their spoons and forks. The more of this sort of thing going on, the higher the level of conversation. »

(A. Milne)

It is in the EVENING *that we have the more conventional glimpse of family life.*

Father will often be doing **odd-jobs** *about the house, mending broken windows and rickety table legs, putting up shelves, filling the* **coal bucket** *(coal box), mending a* **fuse**, *putting the* **dustbin** *out.*

Mother will be **mending** *or* **sewing** *(with a* **needle***) or* **darning** *or* **washing** *or ironing.*

Children are **doing their homework**, *or* **playing** *or quarrelling :*

« In the dining-room, as soon as it was dark, the old brass lamp was lit, always brightly polished, always slightly moist with parrafin. Here we gathered to work and play, in that enchanted light. To lay the table Mother would grumblingly push our books aside. »

Into this old-fashioned picture now comes **television**, *on which too many children — and too many parents — watch everything and anything.*

Soon it is **time for bed, time for sleep**. *Tomorrow life will go on just the same, unless it's a special occasion.*

C) *SPECIAL OCCASIONS*

Special occasions are essentially of two sorts : celebrations and parties.

CELEBRATIONS *bring all the other members of the family close together, that is — apart from father and mother,* **brothers** *and* **sisters** *: the* **grand-father**, *the* **grand-mother**, *the* **great grand-parents**, *the* **in-laws**, **uncles**, **aunts**, **nephews**, **nieces**, **first and second cousins**, *in brief, all the* **relatives** *(obs. : kindred).*

The occasion may be a **christening**, *in which case the* **god-parents** *(god-father and god-mother) are to be found there as well. Or an* **engagement** *or a* **marriage** *:*

« What loud uproar bursts from that door ! The **wedding**-guests are there. »

(S. Coleridge)

Il y a alors, **le marié, la mariée,** *le* **garçon d'honnneur,** *les* **demoiselles d'honneur,** *toutes personnes qui mangeront de bon appétit le* **gâteau de mariage** *et boiront le champagne dans des* **coupes de cristal.**

Ou ce peut être seulement un **anniversaire de naissance ou de mariage.**

La plupart de ces réunions familiales ont un caractère de joie et de franche gaieté. Mais il y a des exceptions. Ainsi quand les Forsytes se rassemblaient, on percevait :

« Cette ténacité mystérieuse et concrète qui fait d'une famille une **cellule** si redoutable de la société, une reproduction si flagrante de la société en miniature. »

Les RÉCEPTIONS *sont également des évènements d'importance chez les gens mondains. Et la* **maîtresse de maison** *est d'autant plus nerveuse que ses* **invités** *sont plus célèbres. Il n'y a guère que la* **cuisinière,** *la* **bonne** *et la* **femme de ménage** *que la qualité des hôtes laisse indifférentes :*

« Le Premier Ministre venait au repas... A cette heure de la soirée, cela importait peu à Madame Walter qui se démenait au milieu des assiettes, des casseroles, des passoires, des poêles à frire, du **poulet en aspic,** des **sorbetières...,** des **citrons,** des **soupières** et des plats de pudding qui, malgré la rapidité avec laquelle on faisait la vaisselle dans l'**arrière-cuisine** semblaient s'empiler partout. »

L'hôtesse *doit veiller à* **présenter** *les invités les uns aux auttres, vérifier s'ils ont bien eu accès au buffet et reçu leur ration de* **petits fours,** *s'assurer qu'ils ont assez à boire, mais pas trop, s'ils ont choisi le* **punch,** *le* **whisky** *ou le* **champagne** *plutôt que des* **jus de fruit.**

Le plus triste c'est – quand les invités sont partis – l'impression de se trouver sur un champ de bataille déserté... Bah ! ça n'arrive pas tous les jours !

There are the **bridegroom,** *the* **bride,** *the* **best man,** *the* **bridesmaids,** *who will all enjoy the* **wedding-cake** *and drink champagne out of* **cut glass champagne glasses.**

Or it may be only a **birthday** *or a* **wedding anniversary.**

Most family gatherings are cheerful, hearty affairs. But there are exceptions. Thus when the Forsytes met together one saw :

« That mysterious concrete tenacity which renders a family so formidable a **unit** of society, so clear a reproduction of society in miniature. »

(J. Galsworthy)

PARTIES, *too, are important occasions for people who move in society. And the* **lady of the house** *is all the more on edge if her* **guests** *are well-known people. Perhaps only the* **cook,** *the* **maid** *and the* **house-keeper** *remain unaffected by the social position of the guests :*

« The Prime Minister was coming... It made no difference at this hour of the night to Mrs. Walker among the plates, saucepans, cullenders, frying pans, **chicken in aspic, ice-cream freezers...,** **lemons, soup tureens** and pudding basins which, however hard they washed up in the **scullery,** seemed to be all on top of her. »

(V. Woolf)

The **hostess** *must see that the guests are* **introduced** *to one another, that they have had some refreshments and get their fair share of* **petits fours,** *make sure they have enough to drink – but not too much if they're drinking* **punch, whisky** *or* **champagne** *rather than* **soft drinks.**

The most depressing moment is when – after the guests have left – you seem to be standing on an abandoned battlefield... Never mind ! It doesn't happen every day !

CHAPITRE 18

LA VIE URBAINE

LIFE IN TOWN

I – LA CIVILISATION URBAINE

I – URBAN CIVILISATION

A) *GÉNÉRALITÉS*

A) *A SURVEY*

La plupart des écrivains trouvent la civilisation urbaine très déprimante. Ils voient dans le **citadin** un esclave de l'habitude. Il commence par se lever le matin. Il prend son petit-déjeuner, attrape son train, lit son journal, se rend à son bureau... et ainsi de suite pendant toute la journée jusqu'au moment où il ferme la télévision, verrouille la porte et va au lit. Pour certains citadins, peut-être la vie a-t-elle toujours présenté cette MONOTONIE. La Bruyère décrit ce type d'homme :

« Il fera demain ce qu'il fait aujourd'hui et ce qu'il fit hier : et il meurt ainsi après avoir vécu. »

(J. de la Bruyère)

Mais Londres au XVIIIe siècle devait sans doute offrir de plus sérieux attraits pour que le Dr. Johnson déclarât :

« Monsieur, celui qui est fatigué de Londres est fatigué de la vie. »

Toutefois, au XIXe siècle, on sent les effets de l'industrialisme et Dickens de décrire :

« Une ville **habitée** par des gens qui se ressemblaient tous, allaient et venaient aux mêmes heures, en faisant le même bruit sur les **trottoirs**, pour accomplir le même travail ; pour eux chaque jour était le même que la veille et le lendemain et chaque année identique à la précédente et à la suivante. »

Et maintenant au XXe siècle, la MÉCANISATION continue de dominer la vie des riches comme celle des pauvres, domination qui tend à produire des individus incapables de faire face à une situation exceptionnelle :

« Beaucoup de citadins, au lieu de se débrouiller par leurs propres moyens comme leurs ancêtres, peuvent se contenter de savoir

Most writers find modern urban civilisation very depressing. They see the **town dweller** as a slave of habit. He begins by getting up in the morning. He eats his breakfast, catches his train, reads his newspaper, goes to the office... and so on through the day until he switches off the television, bolts the door and goes to bed. For some town dwellers life may perhaps always have had something of this MONOTONY. La Bruyère describes the type :

« He will do tomorrow what he is doing today and what he did yesterday : and he dies after a lifetime of this. »

Although XVIIIth century London must presumably have offered something more for Dr. Johnson to say :

« Sir, the man who is tired of London is tired of life. »

(S. Johnson)

But by the XIXth century, industrialism has made its effects felt and Dickens describes :

« A town... **inhabited** by people equally like one another, who all went in and out at the same hours, with the same sound upon the **pavements**, to do the same work, and to whom every day was the same as yesterday and tomorrow and every year the counterpart of the last and the next. »

(Ch. Dickens)

And now, in the XXth century, MECHANIZATION continues to dominate the lives of rich and poor alike, a domination which may be producing men ill-adapted to cope with an emergency :

« Many urban individuals, instead of knowing how to fend for themselves as did their ancestors, only need to know how to count

compter la monnaie, tirer un levier, serrer un boulon, taper sur une machine à écrire, faire basculer un interrupteur. »

On tente de vaincre la monotonie en accomplissant tous ces gestes mécaniques à toute VITESSE *si bien que la vie urbaine donne l'impression d'une folle surexcitation, en particulier aux* **heures de pointe :**

« Tout autour de lui la ville **se hâtait**, pour rien, pour se hâter. Les automobilistes se hâtaient de doubler, au milieu d'un flot de voitures qui se hâtaient. Les piétons se hâtaient pour attraper le train... sauter du train, traverser la chaussée au galop, s'engouffrer dans des bâtiments et des **ascenseurs** ultra-rapides qui montaient hâtivement. »

Plus intense est l'activité urbaine, plus grande la concentration industrielle, et plus la SALETÉ *risque d'être omniprésente.*

Contre elle, contre la **poussière**, *contre les dépôts de toute sorte, les ménagères mènent une guerre incessante, elles*

« ne cessent de frotter, ivres de savon, amères et préoccupées, les yeux douloureux, les articulations à vif, exaspérées et absorbées, vides d'espoir. Mais les **noirées** continuent de flotter dans l'air, la **suie** pénètre partout et recouvre tout. »

La noirceur ne serait rien si ne venait trop souvent, au paysage urbain, s'ajouter la LAI-DEUR :

« Tout défilait dans une laideur toujours recommencée, suivi par l'atroce monceau de carton-pâte et de dorures du **cinéma** dont les **affiches** humides annonçaient : "L'Amour d'une Femme" ! Et le **Temple** Primitif, immense, tout neuf — très primitif, en effet, avec sa brique nue et ses grands panneaux de verre pistache et framboise ! »

Et ce qui est vrai d'une petite ville des Midlands de l'Angleterre peut l'être aussi de tel **quartier** *d'une grande* **capitale**, *Broadway par exemple :*

« Bud descendait Broadway. Il passa près de **lotissements** où des boîtes en fer blanc brillaient au milieu de l'herbe, longea des cabanes et des huttes abandonnées par des squatters, des ravins remplis de **tas d'ordures** portant des traces de roues là où les tombe-

their change, pull a lever, tighten a bolt, pound a type-writer, throw a switch. »

(S. Chase)

An attempt is made to overcome this monotony by doing all these mechanical actions at full SPEED, *so that town life may seem to be wildly exciting. The* **rush hour** *in particular :*

« All about him the city was **hustling**, for hustling's sake. Men in motors were hustling to pass one another in the hustling traffic. Men were hustling to catch trains... and to leap from trains, to gallop across the pavement, to hurl themselves into buildings, into hustling express **elevators**. »

(S. Lewis)

The busier the town and the greater the industrial development, the greater the chances that there will be DIRT *everywhere.*

Against it, against **dust** *and deposits of every kind, housewives wage a ceaseless battle, they*

« scrub on, soap-drunk, embittered and preoccupied, sore-eyed, rawknuckled, enraged and engrossed, winnowed of hope. And still the **smuts** drift and the **soot** seeps in and coats everything. »

(G. Kersh)

The grime of the urban scene would not matter if it were not that so often there is UGLINESS *as well :*

« All went by ugly, ugly, ugly, followed by the plaster-and-gilt horror of the **cinema** with its wet picture **announcements**, "A Woman's Love", and the new big Primitive **Chapel**, primitive enough in its stark brick and big panes of greenish and raspberry glass in the windows. »

(D.-H. Lawrence)

And what is true of a small Midlands town in England can be equally true of certain **districts** *of a big* **capital**, *Broadway for instance :*

« Bud walked down Broadway, past empty **lots** where tin-cans glittered among grass, past shanties and abandoned squatters' shacks, past gulches heaped with wheel-scarred **rubbish-piles** where dump-carts [1] were dumping ashes and clinkers, until he was

_____
(1) Américanisme, l'anglais utiliserait *dust-cart.*

reaux déversaient cendres et scories, et il déboucha enfin sur des trottoirs récemment construits, bordés d'un côté d'**appartements** en briques jaunes, et lécha les **vitrines** des épiceries, des blanchisseries chinoises, des restaurants, des fleuristes, des boutiques de primeurs et des charcuteries. »

*La laideur s'étale sans pudeur, des **rues** du centre jusqu'aux **faubourgs** :*

« Depuis quelques années, nos paysages **suburbains** ont subi une extraordinaire transformation, et ce n'est pas seulement la **banlieue** de Paris qui a changé de visage, c'est celle de toutes les grandes villes... Ce pullulement d'**immeubles** gigantesques en forme de boîtes perforées est un peu épouvantable et... on ne se représente pas sans malaise la vie de leurs **locataires** ainsi empilés et compressés dans une promiscuité dont la sonorité constitue le moindre inconvénient. »

(A. Billy)

Même la nuit ne saurait tout à fait la chasser :

« Les **globes électriques** répandaient cette clarté laiteuse qu'on voit dant les films d'assassins. **L'enseigne au néon** d'un café inondait les **pavés** d'une flaque de sang. »

(P. Guth)

*Toutes les villes ne méritent pas pour autant d'être ainsi maltraitées. A côté des cités industrielles, des faubourgs désolants, il y a le pittoresque des **bourgs** anciens, berceaux de BEAUTÉ, le charme d'une capitale comme Paris qui sait ne montrer que son bon côté et inspirer l'affection :*

« Le vieux et vénérable Paris avec ses **tours** et ses **flèches**, tout cela c'est ma vie, c'est moi-même. »

(A. France)

Peut-être, d'ailleurs, la laideur ou la beauté d'une cité ne sont-elles qu'un reflet de notre âme. Un poète peut aimer la ville à n'importe quelle saison :

« Oh, le joli hiver de Paris, sa boue, sa saleté, et brusquement son soleil ! Jusqu'à la fine pluie qui lui plaisait ici. Quand elle se faisait trop perçante, il y avait les **grands magasins**, les **musées**, les **cafés**, le **métro**. »

(L. Aragon)

walking on new side-walks [1] along a row of yellow brick **apartment houses**, looking in the **windows** of grocery stores, Chinese laundries, lunch-rooms, flower and vegetable shops, delicatessens. »

(J. Dos Passos)

*Ugliness sprawls unashamed from the **streets** of the centre to the **suburbs** :*

« For some years now, the **suburban** scene has been undergoing a drastic change and it is not only the **suburbs** of Paris that have altered but those around every big city... This proliferation of gigantic **buildings** in the shape of perforated crates is rather appalling and one pictures with a certain uneasiness the life of the **tenants** heaped on top of each other and squeezed so close together that noise is but the least of their discomforts. »

Even night-time cannot quite dispel it :

« The **electric lights** shed that murky light that you see in murder films. The **neon sign** from a café bathed the **cobbles** in a pool of blood. »

*Nevertheless all towns do not merit such criticism. Side by side with the industrial towns, the depressing suburbs, we have the picturesque little old **market-towns** where BEAUTY dwells, the charm of a capital like Paris, which knows how to show us only its best side and win our affection :*

« The old venerable Paris, with its **towers** and its **steeples**, all that is my life, it is me. »

It is possible moreover that the ugliness or beauty of a town are in the eye of the beholder. No matter what the season, the poet may love the town :

« Oh, that lovely Paris winter, its mud, its dirt, and its sudden bursts of sunshine ; even the fine rain, which here she found pleasant. When it began to rain too hard, there were the **big stores**, the **museums**, the **cafés**, the **metro**. »

---

(1) Américanisme, l'anglais utiliserait *pavements*. Le sens normal de l'anglais *walk* est celui d'*allée*.

231

Et si Londres est pour Cobbett « le grand goitre », Wordsworth sur le **pont** de Westminster peut s'écrier :

« La terre n'a rien de plus beau à montrer ;
Il serait d'âme inerte qui pourrait dédaigner
Spectacle si touchant dans sa majesté :
La **cité** que pare et revêt
La beauté du matin. »

B) LES EMBARRAS DE PARIS ET D'AILLEURS

Qu'une ville soit belle ou hideuse, elle n'échappe pas à certains problèmes dont celui de la **circulation** est sans doute le plus aigu.

Pour lutter contre l'**embarras**, nous avons inventé les **refuges**, les **sens giratoires**, les **passages cloutés**, les **rues à sens unique**, les **zones de parking interdit**, les **zones bleues** (à parking limité), les **passages supérieurs**, les **passages souterrains**, les **feux**, les **déviations**, les **contractuels**... Mais rien n'y fait, les voitures n'avancent pas, et le malheureux **piéton** risque à chaque instant l'**hôpital**... ou la **morgue** !

C) LES CRIS DE LONDRES ET D'AUTRES LIEUX

Le Londres de la Renaissance et du XVIIIe siècle est resté célèbre pour ses **cris de métier** :

« Je ne puis, non plus m'empêcher de ressentir une mélancolie fort agréable lorsque j'entends l'air triste et solennel sur lequel on demande fréquemment aux gens s'ils ont des chaises à réparer. »

Un Paris plus tardif les connaissait apparemment, encore :

« Dans sa **petite voiture** conduite par une ânesse... le **marchand d'habits**... psalmodiait, "Habits, marchand d'habits, ha--bits". Tirant d'un flûteau, d'une cornemuse, des airs de son pays méridional, un homme en blouse et coiffé d'un béret basque s'arrêtait devant les maisons. C'était le chevrier... Aux airs Pyrénéens, se mêlait **la cloche du repasseur**. »

(M. Proust)

And if, for Cobbett, London was « the great wen » Wordsworth, standing on Westminster **Bridge**, can exlaim :

« Earth has not anything to show more fair ;
Dull would he be of soul who could pass by
A sight so touching in its majesty :
This **City** now doth, like a garment, wear
The beauty of the morning. »

B) TRAFFIC-JAMS IN PARIS AND ELSEWHERE

Whether a town is beautiful or hideous, it faces certain inescapable problems. Of these the **traffic** problem is probably the most acute.

To fight **congestion**, we have invented **traffic-islands**, **roundabout traffic**, **pedestrian crossings**, **one-way streets**, **no-parking areas**, **parking-meter areas**, **fly-overs**, **subways**, **traffic-lights**, **by-passes**, **parking-meter attendants**... But it makes no difference, the traffic does not move and, for the poor **pedestrian**, there is always the possibility of **hospital** − or the **morgue**.

C) CRIES OF LONDON AND OTHER TOWNS

The London of the Renaissance and of the XVIIIth century is noted for its **tradesmen's cries** :

« Nor can I forbear being inspired with a most agreeable melancholy when I hear that sad and solemn air with which the public is very often asked if they have any chairs to mend. »

(J. Addison)

They could still be heard in Paris at a later date, apparently :

« In his **little cart** drawn by a donkey... **the old clothes man** used to **chant** in his sing-song way, "Old Clo-o-thes... old clothes for sale..." Playing his native airs from the South on a whistle or on the bagpipes, a man in smock and basque beret would stop in front of the houses... He was the goat-herd... To these melodies from the Pyrenees was added the sound of **the knifegrinder's bell**. »

Dans l'ensemble, néanmoins, les bruits de la cité moderne sont soit différents, soit, à tout le moins, plus intenses.

On a partout, le **crissement des freins**, le **grincement des pneus**, les **pétarades des motocyclettes**, le **bruit sourd des poids lourds**, le **mugissement des sirènes d'usine**, le tintamarre horripilant des **marteaux-piqueurs**... on s'étonnera que nos contemporains aient besoin de tranquillisants !

By and large, however, the sounds of the modern town are either different or at least louder.

Everywhere are to be heard the **squeal of brakes**, the **screech of tyres**, the **roar of motor-cycles**, the **rumble of heavy lorries**, the **moan of factory-hooters**, the nerve-shattering rattle of an occasional **pneumatic drill**... enough to understand the modern demand for tranquillizers !

II – LA VILLE

Si vous regardez le plan d'une ville, ce qui vous frappera ce sont :
— *les différents quartiers,*
— *les voies de communication,*
— *les monuments et édifices publics.*

A) *LES DIFFÉRENTS QUARTIERS*

Il y a, dans chaque ville, un **centre commercial**, *un* **quartier résidentiel**, *une* **zone industrielle**. *Il semble qu'en Angleterre et aux Etats-Unis la spécialisation des quartiers soit plus grande qu'en France.*

L'Ouest des villes anglaises est résidentiel et riche, l'Est plus **populeux** *et pauvre.*

La ségrégation raciale totale ou partielle peut encore entraîner des subdivisions, voire même la profession : les artistes se groupent volontiers (cf. Montparnasse ou Montmartre à Paris, Chelsea à Londres), les médecins (Harley Street), la Presse (Fleet Street) etc.

Même une ville aussi gigantesque que New York est :

« un **agglomérat** de dizaines de milliers de minuscules **cellules** urbaines. Il y a aussi, bien sûr, les grands **arrondissements** et les grands secteurs. Mais ce qu'il y a d'étonnant à New York, c'est que chaque grande unité géographique est composée d'une multitude de petites cellules. Chacune se suffit pratiquement à elle même. Sa superficie n'excède pas, en long comme en large, deux ou trois **pâtés de maisons**. Chacune est une cité dans la cité. »

II – THE TOWN

Looking at the map of a town you will see clearly marked :
— *the various districts,*
— *the streets and roads,*
— *the places of interest and public buildings.*

A) *THE VARIOUS DISTRICTS*

In every large town there is a **trading centre**, *a* **residential area**, *an* **industrial quarter**. *It seems that in England and the U.S.A., rather more than in France, districts have their special characteristics.*

The West side of English towns is residential and wealthy, the East side poorer and more **crowded**.

Complete or partial racial segregation can bring about subdivisions as can professional groupings. Artists always tend to form a community (Montparnasse or Montmartre in Paris, Chelsea in London). So do doctors (Harley Street), the press (Fleet street), etc.

Even a town as huge as New York is :

« a composite of tens of thousands of tiny neighbourhood **units**. There are, of course, the big **districts** and big units. But the curious thing about New York is that each large geographical unit is composed of countless small neighbourhoods. Each neighbourhood is virtually self-sufficient. Usually it is no more than two or three blocks long and a couple of **blocks** wide. Each area is a city wihin a city. »

(E.B. White)

B) *LES VOIES DE COMMUNICATION*

Les différents quartiers d'une ville sont reliés par un réseau complexe de **voies de communication** : **boulevards, avenues, grandes artères,** *rues, chacun portant un nom qui figure sur une* **plaque. Ruelles** *et* **impasses,** *par contre, ne servent guère qu'à aérer et relier des maisons à l'intérieur d'un même quartier.*

De nos jours, les rues sont de moins en moins souvent **pavées** : *la* **chaussée** [1] *est généralement recouverte de* **macadam.**

Ça et là les artères débouchent sur des **places circulaires (ronds-points)** *ou* **carrées** : *qui ne connaît Picadilly Circus ou Trafalgar Square ? Mais ce ne sont là que deux exemples parmi la multitude.*

Les places londoniennes ont souvent leur brin de verdure, plus ou moins accessible. Et, à coté de ces petits squares, il y a aussi les grands **parcs** *et les* **bois...**

Le point d'intersection de deux voies s'appelle un **carrefour...**

C) *MONUMENTS ET ÉDIFICES PUBLICS*

La plupart des grandes villes ont les édifices publics suivants : l'**Hôtel de Ville,** *la* **Bibliothèque Municipale,** *l'hôpital, des* **Etablissements de Bain,** *des* **piscines,** *des* **musées.**

Il y a également la **galerie de tableaux,** *la* **salle de concert,** *le théâtre, les cinémas, les* **toilettes publiques,** *la* **caserne des pompiers,** *les écoles, le palais de justice, les églises et les temples, voire même une* **cathédrale,** *peut-être aussi un* **château,** *etc.*

III – LES SERVICES MUNICIPAUX

A) *LE GOUVERNEMENT*

A la tête de la MAIRIE *se trouve le* **maire** *qui veille aux destinées de la cité, avec l'aide de ses* **adjoints** *et du* **conseil municipal.** *A la*

B) *STREETS AND ROADS*

The various districts of a town are linked by a complicated network of **thoroughfares** : **boulevards, avenues, arterial roads,** *streets, each one having a name which is shown on a* **name-plate.** *The* **alleys** *and* **cul-de-sacs,** *on the other hand, merely space out and serve to connect houses within the same district.*

These days **cobbled** *streets are less and less frequent : the roadway usually has a* **tarmac** *surface.*

*Here and there the main thoroughfares lead into circular open spaces (***circuses***) or* **squares** : *Who does not know Picadilly Circus or Trafalgar Square ? And they are only two among many.*

The squares in London often have their little patch of green, where people can walk — or can they ? And side by side with these little squares there are the big **parks** *and* **woods...**

The intersection of two roads is called a **cross-roads.**

C) *PLACES OF INTEREST AND PUBLIC BUILDINGS*

There are some buildings to be found in most large towns, such as the **town hall** *(am. : city-hall),* **library,** *hospital,* **public baths, swimming pools, museums.**

There are also the **art gallery, concert-hall,** *theatre, cinemas,* **public conveniences, fire station,** *schools, law court, churches and chapels, or even a* **cathedral,** *perhaps also a* **castle,** *etc.*

III – THE MUNICIPAL SERVICES

A) *LOCAL GOVERNMENT*

The principal figure in THE TOWN HALL *is the* **mayor** *who, assisted by his* **aldermen** *and the Borough Council (***Munici-***

---

(1) *La chaussée des Géants :* The Giant's Causeway.

234

mairie se rattachent divers services comme l'état-civil, etc. Le **percepteur** occupe, par contre, un bâtiment séparé, ainsi que la **sécurité sociale**.

Le maire d'une grande ville est le plus souvent quelque notable mal connu de ses administrés, au contraire de ce qui se passe à la campagne ou dans les bourgs où on le rencontre quotidiennement comme le notaire, l'instituteur ou le curé.

Le COMMISSARIAT DE POLICE qu'on peut joindre depuis n'importe quel **avertisseur** est le quartier général des agents qui dirigent la circulation, évoluent à pied, à motocyclette ou en **panier à salade**, distribuent généreusement les **contraventions**, vérifient les papiers, retirent les **permis de conduire**, caressent du **bâton** blanc la tête des **manifestants** et sont introuvables lorsqu'il faut faire un constat **d'accident** ou qu'il se produit un meurtre ou un cambriolage.

B) LES TRANSPORTS

Les transports varient selon les pays et les localités :

« Tout le monde connaît les **autobus rouges à "impériale"** de Londres et des grandes villes, spacieux, silencieux, bien suspendus, ils transportent confortablement cinquante six **passagers**... Le **métro** londonien est également excellent. Circulant très vite, à de grandes profondeurs, chaque **rame** dans un **tunnel** séparé, il est facile d'accès, aéré, confortable, silencieux. »

(T. Mayer)

La plupart des villes, même mineures, ont leur **gare de chemin de fer**, leur **gare routière**, leurs **tramways**, leurs **trolleybus** ou leurs **autobus** que contrôlent les **receveurs**, leur service de ramassage scolaire, leur compagnie de **taxis**, etc.

C) SERVICES DIVERS

Nous en avons vu certains : les hôpitaux par exemple ; nous en reverrons d'autres. Mentionnons seulement ici les services de secours, les services d'entretien, le service postal, les services touristiques.

pal Corporation), supervises the town's development. Various services are centred in the town-hall, the **Registry Office** for example. The **taxation officer** on the other hand, is housed in a separate building as also is the **National Insurance Office**.

The mayor of a large town is usually a public figure hardly known to the people under his administration. The situation is quite different in the country or in small towns, where he is a familiar figure, like the solicitor, the teacher or the priest (Engl. : parson).

THE POLICE-STATION which can be contacted from any **call-box**, is the headquarters of the policemen. They control the traffic, patrol the town on foot, on motorbikes or in the **Black Maria**, issue **summonces** (tickets) with wonderful generosity, check one's papers, suspend **driving licences**, gently tap the heads of **demonstrators** with their white **truncheons** and are never there when one has to report an **accident** or when there is a murder or a burglary.

B) TRANSPORT

Transport varies with the country and the district :

« Everyone knows the **red doubledeckers** seen in London and the big cities − roomy, quiet, wellsprung, they carry fifty-six **passengers** in comfort. The London **underground**, too, is excellent. Travelling very fast, very deep under ground, each **train** in a separate **tunnel**, it is easy to get into, well ventilated, comfortable, quiet. »

Most town, even the small ones, have their **railway-station**, their **bus station**, their **trams, trolley-buses** or **buses** (on which **conductors** issue tickets), their school bus service, their **taxi-cab** company, etc...

C) OTHER SERVICES

We have seen some : the hospital for example ; we shall meet others. So let us just mention here the security, maintenance, and tourism services.

235

Dans le premier groupe, s'il faut dire un mot des **ambulanciers** qui vont chercher sur un **brancard** les malades et les blessés, c'est pourtant aux SAPEURS POMPIERS qu'on donnera la place d'honneur. Le spectacle de ces hommes **casqués de cuivre**, accrochés à l'**auto-pompe** dont le klaxon ou la sonnerie caractéristique attire aussitôt l'attention, est familier. Sur un **appel d'urgence**, ils se rendent au lieu d'un **incendie** qu'ils vont tenter d'**éteindre** avec leur **lance**, après avoir sauvé les habitants d'un immeuble **cerné par le feu**, au moyen de la **grande échelle**.

On a, Dieu merci, fait quelque progrès depuis **le grand incendie de Londres**, en 1666, dont les contemporains, Pepys, Evelyn, ont laissé un témoignage saisissant :

« Le **sinistre** prit une telle ampleur et les habitants en furent si étonnés que, dès le début, je ne sais par l'effet de quel accablement ou de quelle fatalité, c'est à peine s'ils firent un geste pour l'éteindre... Si grande était l'étrange consternation dans laquelle ils étaient plongés que l'incendie s'étendit à la fois en largeur et en longueur, brûlant les églises, les bâtiments officiels, la Bourse, les hospices, les monuments et tout ce qui faisait l'ornement de la Cité. »

Contrairement à ce que pourrait penser le vulgaire, on ne fait pas appel aux pompiers pour les seuls incendies. Ils sont précieux dans les cas d'**asphyxie**, d'**inondation**, de **noyade**, et, à Londres, au cœur de la plus épaisse **purée de pois** qui sévit à l'automne :

« Du **brouillard** partout ! du brouillard en amont où le fleuve coule entre des îlots et des prés verdoyants ; du brouillard en aval où il roule des eaux salies entre les rangs des vaisseaux et les ordures riveraines d'une cité immense et malpropre... »

Il faut dire que le brouillard transformé en « smog » par les **fumées** des usines et les vapeurs des **tuyaux d'échappement** cause périodiquement beaucoup de décès.

Le **service d'entretien de la ville** comprend les électriciens chargés de veiller au bon état de l'**éclairage public**, les jardiniers, les **cantonniers**, et enfin, et peut-être essentiellement les membres du service de VOIRIE : **balayeurs**, **éboueurs**, etc. chargés du ramassage des **ordures** ménagères, de la bonne

---

In the first group, while we must not forget the **ambulance men** who come with their stretchers for the sick and injured, it is to the FIREMEN we give first place. With their **brass helmets**, they are a familiar sight as they cling to the **fire-engine** whose siren or bell draws immediate attention. In response to an **emergency call** they rush to the scene of the fire which they struggle **to extinguish** with their hoses, after saving the inhabitants of the building **hemmed in** by the fire by means of the **big ladder**.

We have, thank heaven, made some progress since **the Great Fire of London** in 1666, a fire of which two contemporaries, Pepys and Evelyn, have left vivid accounts :

« The **conflagration** was so universal, and the people so astonished, that, from the beginning, I know not by what despondency, or fate, they hardly stirred to quench it... such a strange consternation there was upon them, so as it burned both in breadth and length, the churches, public halls, Exchange, hospitals, monuments and ornaments. »

(J. Evelyn)

Contrary to popular belief, it is not only to fires that the fire-brigade is summoned. They render valuable aid when someone has been **gassed**, or in cases of **flooding**, **drowning** and, in London, in the dense « **pea-souper** » that is so common in autumn :

« **Fog** everywhere. Fog up the river, where it flows among green aits and meadows : fog down the river where it rolls defiled among tiers of shipping, and the waterside pollutions of a great and dirty city... »

(Ch. Dickens)

It must be stressed that fog, turned into « **smog** » with the addition of the **fumes** from factories and **exhaust-pipes**, takes its periodic toll of lives.

The **town's maintenance service** consists of the electricians whose job is to ensure the efficient state of the **public lighting** system, the gardeners, the **roadmen** and lastly, and perhaps most important, the members of THE HIGHWAYS DEPARTMENT : **road sweepers** and **dustmen** whose job is to collect the

tenue des **caniveaux**, *de la vidange des* **égoûts** *et des* **fosses d'aisance**.

La POSTE *ne constitue pas à proprement parler un service municipal, c'est un service national représenté dans chaque ville.*

Le service postal ne diffère guère d'un pays à l'autre. Dans les postes d'Angleterre, de France, d'Amérique ou d'Australie, on **trie**, *on* **tamponne**, *on achemine le* **courrier** *de manière assez semblable ; on distribue directement, ou au moyen de machines automatiques, des* **timbres**, *d'un prix sensiblement égal ou des* **coupons-réponses** *internationaux ; on encaisse les* **mandats**, *on expédie les* **télégrammes**, *on pèse les* **paquets**, *on* **recommande** *les* **lettres**, *etc. ; Quelques nuances pourtant : outre Manche, les* **boîtes à lettres** *sont rondes, et rouges, alors qu'en France elles sont rectangulaires et jaunes (après avoir été bleues). Nous allions oublier le* **facteur** *dont la tenue n'est pas exactement la même lorsqu'il part en* **tournée** *dans l'un et l'autre pays...*

Grâce à la poste, les vacanciers pourront envoyer leurs **cartes postales**. *Un autre service les aide, dans les villes touristiques, le* SYNDICAT D'INITIATIVE *qui fait la liste des* **centres d'intérêts**, *des* **manifestations** *et des* **spectacles**, *organise* **des excursions** *et renseigne sur les* HÔTELS *et les* RESTAURANTS.

Ces derniers vont de la petite **auberge** *intime à l'ensemble de salles gigantesques que décrit l'auteur d'« Angel Pavement » :*

« Il découvrit le **café** de son choix, un **salon de thé** qui avait été frappé de folie et avait pris une allure babylonienne, un palace blanc aux dix mille lumières, avec des arpents de nappes blanches, d'extraordinaires rangées de théières étincelantes, mille **serveuses** et **caissières**, **maîtres d'hôtel** en habit noir, violonistes nerveux et chevelus, des monceaux de friandises luisantes et de pâtisseries viennoises multicolores, des chaudrons de râgout de bœuf, des cargaisons de glaces panachées... »

Quant aux hôtels, ce sont les endroits où les étrangers font leurs T.P. de langues vivantes en récitant les phrases de leur manuel de poche.

household **refuse**, *keep the* **gutters** *clean, clean out the* **drains** *and* **cesspits**.

THE POSTAL SERVICE *is not, strictly speaking, a municipal service. It is a national service with local offices.*

The postal service differs very little from one country to another. In the post-offices of England, France, America or Australia they **sort**, **stamp**, *despatch the* **mail** *in much the same way. They sell, over the counter or from machines,* **stamps** *of more or less equal value and* **international reply coupons** *; they cash* **postal-orders**, *send* **telegrams** *; they weigh* **parcels**, **register letters**, *etc. There are some slight differences however : across the Channel* **pillar-boxes** *are round and bright red, whereas in France they are rectangular and yellow. At one time, they were blue. We were almost forgetting the* **postman** *as he sets out on his* **round**. *His uniform is not exactly the same in the two countries...*

Thanks to the postal service holiday-makers can send their **postcards**. *Another service is of help to them in towns which attract tourists, the « SYNDICAT D'INITIATIVE » (Tourist Information Centre) which draws up a list of* **places of interest**, **celebrations** *and* **shows**, *organizes* **excursions** *and supplies information about* HOTELS AND RESTAURANTS.

These range from the quiet little village **inn** *to the enormous rooms that the author of « Angel Pavement » describes :*

« He found the **café** of his choice, a **tea-shop** that had gone mad and turned Babylonian, a white palace with ten thousand lights..., acres of white napery and bewildering, glittering rows of teapots, ... a thousand **waitresses** and **cash-box girls** and black-coasted **floor managers** and temperamental long-haired violonists..., mounds of shimmering bonbons and multi-coloured Viennese pastries..., cauldrons of stewed steak..., vanloads of harlequin ices. »

(J.-B Priestley)

As for hotels, they are the places where foreigners practice their modern languages, trying out the sentences from their phrase book.

Souhaitons à nos voyageurs un matelas point trop dur, une heureuse absence de punaises, une tuyauterie silencieuse, des femmes de chambre pas trop matinales et, s'ils prennent la pension complète, une nourriture convenable. Quand viendra le moment douloureux de payer l'addition, puissent-ils, enfin, éviter le coup de fusil...

Let's hope our travellers have a mattress that's not too hard, that there are no bugs, that the pipes don't rattle, that the chambermaid doesn't call them too early, and, if they have full board, that the food is to their liking. And finally when the time comes to pay the bill, may it not bankrupt them...

CHAPITRE 19

PROFESSIONS, MÉTIERS COMMERCE, INDUSTRIE

CALLINGS AND TRADES COMMERCE, INDUSTRY

I – LES CARRIÈRES

Lorsque la matinée est déjà avancée, les trains mènent travailler à Londres ceux qui exercent une profession plus ou moins libérale. Ils sont – ou étaient – vêtus avec élégance d'un chapeau melon, de pantalons à rayures, d'un veston noir, avec à la main, un parapluie roulé, un exemplaire plié du « Times » et une **serviette (porte-document).**

A) *FONCTIONNAIRES*

Bon nombre de ces hommes appartiennent aux divers **échelons** *de la* **fonction publique** *:*

« Les fonctionnaires ne sont pas très bien **rétribués** au début. Peu à peu, cependant, ils obtiennent de l'**avancement**, leur **traitement** augmente et leur permet de vivre modestement. Après avoir servi l'état pendant trente ou trente-cinq ans, ils **prennent leur retraite**, certains d'être à l'abri du besoin jusqu'à leur mort. »

(E. Billaudeau)

Voilà qui a l'air absolument passionnant ! Dans la serviette du fonctionnaire, il peut y avoir des **documents** *confidentiels, des* **rapports** *de gouvernement, des secrets d'état– ou, tout simplement, des sandwichs pour le déjeuner.*

La plupart des gens ont entendu parler de la loi de Mariotte, de la loi de la Pesanteur, des lois sur les céréales, de la loi des grands nombres, etc., mais la loi de Parkinson leur est peut-être moins familière. Elle affirme que :

« Le travail a l'élasticité voulue pour remplir exactement le temps dont on dispose pour l'accomplir. »

Les fonctionnaires ont en commun de suivre cette loi à la lettre, d'être toujours **efficaces***, aimables, serviables, humbles, de ne pas croire outre mesure à la* **bureaucratie***, de*

I – PROFESSIONAL CAREERS

The later morning trains into London carry the « professional men » to their work. They are – or used to be – elegantly dressed, in bowler hat, neat pin-striped trousers, black jacket, with a rolled umbrella, a folded copy of the « Times » and a **brief case.**

A) *CIVIL SERVANTS*

Many of these men belong to the administrative **grades** *of the* **civil service** *:*

« Civil servants are not very well **paid** to start with. Gradually, however, they obtain **promotion**, their **salary** increases and allows them to live in a modest way. After serving the state for thirty or thirty-five years, they **retire on a pension** certain of being secure from want until they die. »

Which sounds rather exciting ! In the brief-case of a civil servant there may be confidential **documents***, government* **reports***, secret papers – or just sandwiches for lunch.*

Most people have heard of Boyle's law, and the law of Gravity, the Corn laws, the law of averages – but Parkinson's law is perhaps less familiar. It states that :

« Work expands so as to fill the time available for its completion. »

(C.N. Parkinson)

Civil servants have this in common : that they obey this law to the letter, that they are always **efficient***, pleasant, obliging, respectful, with no great faith in* **red tape***, that they*

239

faire toutes leurs démarches « **par la voie hiérarchique** », d'avancer grâce aux **concours**...

Il y a néanmoins plusieurs catégories de fonctionnaires depuis le **secrétaire ministériel** jusqu'au **secrétaire de mairie**. En France, les professeurs sont également fonctionnaires, c'est d'ailleurs pourquoi ils sont si remarquablement bien payés. En Angleterre, ils appartiennent encore aux professions libérales.

do everything « **trough the proper channels** » and obtain promotion through **competitive exams**.

There are, however, a good many categories of civil servants, from **ministerial secretary** to the **town clerk**. In France, teachers also are civil servants, which is why, incidentally, they are so remarkably well paid. In England, teachers still belong to the « liberal professions ».

B) PROFESSIONS LIBÉRALES

Laissons les **professeurs** (que nous reverrons d'ailleurs), les **médecins**, les **chirurgiens**, les **sage-femmes**, les **infirmières**, les **guérisseurs**, les **rebouteux**, les **dentistes**, les **pharmaciens** et les **opticiens** dont nous avons déjà parlé.

Restent alors, essentiellement, les HOMMES DE LOI : **juges**, **avocats**, **légistes** divers. Leurs **bureaux** sont généralement à une certaine distance des quartiers les plus bruyants :

« Ces coins retirés sont les bureaux officiels des hommes de loi : on y **assigne** les gens en justice, on y signe des **jugements**, on y enregistre des déclarations, on y met en branle d'autres petits rouages multiples et ingénieux destinés à torturer et à tourmenter les féaux sujets de sa Majesté et à contribuer au bien-être et aux **émoluments** des **praticiens** du Droit. »

La Fontaine eût sans doute souscrit à cette vue de l'**antre de Thémis**... Les malheureux citoyens lassés des délais, des **arguties**, du jargon, des avances, des droits à payer, etc., risquent fort aussi d'être d'un avis semblable. Mais ne critiquons pas trop, ce pourrait être dangereux. Dans cette profession, beaucoup débutent, même s'il y a peu d'élus. Ainsi le romancier George Borrow :

« **Le Droit** me convenait autant que n'importe quelle autre profession à ma portée, j'optai donc pour le droit... Je restais assis derrière un **bureau**, de nombreuses heures par jour, occupé à recopier divers documents ; et dans les bureaux contigus, il y avait d'autres employés, les uns occupés également

B) LIBERAL PROFESSIONS

Let's leave out **school-masters** (or teachers) and **professors** (whom we shall meet again anyway), **doctors** and **surgeons**, **midwives**, **nurses**, **faith-healers**, **bone-setters**, **dentists**, **chemists** and **opticians**. These we have already dealt with.

There remain then, in the main, the members of THE LEGAL PROFESSION : **judges**, **barristers**, **lawyers**... Their **offices** are usually away from the bustle of the town :

« These sequestered nooks are the public offices of the legal profession, where **writs are issued**, **judgments** signed, declarations filed, and numerous other ingenious little machines put in motion for the torture and torment of His Majesty's liege subjects, and the comfort and **emolument** of the **practitioners** of the Law. »

(Ch. Dickens)

La Fontaine would presumably have agreed with this view of **the den of Themis**... There is every possibility that the luckless citizen, weary of the delays, the **quibbles** and the jargon, advance payments, fees, etc., would be of much the same opinion. But let us not be too critical — it could be dangerous. There are many who try this profession ; there are few who succeed in it. The novelist George Borrow, for instance :

« **The Law** was as agreeable to me as any other profession within my reach, so I adopted the Law... I sat behind a **desk** many hours of the day... engaged in copying documents of various kinds : and in the apartment in which I sat, and in the adjoining ones, there were others, some of whom likewise **copied**

à **recopier des documents**, tandis qu'aux autres incombait la tâche plus ardue encore de **les établir**. »

*Parmi les hommes de loi, il faut encore mentionner le **greffier**, **l'huissier** et surtout le « **solicitor** » (tout à la fois avoué, notaire, conseil juridique et directeur de contentieux). C'est ce travail que fait d'abord le héros du « Financier » de Dreiser :*

« Les membres de la **firme** dans laquelle on le plaça finalement, furent vite impressionnés par son intuition en matière juridique ; on le chargea bientôt du détail des affaires relevant des branches du Droit auxquelles cette firme s'intéressait — **contrats**, **droits de propriété**, **testaments** et organisation de compagnies. »

Et, puisqu'il est question de finances, disons un mot, pour terminer, des comptables agréés et des EXPERTS-COMPTABLES :

« C'était un expert-comptable... En se spécialisant dans les **déclarations d'impôts**, Tom se fit **de bons revenus** : il aurait pu gagner une fortune s'il avait accepté l'invitation de certains de ses concitoyens et s'était rendu à leurs **locaux commerciaux** après les heures de travail pour falsifier les **comptes**. »

C) *AUTRES PROFESSIONS*

*Viennent ensuite les professions plus douteuses : il y a les **voleurs**, les voleurs à la tire, les tricheurs, les escrocs, les aigrefins et les filous, les perceurs de coffres-forts et leur suite de durs, de frappes, de combinards, de trafiquants et de fainéants. Il y a quelqu'un que nous avons oublié :*

« C'est la belle de nuit, la hanche ensorceleuse
Dont nul corset n'étreint les formes généreuses. »

Ce chapitre n'aurait pas été complet, en effet, si nous n'avions mentionné la plus ancienne profession du monde. Il en est néanmoins, et c'est heureux, de plus poétiques et de plus désintéressées même sur les trot-

documents, while some were engaged in the yet more difficult task of **drawing them up**. »
(G. Borrow)

*The legal profession includes others we must mention : the **clerk** of the Court, the **usher**, and above all the **solicitor** (who is at once attorney-at-law, notary, counsel and company law expert). It is this work that the hero of Dreiser's « The Financier » does to start with :*

« The **firm** to which he was ultimately articled was not long in being impressed with his intuitive legal sense, and he was soon undertaking most of the detail work of the phases of the law in which this firm was interested, **contracts**, **property rights**, **wills** and the organization of companies. »
(Th. Dreiser)

And since we are dealing with financial matters, let us conclude with a word or two on accountants and CHARTERED ACCOUNTANTS :

« He was a chartered accountant... By specializing on **income-tax claims**, Tom made **a comfortable living** : it could have been luxurious, had he accepted the invitation of certain townspeople to visit their **business premises** after hours and falsify their **returns**. »
(W. Cooper)

C) *OTHER PROFESSIONS*

*Then come the shadier professions : there are **thieves**, pick-pockets, card-sharpers, confidence tricksters, petty crooks and swindlers, safe-breakers, with all their train of toughs, cosh boys, wide boys, spivs and lay-abouts. There is one person we have forgotten :*

« 'Tis she who nightly strolls with sauntering pace :
No stubborn stays her yielding shape embrace [1]. »
(J. Gay)

*The chapter, after all, would not have been complete without a mention of the oldest profession of all. Fortunately however there are more picturesque and less mercenary types even on the streets : **tramps** and **street-sing-***

_____

(1) Prostitution : *prostitution*. Une prostituée : *a prostitute*. Une putain : *a whore*. Un bordel : *a brothel*. Un maquereau : *a pimp*.

toirs : **vagabonds** _et_ **chanteurs de rue** _ont tendance à réapparaître avec les beatnicks de tout poil. Ils étaient jadis plus nombreux encore. Ainsi à New York :_

« L'on voyait les **clochards** dans le Bowery et le quartier de Hell's Kitchen, — formant, la nuit, des paquets de haillons puants étendus le long des trottoirs — des **toxicomanes**, qui **mendiaient** le jour et pillaient les poubelles au crépuscule. »

Il y a aussi les **orateurs des coins de rue**.

A Londres naturellement, ces orateurs vont à Hyde Park, où :

« Un nègre expose les souffrances des gens de couleur aux Etats-Unis et réclame l'égalité des races. Un **commis-voyageur** en cache-poussière, avec sacoche au côté, se plaint que la diplomatie soit réservée à l'aristocratie. »

(P. Morand)

Hyde Park est à peu près le seul endroit où l'orateur a une chance raisonnable de se faire entendre, car partout ailleurs :

« Ma voix pouvait à peine se percevoir au milieu des cris rauques des **colporteurs** et des **vendeurs des rues**, du pétillement gouailleur des boutiquiers, et des bruits de la circulation. »

ers seem to be reappearing as beatniks of every description. They used at one time to be even more numerous. In New York for instance :

« The **bums** one saw in the Bowery and the Hell's Kitchen district, bundles of stinking rags at night, stretched out on the side-walks — **Dope-addicts begging** by day, sacking the garbage cans [2] in the twilight. »

(W. Allen)

Then there are the **soap-box orators**.

In London, of course, such speakers go to Hyde Park, where :

« A Negro is giving an account of the sufferings of the coloured people in the United States and demanding racial equality. A **commercial traveller** in a dust coat, with a bag at his side, is complaining that the diplomatic service is reserved for the aristocracy. »

Only in Hyde Park has the speaker a reasonable chance of making himself heard, but anywhere else :

« My voice... could scarcely be heard against the raucous cries of the **hawkers** and **street vendors**, the brisk chaff of the shopkeepers, and the traffic noises.

(W. Allen)

II – L'ARTISANAT ET LES COMMERCES

II – CRAFTS AND TRADES

A) _QUELQUES ARTISANS_

On appelle artisan celui qui, après un **apprentissage**, _exerce un_ **métier manuel** _à son compte, dans sa_ **boutique** _ou dans son_ **atelier**. _On peut classer dans cette catégorie un assez grand nombre de petits métiers. Notons particulièrement :_

le bijoutier
(orfèvre, joaillier, horloger)
le blanchisseur.

Les premières **blanchisseries automatiques** _attiraient les badauds. Il y avait une certaine fascination à regarder le linge des_

A) _SOME ARTISANS_

An artisan is a man who, when he has finished his **apprenticeship**, _practises some_ **manual craft** _as his own master in his_ **shop** _or_ **workshop**. _Quite a lot of minor trades can be placed in this category. In particular :_

the jeweller
(goldsmith, watchmaker)
the laundryman.

The first **launderettes** _used to attract crowds. There was a certain fascination in watching somebody else's clothes whizzing_

---

(2) Américanisme. Les Anglais disent : _dustbin._

autres tourbillonner derrière la paroi en verre de la **machine à laver.**

le chaudronnier.

Les chaudronniers ambulants (ou **réta-meurs***) sont une caractéristique de l'Irlande.*

le coiffeur
le cordonnier.

Villon réunit l'une et l'autre profession dans son testament :

« Item, je laisse à mon **barbier**
Les rognures de mes cheveux
Pleinement et sans détourbier ;
Au **savetier** mes souliers vieux. »

(F. Villon)

la couturière

dont le métier a été rendu précaire par la venue de la mécanisation et la multiplication des points de vente :

« Je suis couturière dans la rue H. Mais pas besoin de vous le dire, je ne couds plus grand'chose. Avant guerre, c'était dur. Je faisais la robe, le manteau, le tailleur, le corsage aussi. J'ai eu jusqu'à cinq **ouvrières.** J'avais la **clientèle** bourgeoise, je vous parle d'il y a longtemps. Après, la **concurrence** est venue. Il y avait les grands magasins, les spécialistes du tailleur, ceux de la robe, ceux de la blouse. Et le **tout-fait, l'article de série**... A la fin je faisais surtout des **rafisto-lages**, des **transformations**. »

(M. Aymé)

Heureusement que le snobisme, et l'hor-reur qu'ont ces dames de voir la même robe sur le dos de leur voisine lui ramènent mainte-nant des **clients.**

l'ébéniste.

« Coronel revoyait le grand atelier d'ébéniste-rie au cœur du faubourg Saint-Antoine. Les **planches** appuyées contre les **établis**, les **co-peaux** qui jonchaient le sol... la musique chuintante des **rabots**... L'une des fenêtres donnait sur le terrain vague coincé entre de vieux murs, où la petite fabrique de **meubles** avoisinante faisait provision de **bois brut.** D'énormes troncs d'arbre **non équarris** se balançaient au bout des chaînes, lorsque les **grues** déchargeaient les camions... L'enfance de Coronel s'était déroulée sur un bruit de fond de **scie circulaire** et dans l'odeur nos-talgique de la **térébenthine**. »

(A. Kedros)

round behind the glass window in the front of the **washing machine.**

the tinman, coppersmith.

Tinkers *are quite a typical feature of Ireland.*

the hairdresser *(barber)*
the shoemaker *or* **shoe-repairer.**

Villon, in his will, mentions both together :

« Item, I bequeath to my **barber**
The clippings from my hair
In full and outright gift ;
And to my **cobbler** my old shoes. »

the dressmaker

whose business has been made precarious with the spread of mechanization and the increas-ing number of shops :

« I'm a dressmaker in the rue H. But I don't have to tell you, I don't do much sewing now. Before the war there was plenty of work. I used to make dresses, coats, costumes, blou-ses. I had as many as five **seamstresses** work-ing for me. A good **clientele**, well-off. I'm talking now of a long time ago. Then **com-petition** came along. Big stores, shops that specialized in suits, or dresses, or blouses. And you had the **ready-mades**, the **off-the-peg models**... In the end I was doing mostly **patching up** and **alterations.** »

Fortunately, snobbery and women's dislike of wearing the same dress as their neighbour, are bringing the **customers** *back.*

the cabinet-maker.

« Coronel recalled the big cabinet-maker's workshop in the heart of the Saint-Antoine district. The **planks** leaning against the **ben-ches**, the **shavings** litterings the floor... the hissing music of the **planes**... One of the windows looked out on the waste ground wedged between old walls where the little **furniture** factory next door kept its supply of **undressed timber.** Enormous **unsquared** tree trunks swung on the end of chains when the **cranes** were unloading the lorries... Coronel's chilhood had been spent against the background noise of the **circular saw** and in the nostalgic smell of **turpentine.** »

l'électricien

qui vend et place les **commutateurs**, *les* **prises de courant**, *les* **fusibles**, *les* **ampoules**, *les* **appareils** *électriques de toute espèce...*

le garagiste.

Voilà le spectacle qu'on peut apercevoir derrière les **pompes à essence** :

« Une voiture, démontée jusqu'au **châssis** et inclinée à un angle inconfortable sur des **cales** et des **crics**, attendait patiemment les mains du chirurgien. Jim était de l'autre côté de la voiture, travaillant devant un établi. Il utilisait une paire de **pinces** brillantes et allongées pour glisser un fil de cuivre le long d'un tube en acier. Ses mains énormes, noircies par le **cambouis** travaillaient avec une délicatesse et une précision étranges. »

l'imprimeur

assisté de divers **ouvriers** *hautement* **spécialisés** : *linotypistes, etc.*

le menuisier
les ouvriers du bâtiment :

charpentiers, **couvreurs**, **maçons**, **plâtriers**, **peintres**, **plombiers**, **vitriers**, *etc., chacun muni de sa* **boîte à outils** *où voisinent avec des instruments connus de tous (***marteau**, **lime**, *pinces*, **tenailles**, **tournevis**, **scie***...) des objets plus mystérieux aux yeux des profanes que nous sommes pour qui* **planter un clou** *est déjà un tour de force !*

les ouvriers des ponts et chaussées

chargés de la **construction**, *de l'***aménagement** *et de l'***entretien** *des routes qui relient les villes situées à plus ou moins grande distance les unes des autres.*

the electrician

who sells and fixes **switches**, **electric points**, **fuses**, **bulbs** *and electrical* **equipment** *of every kind...*

the garage owner.

This is the scene one might notice behind the **petrol pumps** :

« A car, stripped to its **chassis**, and tilted at an uncomfortable angle on **props** and **jacks**, waited patiently for the hands of the surgeon. Jim was beyond the car, busy at a bench. He was using a bright pair of long-nosed **pliers** to tiddle a copper wire along a steel channel. His huge **oil**-blackened hands worked with curious delicacy and precision. »

(M. Gilbert)

the printer

assisted by various highly **skilled workers** : **lino-type operators**, *etc.*

the joiner
workers in the building trade :

carpenters, **tilers**, **bricklayers**, **plasterers**, **painters** *(paperhangers)*, **plumbers**, **glaziers**, *etc., each with his* **box of tools** *in which, side by side with instruments known to everyone (***hammer**, **file**, *pliers*, **pincers**, **screw-driver**, **saw***...), are items which are a mystery to us laymen for whom it's a major achievement* **to knock a nail in** *!*

civil engineers

responsible for the **construction**, **improvement** *and* **upkeep of the roads** *linking up the towns situated at various distances from one another.*

A propos de :	« **DISTANCE** » *Notez les* **MESURES ANGLAISES**	
DE LONGUEURS		
inch	=	0,0254 mètre
foot = 12 inches	=	0,3048 m.
yard = 3 feet	=	0,9144 m.
mile anglais = 1760 yards	=	1609 m.
mile marin = 2026 yards	=	1852 m.
DE SURFACES		
square inch (pouce carré)	=	6,4516 cm^2
square foot = 144 Sq. inches (pied carré)	=	0,0929 m^2

square yard = 9 Sq. feet	= 0,8361 m^2
acre = 4840 Sq. yards	= 0,4047 ha
square mile = 640 acres	= 258,888I ha

le photographe
le potier.

On n'en voit plus guère. Arnold Bennett en décrit un ici qui :

« lançait un peu d'**argile** sur un plateau tournant. Un **pot** se dessinait. Un instant, l'argile n'était qu'une masse informe, l'instant d'après, c'était un **récipient** parfaitement rond, de la largeur et de la profondeur voulues. »

le relieur
le serrurier
le tailleur
le tapissier
le teinturier
le tisserand
le vannier
le verrier

etc...

the photographer
the potter.

They are not often seen now. Arnold Bennett describes one who :

« flung some **clay** on to a revolving disc... A **jar** sprang into existence. One instant the clay was an amorphous mass, the next it was a **vessel** perfectly circular, of a prescribed width and a prescribed depth. »

(A. Bennett)

the bookbinder
the locksmith
the tailor
the upholsterer
the dry cleaner
the weaver
the basket-maker
the glass-blower

etc...

B) *LES COMMERCES DE L'ALIMENTATION*

Deux types d'établissements ne se spécialisent pas : les **grands magasins** *(qui ont souvent des* **succursales**), *et la* **boutique de quartier**, *celle-ci, par exemple :*

« C'était une boutique qui ressemblait à toutes les boutiques de quartier : derrière sa **devanture**, un fouillis de **marchandises**, un jambon, des paquets de thé Lipton, des boîtes de cacao Cadbury, des bouteilles, des gâteaux glacés, une corde à linge enroulée, quelques oranges, un panier de cacahuètes, des mixtures contre la toux et des spécialités pharmaceutiques. »

Il en va de même, on le sait, des **marchés** *où la* **ménagère** *peut faire des* **achats** *de toutes sortes, encore que ce soit d'abord l'alimentation qui l'attire ici :*

« Un foule de mènagères se bousculaient autour des **étalages**, telles des mouches sur une flaque de miel. Dans ce fade relent de mangeaille, elles préparaient de quoi bourrer leur famille pour le soir. »

(H. Troyat)

B) *THE FOOD TRADES*

There are two types of establishment that sell everything : the **big stores** *(which often have* **branches**) *and the* **corner shop**, *this one for instance :*

« It was like any other corner shop. Behind its **windows** a jumble of **goods**, a ham, packets of Lipton's tea, tins of Cadbury's cocoa, bottles, iced cakes, a coiled washing line, a few oranges, a basket of monkey nuts, and cough mixtures and patent medicines. »

(W. Allen)

It's much the same, as we know, at the **market**, *where the* **housewife** *can make all sorts of* **purchases**, *although it's chiefly for food that she goes there :*

« A crowd of housewives were milling round the **stalls**, like flies round a pool of honey. In the stale smell of food they were planning what to stuff into their families for the evening. »

Parmi les magasins de **détail** *(le contraire est le magasin de* **gros***), dans tel ou tel type de produits alimentaires, citons :*

la boucherie.

« Un camion était arrêté entre deux boucheries. Un gaillard enturbanné d'une serviette maculée de brun, hissait un **quartier de bœuf** en travers de son épaule et l'apportait, d'une démarche fléchie, jusqu'au centre de la boutique, où des **crochets** attendaient. »

(H. Troyat)

la boulangerie

avec ses **miches de pain** *et dans les boulangeries-***pâtisseries***, ses plateaux de gâteaux, ses* **tartes** *à la crème, ses* **petits pains***, etc. Le boulanger s'est mis* **au** *travail dès l'aurore, a* **pétri** *la* **farine** *qui est devenue de la* **pâte***, a façonné la pâte en la roulant, l'a placée dans des moules et laissé* **lever** *avant de la* **mettre au four***.*

la charcuterie

où nous remarquons à la devanture :

« Ces **saucisses**, ces **lards**, ces **boudins**, ces **andouilles**, ces **galantines** tremblantes et ces **pâtés** couchés dans leurs terrines blanches. »

(Guermantes)

la confiserie
la crèmerie
l'épicerie

où la **vendeuse***, après l'avoir pesé sur la* **balance du comptoir***, s'il y a lieu, vous vendra du beurre, des* **boîtes de conserve***, du cacao, du cognac ou des alcools, liqueurs et apéritifs divers, des* **pots de confiture***, des* **bouteilles d'eau minérale***, des* **épices** *: curry, cannelle, poivre, etc., des fromages, de l'huile, des jus de fruit, de la margarine, de la moutarde, des œufs, du sel, du sucre, du vinaigre, des vins blancs, rouges, rosés, secs ou doux, du* **thé** *de diverses* **marques** *et du* **café** *:*

Among the **retail** *(as apposed to* **wholesale***) shops selling various sorts of food, let us mention :*

the butcher's shop.

« A lorry was standing between two butchers' shops. A hefty fellow with a brown-stained towel wrapped round his head was hoisting **hunks of beef** across his shoulder and carrying it, bent under its weight, to the middle of the shop where **hooks** hung ready. »

the baker's shop

with its **loaves of bread** *and, in the cake-shops, the trays of cakes, cream-***tarts***,* **buns***, etc. The baker has started work at daybreak,* **kneaded** *the* **flour** *into* **dough***, rolled the dough into shape, placed it in tins and left it* **to rise** *before* **baking it in the oven.**

the pork-butcher's shop
or **delicatessen shop**

where we notice in the window :

« The **sausages**, pieces of **bacon**, **black puddings**, **chitterlings**, quivering **galantines**, and **pâtés** lying in their white dishes. »

the confectioner's shop (sweet shop)
the dairy
the grocer's shop

where the **shop-assistant***, after weighing it, if need be, on the* **counter scales***, will sell you butter,* **tinned goods** *(Am. : canned), cocoa, brandy or spirits, liqueurs and aperitifs,* **pots of jam** *and* **bottles of mineral water***, spices : curry, cinnamon, pepper, etc. cheese, oil, fruit-juice, margarine, mustard, eggs, salt, sugar, vinegar, wine (white, red or rosé, dry or sweet), various* **brands** *of* **tea***, and* **coffee** *:*

A propos de :	« PESER » *Notez les* **MESURES ANGLAISES COURANTES DE POIDS** (Avoir-du-poids weights)	
dram	= 1/10 ounce	= 1,77 grammes
ounce (oz)		= 28,35 g
pound (lb)	= 16 oz	= 453,59 g
stone	= 14 lbs	= 6,350 kg

quarter (q)	= 28 lbs	= 12,70 kg
hundredweight (cwt)	= 4 q = 112 lbs	= 50,802 kg
ton	= 20 cwt = 2240 lbs	= 1016 kg

la poissonnerie
le magasin de primeurs

etc...

the fishmonger's shop
the greengrocer's shop

etc...

C) *AUTRES COMMERCES*

L'homme ne vivant pas seulement de pain, quelques magasins s'occupent de **pourvoir** *à ses besoins d'un autre type.*

Pour ses joies et ses tristesses, il y a le magasin de **farces et attrapes** *et l'***entreprise de pompes funèbres**.

Pour ses plaisirs quotidiens il y a les **bureaux de tabac** *s'il est fumeur de cigares, de cigarettes ou de pipe ; les* **quincailleries** *s'il est bricoleur ; les* **cafés** *s'il a le gosier en pente. Ah ! qui dira les joies du «* **pub** *» anglais malgré l'anachronique carcan des « licensing laws » et l'obligation de vider d'un trait son verre de* **bière à la pression** *lorsque sonne* **l'heure de fermeture** *!*

A propos, voici, pour votre gouverne personnelle, quelques-unes des **commandes** *que prend le* **serveur** *ou la* **serveuse** *du « public bar » ou du « saloon bar » ou du « lounge » :*

« Une pinte de bière, une blonde, une brune, une « stout », un demi de "bitter", un "baby-scotch", un grand gin, un gin tonic, un grand whisky-Perrier, un verre de **Xérès**, un **porto**... »

B) *OTHER TRADES*

As man does not live by bread alone, some shops are engaged in **catering** *for his further needs.*

For his amusement there is the shop that sells **practical jokes and tricks**, *and for his time of sorrow, the* **undertaker's**.

For his daily pleasures there is the **tobacconist** *if he smokes cigars, cigarettes or pipe ; the ironmonger's* **(hardware shop)** *if he's a handyman ; the* **café** *if he's a man who is addicted to the bottle. Ah ! who can describe the delights of an English* **pub** *notwithstanding the anachronistic yoke of the licensing laws and the need to gulp down one's glass of* **draught beer** *when* **closing time** *comes !*

Incidentally here are for your benefit some of the **orders** *you might hear the* **barman** *or* **barmaid** *taking whether in the public bar, saloon bar, or lounge :*

« Pint of beer, a pale (light) or brown ale, stout, half of bitter, small Scotch, double gin, gin and tonic, large whisky and soda, glass of **sherry**, *glass of* **port**... »

A propos de :	« **PINTE** » *Notez les* **MESURES ANGLAISES**	
DE CAPACITÉ		
fluid ounce		= 29,573 cm^3
pint		= 0,568 litres
quart	= 2 pints	= 1,135 l
gallon (imperial)	= 8 pints	= 4,546 l
gallon (américain)		= 3,785 l
DE VOLUME		
cubic inch		= 16,387 cm^3
cubic foot	= 1728 cubic inches	= 0,028317 m^3
cubic yard	= 27 cubic feet	= 0,764555 m^3
tonneau anglais		
shipping ton	= 40 cubic feet	= 1,1327 m^3
registres ton	= 100 cubic feet	= 2,8317 m^3
(tonneau de jauge international)		

Le commerce vous offre encore de quoi pourvoir à votre culture : **marchands de journaux** *et* **libraires** *se chargent de cela.*

Enfin il y a tous les magasins qui vous fournissent tout ce qui est à peine moins nécessaire à la vie que la nourriture : **chauffage** *(il y a les marchands de* **charbon**, *de* **mazout**, *de* **gaz butane**), **éclairage**, **meubles**, **produits d'entretien** *(savon, détergents, lessive en poudre, cirage, encaustique, détachants, peintures à l'eau, à l'huile, vernis, enduits, mastic),* **tissus**, *lingerie, vêtements, ces derniers souvent exposés au* **consommateur** *éventuel sur des* **mannequins vivants ou non**.

La plupart des belles donneraient tout l'amour du monde pour quelques chiffons, particulièrement un jour de **soldes**, *lorsqu'elles ont une chance de* **faire une affaire** *:*

« Les **rayons** de l'entresol s'animaient ; il dût se ranger pour laisser passer les dames qui, par petits groupes, montaient à la lingerie et aux confections. Mais la vue des galeries, au rez-de-chaussée, le rassurait surtout : on s'écrasait devant la **mercerie**, le blanc et les lainages eux-mêmes étaient envahis, le défilé des acheteuses se serrait... »

(E. Zola)

Trade also provides you with the means of satisfying your cultural needs ; that is the rôle of the **news-agents** *and* **booksellers**.

Lastly there are the shops which provide all those things hardly less essential to life than food : **heating** *(there are shops that sell* **coal**, **fuel-oil**, **butane gas**), **lighting**, **furniture**, **household products** *(soap, detergents, washing-powder, shoe polish, furniture polish, stain-remover, water paint and oil-paint, varnish, plaster, putty),* **fabrics**, *lingerie, clothes. The latter are often displayed to the potential* **customer** *on living* **models** *or on* **dummies**.

Most young ladies would give all the love in the world for a few lengths of material, especially during the **sales** *when they have the chance to* **pick up a bargain** *:*

« The mezzanine **departments** were coming to life ; he had to stand back in order to let the ladies pass, as they went upstairs in little groups to the underwear and ready-made clothes. But it was the sight of the ground-floor galleries that mostly restored his confidence. There was a crush of customers in the **haberdashery**, the household linen and wool departments were overrun as well, the processions of buyers was becoming denser... »

III – L'INDUSTRIE ET LES AFFAIRES

A) *L'INDUSTRIE, GÉNÉRALITÉS*

Les **matières premières (minerai**, *coton, laine, etc.) doivent être amenées aux différentes* **usines, fonderies, ateliers textiles**, *etc... pour y être transformées en* **produits manufacturés**.

Si tout homme du XXᵉ siècle sait au moins cela de la fonction de l'industrie, le vocabulaire des MACHINES, OUTILS ET PIÈCES *lui est moins familier. Tout le monde a entendu parler d'*

un aimant
un arbre de transmission
une batterie d'accumulateurs
une bielle
une bobine
des boulons

III – BUSINESS AND INDUSTRY

A) *INDUSTRY, SOME GENERAL OBSERVATIONS*

The **raw materials (ore**, *cotton, wool, etc.) must be taken to the various* **factories, founderies, mills**, *etc... there to be turned into* **manufactured articles**.

Although every XXth century man knows, at least, that much of the function of industry, he is less familiar with the vocabulary of MACHINERY : TOOLS AND PARTS. *Everyone has heard of*

a magnet
a shaft
a battery
a connecting rod
a coil
bolts

248

une chaudière	a boiler
un coin	a wedge
une courroie	a belt
un cylindre	a cylinder
une dynamo	a dynamo
des écrous	nuts
des engrenages	gears
un levier	a lever
une manivelle	a crank
un marteau-pilon	a sledge hammer
des pistons	pistons
un poinçon	a punch
une poulie	a pulley
une presse	a press
une soupape	a valve
un treuil	a windlass
une turbine.	a turbine.

Par contre, il est possible que beaucoup n'aient jamais vu dans la réalité plusieurs des objets que mentionne la liste suivante :

It's possible, on the other hand, that many people have never seen some of the things in the following list :

fraiseuses	**millers**
laminoirs	**rolling-mills**
machines à souder	**welders**
mandrins	**spindles**
marteaux à vapeur	**steam hammers**
perceuses	**drills**
polissoirs	**polishers**
riveuses	**rivetters**
tours à revolver	**capstan lathes**

etc... [1]

etc... [1]

Le PERSONNEL *d'une usine comprend le (président-)* **directeur général,** *des* **ingénieurs,** *un* **chef du personnel,** *des* **chefs de services,** *des* **contremaîtres,** *des* **équipes** *d'*ouvriers **spécialisés,** *des* **manœuvres,** *ces derniers étant parfois des débutants qui se spécialiseront en leur temps :*

The PERSONNEL *(staff) of a factory consists of the* **general manager, engineers, personnel-manager, works-managers, foremen, gangs (shifts)** *of* **skilled workers** *and* **factory hands,** *the latter being sometimes beginners who will become skilled workmen in their time :*

« D'abord il fut le garçon à tout faire ; il levait et transportait des colis, **faisait les courses** et balayait. Il **pointait** tous les matins à 8 heures et pendant plusieurs semaines il dut aider la **femme de ménage** à nettoyer le bureau. »

« At first he was an odd-job lad, lifting, carrying, **running errands** and sweeping up. He **clocked** in at 8 every morning and for a few weeks was set helping the **charwoman** to clean the office. »

(A. Sillitoe)

Le TRAVAIL *moderne en usine est un* **travail à la chaîne** *grâce auquel on produit les pièces* **en série,** *ce qui a ses avantages et ses inconvénients :*

Modern factory WORK *is* **conveyor belt work.** *This has made* **mass production** *possible, but there are advantages and disadvantages :*

« Avouons que les conditions de la vie moderne, le changement de la production en

« Let us admit that the conditions of modern life, the change from making to manufactur-

---

(1) Les amateurs de termes techniques qui trouveraient notre moisson trop peu abondante pourront utilement se reporter à *The English Duden* et parallèlement au *Duden Français*, Didier éd.

fabrication, de l'opération individuelle en exécution mécanique d'objets faits "à la chaîne" ou en série, l'économie du temps, la concurrence qui engendre le "bon marché", les effets de la mode et de la **publicité** qui développent l'imitation aux dépens du goût personnel... ne sont pas des plus favorables à la création des objets les plus précieux. »

(P. Valéry)

*Le **prix de revient** étant moins élevé, néanmoins, le **prix de vente** s'en ressent et davantage de clients peuvent **consommer** davantage de **produits**.*

Les CONFLITS SOCIAUX *entre le **patronat** et la **main-d'œuvre** n'ont pas diminué ces dernières années. L'ouvrier est protégé — en cas de maladie, d'accident, d'incapacité — par les lois sociales ; il est **syndiqué** ; s'il fait des **heures supplémentaires**, celles-ci lui sont payées à un tarif plus élevé ; son droit de **grève** est généralement respecté. On est loin, pour autant, d'être ici dans le meilleur des mondes : la **marge bénéficiaire** de certains patrons reste trop grande, même si l'on tient compte des besoins de **réinvestissement**, le **salaire** des ouvriers reste trop bas, il y a trop de licenciements et de **chômage**, et la **conscience de classe** maintient un large fossé entre les « deux nations ».*

ing, from the individual operation to the mechanical production of articles made on the conveyor-belt or mass produced, the saving of time, the competition which brings cheapness, the effects of fashion and **advertising** which encourage imitation at the expense of personal taste... are not the most favourable conditions for the making of fine quality articles. »

*That the **cost price** is lower, however, affects the **selling price**, and more customers can **consume** more **products**.*

The SOCIAL CONFLICTS *between **employers** and **labour** do not seem to have lessened recently. The worker is protected — in the event of sickness, accident or incapacity — by social laws ; he is a **member of a trade union** ; if he does **overtime** he is paid for it at a higher rate ; his right to **strike** is generally respected. Nevertheless we are still far from Utopia for all that. Some employers' **profit margin** is still too high, even when one takes into account the need for **re-investment**, the workers' **wages** are too low, there are too many men being stood off, too much **unemployment**, while **class consciousness** maintains a wide gulf between the « two nations ».*

B) *REGARDS SUR QUELQUES INDUSTRIES*

*L'*INDUSTRIE HOUILLÈRE, *particulièrement sous son aspect premier, l'**extraction**, a attiré nombre d'écrivains :*

« Le tunnel était aussi étroit que la galerie d'un terrier de lapin — noir comme l'encre. Quand il atteignit la taille, son père et le **piqueur** ne s'étaient pas encore arrêtés de travailler et ils continuaient de **piquer** la houille pour en remplir les **bennes** vides... Ils balançaient leurs pioches, taillaient, faisaient tomber le charbon. La sueur perla de nouveau sur eux. La saleté du **puits** leur encrassait la peau. »

Bien d'autres types divers d'industrie ont eu leurs peintres, les ACIÉRIES :

« Les cheminées des **fours** où le fer était **fondu**, vomissaient des langues de flammes rouges et d'épais nuages de fumée. Nous étions assourdis par le bruit sourd et pesant

B) *A LOOK AT A FEW INDUSTRIES*

THE COAL-MINING *industry, particularly the initial stage of it, **extraction**, has attracted a number of writers :*

« The tunnel was like a rabbit-run for size... inky black. When he reached the face, his father and the **slogger** had not knocked off, but were still **hewing** coal to fill their empty **tubs**... swinging their picks, cutting, bringing down the coal... The sweat broke out on them again. The **pit** dirt clogged their skin. »

(A.J. Cronin)

Writers have described many other industries : STEEL-WORKS :

« From the chimneys of the **furnaces** in which the iron was **melted**, tongues of red flame and dense clouds of smoke belched upwards... The ears were stung by the heavy

des marteaux, le tintement des burins des ébardeurs qui nettoyaient les **coulées de fonte**, le bourdonnement des courroies de transmission et des roues dentées, le sifflement aigu des tours... le grincement des scies mordant le métal. »

Même les MANUFACTURES DE TABAC :

« Sur les dalles teintées de débris noirâtres, dans les vastes ateliers qu'empuante une senteur forte, des ballots de feuilles recroquevillées sont éventrés, dépiautés, d'abord mouillés à travers des **claies**, puis séchés en d'immenses cylindres de bois que traversent les courants d'air, enfin **montés par treuils** aux étages supérieurs où diverses opérations continuent : là des **hachoirs** fonctionnent, guillotines au mouvement incessant : ici des machines... fabriquent des cigarettes. »

(M. Guillemot)

C) *LES SERVICES COMMERCIAUX*

*Quand les choses ont été fabriquées par les autres, entrent en piste les spécialistes de l'achat au **producteur** et de la vente au **consommateur** qu'il faut solliciter de toutes les manières possibles : publicité, visites à domicile de **voyageurs de commerce** qui, lorsqu'ils ont imposé leur camelote, se prennent pour des prodiges de finesse psychologique, **ventes à crédit**, **par tempérament**, reprise des articles usagés, etc...*

*Les bureaux forment le cerveau de l'**importation**, de l'**exportation**, de la vente sous toutes ses formes. On y est, évidemment, logé à différente enseigne selon le grade qu'on occupe, de celui de gratte-papier à celui de directeur, en passant par toutes les nuances des « cadres » : moyens ou supérieurs :*

« Chez nous l'importance d'un collaborateur se mesure à celle de son bureau. On ne devient quelqu'un dans la maison qu'à partir du moment où, ayant échappé à la cage de verre, puis à toutes les combinaisons de bureaux multiples sans fauteuil, sans lampe individuelle, sans fenêtre, sans moquette, on est invisible et seul dans un bureau d'acajou à fauteuils de cuir rouge et où la secrétaire n'a accès que sur demande. »

(P. Daninos)

---

thud of hammers, the ringing of the fettlers' chisels as they dressed the **iron castings**, the whirring of driving belts and gear wheels, the piercing scream of the lathes... the burr of the saws as they gnawed into the metal. »

(A.-J. Cronin)

Even TOBACCO FACTORIES :

« On the flag-stones stained with black-looking waste matter, in the vast workshops reeking with a powerful odour, the bales of shrivelled leaves are slit open, unwrapped : first sprinkled with water through **screens**, then dried in enormous wooden cylinders through which currents of air are passed, and finally **hauled up by winches** to the floors above where various operations continue : there the **chopping blades** are in action like guillotines in perpetual motion : here machines... are making cigarettes. »

C) *THE COMMERCIAL DEPARTMENTS*

*When others have manufactured the articles it is the turn of the experts in buying from the **producer** and selling to the **consumer**, who must be tempted in every possible way : advertising, door to door selling by **travelling salesmen** who, when they have got rid of their stuff, think they are marvels of psychological skill, **credit-sales**, **hire-purchase** (the instalment system, deferred payment), goods taken back in part exchange, etc...*

*The office is the brain of **importing**, **exporting**, of selling of every type. In the office you are accommodated, naturally, according to the rank you enjoy, from humble clerk to manager, rising through the subtly graded middle or higher ranks !*

« With us the importance of a colleague can be measured by the size of his office. One only becomes somebody in the organization from the moment when, having escaped first from the glass cage and then from all the combinations of multiple offices without armchairs, desklamps, windows, or carpeting, one is installed, invisible and alone, behind a mahogany desk in a room with red leather armchairs, to which the secretary has access only when summoned. »

D) LES SERVICES COMPTABLES

Ici où là, c'est toujours pareil :

« Mr. Smith ouvrit le **coffre-fort**, sortit ses livres et la petite **caisse**, examina sa correspondance, s'occupa de deux **chèques** modiques et donna à Miss Matfield trois lettres à **dactylographier**. »

Et dans un autre bureau :

« Avec la patience de Job il vérifiait et revérifiait tous ses **chiffres**, faisait plusieurs **brouillons** pour les lettres importantes et les bordereaux, examinant soigneusement et signant chacun des rapports qui sortait de son service. »

*Pendant que le **comptable** fait son **bilan**, évalue le **chiffre d'affaires**, les **pertes** et les **benéfices**, rêve aux vengeances à exercer contre les **débiteurs**, aux moyens d'échapper aux **créanciers**, à la **faillite**, à la législation, à toutes les conséquences d'une **crise**, ou aux bienfaits d'une période de prospérité, la **sténo-dactylo** plus ou moins confortablement installée à sa table de travail où sont disposés la **machine à écrire**, le **magnétophone**, le téléphone, etc., se lime les ongles en regardant les **fichiers** ou la pile de **dossiers** d'un air lointain ou bien tape une lettre.*

D) KEEPING THE ACCOUNTS

Here or there, it's always the same :

« Mr. Smith unlocked the **safe**, took out his books and the petty **cashbox**, looked over the correspondence... dealt with two small **cheques**... and gave Miss Matfield three letters **to type**. »

(J.-B Priestley)

And in another office :

« With the patience of Job he checked and double checked all his **figures**, wrote several **drafts** of important letters and memoranda, scrutinized and signed every communication that went out of his department. »

(R. Fuller)

*While the **book-keeper** draws up his **balance-sheet**, assesses the trading figures, the **profit** and **loss**, dreams of the steps to be taken against the **debtors**, the ways of dodging the **creditors**, of **bankruptcy**, of legislature, of all the consequences of a **crisis** or of the benefits of a period of prosperity, the **shorthand typist** sitting in comfort, more or less, at her desk where her **typewriter**, **tape-recorder**, telephone etc. are set out, is filing her nails as she gazes abstractly at the **filing cabinets** or the mound of **dossiers** ; or perhaps she may be typing a letter.*

E) LA BOURSE ET LA BANQUE

Comme il vient d'être question de services comptables et donc de finances, nous ne saurions éviter ni la Bourse ni la Banque.

La BOURSE *nous présente un vocabulaire assez spécialisé de **valeurs** et d'**actions**, de **baissiers** et de **haussiers**, de **sociétés par actions**, de **valeurs sûres**, de **rentes consolidées**.*

Notons encore :

un **actionnaire**
un **agent de change**
le **courtage**
la **cote**
un **dividende**
une **obligation**
un **placement**

E) THE STOCK-EXCHANGE AND THE BANKS

As we have just been dealing with book-keeping and therefore with financial matters we cannot avoid mention of the Stock-Exchange and the Bank.

THE STOCK-EXCHANGE *presents us with a somewhat specialized vocabulary of* **stocks** *and* **shares**, *and* **bears** *and* **bulls**, *of* **joint stock companies**, **gilt edged securities**, **consols**, *etc...*

Let's also note :

a **shareholder**
a **stockbroker**
brokerage
the **quotation**
a **dividend**
a **bond**
an **investment**

le taux
une valeur remboursable

etc...

LA BANQUE *intéresse plus aisément le commun des mortels : vous et moi. Vous avez sans doute un* **compte** *à la succursale de votre banque. Vous y allez pour* **toucher un chèque, faire un dépôt** *ou* **un retrait.** *Il y a des gens, néanmoins qui se méfient du système bancaire :*

« Lolly avait entendu parler des chèques et il les avait même vus : il avait de vagues notions sur le vaste système de crédit sur lequel le prêt et la société sont fondés mais il se refusait, quant à lui, à jouer avec ces choses, conduisant toutes ses transactions en **billets** et en **espèces sonnantes.** »

La banque a pourtant ses bons côtés. Si l'on est connu, on peut voir ses chèques honorés même lorsque l'on **est à découvert,** *par exemple, mais à condition de ne pas abuser. On peut aussi* **emprunter** *de l'argent ou le* **placer** *à intérêt.*

Notez encore :

le bénéficiaire
caisse d'épargne
carnet de chèques
un chèque barré
un compte courant
un compte de dépôt
le porteur

et enfin :

l'argent
la monnaie
le change.

the rate
redeemable stock

etc...

THE BANK *comes nearer to the lives of ordinary mortals like you and me. You will probably have an* **account** *at your local branch. You go there to* **cash a** *cheque,* **to make a deposit** *or* **a withdrawal.** *There are people, however, who distrust the banking system :*

« Lolly had heard of cheques, and even seen them : he had glimmerings of the great credit system on which usury and society are based, but he himself refused to fiddle with such matters, conducting all his transactions in **currency notes** and **silver.** »

(N. Dennis)

The bank has its good points however. If you are known there, your cheques will be honoured even if **you are overdrawn,** *for example, as long as you don't overdo it. You can also* **borrow** *money or* **invest** *it.*

Note also :

the payee
savings bank
cheque-book
a crossed cheque
a current account
a deposit account
the bearer

and finally :

money
change
exchange (-rate).

CHAPITRE 20

LA VIE À LA FERME ET À LA CAMPAGNE

FARM AND COUNTRY LIFE

I – LE VILLAGE

I – THE VILLAGE

A) *SON ASPECT*

A) *ITS APPEARANCE*

« L'étranger qui voudrait se faire une idée exacte du caractère anglais, ne doit pas limiter ses observations à la capitale. Il doit aller à la campagne ; il doit séjourner dans les villages et les **hameaux**. »

« The stranger who would form a correct opinion of the English character, must not confine his observations to the metropolis. He must go forth into the country ; he must sojourn in villages and **hamlets**. »

(W. Irving)

La remarque vaut d'ailleurs pour tous les pays, où le voyageur trouvera partout des TRAITS COMMUNS *: atmosphère, forme, sinon architecture.*

The remark holds good for every country, where the traveller will find COMMON CHARACTERISTICS *everywhere : the atmosphere, the disposition, if not the actual architecture.*

Les POINTS PRINCIPAUX *sont aussi, grosso modo, les mêmes dans les villages du monde entier.*

The MAIN FEATURES *are also, in general, the same in villages the world over.*

Partout, le cœur de la bourgade est la **place du marché**, *quoique dans les villages de Provence et des régions méridionales en général, la* **fontaine** *joue un rôle plus essentiel et qu'en Angleterre certains bâtiments prennent une valeur de symbole car ils rappellent l'importance passée de la vie à la campagne et la prédominance d'un type de civilisation rurale qui trouve son apogée au XVIII ͤ siècle avant la Révolution Industrielle. C'est le cas de la demeure du châtelain et de l'église.*

Everywhere, the heart of the village is the **market square**, *although in the villages of Provence and in general of southern regions, the* **fountain** *plays a particularly important part and in England certain buildings have taken on a symbolic value because they remind us of the importance of country life in England in times past and the predominance of a type of rural civilization which reached its highest point in the XVIIIth century, before the Industrial Revolution. It is the case of the squire's house and the church.*

*Partout l'***auberge** *est le rendez-vous des villageois :*

Everywhere the **inn** *is the meeting-place for the men of the village :*

« La maison suivante est un lieu important : c'est l'Auberge de la Rose, un bâtiment blanchi à la chaux, isolé de la route derrière sa belle **enseigne**. »

« The next tenement is a place of importance, the Rose Inn ; a white-washed building, retired from the road behind its fine swinging **sign**. »

(M. Mitford)

B) *LES HABITANTS DU VILLAGE*

B) *THE PEOPLE OF THE VILLAGE*

En France les DIRIGEANTS *du village sont le* **maire**, *ses* **adjoints** *et le* **conseil municipal**.

In France, the LEADING FIGURES *of the village are the* **mayor**, *his* **deputies** *and the* **municipal council**.

En Angleterre il y a à la tête du village un « rural district council » ou « conseil rural » ou communal.

Au XVIIIᵉ siècle, avant la Révolution industrielle qui bouleversa l'autonomie du village, le châtelain était tout puissant. Il exerçait sur ses administrés les pouvoirs que lui conférait un système judiciaire favorisant largement la propriété terrienne :

« Les gentilshommes anglais passaient la majeure partie de leur existence à la campagne. C'était à leurs maisons de campagne qu'ils ramenaient les trésors artistiques qu'ils avaient amassés au cours du voyage traditionnel sur le continent. Ils vivaient au milieu de leurs voisins, chassaient le renard, tiraient la perdrix, annexaient et drainaient des terres, amélioraient des races de moutons et de bovins et gouvernaient la campagne en tant que juges de paix. »

L'on ne peut dissocier du châtelain le pasteur qui veillait aux destinées spirituelles du village.

Avec lui, néanmoins, comme avec son équivalent français, le curé de campagne, nous sommes passés chez les MEMBRES campagnards DES PROFESSIONS LIBÉRALES parmi lesquels nous nommerons également le docteur, l'instituteur, le notaire...

A une époque de mécanisation à outrance les petits ARTISANS ont pratiquement disparu. Mais on les trouvait encore il n'y a pas si longtemps :

« Dans mon pays, il y a encore de beaux artisans. Je ne veux pas parler de ceux qui ont des métiers de luxe... mais des humbles : le remouleur, le potier, le boucher des petits villages, le fontainier, le cordonnier. »

(J. Giono)

Parmi ces artisans il existait une sorte d'aristocratie à laquelle appartenaient le maréchal-ferrant :

« Le maréchal et son ouvrier, l'un soufflant la forge, l'autre battant le fer, jetaient sur le mur de grandes ombres brusques. »

(Alain-Fournier)

le forgeron (qui travaille dans sa forge) :

« Un homme qui sait chauffer de solides barres de fer, les souder, les river, ou les

---

In England, the village is under the authority of a « rural district council » or a « parish council » or a « parish meeting ».

In the XVIIIth century, before the Industrial Revolution shattered the independence of the village, the squire was all-powerful. He exercised over the folk in his area the powers conferred on him by a judicial system weighted heavily in favour of the landowning class :

« The bulk of their lives the English gentlemen spent in the country. It was to their country houses that they brought back the art treasures they had collected on the grand tour. They lived among their neighbours, hunting foxes, shooting partridges, enclosing and draining land, improving breeds of sheep and cattle, governing the countryside as justices of the peace. »

(G.M. Trevelyan)

We cannot speak of the squire without mentioning the parson who watched over the spiritual welfare of the village.

With the parson, however, as with his French counterpart the country priest, we are among the country dwelling PROFESSIONAL PEOPLE, among whom we include the doctor, teacher, solicitor...

In an age of full scale mechanization, the small CRAFTSMEN have practically disappeared. But they could still be found not so long ago :

« In my part of the world there are still fine craftsmen. I do not mean those working in luxury trades... But humble ones : the knife-grinder, the potter, the butcher in the small village, the well-digger, the cobbler.

Among these craftsmen there was a kind of aristocracy, which included the farrier :

« The farrier and his assistant, the one working the forge, the other hammering the horse-shoe, cast huge, leaping shadows on the wall. »

the smith (who works in the smithy) :

« A man who can heat solid bars of iron... and weld, rivet or bolt them together into

256

boulonner en créant des modèles d'une perfection artistique, ne peut sûrement trouver personne dont la dextérité soit supérieure à la sienne. »

le **charron** :

« Ensemble ils cueillent en pleine fournaise un de ces cercles incandescents, l'apportent au-dessus de la **roue** qui a presque le même diamètre, et ils le placent exactement sur le pourtour. Au contact du **fer rouge**, les bois de **jante** s'enflamment instantanément. »

(R. Martin du Gard)

*Les artisans fabriquaient les **outils** nécessaires aux travaux des champs »*

« Le caractère **pastoral** et **agricole** des gens dont la ville dépendait pour sa subsistance apparaissait dans le genre d'objets qui étaient exposés dans les vitrines des magasins. Des **faux**, des **faucilles**, des **tondeuses**, des **serpes**, des **bêches**, des **pioches** et des **binettes** chez le **quincaillier** ; des **ruches**, des **tinettes**, des **barattes**, des **tabourets** d'étable, des **seaux**, des **râteaux**, des fiasques et des **semoirs** chez le **tonnelier** ; des **cordes** de charrette et des **harnais de charrue** chez le **sellier** ; des charrettes, des **brouettes** et le matériel nécessaire **au moulin** chez le charron. »

models of artistic perfection... can surely have no superior in craftmanship. »

(N. Wymer)

the **wheelwright** :

« Together they pick up one of the white-hot rings from the heat of the furnace and hold it above the **wheel**, which is of almost equal diameter, and they place it to fit exactly round the rim. As soon as the **red-hot iron** touches them, the wooden **fellies** burst into flame. »

*Craftsmen made the **tools** required for work on the land :*

« The **agricultural** and **pastoral** character of the people upon whom the town depended for its existence was shown by the class of objects displayed in the shop-windows. **Scythes**, **reaping-hooks**, **sheep-shears**, **billhooks**, **spades**, **mattocks**, and **hoes** at the **ironmonger's** ; **beehives**, **butter-firkins**, **churns**, milking-stools and **pails**, hay-rakes, field-flagons, and **seedlips** at the **cooper's** ; **cart-ropes** and **plough-harnesses** at the **saddler's** ; carts, **wheelbarrows** and mill-gear at the wheelwright's. »

(Th. Hardy)

II – LA FERME

A) *LES BÂTIMENTS DE LA FERME*

Le BÂTIMENT PRINCIPAL est plus ou moins imposant :

« La Belle Etoile est, là-bas, de l'autre côté du ruisseau, sur le versant de la côte, une grande ferme que les ormes, les chênes de la cour et les **haies vives** cachent en été. Entourée de hauts murs soutenus par des contreforts dont le pied baigne dans le **fumier**, la grande bâtisse féodale est au mois de juin enfouie sous les feuilles. »

(Alain Fournier)

La ferme comporte, en outre, de nombreuses DÉPENDANCES :

des appentis

*ou des **remises**, pour les chars, les charrettes, les brouettes, les échelles, etc...*

II – THE FARMSTEAD

A) *THE FARM BUILDINGS*

The FARMHOUSE is a more or less imposing building :

« The Belle Etoile yonder, on the far side of the stream, on the slope of the hill, is a large farm which, in summer, is hidden from our view by the elms and oaktrees in the yard and by the **quickset hedges**. Enclosed by high walls strengthened by buttresses whose bases are steeped in **manure**, the great feudal pile is hidden under the leaves in the month of June. »

The farmstead includes in addition numerous OUTBUILDINGS :

lean-to sheds

*and **sheds**, for the waggons and carts, wheelbarrows, ladders, etc...*

257

la basse-cour	the poultry yard
avec son **poulailler**, *ses* **cages** *et, tout près, les* **clapiers**, *pour les lapins, le* **colombier**, *le* **pigeonnier** ;	*where we find the* **fowl-house**, **cages** *and, nearby,* **rabbit-hutches** *as well as a* **pigeon-house** *or* **dove cot** ;
la bergerie la buanderie l'écurie	the sheep-fold the wash-house the stables
où les chevaux ont chacun leur **box** ;	*where each horse has its* **loose box** ;
l'étable	the cowshed
avec des **mangeoires** *et des* **râteliers** ;	*with* **feeding troughs** *and* **racks** ;
la grange	the barn
avec des **aires** *pour battre le blé* ;	*with its* **threshing floor** ;
le grenier à foin la laiterie	the hay-loft the dairy
où les filles de ferme **écrèment le lait, battent la crème** *dans une baratte et font le* **beurre**, *tandis qu'elles utilisent le* **petit lait** *et le* **lait caillé** *pour faire du* **fromage** ;	*where the dairy maids* **skim the milk, beat the cream** *into* **butter** *in the churn, using the* **whey** *and the* **curds** *to make* **cheese** ;
la porcherie	the pig-sty
etc...	*etc...*

Dans la COUR DE LA FERME *il y a souvent un* **puits** *avec sa margelle et son treuil* ; *des* **seaux**, *une* **pompe**, *un* **abreuvoir**, *une* **auge**, *un tas de fumier avec du* **purin**.

In the FARMYARD *there if often a* **well** *with its surrounding wall and windlass*, **buckets**, *a* **pump**, *a* **drinking trough**, *a manure heap and* **manure water**.

Des **claies** *ou des haies avec des* **échaliers** *séparent la ferme des champs*.

Wooden fences, *or hedges with* **stiles** *separate the farm from the fields*.

B) *LES GENS DE LA FERME*

B) *FARM-PEOPLE*

Le **fermier** *a souvent un type physique caractéristique* :

There is often something unmistakable about the **farmer's build** :

« Tout est précis chez eux. Tout est à la mesure de l'instant. Tout est en regard, geste et mouvement. Cela vient de ce que l'homme qui est devant vous chasse, pêche, **laboure**, **cultive les arbres**, **fauche les blés**, **arrose l'herbe**, sue sous le soleil, peine dans la terre, marche tête baissée dans le vent. »

(J. Giono)

« With such men, everything is deliberate, adapted to the moment. Everything is in the look, the gesture, the movement. This is because the man before you hunts, fishes, **ploughs, grows trees, reaps the corn, waters the grass**, sweats in the sun, toils on the land, walks head lowered into the wind. »

Il peut être propriétaire de sa ferme, ou **métayer**.

He may be the owner of his farm or a **tenant farmer**.

La **fermière** *est là pour le seconder ainsi que le personnel de la ferme* : **bergers** *et* **bouviers**, *armés* **d'aiguillons** *et de* **gourdins**, **garçons de labour, ouvriers agricoles, valets de ferme**...

The **farmer's wife** *helps him, together with the hands* : **shepherds** *and* **cowherds** *equipped with a* **goad** *or* **stout stick, ploughmen, agricultural workers, farm hands**...

C) *LES ANIMAUX DE LA FERME*

Les gens sont loin d'être les seuls habitants de la ferme.

Il y a LA VOLAILLE :

« Tout le poulailler est dehors ; la fermière, ayant rempli de **grains** son **tablier** relevé, distribue de libérales **poignées d'orge** à toute la **troupe voletante, gloussante, chantante**. Au milieu, les **coqs dressés sur leurs ergots**, la **crête** rouge en bataille, le cou droit, la queue en faucille, surveillent à droite et à gauche les **poules qui caquètent**. »

(A. Theuriet)

Outre les **poussins**, *la basse-cour comporte encore :*

les canards
les canes
les canetons.

« Une couvée de canetons entra à la file indienne dans la grange, poussant de petits cris et allant d'un côté à l'autre pour trouver un endroit où ils ne seraient pas piétinés. »

les dindes
  avec leurs **bajoues**
les dindons
les jars
les oies
le paon

magnifique lorqu'il **fait la roue**.

les pintades

etc...

Vient ensuite LE BÉTAIL.

Petit bétail comme :

les boucs
les chèvres
les chevreaux
les moutons.

Beaucoup de **troupeaux** *de moutons du midi de la France transhument :*

« Chaque printemps la Haute-Provence est traversée par de longues caravanes de moutons. En tête, vont les ânes et les mulets chargés du **bât**, les porteurs aussi d'**agneaux** fraîchement nés, de **brebis** trop lourdes et de moutons malades. En tête marche la lourde

C) *FARM ANIMALS*

The people are not the only inhabitants of a farm.

There are THE POULTRY :

« All the fowls have come out : the farmer's wife, her **apron** gathered up and filled with **grain**, scatters liberal **handfuls of barley** to the **fluttering, clucking, crowing flock**. In the middle of them the **cockerels, strutting fiercely**, their **combs** aggressively red, necks erect, tail feathers arched, survey to left and right the **cackling hens**. »

Beside the **chicks**, *we also find in the poultry-yard :*

drakes
ducks [1]
ducklings.

« A **brood** of ducklings filed into the barn, cheeping feebly and wandering from side to side to find some place where they would not be trodden on. »

(G. Orwell)

turkey-hens
  with their **wattles**
turkey-cocks
ganders
geese
the peacock

magnificent when **spreading his tail**.

Guinea-fowl

etc...

Then come THE CATTLE.

Small cattle like :

billy goats
nanny goats
kids
sheep.

In the South of France many **flocks** *of sheep move up into the hills for the summer :*

« Every Spring, long processions of sheep move across Haute-Provence. In front go the donkeys and the mules loaded with the **pack-saddle**, and carrying too, the newly-born **lambs**, **ewes** too far gone in lamb, and sick sheep. At the head goes the thick foam

---

(1) Noter néanmoins que c'est *ducks* le terme générique.

écume des **béliers**, beaux et parés comme des dieux, des béliers semblables à Pan lui-même, avec leur lenteur, leur **toison**, leur mâle force. »

(J. Giono)

les porcs (cochons)
les verrats
les truies

avec leurs **portées** *de* **cochons de lait**.

Le gros bétail comprend :

les bœufs
les génisses
les taureaux
les vaches
les veaux.

On **trait** *les vaches lorsque leurs* **pis** *sont gonflés. Les vaches* **ruminent***. Bon nombre de ces animaux servent à la nourriture de l'homme. On les abat et on les dépèce dans la cour de la ferme ou sinon dans des* **abattoirs***.*

N'oublions pas non plus :

le cheval
le jeune cheval
le poulain
la jument
la pouliche.

Le cheval a des **naseaux***, une* **crinière***, un* **garrot***, des* **sabots** *que l'on ferre. La couleur de la robe d'un cheval varie selon les* **races** *: le cheval est* **rouan, alezan, isabelle***, etc...*

« Deux chevaux immobiles, l'un noir, une étoile au front, l'autre **gris pommelé**, l'un appuyant sa tête sur la **croupe** de l'autre, rêvaient dans la paix du jour, après avoir **brouté**. »

(R. Rolland)

Il y a différentes sortes de chevaux : le **pur sang***, le demi-sang, le cheval de route, de bât,* **de trait***, de renfort et le « limonier ».*

Le **harnachement** *d'un cheval comprend la* **bride** *et la têtière, le* **mors***, la gourmette, les* **traits** *et la sous-ventrière. On* **attelle** *un cheval à une charrette ou on le* **selle** *pour le* **monter***.*

A l'écurie on le **panse** *et on l'*étrille.

Le cheval est un animal sensible et nerveux. Il est ombrageux, ardent, fougueux, craintif. Parfois devant un obstacle imprévu, le

of the **rams**, handsome and splendid like gods, rams that look like Pan himself with their slow tread, their **fleece**, their male strength. »

pigs
boars
sows

with their **litters** *of* **suckling pigs**.

The heavy cattle include :

oxen
heifers
bulls
cows
calves.

Cows are **milked** *when their* **udders** *are swollen. Cows* **chew the cud***. A good many of these animals provide man with food. They are slaughtered and cut up in the farm yard or at the* **slaughter house** *(abattoir).*

Let us not forget either :

the horse
the foal
the colt
the mare
the filly.

A horse has **nostrils***, a* **mane, withers, hooves** *that are shod. The colour of a horse's coat varies with the* **breed** *: a horse is* **roan, chestnut, light-bay***, etc...*

« Two horses, a black one with a white blaze on its nose, and a **dappled grey** each with its head resting on the **hindquarters** of the other, stood dreaming in the calm of the day, after their **grazing**. »

There are various kinds of horses ; **thoroughbred***, half-bred, cart-horse, pack-horse,* **draught-horse***, trace-horse and the shaft-horse.*

A horse's **harness** *consists of* **bridle***, head-stall,* **bit***, curb-chain,* **traces***, and bellyband. A horse is* **harnessed** *to a cart or* **saddled** *for* **riding***.*

In the stables, he is **rubbed down (groomed)** *and* **combed***.*

The horse is a highly-strung, nervous animal. He is skittish, mettlesome, high-spirited, or timid. Sometimes, at some unexpected

cheval **rue, se cabre** *ou* **s'emballe**. *Si le cavalier n'a pas une bonne assiette, il est facilement désarçonné.*

obstacle, the horse **lashes out, rears up** *or* **bolts**. *If the rider hasn't a good seat, he is easily thrown.*

III – LA CULTURE DE LA TERRE

A) *LES TRAVAUX DES CHAMPS*

Ils ont toujours été les mêmes, mais on verra, à lire certaines des citations qui suivent, que les méthodes, elles, ont bien changé.

Ce sont d'abord les LABOURS ET SE-MAILLES.

A la fin de l'hiver, le fermier songe à labourer ses champs. La **terre** *en friche est* **fumée** *et* **retournée** *:*

« Le vieux laboureur travaillait lentement en silence, sans efforts inutiles. Son docile **attelage** ne se pressait pas plus que lui ; mais grâce à la continuité d'un **labeur** sans distraction et d'une dépense de forces éprouvées et soutenues, son **sillon** était aussi vite creusé que celui de son fils. »

(G. Sand)

« Il a retrouvé son instinct de tueur de bêtes pour enfoncer brusquement le **coutre** aigu dans la terre. »

(J. Giono)

Les **journaliers** *brisent les* **mottes de terre** *avec une* **herse** *et l'on procède aux semailles :*

« Jacquou balançant son bras lança sa première poignée de **graines**. »

(J. Giono)

L'on met les **épouvantails** *dans les champs pour écarter les corbeaux et les moineaux.*

Les pousses germent, les tiges grandissent *et quand* **les épis sont mûrs**, *il est temps de faire* **la moisson**.

LA MOISSON *a lieu en juin, en juillet ou en août en Europe. Les* **moissonneurs** *assemblent la récolte. Autrefois les* **faucheurs** *fauchaient les andains avec des faux ou des faucilles. Ils utilisent maintenant des faucheuses. Les* **glaneurs** *ramassent le blé qui reste*

III – THE CULTIVATION OF THE LAND

A) *WORK IN THE FIELDS*

It has always been the same but, judging from some of the following quotations, it appears that methods, on the other hand, have greatly changed.

First come PLOUGHING AND SOW-ING.

With the end of winter, the farmer thinks about ploughing his fields. The fallow **land** *is* **manured** *and* **turned over** *:*

« The old ploughman worked slowly, silently, with no wasted effort. His docile **team** hurried no more than he : but thanks to the unbroken rhythm of his single-minded **labours**, to his experienced and untiring strength, his **furrow** was dug as quickly as his son's. »

« He felt again the instincts of the animal killer as he drove the keen-edged **coulter** sharply into the ground. »

The **day-labourers** *break up the* **clods of earth** *with a* **harrow** *and then the sowing can begin :*

« Jacquou, with a sweep of his arm, flung his first handful of **seed**. »

Scarecrows *are placed in the fields to keep off the crows and the sparrows.*

The young shoots spring up, the stalks grow longer, *and when* **the ears of corn are ripe**, *it is time for* **harvesting**.

THE HARVEST *takes place in June, July or August in Europe. The* **harvesters** *gather in the harvest. At one time the* **reapers** *used to cut the swathes with scythes or sickles. Now they use a mechanical reaper. The* **gleaners** *pick up the corn that is left behind in the fields.*

dans les champs. Puis on lie le blé en **gerbes** et on le ramène à la ferme :

« Les femmes couraient dans les **éteules**. Les jeunes hommes plantaient les **fourches** de fer, relevaient les gerbes et les lançaient. Les chars s'en allaient dans les chemins creux. »

(J. Giono)

A la ferme on **bat le blé**, *non plus à l'aide de* **fléaux** *mais avec une* **moissonneuse-batteuse** :

« Deux hommes en haut d'une meule lançaient les gerbes ; deux autres les ouvraient et les dirigeaient dans le ventre du monstre ; le monstre grognait et les engloutissait ; des brins de **paille** folle sortaient de sa gueule ; partout ailleurs émergeait la **balle** piquante et, en dessous, les grains de blé précieux tombaient dans les **sacs** qui descendaient jusqu'à terre. »

Ensuite on le **vanne**. *Autrefois on se servait d'un van muni d'un cribble. A présent on utilise une* **vanneuse**. *Enfin le blé est* **engrangé**.

Les autres **céréales** *sont :*

l'avoine
le maïs
l'orge
le seigle.

La FENAISON *est aussi une activité estivale :*

« Philippe est un **faucheur** expérimenté. Il n'attaque pas le pré avec une ardeur imprudente... Il s'efforce d'abattre l'herbe par coutelées régulières, de raser net le tapis, car le meilleur du **foin** c'est le pied de la tige, de faire ses **andains** de la même largeur. »

(J. Renard)

Le foin est lié en bottes. Il sert de **fourrage** *pour les animaux.*

La France ne connaît guère la **cueillette du houblon**, *mais elle a* LES VENDANGES, *c'est en effet, un pays de* **vignobles** *qui produisent de grands* **crus**.

Le **viticulteur** *emploie pour ses* **vignes** *de nombreux* **vignerons** *qui soignent les* **ceps**.

La vendange a lieu généralement en septembre.

Then the corn is bound into **sheaves** and brought back to the farm :

« The women hurried along the **lanes of stubble**. The young men would drive in their iron **pitchforks**, lift the sheaves and pitch them aloft. The waggons moved off along the lanes. »

At the farm they **thresh the corn**, *no longer with* **flails** *but with a* **threshing machine** *or a* **combine** :

« Two men on the top of a stack threw down the sheaves ; two others cut them open and guided them into the monster's belly ; the monster groaned and gobbled, and out of its mouth came the distracted **straw** ; elsewhere emerged the prickly **chaff** and below, into **sacks** that reached the ground, trickled the precious corn. »

(H. Read)

Then it is **winnowed (sifted)**. *At one time, a winnowing basket with sieve was used. Today they use a* **winnowing machine**. *Finally the corn is* **garnered**.

The others **cereals** *are :*

oats
maize (Indian corn)
barley
rye.

THE HAY-HARVEST *is also a summer activity :*

« Philippe is an experienced **mower**. He does not attack the meadow with foolhardy zeal. He tries to cut the grass with regular strokes, to shave the ground close, for the best part of the **hay** is the base of the stem, and to make his **swathes** of the same width. »

The hay is trussed and used as **fodder** *for the animals.*

There is not much **hop-picking** *in France but there is* THE GRAPE HARVEST, *for it is a country of* **vine-yards** *which produce great* **vintage wines**.

The **wine-grower** *employs for his* **vines** *a great many* **vine-dressers** *who tend the* **vine-stocks**.

The grape-harvest usually takes place in September.

Le pays prend alors un air de fête :	*The countryside then takes on a festive air :*

« Les paysans apportaient de l'eau dans leurs chars pour étancher dans les **pressoirs** les profondes **cuves** qu'ils devaient bientôt remplir de raisins... La joie ruisselait, comme le vin, de colline en colline. »

(A. de Lamartine)

Mais on ne foule plus le raisin au pied.

La fabrication du champagne est délicate entre toutes :

« Après la période de **fermentation**, le vin, devenu clair, se trouve prêt à subir les délicates opérations qui constituent la méthode champenoise. Cette méthode consiste essentiellement dans l'assemblage des crus. Selon que la cuvée contiendra une proportion plus ou moins importante de vin provenant de la montagne de Reims, de la vallée de la Marne ou de la Côte des Blancs, le vin de Champagne aura plus ou moins de force, de sève, de **bouquet**, de **moelleux**, de fraîcheur, de finesse ou de **vinosité**. Il faut noter, en outre, qu'aucune bouteille de champagne digne de ce nom ne quitte la cave du négociant avant un **vieillissement** minimum de trois années. »

(Y. Gandon)

« The peasants brought water in their waggons to the **pressing houses** to swell the wood and make the deep **vats** watertight before they were filled with grapes... Joy flowed like wine from hillside to hillside. »

But grapes are not trodden any more.

The making of champagne in particular is a delicate matter :

« After the period of **fermentation**, the wine, which has cleared, is ready to undergo the delicate operations which constitute the champagne method. This method consists essentially in the blending of the various local wines. According to whether the blend contains a greater or lesser proportion of wines that come from the hilly regions of Reims, from the valley of the Marne or the neighbouring slopes where the white grapes grow, the champagne will have greater or lesser strength, aromatic savour, **bouquet**, **mellowness**, freshness, lingering fragrance or **vinosity**. It must be noted, moreover, that no bottle of champagne worthy of the name leaves the wine-merchant's cellar until it has **matured** for at least three years. »

B) *LA CULTURE MARAÎCHÈRE*

Le fermier **fait pousser** *selon les régions :*

l'arachide
la betterave
les céréales
le coton
le lin
la pomme de terre
le soja

etc...

Il y a aussi dans ses champs :

de la luzerne
du sainfoin
du trèfle

ou rien (le champ est alors **en jachère***).*

B) *MARKET-GARDENING*

Depending on the part of the world he lives in, the farmer **grows** *:*

ground-nuts
beetroot
cereals
cotton
flax
potato
soya bean

etc...

In his fields there are also :

lucern *(U.S. :* **alfalfa***)*
sainfoin
clover

or nothing (when the field is **lying fallow***).*

A propos de :	« TRÈFLE » *Notez*
trèfle *(aux cartes)*	**clubs**
trèfle *(plante) (sens général)*	**clover**
à quatre feuilles	**four-leaved clover**
d'eau	**marsh-trefoil**
(emblème de l'Irlande)	**shamrock**
(rappel : Angleterre : la rose	*England :* the rose
Ecosse : le chardon	*Scotland :* the thistle
Galles : le poireau	*Wales :* the leek)
quel trèfle ! (*argot :* quelle foule)	**what a mob !**
vivre comme un coq en pâte	**to live in clover**

C'est dans les **jardins maraîchers** *que les* **maraîchers** *cultivent les primeurs. Nombreux sont dans la région parisienne, autour d'Arpajon, ces*

« personnes hybrides, à demi-paysans, ouvriers à demi. »

(G. Duhamel)

Et l'auteur les a souvent vus

« qui, derrière les murs jaloux, torturaient d'étroits **lopins**, et leur faisaient, à force d'eau, de fumier, de **cloches** et de **châssis**, rendre d'énormes fardeaux de **légumes** qu'ils portaient eux-mêmes, la nuit, dans des carrioles somnolentes, jusqu'aux Halles de Paris. »

(G. Duhamel)

L'horticulture *paraîtra plus ou moins triste et gaie selon les pays, le climat, les sols* **fertiles** *ou* **arides** *:*

« Il y a un jardin triste avec un vieil homme en train de **bêcher**. Ce jardin est formé de **carrés** de légumes, sombres et réguliers. Rien qui ne soit strictement utilitaire, discret et mélancolique. »

« C'est le moment où la bêche vole et chante, où elle est bien aiguisée comme il faut, où la terre est meuble à souhait, où le **cordeau** bien tendu file tout droit le long des **levées de terre** où nous **planterons** les salades et les poireaux, les oignons et les aubergines. »

(J. Giono)

Dans le **verger**, *le jardinier prend soin des arbres qu'il* **élague**, **émonde**, **étête**. *Il coupe les branches mortes. Quand les fruits sont mûrs, il les fait tomber au moyen d'une* **gaule**. *Il les ramasse et les transporte dans le* **fruitier**.

It is in the **market garden** *that the* **market gardeners** *grow their early vegetables. In the Paris area, around Arpajon, there are many of these*

« hybrid folk, half peasant, half workman. »

And the author has often seen them

« who, behind jealous walls, ruthlessly exploited their tiny **plots of ground**, forcing them by means of water, manure, **cloches** and **frames**, to yield enormous quantities of **vegetables** which they would themselves take in carts through the drowsy night to the Central Market in Paris. »

Horticulture *will seem a pleasure or a dreary business, according to the country, the climate, and the soil, which may be* **fertile** *or* **arid** *:*

« There is a gloomy garden with an old man **digging** in it, laid out in straight dark **beds** of vegetables. Nothing but for sober, melancholy use ! »

(M. Mitford)

« This is the time when the flying spade rings, when it is sharpened just right, when the soil is beautifully fine, the **string** runs taut and straight along the lines of **ridged-up earth** where we shall **plant** our lettuce and leeks, our onions and aubergines. »

In the **orchard**, *the gardener looks after the trees which he* **prunes**, **trims**, **tops**. *He cuts away the dead wood. When the fruit is ripe, he fetches it down with a long thin* **pole**. *He gathers the fruit up and takes it to the* **store-room**.

C) L'AGRICULTURE ET L'ÉCONOMIE NATIONALE

« Le **labourage** et le **pastourage** sont les deux mamelles dont la FRANCE est alimentée. »

(Sully)

« Les ÉTATS-UNIS sont, avec l'U.R.S.S., la plus grande puissance agricole du monde. La collectivisation des terres mise à part, les deux agricultures présentent bien des caractères communs :

1° Les Etats-Unis disposent des **productions** tempérées et des productions tropicales... Ces productions sont tout à la fois énormes et variées.

2° Cependant les **rendements** sont faibles...

3° Les Américains poussent à fond la **mécanisation**... (plus de 4 millions de **tracteurs**).

4° Les différentes régions se sont spécialisées en certaines cultures. Sur les vastes domaines (100 à 400 hectares, parfois plus), l'agriculture devient une **monoculture** industrielle...

Les Etats-Unis et l'U.R.S.S. sont les deux **greniers** les plus importants du monde... S'ils n'arrivent pas au premier rang pour l'effectif du **cheptel**, les Etats-Unis l'occupent cependant pour la qualité. »

(A. Meynier, etc...)

« Bien que LA GRANDE BRETAGNE, nation industrielle à forte densité de peuplement, soit dans l'obligation d'importer la moitié de sa nourriture, l'agriculture reste l'un des aspects les plus importants de son activité économique. Elle occupe près de 3,5 % de la main-d'œuvre civile du pays, fournit environ 3,5 % du produit national brut et exploite 20 000 000 has. de terres sur une superficie totale de 24 250 000 hectares. »

C) AGRICULTURE AND NATIONAL ECONOMY

« **Ploughing** and **pasture** are the twin breasts from which FRANCE is nourished. »

« The UNITED STATES, together with the U.S.S.R., is the greatest agricultural power in the world. If we except collectivization, the two agricultures have many features in common :

1° The United States can grow both temperate and tropical **products**. These products are both vast and varied.

2° The **yields** per acre however are low...

3° The Americans believe in intensive **mechanization**... (more than 4 million **tractors**).

4° The various regions have specialized in certain crops. Over vast areas (250 to 1,000 acres, sometimes more), agriculture is becoming an industrial **monoculture**.

The United States and the U.S.S.R. are the world's biggest **granaries**... If not in first place as far as the amount of **livestock** is concerned the United States certainly lead in quality. »

« Although GREAT BRITAIN, a densely populated industrial nation, is obliged to import half its food, agriculture is still one of the most important aspects of her economic activity. It involves about 825,000 people, or slightly less than 3,5 % of the country's civil manpower ; it provides about 3,5 % of the gross national product and farms 50 million acres out of a total area of 57 millions acres. »

(Central Office of Information)

CHAPITRE 21

LE GOUVERNEMENT
LA VIE POLITIQUE

I – LES RÉGIMES

A) *LES DIFFÉRENTS RÉGIMES*

Dans une DÉMOCRATIE, *le pouvoir du gouvernement est limité. Périodiquement, le gouvernement doit* **consulter le corps électoral** *pour que son* **mandat** *lui soit* **renouvelé** *; et à cette époque, les* **électeurs** *ont la possibilité de changer de gouvernement. Les partis de l'***opposition** *doivent être libres de commenter les problèmes et de critiquer le gouvernement au pouvoir. Il y a, bien sûr, de fausses conceptions de la «* **démocratisation** *» qui ont fait donner de la démocratie les définitions les plus sévères. Pour beaucoup, néanmoins :*

« La pire des démocraties est de beaucoup préférable à la meilleure des **dictatures**. »

(R. Barbosa)

Là où prévaut une forme quelconque de DICTATURE, *l'influence du Parlement – à supposer qu'il y en ait un – est minime. On peut le convoquer pour* **ratifier** *les lois dèjà* **approuvées** *par les organes gouvernementaux effectifs, ou pour donner un vote destiné à symboliser la volonté nationale.*

La dictature est celle d'un parti, d'un homme ou d'une **junte** *militaire. Les dictatures ne tolèrent pas en général la* **liberté de parole**. *Il existe une* **censure** *rigide et le gouvernement contrôle tous les organes de l'opinion, la presse, la radio, et la télévision :*

« Les dictateurs chevauchent de-ci-de-là des tigres dont ils n'osent pas descendre. »

A l'une ou à l'autre de ces deux formes extrêmes, on peut rattacher tous les RÉGIMES DIVERS *que l'histoire a connus :* **oligarchie** *athénienne,* **ploutocratie** *de Carthage, etc...*

CHAPTER 21

GOVERNMENT
AND POLITICAL LIFE

I – FORMS OF GOVERNMENT

A) *THE VARIOUS FORMS OF GOVERNMENT*

In a DEMOCRACY *the power of the government is limited. Periodically the government must* **go to the country** *to have its* **mandate** *to govern* **renewed** *; at such times, the* **electorate** *has the opportunity to change the government.* **Opposition** *parties must be free to comment on issues and criticize the government in power. There are, true enough, misconceptions about «* **democratization** *» and these have led to severe criticisms of democracy. For many people, however :*

« The worst of democracies is preferable to the best of **dictatorships**. »

Where any form of DICTATORSHIP *prevails, the influence of Parliament – if there is one – is very small. It may be called upon to* **ratify** *legislation alrealy* **approved** *by the effective governing institutions, or record a vote designed to serve as a symbol of the national will.*

The dictatorship may be that of a party, of one man, or a military **junta**. *Dictatorships usually do not tolerate* **freedom of speech**. *There is a rigid* **censorship**, *and the government controls all organs of opinion, press, radio and television :*

« Dictators ride to and fro upon tigers which they dare not dismount. »

(W. Churchill)

We can include in one or the other of these two opposing systems most of the OTHER SYSTEMS *known to history – Athenian* **oligarchy**, *the* **plutocracy** *of Carthage, etc...*

On parle aussi de régime **autocratique, monarchique, républicain** (*notez à ce propos que la* **république** *de Cromwell s'appelait «* **Commonwealth** *»*), **féodal, capitaliste,** *etc... et la France d'avant la* **Révolution** *de 1789, celle de la* **monarchie absolue,** *se voit dénommer l'Ancien Régime.*

B) *FRANCE ET ANGLETERRE*

Au Moyen Age, bien entendu, la même doctrine **hiérarchique,** *la même conception de la* **monarchie de Droit Divin** *gouvernent les deux pays qui faillirent bien d'ailleurs conserver le même* **souverain.** *Le roi est* **l'oint de Dieu** *: il a sur le petit monde de l'homme le pouvoir que le créateur possède sur le macrocosme.* **L'usurpation** *est un crime contre nature, le* **régicide** *un peu un déicide.*

En ANGLETERRE, *néanmoins, le pouvoir royal cesse vite d'être absolu. Le roi doit* **composer,** *dès 1215, avec ses barons* (**Grande Charte**), *plus tard — particulièrement lors de la «* **déclaration des droits** *» de 1689 — avec une importante fraction de la nation. Comparé à son homologue français, le monarque britannique fut le roseau de la fable, pliant mais ne rompant point, ce qui explique que la* **monarchie constitutionnelle** *existe encore en Grande-Bretagne :*

« Le **monarque** se borne à prendre **conseil** de son **premier ministre,** conseil donné avec l'accord et le soutien du **cabinet** et il agit toujours selon le conseil ainsi donné. Il cesse de décider par lui-même et cesse, en conséquence, d'être **responsable.** Il est à l'abri des critiques, des **interpellations,** et des discussions ; au-dessus des risques de **rebellion,** de la menace d'une révolution ou du danger d'un **renvoi.** »

Cette permanence n'est pas dépourvue d'avantages : un roi ou une reine symbolisent plus aisément, peut-être, les aspirations d'un peuple :

« La plupart des gens ne s'intéressent pas à la tâche de l'**administration.** Mais ils aiment un bon spectacle. Ils ont besoin d'une institution qu'ils puissent comprendre, qui fasse vibrer en eux le **loyalisme** et l'orgueil national. Cette institution doit être colorée, agréa-

We also speak of **autocratic, monarchic,** *and* **republican** *systems (note in this connection that Cromwell's* **republic** *was called the* **Commonwealth***), **feudal** and **capitalist** systems, etc... And France before the* **Revolution** *of 1789, the France of* **absolute monarchy,** *is designated as the «* **Ancien Régime** *».*

B) *FRANCE AND ENGLAND*

In the Middle Ages, naturally, the same **hierarchical** *doctrine, the same conception of the* **Divine Right of kings** *are unquestioned in both countries who, in fact, came near to acknowledging the same* **sovereign.** *The king is* **the Lord's anointed** *; he holds over the little world of men the power which the creator holds over the macrocosm.* **Usurpation** *is a crime against nature,* **regicide** *is to some extent deicide.*

In ENGLAND *however, the royal power soon ceases to be absolute. After 1215 the king had* **to come to terms** *with the barons (***Magna Carta***) and later — particularly after the* **Declaration of Rights** *in 1689 — with a considerable part of the nation. Compared with his brother on the throne of France the British monarch was like the reed in the fable, bending but not breaking — which explains why* **constitutional monarchy** *still exists in Great Britain :*

« The **monarch** confines himself to taking the **advice** of his **prime minister,** tendered with the assent and backing of the **cabinet,** and he always acts upon the advice so tendered. He ceases to decide for himself and he therefore ceases to be **responsible.** He stands immune from criticism, from **challenge,** and from dispute ; above the risk of **rebellion,** the threat of revolution, or the danger of **dismissal.** »

(E. Baker)

This stability is not without its advantages : the king or queen symbolize more readily, perhaps, a nation's aspirations :

« Most people are not interested in the labour of **administration.** But they love a good show. They need an institution which they can understand, which will stir emotions of **loyalty** and national pride. That institution must be colourful, enjoyable as well as im-

ble autant qu'impressionnante. **La couronne remplit** admirablement cette fonction. »

Et qui niera le pittoresque des grandes et des petites cérémonies avec leurs rites séculaires, **couronnement, ouverture solennelle du parlement, salut aux couleurs,** *etc. ?*

En FRANCE *si l'absolutisme se maintint plus longtemps, il entraîna dans sa chute les rois qui l'avaient exercé. Louis XVI guillotiné, aucune* **restauration** *de longue durée ne viendra replacer sur le* **trône** *un* **prince** *capable de régner. La France, désormais, quand elle n'aura pas d'*empereur, *aura à sa tête un des* **présidents** *de ses cinq républiques et, dans la paix ou dans la guerre, dans la liberté ou la servitude, commémorera le 14 juillet* **la prise de la Bastille** *en dansant fraternellement sous les* **drapeaux** *tricolores...*

pressive. **The crown** performs this function admirably. »

(F.-W. Benemy)

And who can deny the picturesque character of ceremonial occasions, with their time-honoured ritual, the **coronation,** *the* **state opening of parliament,** *the* **trooping of the colours,** *etc. ?*

In FRANCE *although absolutism continued longer, when it collapsed it dragged down with it the kings who had exercised it. After Louis XVI's death on the guillotine, no long-lasting* **restoration** *succeeded in bringing back to the* **throne** *a* **prince** *capable of governing. France, from then on, will have as head of state, when not an* **emperor,** *one of the* **presidents** *of its five republics ; and in peace and war, liberty and servitude, will celebrate, on the 14th of July,* **the storming of the Bastille,** *by dancing beneath the national* **flag** *in an atmosphere of brotherly love.*

II – LES POUVOIRS

Le pouvoir législatif **vote les lois,** *le pouvoir exécutif* **les applique** *et le pouvoir judiciaire les* **interprète** *en cas de* **litige.**

A) *LE LÉGISLATIF : LE PARLEMENT*

La CHAMBRE BASSE *s'appelle, en Angleterre, la Chambre des Communes ; en France, la Chambre des Députés ; en Amérique, la Chambre des Réprésentants.*

L'impression générale que laisse une **séance** *de la Chambre anglaise au cours de l'une des cinq* **sessions** *dont se compose un parlement est de courtoisie, de discipline (le président a une autorité incontestable ;* **les chefs de file** *sont là pour contrôler la manière de voter), d'*éloquence *mesurée et les* **réunions** *orageuses comme celle-ci sont plus rares à Westminster qu'à Paris :*

« Lord North proposa une **motion** qui stigmatisait le numéro injurieux (du *North Briton)* comme "libelle séditieux, mensonger, diffamatoire", destiné manifestement "à pousser le peuple à la trahison et à l'insurrection contre le gouvernement de Sa majesté" et, en dépit de l'éloquence olympienne

II – THE POWERS

The legislature **passes the laws,** *the executive* **carries them out** *and the judiciary* **interprets them** *in cases of* **dispute.**

A) *THE LEGISLATURE : PARLIAMENT*

The LOWER CHAMBER *is called in England, the House of Commons ; in France the Chamber of Deputies ; in America, the House of Representatives.*

The general impression left by a **sitting** *of the English House of Commons in the course of one of the five* **sessions** *that make up the life of a parliament, is one of courtesy, discipline (the Speaker has undisputed authority ;* **the Whips** *are there to supervise the voting procedure), and of restrained* **eloquence.** *Stormy* **meetings** *like the following one occur more rarely at Westminster than in Paris :*

« Lord North proposed a **motion** stigmatizing the offending number (of the *North Briton)* as "a false, scandalous, and seditious libel" which manifestly tended "to excite to traitorous insurrection against His Majesty's government", and in spite of Pitt's Olympian oratory, reverberating through the long series

de Pitt, résonnant au cours d'une longue série de batailles mineures âprement disputées, la motion fut **adoptée** à plus de cent voix de majorité ».

of hard-fought minor battles, the motion was finally **carried** by more than a hundred votes. »

(P. Quennell)

La CHAMBRE HAUTE *des Etats-Unis est le* **Sénat** *qui, avec* **la Chambre des Représentants,** *forme* **le Congrès.** *Le Sénat contient deux* **membres** *de chaque état de l'Union (quelle que soit la taille de l'état) ; les* **délégués** *à la Chambre des Représentants sont élus par des* **districts électoraux** *découpés selon le nombre réel d'électeurs.*

In the United States, the UPPER CHAMBER *is* **the Senate**, *which, together with* **the House of Representatives,** *makes up* **Congress.** *The Senate contains* two **members** *for each of the States of the Union (irrespective of the size of the state) ; the* **delegates** *to the House of Representatives are elected by* **electoral districts** *marked out according to the actual number of voters.*

C'est également au **Conseil** *de la Rome antique que la deuxième* **assemblée** *française a pris son nom. Le sénat français* **siège** *au palais du Luxembourg.*

The second **Assembly** *in France also derives its name from the* **Council** *of Ancient Rome. The French senate* **sits** *in the Luxembourg Palace.*

Le pouvoir de la Chambre haute varie considérablement selon les pays. Depuis 1911, en Angleterre, la Chambre des Lords n'a plus eu le pouvoir d' **intervenir** *dans la* **politique** *du gouvernement. Ses fonctions consistent à étudier et* **réviser** *les* **projets de lois** *votés par les Communes, à* **lancer,** *à la demande des Communes, des projets de loi ne prêtant pas à la controverse, à* **ajourner** *une loi assez longtemps pour permettre aux électeurs d'exprimer leur opinion, à* **débattre** *à fond une question que les Communes n'ont pas eu le temps d'examiner de façon satisfaisante.*

The power of the upper chamber varies considerably from country to country. In England, since 1911, the House of Lords has had no power to **interfere** *with the* **policy** *of the government. Its functions are to examine and* **revise bills** *brought from the Commons,* **initiate** *non-controversial bills at the request of the Commons,* **delay** *a bill long enough for the electorate to express an opinion,* **discuss** *fully a question which the Commons has had no time to consider satisfactorily.*

La Chambre des Lords comprend à l'heure actuelle un millier de membres qui se répartissent entre :

At the moment the House of Lords includes about a thousand members divided into :

princes du sang,
lords spirituels,
pairs héréditaires,
pairs non héréditaires.

Princes of the Blood Royal,
Lords Spiritual,
hereditary Peers,
non hereditary Peers.

Les **titres de noblesse** *qu'on y rencontre sont ceux de* **duc, marquis, comte, vicomte, baron. Baronnets** *et* **chevaliers** *ne sont pas membres.*

The **titles** *you find there are those of* **duke, marquess, earl, viscount, baron. Baronets** *and* **knights** *are not members.*

B) *L'EXÉCUTIF*

B) *THE EXECUTIVE*

Sur le PLAN NATIONAL *l'exécutif est, en France et aux Etats-Unis aux mains du président de la République et des ministres.*

At NATIONAL LEVEL, *the executive, in France and the U.S.A., is in the hands of the President of the Republic and his ministers.*

Ainsi, aux Etats-Unis, conformément à la Constitution, les droits du président sont les suivants :

Thus in the U.S.A., under the Constitution, the powers of the President are as follows :

« – 1. **Commander** les forces armées, y compris les milices des Etats quand celles-ci sont mises au service de l'Union.

– 2. **Conclure des traités**, sous réserve de l'accord des deux tiers des **sénateurs**.

– 3. Désigner les fonctionnaires diplomatiques, administratifs et judiciaires des Etats-Unis, sous réserve de l'approbation du Sénat.

– 4. Assurer la « fidèle application » des lois.

– 5. **Convoquer** les sessions extraordinaires du Congrès.

– 6. Recommander l'adoption des lois et **faire rapport** au Congrès sur l'état de l'Union.

– 7. Recevoir les **ambassadeurs** étrangers. »

(Informations et Documents, 205)

En Angleterre, l'exécutif n'appartient ni à la reine ni au **conseil privé** *: le souverain* **règne** *mais ne* **gouverne** *pas (même le* **droit de grâce,** *l'***octroi d'honneurs** *comme l'***Ordre** *de la* **jarretière,** *du* **Chardon,** *du* **Bain,** *du* **Mérite,** *etc... sont délégués ou exercés sur proposition du premier ministre). Le pouvoir appartient à ce* **premier ministre,** *aux* **ministres du Cabinet** *parmi lesquels on notera :*

– **Le Lord Chancelier (le Garde des Sceaux),**

– **Le Ministre des Affaires Etrangères,**

– **Le Chancelier de l'Echiquier (ministre des finances),**

– **Le Ministre de l'Intérieur,** *etc...*

et aux autres **ministres avec porte-feuille** *qui ne figurent pas dans le Cabinet.*

Sur le PLAN LOCAL *il est vain d'essayer d'établir un parallèle entre les gouvernements des différents pays.*

Le gouvernement local reçoit des **subsides** *de l'état et vit aussi des* **impôts locaux.**

L'impôt sur le revenu *nous ramène au plan national où les* **dirigeants** *de tous les pays ont aussi en commun le même type de problèmes : réduire le* **chômage,** *combattre l'***inflation,** *enrayer la* **montée du coût de la**

« – 1. To **command** the armed forces, including the State militias when these are being used in the service of the Union.

– 2. To **conclude treaties**, subject to the approval of 2/3 of the **senators**.

– 3. To make the diplomatic, administrative and judicial appointements of the U.S.A., subject to the approval of the Senate.

– 4. To ensure the just enforcement of the laws.

– 5. To **convene** extraordinary sessions of Congress.

– 6. To recommend the adoption of laws and **report** to Congress on the state of the Union.

– 7. To receive foreign **ambassadors**. »

In England the executive power belongs neither to the queen nor the **Privy Council** *: the sovereign* **reigns** *but does not* **govern** *(even the* **power of pardon,** *the awarding of honours such as the* **Order of the Garter, the Order of the Thistle, the Order of the Bath, the O.M.,** *etc... are delegated or exercised on the recommendation of the Prime Minister). The power belongs to the* **Prime Minister,** *to the* **Cabinet ministers** *among whom we shall note :*

– **The Lord Chancellor,**

– *The Secretary of State for Foreign Affairs* **(Foreign secretary),**

– **The Chancellor of the Exchequer,**

– **The Home Secretary,** *etc...*

and to other **departmental ministers** *who do not figure in the Cabinet.*

At LOCAL LEVEL *it is useless to try to establish parallels between the governments of the different countries.*

The local government receives **grants** *from the State and depends also on* **rates.**

Income tax *brings us back to the national level, where the* **rulers** *of every country are faced with the same sort of problems : reduce* **unemployment,** *combat* **inflation,** *check the rise in the cost of living, encourage* **indus-**

vie, *encourager le* **développement de l'industrie,** *équilibrer les* **importations** *et les* **exportations,** *réprimer les* **troubles** : **attentats, alertes à la bombe, flambées raciales, émeutes,** *etc...*

trial expansion, *balance* **imports** *against* **exports,** *repress civil* **disturbances** : **armed attacks, bombscares, outbreaks of racialism, riots,** *etc...*

C) *LE JUDICIAIRE*

Le Pouvoir Judiciaire est aux mains des juges et des **magistrats** *qui appliquent la loi. Le* **système juridique** *est la manière dont est organisé l'appareil judiciaire.*

Les TYPES DE TRIBUNAUX *diffèrent selon les pays, comme d'ailleurs les types de* **droit** *(cf. en Angleterre : le* **droit coutumier,** *le droit dit d'*Equité *le* **droit statutaire,** *la* **jurisprudence***).*

On retrouve, néanmoins, partout l'équivalent de la **Cour de Première Instance,** *de la* **Cour d'Appel,** *de la* **Cour de Cassation,** *de la* **Correctionnelle,** *des* **Assises,** *etc., ainsi que des* **avoués,** *des* **avocats,** *des* **greffiers,** *des* **juges,** *des* **témoins,** *des* **jurés,** *des* **plaignants,** *des* **défenseurs,** *des* **barres** *où l'on* **dépose.**

Partout, aussi les mêmes DÉLITS.

C) *THE JUDICIARY*

The Judiciary is the body of judges and **magistrates** *who dispense the law. The* **judicial system** *is the way in which the dispensation of justice is organized.*

The COURTS OF LAW *differ according to the countries, as do the types of* **law** *(e.g. in England :* **Common Law, Equity, Statute Law, Case Law***).*

Everywhere, however, are to be found **Civil Courts, Courts of Appeal, Supreme Courts, Police Courts, Criminal courts,** *etc., also :* **solicitors, barristers, clerks, judges, witnesses, jurors, plaintiffs, defendants, witness-boxes** *where* **evidence is given.**

Everywhere also the same OFFENCES.

A propos de :	**« DELIT »** *Notez*
délit, faute	**offense, case**
délictueux *(général)*	**punishable**
vagabondage délictueux	**loitering with intent (to commit a felony)**
délinquant	**offender, delinquent**
délinquance juvénile	**juvenile delinquency**
crime, forfait	**crime**
erreur	**mistake**
infraction	**infraction, infringement, breach**
infraction au code de la route	**breach of the highway code**
récidive	**relapse**
transgression	**transgression, trespassing**

Quelques délits :

adultère
assassinat
atteinte à la sûreté de l'Etat
bigamie
cambriolage
chantage
complicité
coups et blessures, voies de fait
détournements de fonds

A few offences :

adultery
murder
treason-felony, treason
bigamy
burglary
blackmail
complicity, aiding and abetting
assault and battery
embezzlement

faux	forgery
homicide par imprudence	manslaughter
incendie volontaire	arson
infanticide	infanticide, child-murder
lèse-majesté	high-treason, lèse-majesty
offence	abuse
outrage à la pudeur	indecent behaviour
parricide	parricide
préméditation	malice aforethought
recel	receiving and concealing
viol	rape
vol.	theft.

Partout, enfin , des PROCÈS *très voisins, qu'on a toujours intérêt à éviter.*

« On peut obtenir la **justice** pour les autres, jamais pour soi. »

(A. Capus)

« Le **glaive** de la justice n'a pas de fourreau. »

(J. de Maistre)

Comme, néanmoins, on ne fait pas toujours ce que l'on veut, il est peut-être bon, à tout hasard, de connaître quelques mots s'y rapportant :

Everywhere, finally, similar TRIALS, *to be avoided whenever possible.*

« One can obtain **justice** for others, never for oneself. »

« The **sword** of justice is never sheathed. »

However, as we cannot always do as we should like, it is as well perhaps, just in case, to know a few words relating to them :

l'accusation	the prosecution
acte d'accusation	indictment
contre-interrogatoire	cross examination
dommages et intérêts	damages
(accorder-)	(to award-)
enquête	investigation
inculpé	accused
plaider coupable	to plead guilty
sous caution	on bail
sentence.	sentence.

Les CONDAMNATIONS À MORT *se sont faites plus rares avec le progrès de la civilisation : on* **pend**, **fusille**, **guillotine**, *passe à la* **chaise électrique** *moins de gens.*

Les **peines** *sont plutôt de* **travaux forcés** *à perpétuité, de* **réclusion**, *les* **amendes**, *etc.*

Les **tortures**, *si elles existent encore, ne sont plus publiques comme l'étaient jadis les* **exécutions**.

Encore au XVIII siècle, le biographe de S. Johnson de nous en présenter une :*

« Je n'oublierai jamais la dernière exécution que j'ai vue à Tyburn, lorsque Mr. Gibson, le **procureur**, et Benjamin Payne furent pendus, le premier pour **faux**, le deuxième pour **bri-**

With the progress of civilization CAPITAL PUNISHMENT *has become less frequent : fewer people are being* **hanged**, **shot**, **guillotined** *or sent to the* **electric chair**.

Instead **punishments** *are* **hard labour** *for life,* **solitary confinement**, **fines**, *etc.*

Torture, *if it still exists, is no longer public as* **executions** *once were.*

In the XVIIIth century Johnson's biographer proceeds to describe one for us :

« I shall never forget the last execution I saw at Tyburn, when Mr. Gibson, the **attorney**, for **forgery**, and Benjamin Payne, for a **highway robbery**, were executed... Mr. Gibson

gandage. Mr. Gibson fit preuve d'un courage extraordinaire. Lorsqu'il arriva au lieu de l'exécution et que ce fut le moment de se rendre au gibet, il prit congé de ses amis... et s'avança fermement vers **la charrette**. On l'aida à monter car il était attaché et ne pouvait se servir librement de ses bras. Lorsqu'il se trouva sur la charrette, il remit son chapeau au **bourreau**, qui lui ôta immédiatement sa cravate, desserra son col de chemise et lui passa la **corde** au cou. Pas un seul instant Mr. Gibson ne changea de visage. »

was indeed an extraordinary man... When he came to the place of execution (and) it was time to approach the fatal tree, he took leave of his friends.. and walked firmly to **the cart**. He was helped up upon it, as he was pinioned and had not the free use of his arms. When he was upon the cart, he gave his hat to the **executioner** [1], who immediately took off Mr. Gibson's cravat, unloosed his shirt neck, and fixed the **rope**. Mr. Gibson never once altered his countenance. »

(J. Boswell)

III – LES PARTIS

III – THE PARTIES

A) *LES ÉLECTIONS*

A) *THE ELECTIONS*

Il y en a de toutes sortes : **municipales, législatives, présidentielles, partielles,** *etc.*

There are all sorts of elections : **municipal, parliamentary, presidential, bye elections,** *etc.*

La CAMPAGNE ÉLECTORALE *commence assez tôt avant l'élection générale.*

The ELECTION CAMPAIGN *starts a certain time before the general election is held.*

Les **candidats** *prennent la parole à des* **réunions** *publiques :*

The **candidates** *address public* **meetings** *:*

« Les **discours** des deux candidats, bien que différents sur tous les autres points, rendaient un hommage magnifique au mérite et à la grande valeur des électeurs de Eatanswill. Chacun exprimait l'opinion qu'il n'y avait jamais eu d'hommes plus indépendants, plus soucieux du bien public, plus généreux, plus désintéressés que ceux qui avaient promis de **voter** pour lui. »

« The **speeches** of the two candidates, though differing in every other respect, afforded a beautiful tribute to the merit and high worth of the electors of Eatanswill. Both expressed their opinion that a more independent, a more public-spirited, a more noble-minded, a more disinterested set of men than those who had promised to **vote** for him, never existed on earth. »

(Ch. Dickens)

La foule peut chahuter l'orateur ou tenter de couvrir sa voix.

The crowd may heckle the speaker or try to shout him down.

Les candidats **font leur tournée électorale,** *allant de porte en porte, espérant rallier à leur cause les partisans indécis. Des* **affiches** *apparaissent, on répète des* **slogans,** *on imprime des* **manifestes.**

Candidates **canvass** *from door to door, hoping to win over doubtful supporters.* **Posters** *appear,* **slogans** *are repeated,* **manifestoes** *issued.*

Le SCRUTIN *a lieu le* **jour du vote.** *Les* **électeurs** *se rendent au* **bureau de vote,** *pénètrent dans* **l'isoloir,** *glissent le* **bulletin** *dans l'*urne. *Le candidat qui a le plus de voix est* **élu.**

POLLING *takes place on* **polling-day.** *The* **constituents** *go to their* **polling stations,** *enter the* **polling-booth,** *slip the* **ballot-paper** *into the* **ballot-box.** *The candidate who gets the most votes is* **returned.**

---

(1) Aussi : **hangman.**

A propos de :	« BULLETIN » *Notez*
bulletin de commande	**order form**
bulletin de consigne	**cloak-room ticket**
bulletin d'information	**news bulletin**
bulletin météorologique	**weather report**
bulletin de santé	**health report, bulletin**
bulletin trimestriel (scolaire)	**end of term (school) report**
bulletin de vote	**ballot-paper**

B) *LES PRINCIPAUX PARTIS POLITIQUES*

La FRANCE *en a connu une alarmante multiplicité ; chacun, paraît-il, avec ses caractéristiques propres. Ainsi :*

« **Le parti communiste** ne ressemble à aucun autre. Un **socialiste**, un **radical**, un **modéré**, acceptent un **programme**, versent des **cotisations**... Mais leur vie individuelle... échappe à quiconque. Le parti communiste, au contraire, est à a fois une religion, une église, une communauté et un ordre. »

(P. Gaxotte)

Aux ÉTATS-UNIS *comme en Angleterre règne le* **bipartisme** *:*

« On peut dire que, depuis les origines, deux grands partis ont sans interruption dominé la vie politique américaine : **démocrates** et fédéralistes de 1800 à 1828, démocrates et whigs de 1828 à 1854, enfin démocrates et **républicains** de 1854 à nos jours. »

(Informations et Documents 195)

En GRANDE-BRETAGNE, *ce sont les* **conservateurs** *et les* **travaillistes** *qui se partagent le pouvoir. Le parti conservateur croit à* **l'entreprise privée**, *à la libre compétition et au minimum d'intervention de la part de l'Etat. Ses partisans se recrutent surtout parmi l'aristocratie et la bourgeoisie aisée. Le parti socialiste ou travailliste désire la prise en main des leviers de commande de l'économie, la* **nationalisation** *de certaines* **industries clefs**. *Il dépend beaucoup des* **syndicats** *pour le recrutement de ses membres.*

Des **transfuges** *des deux partis ont recemment formé le* **Parti Social Démocrate** *et ont rejoint les* **Libéraux** *dans une* **Alliance** *destinée à fournir une alternance.*

B) *THE MAIN POLITICAL PARTIES*

FRANCE *has known an alarming number of them ; each, we are told, with its own characteristics. Thus :*

« **The Communist party** is like no other party. A **socialist**, a **radical**, *a* **moderate**, accept a **programme**, pay their **subscriptions**. But their private life is nobody else's concern. The communist party, on the other hand, is at once a religion, a church, a community and an order. »

The UNITED STATES *like England, have a* **two party system** *:*

« It may be said that from the beginning two great parties have continuously dominated the political life of America : **democrats** and federalists from 1800-1828, democrats and whigs from 1828-1854, and finally democrats and **republicans** from 1854 to the present day. »

In GREAT BRITAIN *power is really shared between* **Conservatives** *and* **Labour**. *The conservative party believes in* **private enterprise**, *free competition and the minimum of state interference. They are recruited mainly from the upper class and wealthy middle class. The socialist or labour party is in favour of capturing the « commanding heights of the economy »,* **nationalization** *of certain* **key industries**. *It depends very much for its membership on the* **trade unions**.

Defectors *from both parties have now formed the* **Social Democratic Party (S.D.P)** *and have joined forces with the* **Liberals** *in an* **Alliance**, *in an attempt to provide an alternative.*

CHAPITRE 22

LA GUERRE
ET LA VIE MILITAIRE

WAR
AND MILITARY LIFE

I – L'ARMÉE

Quelle que soit l'**arme**, *on distinguera :* l'**active**, *qui comporte l'*armée de métier *et le* **contingent** *; la* réserve *qui, en Angleterre, se compose de la réserve proprement dite et des* **volontaires** *; les corps auxiliaires féminins ; la* **défense passive**, *etc.*

I – THE ARMED FORCES

Whatever the **arm** *of the service, there will be the* **active service list** *which includes the* **regulars** *and the* **national service** *men ; the* **reserve** *which, in England, is composed of the Territorial Army and the* **Volunteer** *forces ; the women's auxiliary forces ; the* **Civil Defence** *Corps, etc.*

A) *L'ARMÉE DE TERRE*

*Elle comprend l'*infanterie (*les* **fantassins**), *la* **cavalerie**, *l'*artillerie, *le* génie, *le* **Train** (*intendance*), *le* **Service de Santé**, *les* **renseignements**...

Les **grades** *y sont les suivants :*

simple soldat
artilleur
sapeur
première classe
caporal (*cavalerie, artillerie :* brigadier)
sergent (*artillerie :* maréchal des logis)
sergent-chef
adjudant
adjudant-chef
sous-lieutenant
lieutenant
capitaine
commandant (*cavalerie :* chef d'escadron)
lieutenant-colonel
colonel
généraux de brigade

général de division
général d'armée ou de corps d'armée
maréchal.

Dans cette liste nous avons mentionné des **soldats**, *des* **sous-officiers** *et des* **officiers**.

A) *THE ARMY*

It includes the **infantry** (*the* **foot**), *the* cavalry, *the* **artillery**, *the* engineers, *the* Service Corps, *the* Medical Corps, *the* intelligence service...

The army **ranks** *are as follows :*

private (*Infantry*)
gunner (*Royal Artillery*)
sapper (*Royal Engineers*)
lance corporal
corporal
sergeant
quarter-master sergeant
sergeant-major (C.S.M.)
regimental sergeant-major (R.S.M.)
second lieutenant
lieutenant [1]
captain
major
lieutenant-colonel
colonel [1]
brigadier
major-general
lieutenant-general
general
field marshal.

In the above list are mentionned **soldiers** *of the* **rank and file**, **non commissioned officers** *and* **commissioned officers**.

---

(1) Attention à la prononciation, voyez le dictionnaire de Jones : *English Pronouncing Dictionary*, Londres, Dent, comme pour tous les mots que vous ignorez.

Le sergent est un sous-officier :

« Petite amélioration de mon sort, j'avais un **galon** doré de sergent sur ma manche. On me l'avait donné tout de suite, en septembre 1939. Il faut dire que j'avais quitté l'armée caporal en 1921, je l'étais resté depuis — les **anciens combattants** ne faisaient pas de **périodes** quand ils n'étaient pas officiers. Vingt ans de grade ! Ça ne pouvait plus durer. »

(P. Vialar)

A sergeant is a non-commissioned officer (an N.C.O.) :

« One slight improvement in my lot, I had a sergeant's gold **stripe** [1] on my sleeve. It was given to me straight away in September 1939. I must mention I was a corporal when I left the army in 1921, and that is what I'd remained, as **ex-service men**, if they weren't officers, did no **reserve training**. Twenty years with the same rank ! It just could not go on ! »

B) *L'ARMÉE DE L'AIR*

Les grades sont les suivants :

deuxième classe
première classe
caporal
sergent
sous-lieutenant
lieutenant
capitaine
commandant
lieutenant-colonel
colonel

généraux

B) *THE AIR-FORCE*

The ranks are the following :

aircraftsman
leading aircraftsman
corporal
sergeant
pilot officer
flying officer
flight lieutenant
squadron leader
wing commander
group captain
air commodore
air vice-marshal
air marshal
air chief-marshal.

C) *LA MARINE*

Et voici les grades dans la marine :

matelot
quartier-maître
élève officier
aspirant
enseigne de vaisseau de deuxième classe
enseigne de vaisseau de première classe
lieutenant de vaisseau
capitaine de corvette
capitaine de frégate
capitaine de vaisseau

contre-amiral
vice-amiral
amiral.

C) *THE NAVY*

And here are the ranks for the navy :

able (ordinary) seaman
leading seaman
cadet
midshipman
sub-lieutenant
lieutenant (junior grade)
lieutenant
lieutenant-commander
commander
captain
commodore
rear-admiral
vice-admiral
admiral
admiral of the fleet.

---

(1) In England it would be three stripes.

De nos jours les marins choisissent librement leur carrière. Au XVIIIᵉ siècle, afin de remédier à la pénurie d'hommes, des bandes de **recruteurs** enlevaient les jeunes gens et les enrôlaient de force.

Nowadays those in the navy choose their career. In the 18th century, to make up for the shortage of hands, a **press gang** would kidnap young men and press them into service.

D) *LA VIE MILITAIRE*

On peut s'engager, mais, en temps de guerre on est mobilisé.

Dans l'un ou l'autre cas, on reçoit d'abord un **uniforme, tenue de campagne, treillis,** *etc.*

Les différentes activités à la **caserne** *comportent l'***instruction,** l'***exercice,** les* **marches d'entraînement,** *la* **lecture des cartes.** *Le* **terrain de manœuvres** *résonne au cri des commandements :* « **Garde à vous !** », « **repos !** », « **pas cadencé !** », « **reposez armes !** », « **portez armes !** », « **rompez !** ». *Il y a le* **briquage** *:*

« Nous nettoyions nos **sangles** jour et nuit. Et s'il n'y avait ne serait-ce qu'une trace d'éponge dessus, notre moniteur les plongeait droit dans le bac à charbon. »

Il y a les **inspections,** *et l'inévitable adjudant que chacun honnit. Bref, du matin au soir, le répit est absent :*

« Vous vous levez à 5 h 45, lorsque sonne le **réveil.** Puis vous vous lavez et vous vous rasez avec soin, car ici ils y tiennent drôlement à la toilette et au rasage. Puis vous faites votre lit en carré. »

Ensuite la malheureuse **recrue** *va au* **rassemblement,** *en attendant les* **corvées,** *la* **faction,** *le* **maniement d'armes,** *les leçons de* **tactique,** *de* **transmission,** *de* **marche en formation,** *etc.*

Et partout, même à la **cantine,** *il faut observer le précepte :*

« Si ça bouge, tu **salues.**
Si ça bouge pas, tu ramasses.
Si tu n'peux pas ramasser, tu peins. »

D) *MILITARY LIFE*

You may **join up,** *but if it is war time you are* **called up.**

In either case there is first the issue of uniform, the **battle dress, denims,** *etc.*

The various activities in the **barracks** *include* **training,** *foot* **drill, route marches, map reading.** *The* **parade ground** *echoes to the shouts of* « **attention !** », « **stand at ease !** », « **quick march !** », « **order arms !** », « **shoulder arms !** », « **dismiss !** ». *There is the* « **spit and polish** » *:*

« We used to blanco our **webbing** day and night. Then if there was so much as a sponge mark on it, our trained soldier would chuck it plonk into the coalbox. »

(G. Kersh)

There are **kit-inspections,** *and everywhere and all the time the detested sergeant-major. In short there is no rest from morning to night :*

« You get up at 5.45, when **reveille** sounds. Then you wash and shave with great care, because they're 'ot on washing and shaving 'ere. Then you make your bed up. »

(G. Kersh)

Next the wretched **recruit** *goes on* **parade,** *and then come* **fatigues, guard duty, weapon training, tactics, signalling, marching in formation,** *etc.*

There isn't a place, not even the **canteen,** *where the following precept doesn't apply :*

« If it moves, **salute** it.
If it doesn't move, pick it up.
If you can't pick it up, paint it. »

(Anonymous)

A propos de :	« COMBAT » *Notez*
combat *(sens général)*	**fight, battle**
un combat	**an encounter, an engagement**
un combat	
(entre deux personnes, ou figuré)	**a contest**
combat d'intérêts	**clash of interest**
hors de combat	**disabled**
tué au combat	**killed in action**
bataille *(sens général)*	**battle, fight**
une bataille	**an action**
lutte *(sens général)*	**struggle, strife**
lutte *(sport)*	**wrestling**
lutte des classes	**the class struggle**
lutte pour la vie	**struggle for life**
lutter pour la vérité	**to contend for truth**
mêlée	**scrimmage**

A) *DANS L'ANTIQUITÉ*

Faire la guerre *a absorbé une grande partie de l'énergie de l'homme, depuis qu'on écrit l'histoire :*

« Il avait sur la tête un **casque** de bronze et il était revêtu d'une cuirasse... Il avait aux jambes des jambières de bronze, et une **targette** de bronze entre les épaules. »

(Bible)

Voici un compte-rendu d'une **campagne** *en Europe. Une petite armée romaine est attaquée par des tribus germaniques :*

« Le **régiment** de pointe avait atteint une colline où les arbres étaient clairsemés à cause d'un incendie de forêt récent : il **forma les rangs** ici en toute sécurité et attendit les deux autres régiments. Il avait encore ses charrois et n'avait perdu que quelques centaines d'hommes. Les deux autres régiments étaient bien plus malmenés. Des hommes avaient été séparés de leurs **compagnies** et l'on constituait de nouvelles **unités** qui comprenaient chacune de 50 à 200 hommes. Elles avaient toutes une **arrière-garde**, une **avant-garde** et des **flancs-gardes**... Les avant-gardes subissaient de lourdes pertes aux **barricades** et les arrières-gardes étaient constamment harcelées par derrière. »

L'équipement des Romains était naturellement très supérieur. Ils avaient une **cui-**

A) *IN ANCIENT DAYS*

The waging of war *has absorbed much of man's energy from the beginning of recorded history :*

« And he had an **helmet** of brass upon his head, and he was armed with a coat of mail... and he had greaves of brass upon his legs and a **target** of brass between his shoulders. »

(The Bible)

Here is an account of a **campaign** *in Europe. A small Roman army is attacked by German tribesmen :*

« The leading **regiment** had reached a hill where there were not many trees because of a recent forest fire, and here they **formed up** in safety and waited for the other two. They still had their transport and had lost only a few hundred men. The other two regiments were suffering much more heavily. Men had got separated from their **companies** and new **units** were formed from fifty to two hundred men a piece; each with a **rear-guard**, an **advance-guard** and **flank-guards**... The advance-guards lost heavily at the **barricades** and the rear-guards were constantly being assieged from behind. »

(R. Graves)

The Romans were, of course, very much better equipped. They wore a **breast-plate,**

rasse, *portaient un* **bouclier** *et leurs* **armes** *étaient meilleures* – **épées** *en acier,* **javelots, lances, frondes, béliers.** *Leurs* **troupes** *étaient plus* **disciplinées.**

« L'armée romaine traversa le Rhin et **envahit** par endroits la province qui avait été perdue, mais les Germains évitèrent une **bataille rangée.** Tibère et Germanicus, veillant tous deux très soigneusement à ne pas tomber dans une **embuscade,** ne firent rien de plus que de brûler quelques **campements** ennemis près du Rhin et de montrer leur force militaire. Il y eut quelques **escarmouches...** Germanicus lança un **pont de bateaux** sur le fleuve et le traversa à la tête de 12 000 fantassins, de 26 **bataillons d'alliés** et de 8 **escadrons** de cavalerie... Il divisa ses forces en quatre **colonnes** et dévasta le pays sur une étendue de cinquante milles, brûlant les villages et **massacrant** les habitants sans respect d'âge ou de sexe. »

carried a **shield,** they had better **weapons** – steel **swords, javelins, spears, slings, battering rams.** Their **troops** were better **disciplined.**

« The Roman Army crossed the Rhine and **overran** parts of the lost province, but the Germans avoided a **pitched battle** ; and Tiberius and Germanicus, both very careful not to fall into any **ambush,** did not do more than burn a few enemy **encampments** near the Rhine and parade their military strength. There were a few **skirmishes...** and Germanicus threw a **pontoon-bridge** across the river and marched across at the head of twelve thousand infantry, twenty-six **battalions of allies** and eight **squadrons** of cavalry... He divided his forces into four **columns** and wasted the country on a fifty-mile frontage, burning the villages and **slaughtering** the inhabitants without respect for age and sex. »

(R. Graves)

B) *MOYEN-ÂGE ET RENAISSANCE*

Scott décrit une bataille dans les High-lands au Moyen Age :

« Dans l'intervalle, le fracas des **coups** et les cris des **combattants** se mêlaient de façon horrible aux **sonneries des trompettes** et noyaient les **plaintes** de ceux qui tombaient et roulaient **sans défense** sous les sabots des chevaux. Les armures magnifiques des combattants étaient maintenant souillées de poussière et de sang et cédaient sous les **coups d'épée ou de hache.** Les **plumes** chatoyantes, arrachées aux **cimiers** flottaient dans le vent comme des flocons de neige. »

A cette époque, armes et armures s'étaient améliorées ; la **cotte de maille** *protégeait davantage ; le chevalier à cheval portait une* **armure** *complète ; les* **archers** *portaient leurs* **flèches** *dans un* **carquois** *; l'infanterie était équipée d'***arcs** *et d'***arbalètes.**

A la Renaissance, les savants commencent à entrer en jeu :

« Les très grands hommes de la Renaissance se recommandaient aux puissants de ce monde par leur science de la guerre. Lorsque Léonard de Vinci désira entrer au service du duc de Milan, il lui écrivit une longue lettre

B) *THE MIDDLE AGES AND RENAISSANCE*

Scott describes a battle in the Highlands during the Middle Ages :

« Meantime, the clang of blows and the shouts of the **combatants** mixed fearfully with **the sounds of the trumpets,** and drowned the **groans** of those who fell and lay rolling **defenceless** beneath the feet of the horses. The splendid armour of the combatants was now defaced with dust and blood, and gave way at every **stroke of the sword or battle-axe.** The gay **plumage,** shorn from the **crests,** drifted upon the breeze like snow-flakes. »

(W. Scott)

By this time weapons and armour had improved ; a **coat of chain-mail** *offered more complete protection ; the knight on horse-back wore a complete* **suit of armour** *;* **bowmen** *carried their* **arrows** *in a* **quiver** *; the infantry were equipped with* **long-bow** *or* **cross-bow.**

With the Renaissance, the scientists begin to take a hand :

« The greatest men of the Renaissance commended themselves to the powerful by their skill in scientific warfare. When Leonardo wanted to get a job from the Duke of Milan he wrote the Duke a long letter about his

décrivant les améliorations qu'il apportait dans l'art des **fortifications**, et dans sa dernière phrase il mentionnait brièvement qu'il savait aussi peindre un peu. »

improvements in the art of **fortification**, and in the last sentence mentioned briefly that he could also paint a bit. »

(B. Russell)

C) *DU XVIIᵉ SIÈCLE À NOS JOURS*

C) *FROM THE XVIIth C. TO THE PRESENT DAY*

Au XVIIᵉ siècle, les **armes à feu** *sont utilisées par toutes les armées civilisées et les savants cherchent à améliorer leur* **efficacité** *et leur* **puissance de feu**.

By the 17th century **fire-arms** *are used by all civilised armies – and the scientists set about improving their* **efficiency** *and* **rate of fire**.

« Les Prussiens furent les premiers qui **chargèrent** leurs **fusils** avec des **baguettes** de fer et... ils pouvaient **tirer six coups** par minute très aisément.

(Voltaire)

« The Prussians were the first to use iron **ramrods** for **loading** their **rifles** and... they could **fire six shots** a minute quite easily. »

Le fracas de la bataille augmente :

The din of battle increases :

« Un feu roulant crépitait et chaque coup était grossi de mille échos, le sifflement des **grenades** dont on allumait les **mèches**, et les **explosions** successives de ces **projectiles**, et se mêlait aux vivats des soldats, aux hurlements et aux cris de leurs adversaires, les montagnards écossais. »

« A continued spattering fire in which every shot was multiplied by a thousand echoes, the hissing of the kindled **fuses** of the **grenades** and the successive **explosions** of those **missiles**, mingled with the huzzas of the soldiers and the yells and cries of their highland antagonists. »

(W. Scott)

Les **armes blanches** *sont déjà presque périmées :*

Hand-weapons *are by then almost obsolete :*

« Ainsi la **baïonnette** effraye plus qu'elle ne tue, et l'épée est devenue absolument inutile à l'infanterie. Ainsi l'art de se détruire est non seulement tout autre de ce qu'il était avant l'invention de la **poudre**, mais de ce qu'il était il y a cent ans. »

(Voltaire)

« The **bayonet** thus terrifies rather than kills, and the sword has become absolutely useless to the infantry. The art of destruction is thus completely different not merely from what it was before the invention of **gunpowder**, but from what it was a hundred years ago. »

Avec les guerres napoléoniennes, l'artillerie joue un rôle de plus en plus important. Ecoutez :

With the Napoleonic wars, artillery plays a more and more important part. Hear :

« Le grondement sourd du **canon de siège**... Dans la fumée les artilleurs écouvillonnaient la pièce, enfonçaient cartouches et balles, puis le maréchal des logis s'accroupissait contre la **culasse** pour viser. Il s'écartait et actionnait le tire-feu. »

« The deep-mouthed bellow of the **siege gun**... In the smoke the artillery men sponged out the gun, rammed in cartridge and ball and the sergeant crouched over the **breech** to aim. He stepped aside and jerked the lanyard. »

(C.S. Forester)

Peu de batailles ont été aussi souvent décrites que celle de Waterloo. L'infanterie anglaise :

Few battles have been more often described than the battle of Waterloo. The English infantry :

« écoutait monter cette marée d'hommes : elle entendait le grossissement du bruit de trois mille chevaux, le frappement alternatif

« listened to this tide of men approaching : they could hear the thunder of three thousand horses growing louder, the rhythmic,

282

et symétrique des sabots au grand trot, le froissement des cuirasses, le **cliquetis des sabres**, et une sorte de grand souffle farouche. »

(V. Hugo)

Bainville fait le commentaire suivant sur l'importance de cette bataille dans l'histoire de Napoléon :

« De toutes les batailles que Napoléon a livrées, la plus célèbre est celle qu'il a **perdue**. Waterloo apporte à son histoire la catastrophe qui est l'événement dernier et principal des tragédies. Un **désastre** soudain, total, retentissant, tant de victoires, d'**exploits stratégiques** qui s'achèvent par un **effrondrement militaire**... encore un élément de légende et d'épopée qui manquait à la vie de Bonaparte. »

(J. Bainville)

Les choses n'avaient guère changé quand arriva 1870 :

« Bientôt ce fut une course diabolique, un train d'enfer, ce furieux galop, ces hurlements féroces que le **crépitement des balles** accompagnait d'un bruit de grêle, en tapant sur le métal, les **gamelles**, les bidons, le cuivre des uniformes et des harnais. »

(E. Zola)

D) *LES COMBATS NAVALS*

*Pendant la majeure partie de l'histoire de la guerre maritime, la **galère** ne connut pas de rivale. L'énergie était fournie par les malheureux **galériens**. La guerre sur mer était une guerre d'armées de terre transportées par bateaux. Le but poursuivi par les chefs des diverses **flottes** était d'amener leurs navires le long des bâtiments ennemis et de les enlever à l'**abordage**. Les chevaliers en armures sautaient de **bastingage** en bastingage ; les **hommes d'armes** combattaient avec leurs **piques** et leurs épées sur les ponts glissants.*

*La bataille qui vit la **défaite** de l'Armada espagnole vit aussi la fin de ce type de guerre maritime. Le canon tiré à distance décida désormais de la bataille.*

*Puis vinrent les navires à vapeur, à carcasse de fer, ainsi que les **obus** explosifs – et nous voici à l'époque de la guerre maritime moderne, avec les **blindages** lourds et les obus à gros **calibre** :*

regular beat of galloping hooves, the clink of breast plates, the **rattle of swords** and as it were, a great savage breath. »

Bainville makes this comment on the battle's place in the story of Napoleon :

« Of all the battles Napoleon fought, the most famous was the one he **lost**. Waterloo provides in the drama of his life the "catastrophe", that last and principal event in any tragedy. A sudden, a complete, a resounding **disaster** – so many victories and so many **strategic achievements** ending only in a **military collapse**... One more element of legend and epic grandeur lacking till then in Buonaparte's life. »

(Trans. Ritchie and Simons)

The pattern had changed very little by 1870 :

« It soon became a diabolical race at frantic speed, while to the fury of the gallop and the fierce howlings was added the **crackling of the rifle fire**, rattling like hail on all the metal work, the **mess tins**, the water bottles, and the brass of uniforms and harness. »

D) *SEA-BATTLES*

*During most of the history of naval warfare, the **galley** was supreme – the power being provided by the wretched **galley slaves**. Sea war was a war of land armies carried in ships. The object of the commanders of the **fleets** was to place their ships alongside those of the enemy and carry them by **boarding**. Knights in armour leapt from **bulwark** to bulwark ; **men-at-arms** fought with **pike** and sword along the slippery decks.*

*The battle which saw the **defeat** of the Spanish Armada saw the end of that type of sea warfare. The gun, fired at a distance, decided the outcome of the battle from then on.*

*Came steam and the iron ship, the explosive **shell**, and we are in the era of modern naval warfare – of heavy **armour** and large **calibre** shells :*

« Les obus, avec leurs fusées instantanées éclataient rageusement sur les blindages du navire ou détonnaient à la surface de la mer, faisant jaillir des gerbes d'eau sifflante et des nuages noirs dus aux explosifs brisants. »

« The shells, with their instantaneous fuses, splintered viciously on the steelwork of the ship or detonated on the surface of the water, shooting up plumes of hissing water and black explosive. »

(C.E.L. Phillips)

III – LA GUERRE MODERNE

A) *SUR TERRE*

On ne parle plus guère de « l'orgueil, de la pompe et du panache de la guerre dans toute sa gloire ». L'IMAGE D'ENSEMBLE *a beaucoup changé. Les uniformes pimpants ont disparu. On trouve même à cet égard une évolution caractéristique entre la* **première** *et la* **seconde guerre mondiale** :

« J'avais, vingt-deux ans plus tôt, enfilé, en arrivant au **dépôt**, le pantalon **garance** des vieux **stocks** puis, six mois plus tard, la **tenue de guerre "bleu horizon"**. Ce coup-ci j'étais en **khaki**. »

(P. Vialar)

On ne nous permet plus d'oublier l'horreur, le sang, les **membres déchirés**, *l'inconfort, le* **bruit** :

« Les obus ne cessaient de **gronder** et de **s'écraser** sur les collines à chaque minute de cette nuit noire, où la pluie détrempait tout. »

« On entend, par intervalles, une **pétarade de mousqueterie**, quelques explosions de grenades, un **tac-tac-tac** de **mitrailleuse**. »

(J. Romains)

LA GUERRE DE 14-18, *la « grande » guerre, se déroula en grande partie dans les* **tranchées** *– la ligne du* **front** *demeurant souvent inchangée pendant des mois d'affilée – dans un paysage de désolation et de ruine* :

« Des **pistes** tracées par les troupes et les **convois** nocturnes dans ces champs de stérilité et qui sont striées d'ornières luisant comme des rails d'acier... les chevalets en X, disloqués, des paquets de **fil de fer** roulés, tortillés en buissons. »

(H. Barbusse)

III – MODERN WARFARE

A) *ON LAND*

We hear little now of « the pride, pomp and circumstance of glorious war ». THE GENERAL PICTURE *has altered much. The gaily coloured uniforms have been replaced. There has even been a typical evolution in this respect between the* **first** *and the* **second world war** :

« Twenty two years earlier, on arrival at the **depot**, I had put on (**madder-**) **red** trousers drawn from the old **stock**, and six months later, the **field-service "horizon" blue**. This time, I was in **khaki**. »

We are never allowed to forget the terror, the blood, the **torn limbs**, *the discomfort, the* **noise** :

« Shells never ceased **booming** and **smashing** into the hills through each minute of the black, rain-sodden night. »

(A. Sillitoe)

« You could hear the intermittent **crackle of rifle fire**, occasional grenade bursts, the **rat-tat-tat** of **machine-gun** fire. »

THE 1914-18 WAR, *the « great » war, was fought largely in the* **trenches**, *with the* **front line** *often remaining unchanged for months at a time, in a landscape of desolation and decay* :

« **Tracks** traced by troops and **convoys** of the night in these barren fields, striped with ruts that glisten in the weak light like steel rails... disjointed trestles and bushes of **wire** in tangled coils. »

Il y avait des moments de forte tension lorsque les hommes attendaient l'instant de **franchir le parapet** :

« Dans nos tranchées ce matin-là, après sept heures, nos hommes attendaient sous un **feu nourri** le signal d'attaque. Juste avant 7 h. 30, les **mines** sautèrent en une douzaine de points avec un grondement qui fit trembler la terre et basculer les parapets à l'intérieur de nos lignes. Les hommes de la première vague grimpèrent par-dessus les parapets, dans le tumulte, l'obscurité et la présence de la mort ; et, ayant renoncé à tout ce qui fait l'agrément de la vie, s'avancèrent dans le **no man's land**, entamant ainsi la bataille de la Somme. »

C'était l'époque des massacres fortuits et impersonnels :

« Un jour, les corvées de je ne sais combien d'unités ont été **écrabouillées** toutes ensemble avec les voitures près desquelles elles attendaient la distribution. »
(J. Romains)

C'était l'époque des **gaz asphyxiants** *et des* **tanks** :

« Un seul tank s'avançait à l'aveuglette à travers la fumée, gris, pesant, prudent. »

« Oh, la belle guerre que voilà ! »...

LA SECONDE GUERRE MONDIALE *fut plus mobile. Au début certains ont pu penser que rien ne se produirait. C'était la* **drôle de guerre** :

« Il devait y avoir un front quelque part, mais on ne savait pas très bien où il se trouvait. Rien ne bougeait depuis plus de huit mois. Ça avait commencé par des histoires de dépôt, à Toul, puis par des marches, par des **embarquements** en chemin de fer, le tout orchestré par le pinard et la gaudriole. »
(P. Vialar)

Puis il y eut la foudroyante **avance** *allemande, l'* **exode,** *les* **bombardements** *avec des appareils autrement plus perfectionnés qu'au conflit précédent :*

« Le ciel se soulevait et vibrait. Les bombardiers légers arrivaient. Leurs moteurs faisaient un bruit hideux et extatique comme un rire qui s'étrangle dans la gorge. Les **bombes** tombèrent. L'une frappa la maison de Kafka et la fit voler en éclats comme une poignée de graviers.

There were moments of deep tension as men waited to **go over the top** :

« In our trenches after seven o'clock on that morning, our men waited under **heavy fire** for the signal to attack. Just before half-past seven, the **mines** at half a dozen points went up whith a roar that shook the earth and brought down the parapets in our lines; The men of the first wave climbed up the parapets, in tumult, darkness, and the presence of death, and having done with all pleasant things, advanced across **no man's land** to begin the Battle of the Somme. »
(J. Masefield)

Its was a time of casual, impersonal slaughter :

« One day the fatigue parties of I don't know how many units were all **blown to bits** along with the trucks near which they were waiting for the rations to be issued. »

It was a time of **poison gas,** *and* **tanks** :

« A single tank nosed its way through the smoke, grey, ponderous, cautious. »
(A. Sillitoe)

« Oh, what a Lovely War ! »...

THE SECOND WORLD WAR *was more mobile. At first some people may have thought nothing would happen. It was* **the phoney war** :

« There must have been a front somewhere but nobody knew exactly where it was. Nothing had moved for more than eight months. The thing had begun with the usual depot nonsense, at Toul, then route-marches, **entraining,** all of it to the accompaniment of red wine and ribald comment. »

Then came the lightning German **advance,** *the* **evacuation,** *the* **bombing** *by aircraft very greatly improved on those of the previous war :*

« The sky heaved and pulsated. Light bombers were coming over. Their engines made a hideous ecstatic sound like gulping laughter... **Bombs** fell. One hit Kafka's house and scattered it like a handful of gravel.
(G. Kersh)

Dans les pays occupés, il y eut les dangers de la **guerilla** et la peur omniprésente d'être **arrêté** comme **otage**, torturé par les S.S. ou la Gestapo, envoyé en **camp de concentration**, à moins qu'appartenant au parti inverse, on vécût dans la crainte de **représailles** de la Résistance...

Loin de chez eux, les **déportés** et les prisonniers attendaient derrière leurs **barbelés** une occasion de **fuite** ou la **libération** qui mettrait fin à leurs privations, tandis qu'au pays leurs parents connaissaient le **rationnement** (que palliait pour certains le **marché noir**), les **raids aériens**, le **mugissement des sirènes**, les nuits passées dans les **abris** et, parfois, au retour, la découverte que la maison familiale n'était plus qu'un monceau de **débris**.

In occupied countries there were the dangers of **guerilla warfare**, and the ever present fear of being **arrested** as a **hostage, tortured** by the S.S. or the Gestapo, sent to a **concentration camp**, or, if you were on the other side, you lived in fear of the **reprisals** taken by the Resistance...

For from home, behind **barbed wire fences**, men who had been **deported** or taken **prisoner** waited for a chance **to escape** or for the **liberation** which would put an end to their privations, while back in the homeland their families grew acquainted with **rationing** (made easier for some by the **black market**), **air-raids, the wail of the sirens**, nights spent in **air-raid shelters** and, sometimes, the return to find that their home was just a pile of **rubble**.

| A propos de : | « SIRÈNE » |
	Notez
sirène d'alerte	**siren**
sirène de bateau,	**hooter**
avertisseur de voiture	
sirène (corne) de brume	**fog-horn**
sirène mythologique	
(moitié femme, moitié poisson)	**mermaid**
(moitié femme, moitié oiseau)	**siren**

B) DANS LES AIRS

Les **exploits** les plus extraordinaires sont sans doute le fait des **pilotes de chasse** :

« Je presse encore sur le bouton multiple et je déclenche cette fois toutes mes armes — deux canons et quatre mitrailleuses — pour en finir. Deux obus explosent simultanément à la base du moteur, et le poste de pilotage vomit un nuage de fumée noire... Lentement le Focke Wulf passe sur le dos..., touche le sol et s'écrase contre un talus dans une gerbe éblouissante d'étincelles. »

(P. Clostermann)

Les **chasseurs** volent quelquefois en formation comme les **escadrilles de bombardement**. Le **pilote de bombardier**, naturellement, n'est pas seul ; il a un **navigateur**, un **radio**, un **bombardier**, un **mitrailleur** de queue, en fait, un mitrailleur dans chacune des **tourelles de tir**.

B) IN THE AIR

Probably the most amazing **exploits** were performed by the **fighter pilots** :

« I press again on the multiple firing button and I let go this time with all my guns — two cannons and four machine-guns... to finish the business. Two shells explode together on the underside of the engine and a cloud of black smoke pours out from the pilot's cockpit... Slowly the Focke Wulf turns turtle, strikes the ground and smashes against a bank in a dazzling shower of sparks. »

The **fighters** sometimes fly in formation like the **bomber squadrons**. The **bomber-pilot**, of course, is not alone ; he has a **navigator, wireless operator, bomb-aimer**, tail **gunner**, in fact, gunners in each of the **gun turrets**.

Les bombardiers **bimoteurs** *des premiers jours de la guerre cédèrent le pas aux* **quadri-moteurs**. *Chaque nuit ils roulaient des hangars sur la* **piste d'envol** *et* **décollaient** *lourdement, avec leurs* **charges de bombes** *:*

« Il y avait des centaines de bombardiers qui volaient **aile contre aile en formation serrée, couverts** par quelques chasseurs. »

(G. Gibson)

Près de l' **objectif** *il y a des* **projecteurs** *et un feu nourri de* **D.C.A.** *:*

« La D.C.A. légère est jolie à voir : elle monte vers vous en volutes gracieuses, s'approche de plus en plus vite et passe près de vous avec un sifflement aigu et un grondement. »

C) *SUR MER*

LA FLOTTE *comporte différents types de navires de guerre :*

contre-torpilleurs
croiseurs
cuirassés
porte-avions
torpilleurs
transports
vaisseau-amiral
vaisseur-école

etc...

Voici maintenant QUELQUES COMBATS MODERNES.

Pendant la 1ʳᵉ guerre mondiale la grande menace était celle des sous-marins allemands, qui fut finalement écartée grâce au système des convois. **Asdic, radar** *et* **grenades sous-marines** *rendirent la tâche de ces sous-marins plus dangereuse encore.*

Néanmoins, les bateaux n'étaient pas attaqués par les seuls **sous-marins**. *Ils pouvaient l'être aussi par air :*

« Les éclairs des canons et des nuages de fumée s'élevaient des contre-torpilleurs puis le tir de **barrage** du **navire de protection anti-aérienne** et des autres convoyeurs se fit entendre : comme un vautour fonçant sur sa proie, un bombardier en piqué fondit sur eux... mais il s'écrasa dans la mer. »

The **twin-engine** *bombers of the early days ot the war gave way to* **four-engine** *bombers. Night after night they would taxi out on to the* **runway, take off** *heavily with their* **bombloads** *:*

« There were hundreds of bombers flying **wing-tip to wing-tip in close formation,** covered by a few fighters. »

(G. Gibson)

Near the **target area** *there are* **searchlights** *and concentrated* **ack-ack** *fire :*

« Light flack is a pretty sight, curling gracefully up towards you, getting faster and faster as it comes until it goes by with a loud whistling hiss and a roar. »

(G. Gibson)

C) *AT SEA*

THE FLEET *is composed of warships*[1] of many types :

destroyers
cruisers
battle-ships
aircraft-carriers
torpedo-boats
troopships
flaghip
training ship

etc...

And here are SOME MODERN ENGAGEMENTS.

The first world war saw the German U-Boat menace finally defeated by the convoy system. **Asdic** *and* **radar** *and* **depth charges** *helped to make the U-Boat's job more dangerous.*

Yet the boats could be attacked not only by **submarines** *but from the air as well :*

« Gun flashes and clouds of smoke came from the destroyers : then the **barrage** of the **flak-ship** and the convoy ships went up : like a vulture pouncing on its prey a dive-bomber swept down, but she crash-dived. »

(A. Werth)

---

(1) anciennement : *man of war.*

Un bâtiment touché doit être abandonné :

« Nous nous rendîmes compte qu'on l'abandonnait. Déjà deux de ses **bateaux de sauvetage** dansaient sur l'eau et près de lui, une petite **corvette** prenaient les hommes à son bord. »

Dans une situation aussi périlleuse, il n'est pas facile de recueillir les **survivants** *:*

« On étarqua une élingue pour les blessés graves et on les hissa à bord sur des **brancards** : les uns étaient silencieux, d'autres gémissaient, certains crachaient le mazout qui brûlait et empoisonnait leurs intestins. »

Quelquefois le combat a lieu seulement entre les navires – telle cette bataille entre un cuirassé allemand et deux croiseurs britanniques :

« Ils avaient tiré sept **bordées** et les servants des deux pièces refoulaient les charges suivantes lorsque l'obus éclata. »

L'un des moments décisifs de la 2ᵉ guerre mondiale, fut, comme chacun sait, le **débarquement** *des Alliés en Normandie :*

« La mer fourmillait de navires... Les énormes cuirassés, les croiseurs menaçants, les destroyers à la silhouette élancée, se détachaient sur le ciel. Derrière eux venaient les gros navires de commandement, hérissés d'antennes. Puis les convois de transports de troupes et de bateaux de débarquement, lourds et profondément enfoncés dans l'eau. Tournant autour des transports de tête, en attendant le signal de départ vers les plages, des essaims de péniches dansaient sur la mer, bourrés à craquer de soldats qui feraient partie des premières vagues d'assaut. »

D) *LA GUERRE ATOMIQUE*

Même le débarquement en Normandie fera bientôt néanmoins partie du folklore et les **parachutistes** *sont en passe de devenir aussi démodés que l'imprudent Icare. Depuis «* **le jour le plus long** *», il y a eu, en effet, Hiroshima... Voici les effets d'une* **bombe atomique** *:*

« Une bombe de forte puissance peut produire un globe de feu de quatre kilomètres et

When a ship has been hit, it must be abandoned :

« We realised she was being abandoned. Already two of her **lifeboats** were bobbing on the water, and beside her was a little **corvette**, taking men off.

(A. Werth)

In such a predicament it is no easy matter to pick up the **survivors** *:*

« A sling was rigged for the seriously wounded and they were lifted over the side on **stretchers** : some silent, some moaning, some coughing up the fuel oil which was burning and poisoning their intestines. »

(N. Monsarrat)

Sometimes the engagement is between ships alone – like this one between a German battleship and two British cruisers :

« They had fired seven **broadsides** and the number ones of the two guns were just about to ram home the next rounds when the shell burst.

(D. Pope)

One of the decisive moments of the second world war was, as everyone knows, the **landing** *of the Allies in Normandy :*

« Thes sea teemed with ships... Outlined against the sky were the big battle-wagons, the menacing cruisers, the whippet-like destroyers. Behind them were the squat command ships, sprouting their forest of antennae. And behind them came the convoys of troop-filled transports and landing ships, lying low and sluggish in the water. Circling the lead transports, waiting for the signal to head for the beaches, were swarms of bobbing landing craft, jampacked with the men who would land in the first waves. »

(C. Ryan)

D) *NUCLEAR WAR*

Even the Normandy landings, however, will one day belong to the quaint past and **parachutists** *seem as much outmoded as the reckless Icarus. Since «* **the longest day** *», there has been Hiroshima... Here are some of the effects of an* **atomic bomb** *:*

« A large weapon may produce a threemile fire-ball and gouge out a crater a mile wide

demi et creuser un cratère d'un kilomètre et demi de large, et de plusieurs centaines de mètres de profondeur. Une grande partie de ces matériaux déplacés s'élèvent jusqu'à une altitude de 30 à 40 kilomètres en prenant la forme caractéristique d'un **champignon**. L'énergie ainsi libérée avec violence produit surtout un effet thermique, un effet mécanique résultant de la déflagration et un effet de **radiation nucléaire**. l'effet thermique intense dure relativement peu, mais il est si intense qu'il peut communiquer le feu à des matières inflammables et causer des **brûlures au second degré** sur une distance de plus de 40 kilomètres.

L'onde de choc résultant de la **déflagration** est également temporaire mais sa puissance est telle qu'elle suffit à renverser des bâtiments de structure normale, sur une distance de quinze kilomètres et causer des dégâts à environ 40 kilomètres à la ronde. »

Quand on sait cela, peut-on décemment blâmer les **non-violents**, *les* **pacifiques**, *les* **objecteurs de conscience** ?

and several hundred feet deep. Much of this displaced material rises as high as twenty or twenty-five miles in the characteristic **mushroom cloud**... The violent release of energy takes several forms, mainly heat, blast effect and **nuclear radiation**. The intense heat effect is of relatively short duration, but it is so intense that it can ignite combustible materials and inflict **second degree burns** more than twenty-five miles away.

The **blast** effect is also of momentary nature, but can be so powerful as to completely collapse conventional building structures at distances up to ten miles and cause substantial damage up to twenty-five miles. »

("Survival in a Nuclear Attack",
U.S.Report)

Knowing that, can we in all conscience blame the **supporters of non-violence**, *the* **pacifists**, *the* **conscientious objectors** ?

CHAPITRE 23

L'ENSEIGNEMENT
L'ÉCOLE, L'UNIVERSITÉ

EDUCATION
SCHOOL, UNIVERSTY

I – L'ENSEIGNEMENT

I – EDUCATION

A) *LE SYSTÈME ANGLAIS*

A) *THE ENGLISH SYSTEM*

Les plus fortunés vont dans les ÉCOLES INDÉPENDANTES :

Those with money go to THE INDEPENDENT SCHOOLS :

« En Angleterre, l'enseignement est surtout lié à la condition sociale. La division la plus nette entre les membres de la petite bourgeoisie et la classe ouvrière vient de ce que les premiers paient pour leur instruction. Au sein même de la bourgeoisie, il existe une autre barrière infranchissable entre le **"grand collège"** et le **cours "privé"**. »

« In England education is mainly a matter of status. The most definite dividing line between the petite bourgeoisie and the working class is that the former pay for their education ; and within the bourgeoisie there is another unbridgeable gulf between **"public" school** and **"private" school**. »

(G. Orwell)

*On prépare les élèves à intégrer les grands collèges libres dans des "*écoles préparatoires*". Ces dernières se ressemblent toutes... sur les prospectus :*

To prepare pupils for entry to the public school there are **prep schools**. *They are all alike... if you read their prospectuses :*

« Un corps de professeurs **diplômés**. De jeunes **directeurs** dynamiques aidés de leurs femmes et... de **maîtresses d'école**. Dix hectares de **terrains de jeux** et un troupeau de vaches laitières. Des élèves qui ne sont pas poussés mais menés par la douceur. »

« Staffs of **graduates**. Young energetic **headmasters** assisted by wives and **mistresses**. Twenty acres of **playing fields** and own dairy herd. Boys not driven but brought forward by kindness. »

(M. Gilbert)

En fait, il y en a de toutes sortes comme, d'ailleurs, des cours privés, **externats** *ou* **internats** :

In fact, they vary enormously, just as do all private schools for that matter, whether **day-schools** *or* **boarding-schools** :

« "Voyez-vous, nous classons les établissements en quatre catégories : Hors Pair, Premier Ordre, Bonne Institution, Institution tout court. Pour tout vous dire", ajouta M. Lévy, "Institution tout court n'est guère fameux". »

« "We class schools, you see, into four grades : Leading School, First-rate School, Good School, and School. Frankly", said Mr. Levy, "School is pretty bad !" »

(E. Waugh)

Il y a les **boîtes à bachot**, il y a, surtout pour ces demoiselles, les écoles où l'on termine une éducation qui n'a pas toujours été commencée :

There are **cramming schools**, *there are, for young ladies mostly, those schools where you finish an education never really begun :*

« Le collège de jeunes filles de Ringenhall était une **coûteuse école de perfectionnement** à Kensington où l'on apprenait à de jeunes

« The Ringenhall ladies' college was an expensive **finishing school** in Kensington which taught young women of the débutante

personnes appartenant à la classe sociale des débutantes les arts d'agrément que l'on jugeait nécessaires pour attraper un mari ! »

class such arts as were considered necessary for the catching of a husband. »

(I. Murdoch)

| *A propos de :* | « **CLASSE** » |
	Notez
classe(s) sociale(s)	**class(es)**
hautes classes	**upper classes**
classes moyennes, bourgeoisie	**middle class**
basses classes	**lower classes**
classe ouvrière	**working class**
en classe	**at school**
classe *(cours)*	**class, course, lesson, seminar,**
	lecture
(groupe d'élèves)	**form**
(niveau d'études)	**form, standard, grade**
6ᵉ	Ist form
5ʳᵉ	2nd form
1ʳᵉ	lower sixth
terminale	upper sixth
(salle)	**classroom**
classe *(militaire)*	
la classe 70	**the 1970 call–up (group)**
faire ses classes	**to do one's basic training**
classe *(valeur)*	
un homme qui a de la classe	**a man who has style**
classer	**to classify**

Dans la plupart des histoires de classe (« Au Revoir, Mr. Chips », « En Seconde à Saint Dominique », « La Vie d'Ecolier de Tom Brown »), c'est le grand collège qui fournit la toile de fond :

« Il y a tous les accessoires habituels : la fermeture des portes pour la nuit, l'**appel**, les compétitions sportives entre les différentes "maisons", l'exploitation des bizuths, les "**préfets**", les thés servis confortablement autour du feu de bois à l'**étude** et les allusions constantes à la "bonne vieille Ecole". »

*Et n'oublions pas le **blazer** avec son **écusson**, la **casquette** et la **cravate**...*

*Le renom des « public-schools » anglaises ne doit pas pour autant nous faire oublier qu'il existe aussi, en Grande Bretagne, des ÉCOLES D'ÉTAT, **maternelles**, **primaires**, dont le but est :*

« de veiller à ce que les enfants apprennent à **lire** et à **écrire** correctement, à ce qu'ils sachent leurs **tables de multiplications** jus-

In most school stories (e.g. « Goodbye, Mr. Chips », « Fifth Form at St Dominic's », «Tom Brown's Schooldays »), it is the public school which provides the background :

« There is the usual paraphernalia : lock-up, **roll-call**, house matches, fagging, **prefects**, cosy teas round the **study** fire, etc., and constant references to the "Old School". »

(G. Orwell)

*And let us not forget the **blazer** (with **badge**), the school **cap** and the school **tie**...*

*But the fame of the English public schools should not allow us to forget that in Great Britain there are STATE SCHOOLS as well, **nursery schools**, **primary schools**, whose aim is :*

« to see that (pupils) can **read**, and also **write** legibly, know their **multiplication tables** up to six times at least, and be able to do the

qu'au moins celle de 6, et à ce qu'ils sachent utiliser les quatre **règles** de l'**addition**, la **soustraction**, la **multiplication** et la **division**, en se servant des dizaines, des **unités**, des shillings et des pence. »

*Bref, de les instruire dans les **trois matières de base** : écriture, lecture, arithmétique (ainsi aux quatre opérations, par exemple, s'ajouteront les **fractions**). On leur fait faire aussi des **leçons de choses**.*

four **rules** of **addition**, **subtraction**, **multiplication** and **division**, working with tens and **units** and shillings and pence. »

(Miss Read)

*To instruct them, in other words, in '**the three R's**": reading, (w)riting, (a)rithmetic (the latter, for example, will progress from the four basic operations to **fractions**) and **nature study**.*

A propos de :	« OPÉRATIONS » *Notez*
opération de l'esprit	**process of the mind**
opération chirurgicale	**operation**
mathématique	**sum**
ex : 175 + 148 ——— 323	
8 et 5 = 13	8 and 5 are 13
je pose 3 et je retiens 1	3 down carry 1
7 et 4 = 11	1 and 4 are 5
et 1 = 12	and 7 are 12
je pose 2 et je retiens 1	2 down carry 1
1 et 1 = 2	1 and 1 are 2
et 1 = 3	and 1 are 3
Total : 323	Answer : 323
opération commerciale	**transaction**

*Il y a aussi, bien sûr, de nombreuses **écoles secondaires** d'état, et de plusieurs types, qui mènent les élèves jusqu'au **baccalauréat**, puis à l'Université pour laquelle ils peuvent obtenir une **bourse**.*

*Dans les UNIVERSITÉS anglaises, où l'entrée n'est pas un droit, la lutte pour les places est très serrée et il ne suffit pas que l'**étudiant** ait les **titres** requis, il faut encore qu'il passe avec succès l'**entrevue** préliminaire.*

*A la tête d'une université se trouvent le **chancelier** et le vice-chancelier. Le **doyen** est chargé d'une **faculté** ou d'un **département** majeur. Un collège d'**université** (où les étudiants logent et travaillent en groupes d'études ou individuellement, assistés par des « **répétiteurs** ») est dirigé par un **président** et surveillé par un **censeur**.*

*There are also, of course, state **secondary schools** (grammar, comprehensive, etc.) where the pupils study for the **G.C.E.** (General Certificate of Education, Ordinary × Advanced Level). They may then proceed to the University with or without a **grant** (or **scholarship**).*

*Entry to the English UNIVERSITIES is not an automatic right, and competition for places is very keen. It is not enough that the **student** should have the necessary **qualifications**, he must also be successful at the **interview**.*

*At the head of a university you find the **Chancellor** and the Vice-Chancellor. The **dean** is in charge of a **faculty** or a major **department**. A **college** (in which the students live and work in study groups or individually, under the guidance of **tutors**) is directed by a **president** (or **principal**, or **provost**) with a **proctor** responsible for discipline.*

Les autres établissements d'enseignement supérieur sont les **écoles de médecine**, les **instituts de technologie**, les facultés de **Droit** et les **écoles normales**.

Les universités anglaises comme les françaises préparent à la **Licence**, à la **Maîtrise** (**Magistère**, **Mastère**) au **Doctorat ès Lettres ou ès Sciences**. Elles se distinguent par l'indépendance vis-à-vis de l'Etat, qui **subventionne** mais ne dicte pas l'emploi des subventions. Les universités françaises n'ont que l'autonomie de leurs **programmes** et de leurs **emplois du temps**.

Other establishments of further education are **medical schools**, **polytechnics**, **law schools**, and (teachers') **training colleges**.

The English universities like the French prepare students for the **B.A.** (B. Sc.), **M.A.**, **Ph.D.**, **D.Sc.** They are remarkable for their freedom from State control – the State **makes grants** but does not direct how these grants should be used. French universities are autonomous only in as far as their **syllabuses** and their **time-tables** are concerned.

B) *LE SYSTÈME FRANÇAIS*

ÉCOLES LIBRES ET LAÏQUES alternent en France comme dans tous les pays catholiques où les **établissements tenus par des prêtres**, des religieux ou des religieuses étaient encore plus nombreux jadis et imposaient parfois leurs normes identiques de par le monde :

« Toutes les écoles du Sacré Cœur se ressemblent — même robes de **serge bleue** avec, en général, des manchettes et un col blanc ; mêmes **rubans** de moiré bleu, vert ou rose, décernés pour bonne conduite ; mêmes livres distribués à titre de récompense le jour des prix... Même **congés** ou **vacances** annoncés par la Mère Supérieure... mêmes retraites et sermons, mêmes révérences dans le réfectoire, même office, au petit matin, avec des processions de jeunes filles, ressemblant à des veuves royales dans leurs voiles mélancoliques de tulle noir, mêmes prie-dieu... »

LYCÉES ET COLLÈGES classiques, modernes ou techniques ont, au milieu des **réformes**, hâtivement conçues et plus hâtivement appliquées, des gouvernements successifs, conservé les grands traits de la structure napoléonienne :

« Le **directeur** d'un lycée porte le nom de **proviseur** ; celui d'un collège a le titre de **principal**. Le censeur des études est surtout chargé de la **discipline** du lycée. L'économe tient les comptes de l'établissement, paie le proviseur et les professeurs, perçoit l'argent des parents, s'occupe des cuisines, **dortoirs**, réfectoires, **infirmerie**, **lingerie**, etc...

(E. Billaudeau)

B) *THE FRENCH SYSTEM*

RELIGIOUS AND STATE SCHOOLS offer an alternative in France as in all catholic countries where the **establishments run by priests**, friars or nuns used to be even more numerous and lay down their identical rules throughout the world :

« All Sacred Heart convent-schools are the same — the same **blue serge** dresses, usually, with white collars and cuffs, the same blue and green and pink moiré **ribbons** awarded for good conduct, the same books given as prizes on Prize Day..., the same congés, or **holidays**, announced by the Mère Supérieure..., the same retreats and sermons, the same cursies dipped in the hall, the same early-morning chapel with processions of girls, like widowed queens, in sad black-net veils, the same priedieu... »

(M. McCarthy)

Amidst all the **reforms** hastily conceived and hastily applied by successive governments, the « LYCÉES » AND « COLLÈGES », whether classical, modern or technical have retained the main features of the structure given to them by Napoleon :

« The **headmaster** of a « lycée » is called a « **proviseur** », while the head of a « college » is a « **principal** ». The **vice-principal** is mainly responsible for the **discipline** of the school. The bursar manages the financial affairs of the establishment, pays the headmaster and staff, receives the fees from the parents, is responsible for the kitchens, **dormitories**, **dining halls**, **sick room**, **linen room**, etc...

La même centralisation absolue sévit toujours : les professeurs sont nommés par le **Ministre de l'Education Nationale** *ou son délégué régional : le* **Recteur**, *et contrôlés par les* **Inspecteurs** *Généraux et les Inspecteurs d'Académie. Les programmes sont également établis* **à l'échelon national.** *Aux grands lycées sont annexées les classes préparatoires aux Grandes Ecoles : Ecole Normale Supérieure, Polytechnique, Centrale, Navale, St-Cyr,* **Arts et Métiers, Ecole Vétérinaire, Agro, Instituts de chimie,** *etc...*

Nos lycées et collèges méritent-ils encore les compliments que nous faisait cette Anglaise ?

« Nous trouvons un niveau élevé pour le langage courant, un **vocabulaire** usuel étendu, une grande **facilité d'expression**, la passion des **définitions** verbales. Quels que soient les sujets qu'ils choisissent, les élèves doivent apprendre à manier le français avec élégance, comme un instrument de précision. **La grammaire**, le **style**, la **rédaction**, l'**explication de texte** sont les éléments essentiels de ce régime de base. »

Ce n'est pas à nous de nous prononcer...

*La centralisation napoléonienne se retrouve au sein de l'*ENSEIGNEMENT SUPÉRIEUR *français au moins sous une forme atténuée. Les professeurs sont co-optés, et le détail des programmes est fixé par l'***assemblée** *de chaque faculté* [1] : **Sciences, Lettres, Médecine, Pharmacie, Droit,** *et, quand il y a lieu,* **Théologie** *(catholique et protestante), le* **président** *est* **élu**... *Toute la structure générale, l'administration, la trésorerie, etc... n'en dépendent pas moins du ministère et de ses employés locaux, avec ce que cela comporte de lenteur et d'inefficacité.*

The same rigid centralization still prevails : the teachers are appointed by the **Minister of Education** *or his regional representative, the «* **Recteur** *» and supervised by general* **inspectors** *or « Inspecteurs d'Académie ». The syllabuses are drawn up* **at national level.** *Attached to the big « lycées » are the preparatory classes for the « grandes écoles » : the Ecole Normale Sup., the Polytechnic, Central, Naval, St-Cyr, the* **Arts and Crafts School, Veterinary College,** *Agro (the* **Agricultural College***)* **Institutes of chemistry,** etc...

Do our « lycées » and « collèges » still deserve the compliments paid us by the following English writer ?

« We find high standards in everyday speech, a large average **vocabulary**, great **fluency**, and a passion for verbal **definitions**. Whatever subjects they take, pupils must learn to use French as an elegant precision instrument. **Grammar, style, composition, text analysis,** are vital parts of the staple diet. »

(B. Bishop)

It's not for us to say...

The centralization established by Napoleon is seen again in HIGHER EDUCATION *in France, even if to a lesser degree. The professors are co-opted, and the details of the syllabuses are settled by the* **assembly** *of each faculty* [1] : **Science, Arts, Medicine, Pharmacy, Law,** *etc... and, when there is one,* **Theology** *(Catholic and Protestant) ; the* **vice-chancellor elected**... *Nevertheless, the general framework, the administration, finances, etc... are the responsibility of the ministry and its local staff, with all that this means in slowness and inefficiency.*

---

(1) Les Facultés ont (provisoirement) disparu de la plupart des universités depuis 1968 au profit des U.E.R. (Unités d'Enseignement et de Recherche), puis des U.F.R. (Unités de Formation et de Recherche).

A) À L'ÉCOLE

Les (salles de) CLASSES *se ressemblent partout :*

« Une cloison vitrée donnait sur le couloir, qui bordait la **cour d'honneur**. Sur l'autre face deux hautes fenêtres s'ouvraient sur la **cour des récréations**. Les murs étaient peints du même gris que les chaussettes du proviseur. »

(P. Guth)

Partout aussi, les mêmes objets :

les cartes murales
le chiffon
la corbeille à papier
l'estrade
le tableau

etc...

Ils font partie de ce qu'un écrivain appelle :

« L'odeur familière du **savoir** : la **craie**, de vieux **cahiers**, des **pupitres** et un relent d'élève. »

Puis il y a :

les buvards
les carnets
les crayons
les gommes
les plumes
les règles
les stylos

les instruments de précision :

compas
équerres
rapporteurs
machines à calculer

et bien sûr :

les cartables
les porte-documents
les serviettes.

Aux MATIÈRES *scientifiques dont l'enseignement pratique se donne le plus souvent en* **laboratoire** *s'ajoutent pour les élèves un certains nombre d'autres sujets :*

L' **histoire**, *qu'on peut considérer de bien des manières :*

« Il y a entre les façons infinies d'écrire l'histoire, deux divisions principales... Il y a

A) IN SCHOOL

CLASS-ROOMS *look very much the same everywhere :*

« A glazed partition looked out on to the corridor which ran round the **quadrangle**. On the opposite wall two tall windows overlooked the **playground**. The walls were painted in the same grey as the headmaster's socks. »

Everywhere too the same objects :

wall-charts
duster
waste-paper basket
raised platform, dais
blackboard

etc...

They are part of what one writer calls :

« The familiar odour of **learning** : **chalk**, old **exercise-books**, **desks** and a whiff of boy. »

(W. Thornton)

Then there are :

blotting-paper
note-books
pencils
rubbers, erasers
pens
rulers
fountain-pens

mathematical instruments :

compasses
set-squares
protractors
calculating machines

and, of course :

satchels
attaché-cases
brief-cases.

In addition to the science SUBJECTS *in which the practical lessons are usually given in the* **laboratory**, *the pupils take various other subjects :*

History – *which one can approach in a great many ways :*

« The innumerable ways of writing history can be divided into two main groups. There

une sorte d'histoire qui se fonde sur les pièces mêmes et les instruments d'Etat, les papiers diplomatiques, les correspondances des ambassadeurs, les rapports militaires, les **documents** originaux de toute espèce... Et puis il y a une histoire d'une tout autre physionomie, l' **histoire morale** contemporaine écrite par des acteurs et des témoins. »

(Sainte-Beuve)

La **géographie générale, régionale, physique, économique, humaine,** *qui se veut de plus en plus scientifique.*

La **langue maternelle** *dont on étudie le* **lexique** *(composition des* **mots composés, dérivation** *des mots dérivés,* **étymologie, sémantique,** *etc...), la grammaire :* **analyse des parties du discours** *(article défini, indéfini, nom, adjectif, pronoms personnels, possessifs, réfléchis, relatifs, interrogatifs, démonstratifs, verbes ordinaires ou auxiliaires, réguliers, défectifs, irréguliers, qu'il faut savoir* **conjuguer,** *particules invariables comme l'adverbe, la conjonction, la préposition, l'interjection) ; étude du* **genre** *(masculin, féminin,* **neutre***), du* **nombre** *(singulier, pluriel), des* **temps,** *des* **modes,** *de la place et de la fonction des mots (sujet, objet, complément, épithète,* **attribut...),** *de l'***accord** *;* **analyse logique** *des* **propositions** *indépendantes, principales, subordonnées.*

C'est également en classe de français en France, en classe d'anglais en Angleterre et dans tous les pays anglophones qu'on apprend — grâce surtout aux **dictées** *— l'***orthographe** *et la* **ponctuation.** *Notez les signes de ponctuation suivants :*

point
deux points
virgule
point virgule
point d'exclamation
point d'interrogation
guillemets
parenthèse
  (entre parenthèse)
tiret
trait d'union

etc...

Les **langues classiques** *(ou* **mortes***) comme le* **grec** *ou, plus couramment, le* **latin,**

is a type of history based on state-papers and documents, diplomatic notes, the correspondence of ambassadors, military reports, original **records** of every kind. And then there is an entirely different sort of history, the **moral history** of an age written by the men who made it and saw it being made. »

Then there is **geography** *:* **(general, regional, physical, economic** *and* **human** *geography) which aims continuously at a more scientific approach.*

One's **mother tongue.** *We study its* **vocabulary** *(the formation of* **compound words,** *the* **derivation** *of words,* **etymology, semantics,** *etc...), its grammar : the* **parsing** *of* **parts of speech** *(definite article, indefinite article, noun, adjective, personal, possessive, reflexive, relative, interrogative, and demonstrative pronouns, main or auxiliary verbs which we must be able to* **conjugate,** *invariable particles such as adverb, conjunction, preposition, interjection) ; the study of* **gender** *(masculine, feminine,* **neuter***),* **number** *(singular, plural),* **tenses, moods,** *the position and function of words (subject, object, complement, attribute,* **predicate...),** **agreement** *; the* **logical analysis** *of independent, main and subordinate* **clauses.**

During the French lesson in France, the English lesson in England and the English-speaking countries one also learns — through **dictation** *mainly —* **spelling,** *and* **punctuation.** *Note the following punctuation marks :*

full stop *(Am. :* **period***)*
colon
comma
semi-colon
exclamation mark
question mark
inverted commas
brackets
  (in brackets)
dash
hyphen

etc...

The **classical** *(or* **dead***) languages such as* **Greek** *or more often* **Latin.** *We study their*

dont on étudie la **morphologie** *(déclinaisons, etc...) et la* **syntaxe** *:*

« En vérité, grâce à mes quelques **bribes** de latin, on m'a toujours considéré comme un puits de science dans tous les ateliers où l'on m'a employé. »

Les **langues étrangères modernes** *(ou* **vivantes***).*

*Il y a encore les cours d'instruction religieuse ou d'***écriture sainte***, les* **cours ménagers** *et de* **couture** *pour les filles, les* **cours de chant***, de* **musique** *et de* **dessin** *pendant lesquels on se distrait :*

« Au cours de dessin de Mr. Trotter, nous **dessinions** maladroitement des filles nues sur une feuille de papier que nous glissions sous le dessin d'un vase, et nous les faisions circuler sous les pupitres. »

Mais comment en vouloir à l'élève **moyen** *qui doit savoir* **additionner, diviser, multiplier, soustraire,** *extraire des* **racines carrées,** *se servir d'une* **table de logarithmes,** *démontrer des théorèmes de* **géométrie plane** *et* **dans l'espace,** *effectuer des* **équations du 2ᵉ degré,** *apprendre les* **propriétés** *physiques et chimiques des corps, les* **formules,** *le nom des os humains, des parties de la libellule ou des papilionacées, la* **date** *de toutes les grandes batailles de l'histoire, la nature des terrains de la moitié du globe, les* **subtilités** *du* **gérondif** *ou du* **génitif***... et j'en passe !*

Si au moins la **culture physique** *pouvait distraire ces têtes bien pleines de tout ce que des adultes en délire, pédagogues de surcroît, ont voulu y mettre ! Hélas, ce n'est pas toujours le cas.*

UNE JOURNÉE DE CLASSE *fait alterner* **cours** *et* **récréations.** *A la fin des* **classes** *de l'après-midi qui sont généralement au nombre de trois,* **l'externe** *rentre chez lui, à moins qu'il ait été mis en* **retenue.** *Les cours, à notre époque, sont rendus plus vivants grâce à la radio, au* **magnétophone,** *à la télévision et aux autres moyens visuels. Mais les* **devoirs** *continuent à exister.*

La fin du **trimestre** *amène les examens (pendant lesquels le professeur est relativement tranquille à* **surveiller** *les candidats) et les* **bulletins.**

Juste avant les **grandes vacances** *en France, au cours du premier trimestre en*

accidence *(declensions, etc...) and* **syntax** *:*

« Indeed, on my **smattering** of Latin I have been regarded as a prodigy of learning in every work-shop where I was employed. »

(W. Allen)

Modern *(or* **living***)* **languages.**

*Then there is Religious Instruction (***Scripture***),* **domestic science** *and* **needlework** *for the girls,* **singing, music** *and* **art.** *We enjoy art :*

« In Mr. Trotter's drawing class we **drew** naked girls inaccurately on a sheet of paper under our drawing of a vase and passed them along under the desks. »

(D. Thomas)

One can sympathize with the **average** *pupil who must be able to* **add up, divide, multiply, subtract,** *find the* **square root,** *use* **log-tables,** *prove theorems in* **plane** *and* **solid (three-dimensional) geometry,** *do* **quadratic equations,** *learn the physical and chemical* **properties** *of bodies,* **formulae,** *the names of the human bones, the parts of the dragonfly or of papilionaceous plants, the* **dates** *of all the famous battles of history, the nature of the soil of half the globe, the* **subtleties** *of the* **gerund** *or the* **genitive***... or what have you.*

It wouldn't be so bad if **physical training** *could provide a relief for these heads full of all those things that crazy grown-ups, teachers into the bargain, have tried to put into them. But alas, this is not always the case.*

THE DAY'S WORK *in a school alternates* **classes** *and* **breaks.** *After afternoon school, which consists usually of three* **periods, the day-pupil** *goes home, unless he has been put in* **detention.** *Lessons these days are enlivened by radio,* **tape-recorders** *and television and other visual aids. But* **homework** *remains.*

End of **term** *brings examinations (during which the teachers have a comparatively tranquil time* **invigilating***) and* **reports.**

Just before the **summer holidays** *in France, during the autumn term in England,*

298

Angleterre, a lieu la **distribution des prix,** *là ou elle existe encore.*

comes **Speech Day,** *wherever it still takes place.*

A propos de :	« **PRIX** » *Notez*
prix (coût)	**price, charge, cost**
prix d'achat	**purchase price**
prix tout compris	**inclusive terms**
prix de vente	**selling price**
prix de voyage	**fare**
honoraires	**fees**
hors de prix	**extravagant**
prix (récompense)	**prize, award, reward**
le Prix Nobel	**the Nobel Prize**
livre de prix	**prize-book**
prix (valeur figurée)	**worth, value**

B) *À L'UNIVERSITÉ*

Les LOCAUX *qui reçoivent les étudiants sont généralement plus spacieux que dans les établissements d'enseignement secondaire, les laboratoires plus vastes et mieux équipés, les salles de cours doublées par de grands* **amphithéâtres** *où les professeurs font leurs* **conférences** *; ces derniers — luxe suprême — peuvent même avoir un bureau où ils reçoivent leurs disciples en quête de renseignements ou en mal de diplôme ou de* **thèse.**

Les **bibliothèques,** *à défaut d'un nombre suffisant de* **places assises,** *ont, au moins, beaucoup de volumes.*

Les DISCIPLINES *étudiées à l'université peuvent être les mêmes qu'au lycée, mais les étudiants* **se spécialisent.** *Par ailleurs, certains sujets, plus savants, font leur apparition. Notons, par exemple, en* **Lettres** *:*

la dialectologie
l'hébreu
les langues celtiques
les langues orientales
les langues scandinaves
les langues slaves
la linguistique
  générale *ou*
  appliquée.

« La linguistique a pour unique et véritable objet la langue envisagée en elle-même et pour elle-même. »

(F. de Saussure)

B) *AT THE UNIVERSTIY*

The PREMISES *which accommodate the students are usually more spacious than the buildings in secondary education, the laboratories larger and better equipped, and in addition to the classrooms there are big* **lecture-rooms** *where the professors give their* **lectures.** *The latter may even have — the height of luxury — an office where they can receive their pupils who are seeking information or struggling with a diploma or a* **thesis.**

The **libraries,** *though lacking an adequate number of* **sitting places** *are at least well stocked with books.*

The DISCIPLINES *studied at University may be the same as at the grammar-school but the students now* **specialize.** *And in addition certain more learned subjects make their appearance. On the* **Arts** *side, for example, we have :*

dialectology
Hebrew
celtic languages
oriental languages
scandinavian languages
slavonic languages
linguistics
  general *or*
  applied.

« The real, the sole object of linguistics is language seen as existing in its own right, for its own sake. »

Professeurs et étudiants linguistes ont un langage fort impressionnant, ils vous parlent avec assurance d'affixes, de métalinguistique, de **morphèmes**, *de* **phonèmes**, *de phonostylistique, de segments d'énoncé, de* **sémiologie**, *de* **stylistique** *génétique, de* **structuralisme**, *etc.*

la littérature comparée
la philologie
la philosophie
    (logique,
    métaphysique,
    morale)
la phonétique
la psychologie
la sociologie.

dont le nom a été forgé au XIX e *siècle :*
« je crois devoir hasarder ce terme nouveau exactement équivalent à mon expression de *physique sociale.* »

(A. Comte)

Le TRAVAIL *d'un universitaire est censé être tourné entièrement vers la* **recherche** *et la culture désintéressée. En fait, pourtant, les étudiants viennent chercher à la faculté moins une formation spirituelle qu'un* **diplôme** *qu'ils pourront monnayer. Ainsi, en France, c'est l'Université qui prépare aux* **concours** *de recrutement de l'Enseignement : certificats* **d'aptitude** *et agrégation. C'est donc l'examen ou le concours qui est la préoccupation majeure et quotidienne de l'étudiant bûcheur une fois qu'il a réussi à s'inscrire. C'est le désir de réussir à l'* **écrit** *ou à l'* **oral** *de l'examen et la peur du redoublement qui l'incitent à rédiger* **dissertations** *ou* **commentaires**, **thèmes** *et* **versions**, **problèmes**, *etc., à dessiner* **cartes** *et* **diagrammes**, *à compulser* **manuels**, **anthologies** *et* **cours polycopiés**, *à faire hâtivement ses* **repasses**.

En France, les étudiants prennent le plus souvent leurs repas au **restaurant universitaire** *; ils logent chez eux,* **chez l'habitant** *ou – quand ils arrivent à avoir une place – dans une de ces* **cités universitaires**.

« où les jeunes gens sont délivrés de mille soucis exhaustifs, où la vie est saine, facile, bien réglée et quand même libre. »

(G. Duhamel)

En Angleterre, les étudiants sont hébergés pour un temps au moins, dans leur « college »,

Professors and students of linguistics have an impressive language of their own : they talk easily of affixes, metalinguistics, **morphemes**, **phonemes**, *phonostylistics, speech segments,* **semiology**, *genetic* **stylistics**, **structuralism**, *etc.*

comparative literature
philology
philosophy
    (logic,
    metaphysics,
    ethics)
phonetics
psychology
sociology.

a word coined in the XIXth century :
« I think I should suggest this new word as the exact equivalent of my expression *social physics.* »

It is assumed that the **WORK** *of a scholar is directed toward* **research** *and knowledge for its own sake. In fact, however, the students come to the university not so much seeking spiritual enrichment as a* **diploma** *they can turn into cash. Thus in France it is the university which prepares students for the* **competitive exams** *to enter the teaching profession : certificates of* **proficiency** *and the agrégation. It is therefore the examinations which are the chief daily preoccupation of the dogged student once he has managed to obtain admission. Desire to succeed in the* **written** *or* **oral exams**, *and fear of having to do the course again spur him on to write his* **essays** *and* **commentaries**, **proses** *and* **unseens**, **problems**, *etc., to draw his* **maps** *and* **diagrams**, *to go through his* **text-books**, **anthologies** *and* **cyclostyled notes**, *to do his last minute* **revision**.

In France, the students have their meals in the **university restaurant** *; they live at home or in* **digs**, *or, when they can obtain a place, in one of the* **university hostels** *(or* **"dorms"** *).*

« where the young people are free from a host of exhausting cares, where life is healthy, easy, organized and yet free. »

In England, the students are lodged, for a time anyway, in their college, but there are

mais on connaît aussi outre Manche les résidences académiques et la chambre en ville.

Dans l'un et l'autre pays, nombreux sont les distractions, les sports et les activités extra-universitaires.

Quand s'achève le trimestre ou l'année universitaire, la joie de tous, étudiants de Licence comme étudiants plus avancés est sans doute égale à celle des écoliers, si toutefois ils ont réussi leurs examens.

also student halls and some live in digs.

In both countries there are many interesting things going on, sports and extra-mural activities.

When the university term or year ends, the joy of everyone, undergraduates and postgraduate students alike, is probably much the same as that of the schoolboy provided they have passed their exams.

III – MAÎTRES ET DISCIPLES

A) *LES MAÎTRES*

L'attitude du public à l'égard du professeur a toujours été double – affectueuse ou méprisante, ou un mélange des deux.

III – MASTERS AND PUPILS

A) *THE MASTERS*

The public's attitude to the teacher has always been an ambivalent one – affection or contempt – or a mixture of both.

A propos de :	« **PROFESSEURS** » *Récapitulons*
instituteur primaire, professeur d'enseignement secondaire	**school-teacher** **teacher** **school-master**

NB : *The Grammar-school master usually refers to himself as a « school master », a term which is considered slightly more « public-school » than « teacher ». « School-teacher » seems often to have a slightly contemptuous ring to it. The general public refers to « teachers », ignoring the subtle class-distinction within the profession.*

| enseignement supérieur :
   chargé de recherches
   assistant
   maître-assistant
   maître de conférences
   professeur
   chef de section,
      d'institut,
      de département
      d'U.E.R (U.F.R) | **further education :**
fellow
assistant-lecturer
lecturer
senior lecturer
reader
Professor

head of the department |

NB : *Students at Oxford and Cambridge refer to the fellows and tutors as* « **dons** ».

Voyez les villageois devant cet instituteur :

« Le tonnerre de ses mots savants autant que
                      longs
Stupéfiait les paysans qui, rangés à l'entour
Ecarquillaient les yeux, béats, se demandant
Où dans son petit crâne il mettait tant de
                 science. »

There is on the one hand these villagers' attitude to their primary-school teacher :

« While words of learned length and thunder-
                  ing sound
Amazed the gazing rustics ranged around...
And still they gazed, and still the wonder
                  grew,
That one small head could carry all he
                 knew. »
(O. Goldsmith)

*Mais voyez aussi le Dr. Johnson qui **enseigna** un temps et*

« après avoir souffert pendant quelques mois d'une misère aussi totale, abandonna une situation dont toute sa vie durant il devait se souvenir avec l'aversion la plus vive et même un certain degré d'horreur. »

A tous les degrés de l'enseignement le professeur a en effet ses croix ! La première pour ne pas être, Dieu merci, générale, n'en est pas moins répandue :

« Tout le monde ne songe peut-être pas au fait que la plupart des professeurs ne se préoccupent pas avant tout de **pédagogie**, mais de **maintenir la discipline**. »

La description suivante vaut pour les écoles du monde entier :

« Il se passait rarement une journée sans qu'un professeur ou un autre ait des ennuis de discipline, soit qu'on lui **réponde** ou qu'on le nargue : l' **insolence**, le **chahut** et la violence étaient de règle. »

Comment faire alors ?

« Il y a de nombreuses méthodes pour y parvenir : elles varient entre dispenser aux élèves un **enseignement de premier ordre** et les assommer jusqu'à l'inconscience. »

*En attendant, en robe ou en complet veston, les professeurs d'établissements secondaires enseignent, expliquent, **font réciter les leçons**, **donnent des devoirs**, les corrigent, chez eux, ou dans la **salle des professeurs**, vont aux **conseils de classe**, etc.*

Les membres de l'enseignement supérieur essaient de concilier leurs recherches personnelles, leurs publications, la direction de leurs étudiants, l'administration de leur section et la préparation de leurs conférences.

Ne croyez tout de même pas que ces dernières soient toutes comme celle-ci :

« Il commença − en signe de dérision − à ponctuer son discours de reniflements étouffés ; il continua de lire, crachant les **syllabes** comme des injures : laissant passer des **fautes de prononciation**, des omissions, des **lapsus-linguae**, sans les corriger ; tournant

*But on the other hand there is Dr. Johnson who **taught** for a time and*

« after suffering for a few months such complicated misery..., relinquished a situation which all his life he afterwards recollected with the strongest aversion, and even a degree of horror. »

(J. Boswell)

Indeed, at all levels of teaching a master has his trials and tribulations. The main one, although, thank Heaven, not universal, is none the less fairly common :

« It may not have occurred to everybody that most schoolmasters are pre-occupied not with **pedagogy** but with **keeping the pupils quiet**. »

(W. Cooper)

The following description is true of schools the world over :

« Hardly a day went by without some teacher or other having trouble and being **answered back** and cheeked : **insolence**, **scuffing** and violence went on all the time ! »

(G. Jones)

So what does one do ?

« There are numerous methods of achieving this, ranging from giving them **high-class instruction** to knocking them unconscious. »

(W. Cooper)

*Meanwhile, whether in gown or lounge suit, the teachers in secondary schools teach, explain, **test learning work**, set **homework**, **mark it**, either at home or in the **staff-room**, attend **staff-meetings**, etc.*

University teachers try to find time to do their own research, write books, supervise the studies of their students, administer their department and prepare their lectures.

And don't think all lectures are like this one !

« He began punctuating his discourse with smothered snorts of derision. He read on, spitting out **syllables** like curses, leaving **mis-pronunciations**, omissions, **spoonerisms** uncorrected, turning over the pages of his **script** like a score reader following a

les pages de son **manuscrit** comme s'il suivait un mouvement « presto » sur une partition, élevant de plus en plus la voix. »

*Ce jeune assistant de Faculté avait, en effet, abusé du whisky comme doping et le directeur de son institut lui fera savoir qu'il peut continuer sa **carrière** ailleurs. Pas de* **promotion** *pour le pauvre Jim, pas de* **visites protocolaires** *pour être élu en quelque* **chaire**. *Mais peu lui importe car il semble penser, comme Mme de Chateaubriand, que :*

« L'ennui naquit, un jour, de l'Université. »

Et peut-être fut-il prudent de se reclasser à temps, car le glas de la profession aurait, selon certains, commencé à sonner...

« On a fait la démonstation d'un nouveau type de **machine à enseigner**, hier à Londres. Elle a à peu près la dimension et l'aspect d'un appareil de télévision. L'élève s'assied devant la machine et regarde attentivement l'écran où l'on projette l'équivalent d'une page de livre. Sur la page, il lira probablement un bref exposé d'une séquence de leçon, suivi d'une question. On l'invite à choisir une réponse parmi celles qui sont proposées, puis à presser le bouton correspondant dans une rangée sous l'écran. Le bouton tourne les pages et l'élève trouve soit la preuve que sa réponse est bonne, soit les raisons de son erreur. »

« presto » movement, raising his voice higher and higher. »

(K. Amis)

That particular young assistant-lecturer had in fact, drunk too much whisky to steady his nerves, and the head of his departement later informs him that he can continue his **career** *elsewhere. No* **promotion** *for poor Jim, no* **formal visits** *seeking election to a* **professorship**. *But he doesn't mind, as he seems to think, like Mme de Chateaubriant, that :*

« It was by the University that boredom was begotten. »

And perhaps Jim was wise to change his career in time, as according to some people, the death-knell of teaching has begun to sound...

« A new kind of **teaching machine**... was demonstrated yesterday in London... In size and appearance it is rather like a table television set. The pupil sits in front of the machine and gazes into a screen on which is projected the equivalent of the page of a book. On the page he is likely to read a brief exposition of a stage in a lesson, followed by a question. He is invited to select one of a number of alternative answers and then to press the corresponding button in a row below the screen. The button switches the pages and the pupil finds either a statement that he is right and why, or a demonstration of how he came to be wrong ! »

("The Guardian")

B) *LES DISCIPLES*

*L'***écolier** *est, selon Shakespeare, l'un des sept âges de l'homme :*

« Puis l'écolier grognon, avec son cartable,
Et le visage tout luisant de propreté,
Traînant comme limace,
A regret vers l'école. »

*Il est arrivé un beau jour, à la **rentrée** ou en retard, seul ou accompagné.*

Puis il s'est fait sa place, comme ce poète :

B) *THE PUPILS*

The **schoolboy** *is one of Shakespeare's seven ages of man :*

« And then the whining schoolboy, with satchel
And shining morning face, creeping like snail
Unwillingly to school. »

(W. Shakespeare)

*He arrived one fine day at the **beginning of term** or late for it, by himself or with somebody.*

Then he established his place in the school, like Dylan Thomas :

« Oui, je m'en souviens bien du garçon que
vous cherchez :
Ni meilleur, ni plus brillant, ni plus respec-
tueux que les autres,
**Tricheur, vagabond, renversant l'encre, fai-
sant claquer son pupitre,
Sabotant ses leçons** comme les plus mau-
vais...
Se trouvant à la queue en **trigonométrie,**
Et, bien sûr, rédigeant le **journal des élèves.** »

*Il la gardera, cette place, à moins d'être
exagérément* **chahuteur,** *tire-au-flanc,* **paresseux** *ou tout simplement* **bouché.**

Dans ce cas, il risque évidemment le **renvoi** *:*

« J'ai oublié de vous parler de ça. Ils
m'avaient **vidé :** J'étais pas censé revenir
après les vacances de Noël because j'avais
foiré dans quatre matières et j'm'**appliquais**
pas assez, tout ça. Ils m'avaient souvent
averti que j'devais enfin m'appliquer — surtout quand arrivaient les **petits congés** et que
mes parents venaient conférer avec le vieux
Thurmer — mais j'l'avais pas fait. Alors **on
m'avait sacqué.** Ils sacquent les types va-
chement souvent à Pencey. Ça a une **grosse
réputation comme niveau,** Pencey. Si, sans
blague. »

*Mais rassurez-vous, les professeurs sont
plus* **indulgents** *que ne le prétendent les
mauvaises langues, et il existe des solutions de
rechange...*

« La pauvre mère, après avoir longtemps
gémi de l' **incompréhension** et de l' **incompétence pédagogique** des maîtres, change d'attitude et recourt à tous les subterfuges pour
atténuer la disgrâce. Elle assiège maintenant
les professeurs de sourires désolés, elle demande des **leçons particulières,** avec l'espoir, non pas peut-être qu'elles profiteront à
celui qui les reçoit, mais qu'elles amèneront
celui qui les donne à une plus juste appréciation des **copies de composition...** Et quand
tout cela est usé, il ne reste plus qu'à envoyer

« Oh yes, I remember him well, the boy you
are searching for :
He looked like most boys, no better, brighter,
or more respectful,
He cribbed, mitched[1] **; spilt ink, rattled his
desk** and
Garbled his lessons with the worst of them...
Was thirty-third in **trigonometry,**
And, as might be expected, edited the **school
magazine.** »
(D. Thomas)

*He will keep this place, unless he is unu-
sually* **badly-behaved,** *or* **a shirker, lazy** *or
just* **dull.**

In which case he clearly runs the risk of
expulsion *:*

« I forgot to tell you about that. They **kicked
me out.** I wasn't supposed to come back after
Christmas vacation [2], on account of I was
flunking four subjects and not **applying
myself** and all. They gave me frequent **warn-
ing** to start applying myself — especially
around **mid-terms,** when my parents came up
for a conference [3] with old Thurmer — but
I didn't do it. So **I got the axe.** They give
guys the axe quite frequently at Pencey. It has
a **very good academic rating,** Pencey. It
really does. »
(J.D. Salinger)

But don't worry, teachers are more **tole-
rant** *than their detractors claim, and there is
a possibility of finding other arrangements :*

« After long bewailing the **lack of understanding** and the **pedagogical incompetence**
of the masters, the poor mother changes her
attitude and resorts to every subterfuge in
order to lessen her shame. She now besieges
the teachers with pathetic smiles, she asks for
private coaching in the hope that such tui-
tion even if it does not profit the boy who
receives it, may lead the person who gives it
to a fairer appreciation of the **testpapers...**
And when all has been tried in vain, the only
thing left is to send Paul off to some esta-

---

(1) Pour faire l'école buissonnière : *to play truant* est plus fréquent que *to mitch.*
(2) Ne confondez pas *vacation (holiday)* avec *vacancy: vacance d'un poste.*
(3) Notez la différence de sens entre *lecture : conférence (cours)* et *conference : entretien* ou *congrès.*

Paul dans un collège... assez éloigné pour que l'écho de ses infortunes ne revienne qu'affaibli. »

(Th. Lalanne)

Heureusement qu'il y a une justice. Le **cancre** *est toujours plus sympathique que le* **cuistre,** *celui dont on peut dire :*

« Dans son puits de science il n'avait pas d'eau fraîche. »

(J. Renard)

et, souvent, il « réussit » mieux dans la vie que le **savant authentique**...

blishment remote enough for the news of his failure to come echoing only faintly back. »

Fortunately there's such a thing as justice. The **duffer (dunce)** *is always a more likeable character than the* **pedant** *of whom one might say :*

« In the well of his learning there was no fresh water. »

and he often succeeds better in life than the **genuine scholar**...

CHAPITRE 24

LA SCIENCE ET LA VIE SCIENTIFIQUE

SCIENCE AND SCIENTIFIC LIFE

I – LE DÉVELOPPEMENT DE LA SCIENCE ET DE LA TECHNIQUE

I – THE GROWTH OF SCIENCE AND TECHNOLOGICAL ADVANCE

A) *D'HIER À AUJOURD'HUI*

A) *YESTERDAY AND TODAY*

La révolution scientifique qui

« lia le **rationnel** à l'**empirique**, la **pensée** aux faits, la **théorie** aux **expériences** pratiques. »

The scientific revolution which

« linked **the rational** and **the empirical, thought** and **fact, theory** and practical **experiment.** »

(J. Bronowski)

*a eu pour résultat la transformation de nos besoins, de notre mode de vie, de notre **production**, la* **révolution industrielle** *commencée au XVIIIe siècle avec l'utilisation de la* **vapeur***, continuée avec la* **découverte** *de l'électricité, de la machine à* **combustion interne***, de l'énergie* **atomique**...

has resulted in the transformation of our needs, our way of life, our **output**, *and in the* **industrial revolution** *which started in the XVIIIth century with* **steam-power** *and was carried further with the* **invention** *of* **electricity***, the* **internal combustion** *engine*, **atomic power**...

Tout a changé : les transports ; le paysage qui s'est hérissé de cheminées d'usines, de **pylônes** *et de* **fils à haute tension** *où les* **centrales électriques** *sortent soudain de terre ; où bourdonnent les* **turbines***, les moteurs, les avions ; où les tracteurs ont remplacé les bœufs tranquilles et les lourds chevaux.*

Everything has changed : transport ; the countryside which has begun to bristle with chimneys and **pylons** *and* **high tension wires** *; where* **power stations** *spring up ; the hum of* **turbines***, engines, and planes can be heard ; tractors have superseded the quiet ox and lumbering horse.*

Certains arts se sont également transformés radicalement. Ainsi ce qui s'est passé pour la médecine :

Certain arts have also been radically transformed. Thus, what has taken place in medicine

« n'est rien de moins que la transformation d'un art d'observation et d'empirisme en une **science appliquée**, fondée sur la **recherche** ; d'une profession toute de tradition et de sagacité en une science appliquée faite **d'analyses** et de **lois** ; d'un code descriptif de **phénomènes** superficiels en la découverte d'affinités plus profondes ; d'une série de **règles** et **d'axiomes** qualitatifs en mesures quantitatives. »

« is nothing less than its enlargement from an art of observation and empiricism to an **applied science** founded upon **research** : from a craft of tradition and sagacity to an applied science of **analysis** and **law** : from a descriptive code of surface **phenomena** to the discovery of deeper affinities : from a set of **rules** and **axioms** of quality to measurements of quantity. »

(Sir C. Allbutt)

*Sans doute le médecin n'est-il pas nécessairement plus « **homme de science** » que vous ou moi, au sens que ce n'est pas lui qui découvre. Mais qu'importe, s'il peut utiliser ce qui a été découvert :* **anesthésiques, cœurs artificiels, poumons d'acier, rayons X** *ou*

The doctor is no more of a « scientist » than you or me, in the sense that it is not he who discovers. But what does that matter, if he can make use of what has been discovered : **anaesthetics, artificial hearts, iron lungs, X-rays or ultra-violet rays**..., *if he has the*

ultra-violets..., *s'il sait ce qu'il faut savoir des* **hormones**, *des microbes, des virus, des* **vitamines**... *s'il peut appliquer les principes divers :*

« Personne ne peut être à la fois **physicien, biochimiste, pathologiste, praticien** et **hygiéniste** : cependant le médecin doit traiter... l'hydropisie selon les principes de l'**osmose**, le diabète selon les principes de la **biochimie**, l'anémie selon ceux de la **physiologie**, la fièvre paludéenne, la fièvre jaune et le typhus, selon ceux de la **parasitologie** si précise et ainsi de suite. »

De même il est possible que vous ne compreniez pas mieux que moi la doctrine de la **relativité**, *la* **théorie des quanta**, *voire même les lois plus évidentes de la matière. Cela ne vous fait pas, pour autant, échapper à la science dans votre vie quotidienne, pour le meilleur ou... pour le pire. Mais cela c'est une autre histoire.*

B) *D'AUJOURD'HUI À DEMAIN*

C'est sans doute la **désintégration** *de* L'ATOME *et la libération de l'énergie* **nucléaire** *qui resteront aux yeux de nos arrière-petits neveux la découverte la plus importante sinon la plus bénéfique de l'époque contemporaine. Quelqu'un écrivait en 1948 :*

« Et voici maintenant que le **noyau** de l'atome, attaqué par d'étranges projectiles appelés **neutrons**, livre peu à peu le secret de sa structure mystérieuse et **libère** son effrayante énergie interne. Les physiciens n'en sont qu'à leurs premiers pas dans le monde nouveau que constitue le noyau, et pourtant des prodiges ont déjà été accomplis : le "feu atomique" a été libéré, et le vieux rêve de la **transmutation**, poursuivi avec tant d'aveugle opiniâtreté par les **alchimistes** du Moyen Age, s'est accompli sous une forme insoupçonnée. »

(M. Peschard)

Depuis, on ne compte plus les **applications** *pratiques. Citons par exemple la* **téléthérapie** *qui utilise la* **bombe au cobalt** *pour lutter contre le cancer :*

« L'avantage du cobalt, préalablement transformé en un **radio-isotope** par exposition aux **radiations** d'une **pile atomique**, c'est qu'il est

necessary knowledge of **hormones**, *microbes, viruses,* **vitamins**... *if he can apply the various principles :*

« No man can be at once **physicist, biochemist, pathologist, practitioner** and **sanitarian** : yet he has to treat... dropsies on principles of **osmosis**, diabetes on those of **biochemistry**, anaemias on those of **physiology**, malarious, yellow and trench fevers on those of minute **parasitology** : and so on. »

(Sir C. Allbutt)

Similarly it's possible that you understand no better than I do the theory of **relativity**, *the* **quantum theory**, *and even the most elementary laws of matter. For all that, you cannot get away from science in your everyday life, fortunately — or unfortunately. But that's another story.*

B) *TODAY AND TOMORROW*

There is no doubt that the **splitting** *of* THE ATOM *and the release of* **nuclear** *energy will seem to our great grand-children the most significant, if not the most beneficial discovery of our time. A scientist wrote in 1948 :*

« And now the **nucleus** of the atom, bombarded with stange projectiles called **neutrons**, is gradually revealing the secrets of its mysterious structure and **releasing** its frightening store of energy. Physicists are only on the threshold of this new world that the nucleus represents, and yet already extraordinary things have been accomplished : the atomic heat has been liberated, and the old dream of **transmutation** pursued with such blind obstinacy by the **alchemist** of the Middle-Ages, has been realized in a quite unexpected way. »

Since that time there have been innumerable **applications** *of it.* **Teletherapy**, *for example, which uses the* **cobalt bomb** *in the fight against cancer :*

« The advantage of cobalt, which is first transformed into a **radio-isotope** by exposing it to the **radiations** of an **atomic pile**, is that

moins onéreux, d'une manipulation plus facile, et, de bien des manières, plus efficace. »

(« Butterfly »)

D'une manière générale :

« Les effets curatifs déjà obtenus par les **substances radio-actives** laissent entrevoir d'encourageantes perspectives pour le soulagement des misères humaines. »

(« Science et Vie »)

Dans d'autres domaines :

*Les **carburants** traditionnels feront sans doute place à l'énergie atomique dans les navires, les sous-marins, les trains et les avions. L'industrie pourra également faire appel à ces **réserves** énormes d'énergie.*

Plus récemment c'est LA CONQUÊTE DE L'ESPACE *qui semble avoir le mieux retenu l'imagination populaire.*

*Ce sont les Russes qui ont envoyé le premier **satellite télécommandé**. Depuis le **spoutnik**, de nombreux **cosmonautes** ont fait le tour de la terre et sont revenus sains et saufs ; des clichés ont été pris de la lune ; la **course à l'espace** est bien amorcée.*

it is cheaper, easier to handle, and in a number of ways more effective. »

(« Butterfly »)

In a general way :

« The curative effects already obtained by **radio-active substances** offer encouraging prospects for the relief of human suffering. »

In other fields :

*Conventional **fuels** will probably give way to atomic power in ships, submarines, trains and aircraft. Industry, too, will be able to call upon these enormous **reserves** of energy.*

More recently it is THE CONQUEST OF SPACE *that seems to have captured popular imagination most completely.*

*The Russians sent up the first **unmanned satellite**. Since the **sputnik** many **cosmonauts** have circled round the earth and been brought safely back ; photographs of the moon have been taken ; the **space race** has really begun.*

II — LES DIFFÉRENTES SCIENCES

II — THE DIFFERENT SCIENCES

A) *GÉNÉRALITÉS*

A) *A SURVEY*

D'après les Encyclopédistes, les trois grandes divisions à adopter dans les sciences sont : LA SCIENCE DE DIEU, *la théologie.*

LES SCIENCES DE L'HOMME *auxquelles ont peut rattacher l'**ontologie** ou science de l'être, la **philosophie** ou science de l'absolu, l'**esthétique** ou science du beau, **la morale**, **l'éthique** ou science du bien, ainsi qu'un certain nombre de disciplines plus modernes, telles que :*

anthropologie
criminologie
démographie
économie
ethnologie
linguistique
psychologie
sociologie

etc...

According to the Encyclopaedists the three main branches of science are : THE SCIENCE OF GOD — *theology.*

THE SCIENCES OF MAN *in which can be included **ontology** or the science of being in the abstract, **philosophy** or the science of the absolute, **aesthetics** or the science of the beautiful, **morals** and **ethics** or the science of the good, as well as a certain number of more modern branches of learning such as :*

anthropology
criminology
demography
economics
ethnology
linguistics
psychology
sociology

etc...

LES SCIENCES DE LA NATURE *ou de la matière, exactes ou pures ou appliquées, expérimentales ou d'observation.*

THE SCIENCES OF NATURE *or of matter, exact, pure or applied, experimental or observational.*

A propos de :	« **MATIÈRE** » *Notez*
la Matière *(opposée à l'esprit)*	**Matter**
matériel *(adj.)*	**material**
matérialiste *(adj.)*	**materialistic**
(n.)	**materialist**
matières d'étude	**subjects**
matières fécales	**faeces**
matière grise	**grey matter**
matières premières	**raw materials**
matière purulente (pus)	**pus, matter**
entrée en matière	**approach, introduction**
table des matières	**table of contents**

B) *SCIENCES EXACTES : LES MATHÉMATIQUES*

B) *THE EXACT SCIENCES : MATHEMATICS*

« Les mathématiques telles que les conçoivent les **mathématiciens** se fondent sur le **raisonnement déductif** appliqué à des groupes de pures **hypothèses** appelées **axiomes** ou **postulats**. »

« Mathematics as understood by **mathematicians** is based on **deductive reasoning** applied to sets of outright **assumptions** called **axioms** or **postulates**. »

(E. T. Bell)

*Les mathématiques forment la **base** de l'enseignement de toutes les sciences. Ses différentes parties sont les suivantes :*

*Mathematics forms the **basis** of all science teaching. Its different branches are the following :*

« Les mathématiques **concrètes** étudient les **grandeurs mesurables**, et particulièrement l'**espace (géométrie, coordonnées...**) et le **mouvement (mécanique**). Les **mathématiques pures, abstraites**, étudient la **quantité**, sous ses aspects discontinus (**algèbre** élémentaire ; **arithmétique**) ou continus (**calcul différentiel, intégral, infinitésimal**, des infiniments petits...) ainsi que la notion d'ordre (**topologie** ; théorie des groupes). Les **mathématiques appliquées** comprennent : **trigonométrie, géométrie descriptive, calcul des probabilités, sciences physico-mathématiques**. »

« **Concrete** mathematics studies **measurable sizes**, in particular **space (geometry, co-ordinates)** and **movement (mechanics)**. **Pure abstract mathematics** studies **quantity** in its discontinuous aspects (elementary **algebra** : **arithmetic**) or its continuous aspects (**differential, integral, infinitesimal calculus**) as well as the concept of order (**topology** ; the theory of groups). **Applied mathematics** include **trigonometry, descriptive geometry, the calculation of probabilities**, the **physico-mathematical sciences**. »

(P. Robert)

*« Reine des Sciences », la mathématique n'en a pas moins ses **limites** :*

*« The Queen of the Sciences », mathematics nevertheless has its **limitations** :*

« Même un système purement abstrait d'axiomes comme ceux d' **Euclide**, soulève des questions, parfaitement raisonnables qui sont insolubles... Il est possible de formuler des **théorèmes** dont on ne peut démontrer s'ils sont justes ou faux. »

« Even in a purely abstract system of axioms like **Euclid's**, there arise perfectly reasonable questions which have no answers... It is possible to formulate **theorems** which cannot be shown to be either true of false. »

(J. Bronowski)

310

angle
  droit
  aigu
  obtus
arc
base
bissectrice
cercle
circonférence
corollaire
côté
diamètre
ellipse
hexagone
hyperbole
hypoténuse
hypothèse
isocèle
losange
polygone
poser un théorème
rayon
résoudre
trapèze.

angle
  right
  acute
  obtuse
arc
base
bisector
circle
circumference
corollary
side
diameter
ellipse
hexagon
hyperbola
hypotenuse
hypothesis
isosceles
rhombus
polygon
to state
radius
to solve
trapezium.

C) *DE QUELQUES AUTRES SCIENCES*

Parmi les SCIENCES NATURELLES, *nommons la* **biologie**, *la* **botanique**, *la* **zoologie**...

Parmi les AUTRES SCIENCES D'OBSERVATION, *citons l'***astronomie***, (dont on rapprochera la* **cosmographie***), science fort ancienne mais qui ne cesse de progresser. Ainsi, en 1962 :*

« Les savants de Jodrell Bank ont réussi à mesurer le **champ magnétique** à l'intérieur d'un nuage d' **hydrogène** situé à une distance de mille **années lumière** dans la **Voie Lactée**. On pense que le champ magnétique est la force qui maintient l'hydrogène interstellaire dans les nébuleuses spirales d'où naissent, par la suite, les **étoiles**. »

Une autre science d'observation sur laquelle même le profane a quelques lumières — puisqu'elle figure dans les programmes scolaires — est la **géologie** *et ses annexes :* **minéralogie, paléontologie, spéléologie***, etc...*

Dans les SCIENCES EXPÉRIMENTALES *ce sont surtout la* PHYSIQUE *et la* CHIMIE *qui importent.*

C) *SOME OTHER SCIENCES*

Among the NATURAL SCIENCES, *we have* **biology**, **botany**, **zoology**...

Among the OTHER OBSERVATIONAL SCIENCES *let us mention (with the related* **cosmography***)* **astronomy***, a very ancient science but which continues to advance. Thus in 1962 :*

« Scientists at Jodrell Bank have succeeded in measuring the **magnetic field** in a cloud of **hydrogen** situated 1000 **light years** away, in the **Milky Way**. The magnetic field is believed to be the force which holds the interstellar hydrogen in the spiral arms from which, eventually, **stars** are formed. »

(« The Guardian »)

The other observational science, which even the layman knows something about, as it figures in the school curriculum, is **geology** *and its allied subjects :* **mineralogy, paleontology, spelaeology***, etc...*

Of the EXPERIMENTAL SCIENCES *the most important are* PHYSICS *and* CHEMISTRY.

La **physique** *se subdivise en plusieurs parties :*

acoustique
aérodynamique
calorimétrie
électricité
électronique
hydraulique
magnétisme
mécanique
*(*cinématique, dynamique, statique, mécanique ondulatoire*)*
optique.

Le **chimiste** *moderne, de par ses progrès foudroyants mêmes, semblerait retourner à ses origines :*

« Au Moyen-Age, la **chimie** était la propriété des alchimistes dont le but principal était de **transmuer** les métaux "vils" en or (la recherche de la **pierre philosophale**). Aujourd'hui, nous en revenons, en un sens, à l'**alchimie**. Les grands courants dans le domaine de la chimie, ont pour but de transformer une **molécule** en une autre — de **synthétiser** des **produits chimiques** tels que le plastique, les médicaments, les combustibles, et les colorants, à partir des matières premières, afin de répondre à nos besoins. »

Les deux parties principales de la chimie sont :

la chimie minérale
la chimie organique.

Il y a aussi une **bio-chimie**, *une chimie agricole, médicale,* **pharmaceutique**, industrielle *(*cellulose, colorants, corps gras, engrais, explosifs, parfums, *etc...).*

*La chimie étudie l'*état *et la* constitution *des corps :*

Notez :

gaz
liquide
solide
vapeur

un concentré
dissolution
esprit
extrait
précipité
résidu
solution
suspension

Physics *may be subdivided into several branches :*

acoustics
aerodynamics
calorimetry
electricity
electronics
hydraulics
magnetism
mechanics
*(*kinematics, dynamics, statics, wave mechanics*)*
optics.

The modern **chemist**, *by the very speed of his progress, would seem to be returning to where he started from :*

« During the Middle Ages, **chemistry** was the property of the alchemists, whose principal object was to **transmute** "base" metals into gold (the search for the **philosopher's stone**). To day... we are in a sense, returning to **alchemy**. The great drives in the chemical field seek to transform one **molecule** into another, — to **"tailor"** such **chemicals** as plastics, drugs, fuels and dyes out of raw materials to suit our needs. »

(D.O. Woodbury)

The two main branches of chemistry are :

inorganic chemistry
organic chemistry.

Then there are **bio-chemistry**, *agricultural, medical,* **pharmaceutical** *and* industrial chemistry *(*cellulose, dyes, fats, fertilizers, explosives, perfumes, *etc...).*

Chemistry deals with the **nature** *and* **composition** *of matter.*

Note :

gas
liquid
solid
vapour

concentrate
solution
spirit(s)
extract
precipitate
residue
solution
suspension

et les **propriétés** de ces corps.

Notez :

acidité
combustibilité
conductibilité
point d'ébullition
solubilité
valence
volume.

La plupart des **opérations** chimiques ont un nom identique ou voisin dans les deux langues (cf. **alliage, combinaison, cristallisation, distillation,** électrolyse, évaporation, **fermentation,** etc...).

and with the **properties** of matter.

Note :

acidity
combustibility
conductivity
boiling point
solubility
valency
volume.

Most chemical **processes** have identical or very similar names in both languages (cf. **alloyage, combination, crystallization, distillation,** electrolysis, evaporation, **fermentation,** etc...).

D) *LES LABORATOIRES*

Tout le monde en a vu et en connaît donc L'ASPECT : il y en a, d'abord, dans toutes les écoles ou presque, bien que parfois **à l'échelle réduite** :

« Dans une **armoire en verre** dans le couloir, il y avait pour plusieurs shillings d' **éprouvettes** et de produits chimiques, un trépied, une **cornue** en verre et un bec Bensen en mauvais état, qui prouvaient que le "laboratoire scientifique" mentionné sur le prospectus n'était pas un mythe. »

Films, revues et romans nous ont familiarisés, à défaut d'expérience personnelle, avec le savant en son laboratoire :

« Albert fut prêt à reprendre l'expérience. Il attendit. Enfin, à l'extrémité d'un système fantastique de **condensateurs,** de **flacons,** d'appareils de réchauffement et de refroidissement, le liquide qu'il désirait obtenir commença à s'accumuler. »

Bien sûr, les laboratoires sont hautement spécialisés : on ne trouve pas les mêmes objets à côté de la laborantine d'hôpital, de l'atomiste distingué de Saclay, du préparateur de pharmacie ou du professeur d'optique. Mais, pour éviter d'allonger notre nomenclature, nous grouperons ici les **appareils** et les **substances** les plus hétéroclites qui n'ont en commun que de pouvoir se trouver – sauf erreur combien possible de notre part – dans l'un ou l'autre type de laboratoire.

D) *THE LABORATORIES*

Everyone has seen labs and so knows WHAT THEY LOOK LIKE : there's one in every school to start with, or almost every one, even if sometimes **on a modest scale** :

« In a **glass cupboard** in the passage were several shillingsworth of **test-tubes** and chemicals, a tripod, a glass **retort** and a damaged Bunsen burner manifesting that the "scientific laboratory" mentioned in the prospectus was no idle boast. »

(H.G. Wells)

Films, magazines and novels have made us familiar with the scientist in his lab, even if we have never been in one :

« Albert was ready to set the experiment going again. He waited. At last, at the end of his fantastic system of **condensers** and **flasks,** heaters and coolers, the liquid he wanted began to accumulate. »

(W. Cooper)

Laboratories are highly specialized of course ; and the female laboratory assistant in a hospital, the distinguished atomic scientist at Saclay, the dispensing chemist and the professor of optics will not have the same things at hand. But in order not to make our lists of names too long we shall group together the most oddly assorted pieces of **apparatus** and **substances** whose only feature in common is that, unless we are mistaken (which we may well be), they are found in a laboratory of some sort.

Quelques APPAREILS *et objets divers :*	*Some pieces of* APPARATUS *and equipment :*
aimants	magnets
balances	scales
ballons	(balloon-) flasks
baromètres	barometers
bobines d'induction	induction coils
burettes	burettes
capsules d'évaporation	evaporating dishes
chronomètres	chronometers
cloches	bell jars
creusets	crucibles
dynamomètres	dynamometers
électromètres	electrometers
filtres	strainers (filters)
fioles	phials
groupes électrogènes	generating sets
lampes à 2 électrodes	gas discharge tube
lentilles	lenses
loupes	magnifying glasses
matras	matrass
mortiers	mortars
microscopes	microscopes
pasteurisateurs	pasteurizers
piles	batteries
pilons	pestles
potentiomètres	potentiometers
rhéostats	rheostats
siphons	siphons
thermomètres	thermometers
etc...	*etc...*

Quelques SUBSTANCES *et* corps sim-ples *ou* composés :	A few SUBSTANCES : elements *and* compounds :
acides	acids
nitrique,	nitric,
sulfurique, *etc...*	sulphuric, *etc.*
alcools	methylated spirits
antimoine	antimony
arsenic	arsenic
azote	nitrogen
bases	bases
brome	bromine
bromure	bromide
carbone	carbon
carbures	carbides
chlore	chlorine
chlorure	chloride
chrome	chromium
glycerine	glycerine
hélium	helium
hydrates	hydrates (hydroxydes)
iode	iodine

314

magnésium	magnesium
manganèse	manganese
mercure	mercury
permanganate	permanganate
phosphore	phosphorus
platine	platinum
plomb	lead
potassium	potassium
radium	radium
réactifs	reagents
sodium	sodium
sels	salts
soufre	sulphur
tournesol	litmus
uranium	uranium

etc... *etc...*

N.B. : En chimie, les corps sont désignés par une **formule**. *Ainsi :* l'**argent** *(Ag), l'*alu-**minium** *(Al), le* **calcium** *(Ca), le* **cuivre** *(Cu), le* **fer** *(Fe), l'*étain *(Sn), le* zinc *(Zn),* l'**eau** *(H₂O), etc...*

N.B. : In chemistry substances are designated by a **formula**. *Thus* silver *(Ag),* alu-**minium** *(Al),* **calcium** *(Ca),* **copper** *(Cu),* iron *(Fe),* tin *(Sn),* zinc *(Zn),* water *(H₂O), etc...*

III — AVANTAGES ET DANGERS DE LA SCIENCE

III — ADVANTAGES AND DANGERS OF SCIENCE

A) *MERVEILLEUSE ÉPOQUE !*

A) *BRAVE NEW WORLD !*

La plupart des gens accueillent favorablement les progrès de la **science pure** *parce qu'ils conduisent à des progrès dans les* **sciences appliquées**, *mettent davantage de distractions à leur portée (cf. les transistors, les électrophones, les postes de télévision, etc...), ont effacé les distances.*

Most people welcome the advances in **pure science** *because they lead to advances in the* **applied sciences**, *and to more varied entertainments (e.g. transistor radios, record-players, television sets, etc.), to the obliteration of distances.*

*Le travail a été aussi grandement facilité dans tous les domaines. Sans même parler de l'*automation *complète, voyez les* **ordinateurs**.

Work too, has been made much easier in all fields. Leaving aside complete **automation**, *look at the* **computers**.

Et avec le travail, le rendement. On peut prendre n'importe quel exemple au hasard. Ainsi l'agriculture :

Production too has been affected. You can find examples more or less everywhere. Thus in agriculture :

« C'est avant tout l'application de la science à la **fertilisation** et l'**irrigation** des plantes, à l'amélioration de la **génétique** des plantes, et à la destruction des insectes nuisibles, qui a augmenté le **rendement** à l'hectare. »

« It is primarily the application of science to the **fertilization** and **irrigation** of plant, to the **genetics** of plant improvement, and to the killing of pests, that has brought about the increased **yields** per acre. »

(Brown, Bonner and Weir)

On ne saurait, décidément, que suivre P. Daninos lorsqu'il s'écrie :

Undoubtedly we can only agree with P. Daninos when he exclaims :

« Merveilleuse époque de l'**électronique** qui. permet aux ascenseurs de réfléchir, aux por-

« Marvellous **electronic** age which allows elevators to think, doors to open of their own

tes de s'ouvrir toutes seules, aux avions de se diriger sans pilote, aux **robots**-pensants d'absorber Saint-Simon en dix minutes. »

(P. Daninos)

accord, planes to fly without a pilot, and thinking **robots** to absorb Saint-Simon in ten minutes. »

B) *ET POURTANT...*

« La machine nous a procuré de nombreux avantages mais elle a détruit les vieilles coutumes, les structures anciennes et − vu les changements continuels et rapides qu'elle implique, elle en a empêché d'autres de se développer. En outre, l'avantage qu'elle nous apporte dans le domaine de la production en masse a entraîné la **standardisation** et le **nivellement** en dehors du **domaine** des simples produits courants. »

Une telle attitude procède parfois d'une sorte de pessimisme fondamental, d'une hostilité foncière au **progrès matériel**, *ainsi chez cet écrivain qui affirme :*

« La science est une chose, la sagesse en est une autre. »

En fait, la science peut être le commencement de la sagesse, d'autant que

« Un monde sans science, c'est l'esclavage. »

(E. Renan)

Mais est-il besoin de souligner que certains de ces effets sont aberrants, comme les savants sont les premiers à le clamer :

« La **bombe atomique**, et plus encore la **bombe à hydrogène** ont provoqué des craintes nouvelles qui créent des doutes nouveaux concernant les **effets** de la science sur la vie humaine. »

B) *AND YET...*

« The machine has brought us many advantages, but it has destroyed the old ways of life, the old forms, and by reason of the continual and rapid change it involves, prevented the growth of new. Moreover, the advantage it brings us in mass-production has turned out to involve **standardization** and **levelling-down** outside the **realm** of mere material goods. »

(F. R. Leavis and D. Thompson)

This attitude can sometimes spring from a sort of fundamental pessimism, a deep-seated hostility to **material progress**, *such as we see in this writer who maintains :*

« Science is one thing and wisdom is another. »

(Th. L. Peacock)

In fact, science can be the beginning of wisdom in that

« A world without science is slavery. »

But there is no need to emphasize the point that some of its consequences can be dreadful, as the scientists are the first to point out :

« The **atom bomb**, and still more the **hydrogen bomb**, have caused new fears, involving new doubts as to the **effects** of science on human life. »

(B. Russel)

A propos de :	« **EFFETS** » *Notez*
effets, conséquences	effects, consequences, results
effets au porteur	bearer stock
effets publics *(finance)*	government stock, securities
effets, vêtements, etc...	things, property
à cet effet	with that end in view, for this purpose
en effet	for, indeed..., as a matter of fact
effectuer	to effect
effectif	effective
effectivement	actually
efficace	efficient
avoir de l'effet	to take effect

n'avoir aucun effet	**to be of no avail**
manquer son effet	**to fall flat**
(une plaisanterie qui...)	
prendre effet	**to become effective, operative**

Et ils ne sont pas les seuls à craindre le terrible **nuage en forme de champignon** *suspendu au-dessus de nous, le strontium 90, les* **retombées radio-actives**, *la leucémie et toutes les horreurs génétiques.*

And they are not the only ones to fear the dreadful **mushroom-shaped cloud** *hanging over our heads, strontium 90,* **radio-active fall-out**, *leukaemia and the variety of genetic horrors.*

CHAPITRE 25

L'ART ET LA VIE ARTISTIQUE

ART AND ARTISTIC LIFE

I – L'ART : VUE GÉNÉRALE

I – ART : A SURVEY

A) *L'ART, L'ESTHÉTIQUE*

A) *ART, AESTHETICS*

Le sens où nous prendrons le mot « art » est : tout ce qui a pour principal objet le beau dont s'occupe l'esthétique, cette

The sense in which we shall understand the word « art » is : all that which takes for its principal subject that beauty which is the concern of aesthetics, that

« philosophie des beaux arts. »
(H. Taine)

« philosophy of the fine arts. »

Mais vous aurez noté notre épithète « principal ». Il ne s'agit pas ici de défendre la doctrine de « l'art pour l'art », voire d'affirmer péremptoirement avec Théophile Gautier :

But you will have noted the epithet « principal ». We are not concerned to defend the doctrine of « art for art's sake », or even to assert categorically with Théophile Gautier :

« En général, dès qu'une chose devient utile, elle cesse d'être belle. »
(Th. Gautier)

« In general, the moment a thing becomes useful it ceases to be beautiful. »

B) *LES ARTS « MINEURS »*

B) *THE « MINOR » ARTS*

Les arts décoratifs et industriels sont la preuve qu'on peut mêler l'utile à l'agréable.

The decorative and industrial arts are proof that the useful and the beautiful can go hand in hand.

Il faut nommer ici L'AMEUBLEMENT dont le style varie selon les périodes, a plus ou moins d'élégance ou de lourdeur, de simplicité ou d'ornements, s'allie avec des tissus plus ou moins vifs et décorés.

Here we must mention FURNITURE, the style of which varies according to the period. It possesses in varying degrees elegance or solidity, is simple or ornate, involves fabrics more or less vivid and patterned.

Un style d'ameublement anglais particulièrement remarquable est le Chippendale, jadis inévitable dans les romans de la bonne société.

An outstanding English style of furniture is Chippendale, at one time an indispensable feature in novels of high society.

En France nos contemporains semblent avoir une affection particulière pour la marqueterie, pour le « Regency » (début du XIXᵉ siècle, à ne pas confondre avec la Régence française plus ancienne d'un siècle), le scandinave moderne, le rustique et les meubles Renaissance Espagnole, Louis XIII, etc... où alternent le bois sombre (noyer, etc...), le fer forgé, les velours...

In France our contemporaries seem to have a special liking for marquetry, for the Regency style (early XIXth century – not to be confused with French Regency, older by a hundred years), modern Scandinavian, the rustic style and Spanish Renaissance, Louis XIII, etc... furniture in which dark wood (walnut, etc.) is used along with wrought iron, velvets...

La CÉRAMIQUE, autre art utilitaire, englobe tout ce qui est relatif à la fabrication

CERAMICS, *another useful art, includes everything connected with the making of earth-*

' péremptoire : contre qui on ne peut rien répliquer ; catégorique   319

des vases en **terre cuite**, des **faïences**, des **porcelaines**, de la **poterie**, etc... Qui pourrait nier la beauté des porcelaines de Chine, de Saxe ou de Sèvres, des productions anglaises de Wedgwood et des ses successeurs ?

« Au dix-huitième siècle tous les souverains de l'Europe ont rivalisé dans la fabrication de la porcelaine. On s'arrachait les ouvriers. Watteau **dessinait des services** pour la manufacture de Dresde. »

(H. de Balzac)

C'est Ravenne, Byzance et le proche Orient qu'évoquent, par contre, les MOSAIQUES :

« recouvrant tout, simulant des **brocards** et des broderies, mais plus belles, plus durables que tous les tissus de la terre, ayant conservé à travers les siècles leur éclat et leurs diaprures, parce qu'elles sont composées avec des matières presque éternelles, avec des myriades de fragments de **marbre** de toutes les teintes, avec de la **nacre** et avec de l'**or**. »

(P. Loti)

Et la TAPISSERIE *nous ramène en France, aux Gobelins, à Aubusson...*

« L'art de la **haute lisse** fut pour l'Occident ce que la fresque fut pour l'Italie. Avec le **vitrail**, c'est peut-être l'expression la plus originale de son génie. »

(H. Focillon)

Au XIXᵉ siècle, ces critiques d'art pouvaient affirmer :

« Dans les tapisseries modernes exposées là, il ne se trouve plus rien de cet art particulier... qui faisait des tableaux de **laine** et de **soie**, d'après des lois et une optique qui ne sont ni les lois ni l'optique de la **peinture à l'huile**. »

(E. et J. de Goncourt)

*Il semble, néanmoins, que le XXᵉ siècle ait assisté à un renouveau de la **tapisserie mobilière** et murale, comme en témoigne Lurçat...*

Il reste à mentionner DIVERS *autres arts mineurs :* **verrerie** *(cf. les **cristaux** de Bohème de Baccarat, d'Edimbourg, de Waterford, etc...)*, **costume**, **orfèvrerie**, *etc... Et peut-être convient-il de rappeler aussi l'excellence à laquelle peut parfois atteindre le **dessin publicitaire** dont, en notre âge commercial, nous trouvons maint exemple dans les*

enware *vases,* **porcelain, china, pottery,** *etc... Who can deny the beauty of the products of China, Saxony or Sèvres, of the work of Wedgwood and his successors in England ?*

« In the XVIIIth century, all the crowned heads of Europe vied with each other in the manufacture of porcelain. Each snatched the others' workmen. Watteau **designed services** for the workshops at Dresden. »

It is Ravenna, Byzantium and the near East that are brought to mind by the word MOSAICS :

« covering everything, in imitation of **brocades** and **embroidery**, but finer, more lasting than any fabric on earth, having retained through the centuries their splendour and their intricate patterns because they are fashioned from materials that are well-nigh eternal, myriads of **marble** fragments of every hue, **mother of pearl** and **gold**. »

With TAPESTRY *we are back in France, at the Gobelins, at Aubusson...*

« The art of **high-warp tapestry** was for the Western World what the fresco was for Italy. It is, with the **stained glass window**, perhaps the most original expression of its genius. »

In the XIXth century these art critics could affirm :

« In the modern tapestries exhibited there, nothing is left of that special art which created pictures in **wool** and **silk**, working to rules and a vision which are neither the rules nor the vision of **oil-painting**. »

*It would seem, however, that the XXth century has witnessed a revival of **upholstery** and tapestry as the work of Lurçat can testify...*

VARIOUS *other minor arts remain to be mentioned :* **glass-making** *(crystal glass from Bohemia, Baccarat, Edinburgh, Waterford, etc...)*, **dress designing, gold and silver work**, *etc... And perhaps this is the place to remark on the high standard sometimes reached in **advertising design**, many examples of which are provided in our commercial age in*

prospectus, catalogues et affiches que rencontre chaque jour notre regard. L'art y est néanmoins trop asservi pour demeurer aisément artistique :

« On ne réussit pas auprès de la foule par la discrétion et le marivaudage. La publicité, c'est le viol. »

(A. Detœuf)

the form of the propectuses, catalogues and posters which every day meet our eye. But it is difficult for such a servile art to remain artistic :

« Success with the masses is not gained by gently wooing and subtly cajoling. Advertising is rape. »

C) *AUTRES BEAUX ARTS*

L'ARCHITECTURE *n'est pas seulement l'art de construire les édifices, elle est encore, ou devrait être :*

« l'art qui **ordonne** et **décore** les édifices élévés par l'homme de façon telle que leur vue contribue à sa santé morale, sa puissance et son plaisir. »

ce que semblent avoir oublier les plus médiocres de nos **architectes** *modernes.*

Pour nous consoler d'un certain modernisme, jetons un coup d'œil sur le passé.

1) **Les origines**

De l'architecture du passé celtique, France et Angleterre ne conservent guère que quelques monuments **mégalithiques** *(cf. Stonehenge dans le Wiltshire), des* **dolmens***, des* **menhirs** *(cf. Carnac en Bretagne).*

2) **Le style classique**

est celui des **Grecs** *et des* **Romains** *que reprendront les artistes du XVII ᵉ siècle et de l'école* **baroque** *(cf. Christopher Wren dont le chef-d'œuvre est la Cathédrale St-Paul), l'agrémentant, surtout dans le domaine des édifices religieux, de* **dômes**, **coupoles** *et divers ornements utilisés à la Renaissance italienne.*

Victor Hugo fait parler le temple d'Ephèse :

« Mon **frontispice** appuie au calme **entablement**
Ses deux plans lumineux inclinés mollement,
Si doux qu'ils semblent faits pour coucher
des déesses...
Mon **portique** serein, pour l'âme qui sait lire,
A la vibration pensive d'une lyre ;
Mon **péristyle** semble un précepte des
cieux...
Je suis la vérité bâtie en marbre blanc. »

(V. Hugo)

C) *OTHER FINE ARTS*

ARCHITECTURE *is not only the art of constructing buildings : it is also or should be :*

« the art which so **disposes** and **adorns** the edifices raised by man... that the sight of them contributes to his mental health, power and pleasure. »

(J. Ruskin)

which the more uninspired of our modern **architects** *seem to have forgotten.*

To console ourselves for this type of modernism, let us glance at the past.

1) **The origins**

From the ancient days of Celtic architecture France and England have preserved only a few **megalithic** *monuments (Stonehenge in Wiltshire),* **dolmens**, **menhirs** *(Carnac in Brittany).*

2) **The classic style**

is that of the **Greeks** *and the* **Romans** *which was later adopted by the artists of the XVIIth century and the* **Baroque** *school (e.g. Christopher Wren, whose master-piece is St-Paul's Cathedral) who adorn it, particularly in sacred buildings, with* **domes**, **cupolas** *and other decorative features of the Italian Renaissance.*

Victor Hugo makes the temple of Ephesus speak :

« Against the calm **entablature** my **frontispiece** rests
Its two glowing, gently inclined planes,
So soft they make fit resting place for goddesses...
My serene **doorway**, for the soul that can read,
Has the pensive vibration of a lyre ;
My **peristyle** seems a precept of the heavens...
I am truth built in white marble. »

(Le frontispice est la façade principale ; l'entablement, couronnement de l'édifice, comprend l'architrave, la frise, la corniche, le fronton). Caractéristiques des temples grecs sont les colonnes avec leur socle, leur piédestal, leur base, leur fût (à cannelures), leur chapiteau, qui peuvent appartenir à l'un des trois ordres : dorique, ionique, ou corinthien. L'architecture romaine, tout aussi symétrique, est plus rationnelle, plus utilitaire, plus massive, ainsi le Pont du Gard :

« J'y discernai une note de stupidité, une vague brutalité. Il est rare que cet élément soit absent des grandes œuvres romaines à qui il manque une judicieuse adaptation des moyens à la fin. Les moyens sont toujours excessifs et la fin est tellement dépassée ! Leur **rigueur** portait les Romains à aller au-delà du but proposé...

3) Le style roman et le style gothique

*Les Anglais appellent « normand » leur style **roman**, caractérisé par l'emploi de l'**arc à plein cintre** (cf. la cathédrale de Durham).*

*Si le gothique français est successivement **ogival**, **rayonnant** et **flamboyant**, l'anglais se divise en : « **early English** » (cf. Salisbury), « **decorated** » (cf. Exeter), et « **perpendicular** » (cf. la nef de Canterbury, ou King's College Chapel à Cambridge).*

*Prenons garde que la mention de l'architecture médiévale ne doit pas évoquer seulement pour nous les églises, cathédrales ou basiliques. Il existe une **architecture domestique** et une **architecture militaire** dont certains **châteaux-forts** sont là pour nous donner une idée :*

« Aujourd'hui encore les **ruines** de cette formidable citadelle (= Château Gaillard, en Haute Normandie) fascinent le regard et défient l'imagination... C'est là un des énormes **vestiges** de l'architecture militaire du Moyen-Age avec ses deux enceintes de murailles, ses ouvrages avancés, ses **herses**, ses **créneaux**, ses treize **tours**, son gros **donjon** (1) à deux étages »

(M. Druon)

4) Quelques styles ultérieurs en Angleterre

*Quittant l'époque des **ponts-levis**, nommons parmi les styles plus tardifs le style*

---

*(The frontispiece is the principal facade ; the entablature, the crown of the building, includes the **architrave**, the **frieze**, the **cornice**, the **pediment**). A characteristic feature of the Greek temples are the **columns**, with their **plinth, pedestal, base fluted shaft**, and **capital** which might belong to one of three orders : **Doric, Ionic, or Corinthian**. Roman architecture, while equally **symmetrical**, is more rational, more utilitarian, more **massive**, such as in the Pont du Gard :*

« I discovered in it a certain stupidity, a vague brutality. That element is rarely absent from great Roman work, which is wanting in the nice adaptation of the means to the end. The means are always exaggerated ; the end is so much more than attained. The Roman **rigour** was apt to overshoot the mark...

(H. James)

3) Norman and gothic styles

*The English call « Norman » their **romanesque** style characterized by **rounded arches** (e.g. Durham cathedral).*

*Whereas French gothic is in succession « ogival », « rayonnant » and « flamboyant », English gothic is divided into **early English** (Salisbury), **decorated** (Exeter) and **perpendicular** (the nave of Canterbury, or King's College Chapel at Cambridge).*

*When we speak of medieval architecture we must be careful not to think only of the churches, cathedrals and basilicas. There is a **domestic architecture** and there is a **military architecture**. There are **castles** that remain to give us some idea of it :*

« Today the **ruins** of this formidable citadel (= Château Gaillard in Upper Normandy) still fascinate the eye and baffle the imagination... You have there one of the most imposing **relics** of military architecture in the Middle Ages with its two curtain-walls, its outer works, its **portcullises, battlements**, thirteen **towers** and huge two-storied **keep**. »

4) Some subsequent styles in England

*Leaving the age of the **draw-bridge**, let us mention, among the later styles, the **Tudor***

---

(1) Attention que *dungeon* signifie : *oubliettes* en anglais.

Tudor, qui introduit la brique à côté de la pierre (cf. Hampton Court), le style **palladien** ; le style **Reine Anne**, le style **Géorgien** dont Bath est le joyau, et passons charitablement sur le style **Victorien** original ou **néo-gothique**. *L'architecture anglaise contemporaine attend encore son Le Corbusier, mais ses réalisations n'en sont pas moins intéressantes : Visitez la cathédrale de Coventry, l'hôtel Hilton à Londres et les villes nouvelles...*

La SCULPTURE n'est souvent qu'un art auxiliaire de l'architecture externe ou interne d'un édifice : sculpture sur pierre ou sur bois formant des motifs et servant des propos divers, **arceaux, bas-reliefs, coquilles, dentelures, encadrements, entrelacs, épis, gargouilles, guirlandes, moulures, nervures, oves, rinceaux, volutes,** *etc... sculptures en* **stuc** *des plafonds, très prisées à la belle époque...*

Mais il y a aussi la **statuaire** : **bustes, statues en pied, statues équestres, groupes en bronze...** ; *les* **sculptures funéraires**.

Les outils du **sculpteur** *sont la* **boësse** *(pour ébarber), le* **burin** *(pour tailler), le* **ciseau** *(pour ciseler), le poinçon, etc...*

La sculpture peut se faire en taille directe, après dégrossissage, ou par **modelage** *(on fait une* **maquette** *de* **cire** *ou de* **glaise**) *puis* **moulage**. *Une statue est* **polie**.

De la sculpture se rapproche beaucoup la GRAVURE *au sens d'ornementation d'un objet dur. En tant que procédé de reproduction, la gravure fait partie des* **arts graphiques**.

Notez les mots suivants :
bois
eau forte
estampe
frontispice
hors texte
une lithographie
vignette.

Mais l'art graphique par excellence, c'est évidemment le DESSIN *pour lequel l'artiste se sert normalement d'un* **crayon** *ou d'une* **plume**, *parfois de* **craie**. *Victor Hugo, qui fut aussi dessinateur, utilisait des ingrédients*

which introduced brick side by side with stone (Hampton Court), the **Palladian** ; **Queen Anne** style ; the **Georgian** style *of which Bath is the finest example ; and let us pass charitably over the original* **Victorian** *or* **neo-gothic** *style. Contemporary British architecture still awaits its Le Corbusier but its achievements are none the less considerable : go and see Coventry Cathedral, the Hilton Hotel in London and the new towns...*

SCULPTURE *is often merely an auxiliary art of the internal or external structure of a building : stone or wood carvings which form motifs and serve different purposes ;* **arches, bas-reliefs, shell motifs, denticulations, architraves, strap-work, finials, gargoyles, garlands, mouldings, featherings, ovoli, foliated scrolls, volutes,** *etc... ceiling sculptures in* **stucco**, *greatly admired during the « belle époque »...*

But there is **statuary** *too ;* **busts, standing statues, equestrian statues, bronze groups...** ; **tombstone carvings**.

The **sculptor's** *tools are the chasing chisel (for dressing the stone), the* **graving tool** *(for carving), the* **chisel** *(for chiselling), the engraver's point, etc...*

Sculpture can be done by carving the stone after rough-hewing, or by **modelling** *(a* **clay** *or* **wax model** *is made) and then* **moulding** *(casting). A statue is* **polished**.

Closely related to sculpture is ENGRAVING *in that it is the ornamentation of a hard object. As a process involving reproduction, engraving belongs to the* **graphic arts**.

Note the following words :
woodcut
etching
print
frontispiece
inset-plate
a lithograph
vignette.

But the graphic art par excellence is obviously DRAWING *for which the artist normally uses a* **pencil** *or* **pen**, *sometimes* **chalk**. *Victor Hugo, who was also a black and white artist, made use of various different ingre-*

charitablement : avec indulgence

divers comme il l'avoue dans cette lettre à Baudelaire :

« J'ai fini par mêler à mes dessins du crayon, du **fusain**, de la **sépia**, du charbon, de la suie et toutes sortes de mixtures bizarres qui arrivent à rendre à peu près ce que j'ai dans l'œil et dans l'esprit. »

(V. Hugo)

A propos de dessin, notez encore les mots suivants qui portent sur le travail, les outils et les sujets :

caricature
contour
coup de crayon
croquis
dessin à main levée
dessin humoristique
ébauche
esquisse
étude
frottis
un fusain
hâchure
planche à dessiner
profil
punaise
relief
silhouette
trait.

Les deux arts qui restent, les plus importants : peinture et musique, seront traités plus loin en détail.

D) *LA VIE ARTISTIQUE*

Quand on parle de vie artistique c'est peut-être d'abord à LA VIE D'ARTISTE que l'on songe, au tenant d'un certain académisme, qui passe par **les beaux-arts** *ou le* **conservatoire**, *gagne peut-être le* **prix de Rome** *et coule des jours paisibles et vénérés ; ou, au contraire, aux artistes «* **bohèmes** *», chevelus, sans le sou, qui hantent Montparnasse, habitent une mansarde, dorment — de jour — sur un grabat,* **composent** *ou* **peignent** *fièvreusement de nuit, soutenus par le café, l'alcool, l'opium, ou le L.S.D., à moins qu'ils ne se contentent de rêver à l'Art et d'en discuter, comme celui-ci :*

« Fièvreusement, il suivait dans les périodiques les **mouvements dadaistes** et les schismes, les jalousies étrangement féminines et la

dients, as he admits in this letter to Baudelaire :

« Finally, in my drawings, I am making use of pencil, **charcoal**, **sepia**, coal, soot and any sort of odd mixture which will help to convey what my eye or my mind is seeing. »

While on the subject of drawing, make a note of the following words connected with the work, the tools and the subjects :

caricature
outline
pencil stroke
sketch
free hand drawing
cartoon
outline, rough sketch
sketch
study
scumble
a charcoal sketch
hachure, hatching
drawing board
profile
drawing pin
relief
profile, silhouette
line.

The two remaining arts, the most important, painting and music, will be dealt with in detail later.

D) *ARTISTIC LIFE*

When people talk of artistic life it is perhaps of THE ARTIST'S LIFE that they are primarily thinking, of a traditionalist who has passed through **the Fine Arts Schools** *or the* **Academy of Music**, *who wins the* **Rome Award**, *and who lives quietly, reputation assured ; or, on the other hand, they think of the* **bohemians**, *long-haired, penniless, hanging around Montparnasse, who live in an attic, sleep during the day — on a dirty old bed,* **compose** *or* **paint** *by night, kept going by coffee, alcohol, opium or L.S.D., unless they are merely content to dream about Art and discuss it, like this man :*

« Feverishly he followed in periodicals the **Dadaist movements** and schisms, the strangely feminine jealousies and religiousness, the

324 grabat = lit misérable ; de malade (→ grabataire = malade qui ne quitte pas le lit)

religiosité, l'obscurantisme des écoles qui se formaient pour disparaître aussitôt. Régulièrement il se révoltait contre les **techniques** et les **matériaux périmés**. Une saison il rejeta la **perspective**. Une autre année, il abandonna le rouge... En fin de compte il renonça complètement aux couleurs. »

obscurantisms of the forming and breaking schools. Regularly he revolted against **outworn techniques** and **materials**. One season he threw out **perspective**. Another year he abandoned red... Finally he gave up paint entirely. »

(J. Steinbeck)

Mais la vie artistique n'est pas réservée aux créateurs, vrais ou faux. C'est LE PUBLIC *qui l'entretient, le public qui doit s'en nourrir. L'époque moderne permet à chacun d'être un* **collectionneur** *en chambre, d'avoir chez soi son* **musée** *imaginaire pictural et musical (*livres **d'art**, **microsillons**, **émissions** *musicales de la radio et de la télévision). Et puis, à l'extérieur, il y a les* **festivals**, *les* **récitals**, *les* **concerts**, *les* **ballets**, *les* **vernissages**, *les* **expositions**, *les* **galeries d'art**, *les musées :*

But the artistic life is not just the privilege of the practising artists whether genuine or sham. It is THE PUBLIC *which keeps it going and which must draw nourishment from it. This modern age makes it possible for everyone to become a private* **collector**, *to have in his own home, his imaginary* **art museum** *and music library (*art **books**, L.P. **records**, *music* **programmes** *on wireless or T.V.). And further, outside his house, there are* **festivals**, **recitals**, **concerts**, **ballets**, **private viewings**, **exhibitions**, **art galleries**, *museums :*

« Les jours fastes, Mlle Julie m'emmenait seule avec elle à Paris. Jours fastes, mais épuisants. Elle me prenait par la main et m'entraînait au pas de course à travers les **galeries** du Louvre, dans un flot incessant de paroles — les **tableaux**, en effet, semblaient la mettre dans un état de surexcitation — jusqu'à la salle qu'elle désirait atteindre. Là elle choisissait une **toile de maître** pour un examen plus particulier et elle restait, silencieuse, à la fixer avec une attention intense. »

« On golden days Mlle Julie took me to Paris alone. Golden but exhausting. She would take me by the hand and race me through the **galeries** at the Louvre, talking torrentially all the time — for **pictures** seemed to excite her — until we reached the room of her choice. Here she would select a **masterpiece** for special contemplation and remain silent before it, gazing with fixed intentness. »

(« Olivia »)

Dommage que les musées comportent un bon nombre d'inconvénients : les inévitables **croûtes**, *l'absence de sièges, la présence de visiteuses snobs qui jouent les* **connaisseurs** *: « Cet ocre vous a une de ces gueules, ma chère »... et l'existence des* **guides**, *ce mal nécessaire.*

It is a pity that museums are not without a good many drawbacks : the inevitable **daubs**, *the lack of seats, the presence of snobbish visitors making out they are* **connoisseurs** *: « Darling, that ochre ! But how simply marvellous ! » and the* **guides**, *those necessary nuisances.*

II — LA PEINTURE

II — PAINTING

A) *L'ARTISTE AU TRAVAIL*

A) *THE ARTIST AT WORK*

« Ayant acheté une **boîte de couleurs**, un **chevalet** et une **toile**, il ne me restait plus qu'à commencer. Mais quel pas à franchir ! **La palette** luisait de perles de couleur ; la toile se dressait dans toute sa beauté et sa blancheur, le **pinceau** vierge restait en suspens, indécis, lourd de responsabilités. Ma main semblait retenue par un véto silencieux. »

« Having bought a **paint-box**, an easel, and a **canvas**, the next step was to begin. But what a step to take ! the **palette** gleamed with beads of colour ; fair and white stood the canvas ; the empty **brush** hung poised, heavy with destiny, irresolute in the air. My hand seemed arrested by a silent veto. »

(Sir W. Churchill)

C'est là l'attitude d'un humble **peintre du Dimanche**. *Un professionnel s'y prend autrement :*

« "Pourquoi hésiter ? Donnez-moi un peu le pinceau — le gros !" Et alors plouf dans la **térébenthine**, pan dans le bleu et le blanc, un moulinet frénétique sur la palette — où est sa propreté d'antan ? — puis quelques grands et farouches traits et balafres de bleu sur une toile qui en reculait de terreur. »

S'il travaille en **studio**, *le peintre aura peut-être un* **modèle**. *Ce peut être une ravissante jeune femme qu'il peint* **nue**, *mais ce n'est pas toujours le cas :*

« Quand Hughie entra, il vit Trevor qui mettait la dernière main à un merveilleux **portrait grandeur nature** — de mendiant. Le mendiant lui-même était debout sur une estrade dressée dans un coin du studio. »

Mais laissons là l'artiste broyer ses couleurs, **ombrer**, **adoucir**, **étendre** *le* **glacis**... *Quittons son* **atelier**, *ses* **laques**, *ses* **pigments**, *ses* **siccatifs**, *ses* **vernis**, *pour rejoindre les œuvres.*

B) LES ÉCOLES ET LES GENRES

Le Moyen Age nous a légué quelques **peintures murales**, *des* **miniatures** *et* **enluminures** ; *ainsi, en Irlande, le*

« Livre de Kells dont les **lettres ornées**, pour la perfection du trait, la fraîcheur et le choix exquis des couleurs, la puissance d'invention **linéaire**, confondent l'imagination. »

(R. Chauviré)

Puis viennent les **primitifs**, *flamands, italiens, les rétables, les* **triptyques**, *les statues* **polychromées**, *les* **fresques**...

Le XVIII *siècle anglais est particulièrement remarquable pour ses* **tableaux de genre**, *ses portraits (Reynolds, Lawrence), ses* **aquarelles** *(Blake). C'est aussi l'époque où apparaissent les* **paysages** *(Gainsborough, Constable) en attendant les* **marines** *de Turner (qui fut aussi* **aquarelliste***).*

Depuis, il y a eu les **impressionnistes**, *leurs* **extérieurs**, *leurs* **nus**, *leurs* **natures mortes** ; *plus près de nous encore, les peintres*

That is the humble attitude of the **week-end painter**. *A professional goes about differently :*

« "What are you hesitating about ? Let me have the brush — the big one !" Splash into the **turpentine**, wallop into the blue and white, frantic flourish on the palette — clean no longer — and then several large fierce strokes and slashes of blue on the absolutely cowering canvas. »

(Sir W. Churchill)

If he works in a **studio**, *the painter will perhaps have a* **model**. *This may be a ravishing young woman that he paints* **in the nude** *— but it may not be :*

« When Hughie came in, he found Trevor putting the finishing touches to a wonderful **life-size picture** of a beggar-man. The beggar himself was standing on a raised platform in a corner of the studio... »

(O. Wilde)

But let's leave the artist to mix his colours, **shade**, **tone down**, **scumble**... *Let's depart from his* **workshop** *with all its* **lacquers**, **pigments**, **drying agents**, **varnishes** *and get back to the paintings.*

B) SCHOOLS OF PAINTING : GENRES

The Middle Ages have bequeathed us a few **mural paintings**, **miniatures** *and* **illuminated manuscripts** : *for example, in Ireland, the*

« Book of Kells whose **decorated lettering**, perfection of line, freshness and exquisite choice of colours and power of **linear invention** confound the imagination. »

Then come the **primitives**, *Flemish, Italian, the* **reredos**, *the* **triptychs, polychromatic** *statues,* **frescoes**...

The XVIIIth century in England is especially remarkable for its **subject paintings**, *its portraits (Reynolds, Lawrence), its* **watercolours** *(Blake). It is also the period when* **landscape** *makes its appearance in paintings (Gainsborough, Constable) some time before the* **seascapes** *of Turner (who was also a* **water-colour artist***).*

Since then there have been the **impressionists** *with their* **outdoor scenes**, *their* **nudes**, *their* **still-lifes** ; *closer to our time, the* **abs-**

abstraits (non-figuratifs), *le* cubisme, *le* dadaisme, *le* fauvisme, *etc...*

C) *PEINTURE ET LITTÉRATURE*

La peinture affecte la littérature de deux manières.

D'abord en fournissant leur matière aux CRITIQUES D'ART. *Ceux-ci décrivent les tableaux (*fond : **premier plan, arrière-plan,** détails, *etc...), en définissent les procédés, en jugent la valeur (sont-ils* **criards, nuancés, ressemblants, saisissants** *?...) :*

« C'est par l'**opulence** et le **chatoiement** de la matière que cette œuvre commence à se saisir de vous. Une admirable audace de coloriste se révèle dans le corsage d'un rouge **corallin,** martelé de touches orangées et parsemé de **motifs** blancs. Rien de plus complexe que l'organisation chromatique de *La Dame aux Bracelets.* »

(F. Romanet)

La littérature doit ensuite à la peinture un certain nombre de TERMES :

(s')amortir
cerner
clair-obscur.

« Ses blancheurs de marbre et de neige
se fondent amoureusement
Comme, au clair-obscur du Corrège,
Le corps d'Antiope dormant. »

(Th. Gautier)

contours hardis
se découper
se dégrader
demi-teinte
dentelé
se denteler
dentelure
se dessiner
distribution des couleurs
ébaucher
empâtement
ensemble
estomper
s'estomper
fini *(n.)*
flou
gouache
grisaille
lavis.

tract *painters* (**non-representational**), cubism, dadaism, fauvism, *etc...*

C) *ART AND LITERATURE*

Painting has its effect on literature in two ways.

First by providing ART CRITICS *with their subject matter. The critics describe the pictures (*ground : **foreground, background,** details), analyse the technique, assess their worth (are they **gaudy, full of delicate light and shade, good likenesses, striking** ?...) :*

« It is by the **richness** and **iridescence** of the impasto that this work first appeals. An admirable boldness in the use of colour is revealed by the bodice, of **coralline** red, touched here and there with orange and dappled with a small white **pattern.** What could be more complex than the colour scheme of *The Lady of the Bracelet?* »

And secondly literature owes to painting a number of EXPRESSIONS :

to fade
to encircle (surround)
chiaroscuro.

« Marble whiteness and snowy whiteness
Lovingly **blend**
As, in Correggio's chiaroscuro,
The body of the sleeping Antiope. »

bold, bluff outlines
to be silhouetted against
to pass to a weaker (duller) hue
half-tone
serrated, fretted
to be jagged
lace-work
to be sketched
colour arrangement
to (make a rough) sketch
impasto
general effect
to tone down
to become blurred
finish
blurred, muzzy
gouache
grisaille (greyness, grey shadow)
wash tint.

327

« Là-bas... les villages se noyaient dans un bleu **violacé** et **uniforme** comme une teinte de lavis. »

(M. Tinayre)

masse	mass
méplat	plane
modelé *(n.)*	relief
nuances	shades, hues (delicate differences of colour)
pastel	pastel
plan	range, ground
tonalité	tonality
trompe-l'œil	« trompe-l'œil », deceptive effect
vaporeux.	misty, hazy, vaporous, unsubstantial.

« Yonder... the villages were bathed away in blue as **violet-hued** and as **even** as a wash tint. »

III – LA MUSIQUE

A) *THÉORIE ET PRATIQUE MUSICALES*

Si le domaine de la **muse** *Euterpe est celui de l'art pur, les professionnels de cet art n'y accèdent pas pour autant par simple intuition, par don non-cultivé : une longue* FORMATION, *souvent fastidieuse,[1] est indispensable.*

Il faut d'abord apprendre le **solfège** *ou étude des principes élémentaires de la musique et de sa notation.*

III – MUSIC

A) *MUSICAL THEORY AND PRACTICE*

If the realm of the **muse** *Euterpe is that of pure art, those who make this art their profession do not, for all that, succeed by simple intuition, by a natural gift alone. A long period of* TRAINING, *often boring, is essential.*

First one must learn **solfeggio (sol-fa)** *or the study of the elementary principles of music and its notation.*

NOTATION MUSICALE

(1) **portée**
(2) **neume**
(3) **bémol**
(4) **dièze**
(5) **clefs**
    grégorienne,
    de sol,
    de fa
(6) **gamme majeure**
(7) **note**
(8) **notation française**
(9) **gamme mineure**
(10) **notation anglaise**
(11) **bécarre**
(12) **gamme chromatique**
(13) **mesure à 4 temps**
(14) **mesure à 2 temps**
(15) **mesure à 3 temps**
(16) **ronde**

MUSICAL NOTATION

(1) **staff**
(2) **neum**
(3) **flat**
(4) **sharp**
(5) **clef**
    plain song,
    G (or treble) clef,
    bass clef
(6) **major scale (gamut)**
(7) **note**
(8) **French notation**
(9) **minor scale (gamut)**
(10) **English notation**
(11) **natural**
(12) **chromatic scale**
(13) **quadruple time**
(14) **duple time**
(15) **triple time**
(16) **semi-breve**

[1] fastidieux : qui rebute en provoquant l'ennui, la lassitude.

Do ré mi fa sol la si do

C D E F G A B C

(17) blanche	(17) minim
(18) barre de mesure (= 1 mesure)	(18) bar-line (= a bar)
(19) quadruple croche	(19) hemi demi semiquaver
(20) triple croche	(20) demi semiquaver
(21) double croche	(21) semiquaver
(22) croche	(22) quaver (*Adm.* : eighth note)
(23) noire (pointée)	(23) crochet (*Am.* : quarter note) (dotted)
(24) tierce	(24) major third
(25) quarte	(25) perfect fourth
(26) quinte	(26) perfect fifth
(27) accord parfait	(27) perfect chord
(28) soupir.	(28) quaver rest.

Puis viennent le **contrepoint**, *l'* **harmonie**, *la* **composition**, *la* **direction d'orchestre** *ou de* **chœur**.

Then come **counterpoint**, **harmony**, **composing**, *the* **conducting** *of* **orchestra** *or* **choir**.

A propos de :	« CHŒUR » *Notez*
chœur antique *(dans une pièce, un opéra,* *etc... ; chœur des anges)*	**chorus**
chœur d'une église *(architecture)*	**chancel**
chœur, chorale *(maîtrise, manécanterie,* *schola)*	**choir** *(orth. anc. :* **quire***)*
chœur, choral	**chorale**
choriste *(église)*	**chorister**
choriste *(opéra)*	**chorus-singer, chorus-girl**
chorégraphie	**choreography**
en chœur	**in chorus**
enfant de chœur	**altar-boy** *(et pas* **choir-boy***, qui est un* **choriste***)*

Ceux qui veulent devenir EXÉCUTANTS *(pianistes, violonistes, etc.) apprennent à* **jouer** *d'un, ou plusieurs* INSTRUMENTS.

Il y a les **instruments à cordes** :

l'alto
la balalaïka
le banjo
la cithare.

« Tandis qu'il gardait les troupeaux de son père, David aimait à composer des poèmes, en s'accompagnant de la cithare. »
(Daniel-Rops)

la contrebasse
la guitare
la harpe.

« La harpe qui jadis aux châteaux de Tara,
Versait l'âme de la musique,
Muette désormais pend aux murs de Tara
Comme si cette âme s'était enfuie. »

la mandoline
le violon

dont on joue avec un **archet** ;

le violoncelle.

Les instruments **à corde** *et* **à clavier** :

le clavecin.

« Le voilà donc assis au clavecin, les jambes fléchies, la tête levée vers le plafond, où l'on eût dit qu'il voyait une **partition** notée, chantant, **préludant**, exécutant une pièce d'Alberti ou de Galuppi. »
(D. Diderot)

l'épinette
le piano.

Those who wish to become PERFORMERS *(pianists, violonists, etc.) learn to* **play** *one or several* INSTRUMENTS.

There are **the strings** :

the viola
the balalaïka
the banjo
the zither *(ancient :* **cithara***).*

« While he watched his father's flocks, David liked to make up poems, accompanying himself on the cithara. »

the double bass
the guitar
the harp.

« The harp that once thro' Tara's halls,
The soul of music shed,
Now hangs as mute on Tara's walls
As if that soul were fled. »
(Th. Moore)

the mandolin
the violin

which is played with a **bow** ;

the cello.

Stringed *instruments* **with a keyboard** :

the harpsichord.

« There he sits at the harpsichord, legs bent, head lifted towards the ceiling, on which one would have said he could see the musical **score** written, singing, **playing a prelude**, performing a composition of Alberti or Galuppi. »

the spinet
the piano.

Il y a des **pianos droits,** *des* **pianos à** queue, *des* **crapauds.**	*There are* **upright pianos, grand pianos, baby grands.**
le virginal.	**the virginal(s).**

<table>
<tr><td>*Les instruments* **à percussion** :</td><td>**Percussion** *instruments* :</td></tr>
</table>

la batterie	**the drums**
la (grosse) caisse	**the big drum (bass drum)**
le carillon	**the chimes**
les castagnettes	**the castanets**
les cymbales	**the cymbal**
le gong	**the gong**
le tambour.	**the drum.**

« Adieu, l'étalon hennissant et la trompette
nasillarde,
Le tambour qui ranime le courage et le fifre
perçant. »

« Farewell the neighing steed, and the shrill
trump,
The spirit-stirring drum, the ear-piercing
fife... »
(W. Shakespeare)

le tambourin	**the tambourin**
le tam-tam	**the tom-tom**
la timbale	**the kettle-drum**
les timbres	**the bells**
le triangle	**the triangle**
le xylophone.	**the xylophone.**

<table>
<tr><td>*Les* **instruments à vent (bois)** :</td><td>**Wind instruments (wood-wind)** :</td></tr>
</table>

le basson	**the bassoon**
le chalumeau	**the pipe**
la clarinette	**the clarinet**
le cor anglais	**the cor anglais**
la cornemuse	**bagpipes**
le flageolet	**the flageolet**
la flûte.	**the flute,**

« En phalange ordonnée, ils avancent bientôt
Au son des flûtes et des **pipeaux**
Jouant sur le **mode dorien.** »

« Anon they move
In perfect phalanx to the **Dorian mood**
Of flutes and soft **recorders.** »
(J. Milton)

le hautbois.	**the oboe** *(anc. :* **hautboy***).*

« Jouez hautbois, résonnez **musettes.** »
(Cantique)

« Let the hautboys play, and the **musettes**
sound. »

le mirliton.	**the gazooka.**

<table>
<tr><td>*Les* **cuivres** :</td><td>*The* **brasses** :</td></tr>
</table>

le clairon	**the bugle**
le cor	**the horn**
le cornet	**the cornet**
le saxophone.	**the saxophone.**

« Le **saxophoniste** prit le plus petit de ses
instruments, descendit sur la piste, et commença à évoluer dans la salle et à instiller au
creux d'une oreille puis d'une autre les fiori-
tures douceâtres de sa mélodie. »

« The **saxophone player** took his smallest
instrument and came on to the floor to
wander through the crowd and play, now
into this ear, nox into that, the dulcet accidents of the melody. »
(E. Linklater)

331

le trombonne	the trombone
la trompette	the trumpet
le tuba.	the tuba.

Les instruments à **anches** *(ou* **tuyaux***) :*   **Reed** *(or* **pipe***) instruments :*

l'accordéon	the accordeon
l'harmonica	the harmonica (mouth organ)
l'orgue	the organ

muni de **jeux** *et d'un* **pédalier.**   *with its* **stops** *and* **pedal board.**

Parmi les **instruments anciens,** *enfin, nommons :*   *Among the* **older instruments,** *let us note :*

la bombarde	the bombardon
le cromorne	the krummhorn (cromorne, cremona)
la guimbarde	the Jew's harp
le luth	the lute
la lyre	the lyre
l'olifant.	the oliphant (hunting horn).

« Le comte Roland, à grand effort, à grand ahan, très douloureusement **sonne** son olifant. »
(« Chanson de Roland »)

« Count Roland, with great effort, breathing with great difficulty and in much distress, **sounds** his horn. »

le théorbe	the theorbo
le tympanon.	the dulcimer.

« Une demoiselle avec un tympanon
M'est apparue jadis en une vision. »

« A damsel with a dulcimer
In a vision once I saw. »
(S.T. Coleridge)

la viole.   **the viol.**

Et nous en resterons là pour les instruments et ceux qui en jouent : amateurs plus ou moins doués, nantis de pianos bien ou mal **accordés** *; solistes internationaux ;* **premiers violons** *; membres d'un orchestre dirigé par un* **chef** *inconnu ou prestigieux, ou de la* **fanfare municipale** *; humbles* **musiciens ambulants** *:* **violoneux** *qui* **raclent** *leur instrument, joueurs d'***orgue de Barbarie** *(proprement de Barberi, du nom du* **facteur d'orgue** *qui inventa cet* **instrument mécanique***)...*

And that's where we'll end our survey of instruments and those who play them : amateurs more or less gifted with their pianos more or less well **tuned** *; international* **soloists** *; first violins* **(leaders)** *; members of an orchestra conducted by an unknown or a world-famous* **conductor** *;* **brassband** *players ;* **poor street musicians** *:* **fiddlers** *who* **scrape** *away at their instrument ;* **barrel-organ** *players (the name should really be the Barberi organ after the* **organ builder** *who invented this* **mechanical instrument***)...*

Mais il ne faudrait pas laisser de côté ces musiciens souvent excellents que sont les CHANTEURS. *Nous n'avons plus d'***aèdes,** *ou* **bardes,** *de* **ménestrels,** *de* **troubadours** *et de* **trouvères.** *Mais il nous reste la* **primadonna,** *le* **chanteur d'opéra,** *le* **soliste de concerts,** *les* **choristes,** *les* **chanteurs populaires** *des disques ou des clips.*

But we should not pass over those often excellent musicians, the SINGERS. *We no longer have* **bards, minstrels, troubadours** *and* **trouvères.** *But we still have the* **primadonna,** *the* **operatic singer,** *the* **pop(ular) singer** *on records or video-clips.*

Ces derniers peuvent à l'occasion se permettre de **brailler** *ou d'être* **inaudibles,** *d'user du* **port de voix,** *de détonner, de* **chanter faux,** *de* **faire des couics,** *de former avec leur*

These last may at times simply **bawl,** *or else be* **inaudible,** *make use of the* **glide,** *sing* **flat** *or* **out of tune, squeal,** *and with the backing of an accompanying orchestra, make*

332

orchestre d'accompagnement une belle caco-
phonie, mais le chanteur moyen ou génial n'a
pas ce privilège. Il doit apprendre son art.

Qui n'a pas entendu ces **arpèges**, suivis
d'une succession de **vocalises** plus ou moins
aiguës et de **trilles** ?

Parmi les **voix**, on distingue :

la soprano
le soprano.

« Les soprani enchanteurs ravissent tous les
auditeurs. »

le mezzo-soprano
l'alto
le contralto
le ténor
le baryton
la basse.

« En Angleterre on compte une quatrième
catégorie de voix masculines que l'on nomme
la **haute-contre.** »

On l'appelle encore « **fausset** ». C'était la
voix des « castrats » de jadis.

Les chorales chantent **à l'unisson** ou à
plusieurs voix, accompagnées ou **a capella**,
un certain nombre de chœurs : **ballades, blues
complaintes, romances, spirituals**, etc..., ou,
à l'église : **antiennes, cantiques, messes, motets, noëls, psaumes, répons**... Le **maître de
chœur** leur a au préalable **donné le ton**, en
se servant d'un **diapason.**

a fine old noise, which the average singer or
the great singer cannot do. He must learn his
art.

Who has not heard those **arpeggios** followed by a succession of more or less shrill
exercices in **vocalization** and by **trills** ?

Among the **voices**, we have :

the soprano
the treble.

« The ravishing trebles delight every ear. »
(Th. D'Urfey)

the mezzo-soprano
the alto
the contralto
the tenor
the baritone
the bass.

« In England, a fourth class of male voice is
recognized, called... **counter-tenor.** »
(S. Novello)

It is still called « **falsetto** », a name formerly given to the voice of the « castrati ».

Choirs sing **in unison**, or **in parts**, accompanied or **unaccompanied**, a certain number
of choruses : **ballads, blues, laments, sentimental songs, spirituals**, etc..., or in church,
antiphons, hymns, masses, anthems (motets), **carols, psalms, responses**... The **choir
master** has **given them the key** beforehand,
using a **tuning-fork.**

A propos de :	« CHANTER » Notez
chanter une chanson	**to sing**
chanter, psalmodier	**to chant**
chanter (coq)	**to crow**
chanter, fredonner	**to hum**
chanter, gazouiller	**to twitter**
(oiseaux)	**to warble**
chanter, jaser	**to babble**
(ruisseau, etc...)	**to purl**
chanter, pépier (oiseau)	**to chirp**
chanter victoire	**to crow over**
le chant (général)	**singing**
un chant, une chanson	**song, lyric**
chanson de bord	**sea-shanty**
chanson, mélopée	**sing-song**
chant de Noël	**Christmas carol**
chant d'un poème	**canto**
entonner une chanson	**to strike up a song, a tune**

faire chanter (les choristes)	to conduct a choir
faire chanter *(crime)*	to blackmail
maître de chant	singing master
maître chanteur	
(musique)	mastersinger
(criminel)	blackmailer

B) *LES HOMMES ET LES ŒUVRES*

Le premier nom célèbre de la musique anglaise est peut-être celui de Dunstable, les auteurs médiévaux de morceaux de grégorien et des premières pièces **polyphoniques** *étant généralement restés anonymes.*

C'est la Renaissance qui, dans le domaine musical, est, outre Manche, l'âge d'or. C'est l'époque des **airs** *(solos ou* **duos** *), des* **madrigaux** *; le théâtre a sa* **musique de scène**, *ses* **chansons, interludes, postludes** *et* **danses**.

Parmi ces dernières on notera :

la pavane.

« Une sorte de musique grave, composée pour une danse austère et constituée normalement de trois parties ou refrains [1] dont chacun est joué ou chanté deux fois. »

**la gaillarde
la courante
l'allemande**

en attendant **bourrées, chaconnes, gavottes** *et* **sarabandes**.

La **musique instrumentale** *fait également son apparition et de petits orchestres (« consorts ») se forment.*

Le XVII⁰ siècle développera tout cela (ainsi les interludes avec danses deviendront des **masques**, *puis, sous l'influence des comédies-ballets françaises des* **opéras dramatiques** *), mais il faudra attendre la Restauration (les Puritains n'étaient guère* **mélomanes** *) pour que la musique anglaise connaisse un nouvel épanouissement. C'est H. Purcell qui domine cette période, plus encore que W. Byrd n'avait dominé celle d'Elizabeth. Maître de chapelle de Charles II, puis de Jacques II, il écrivit des* **cantates** *avec orchestration, le premier véritable* **opéra** *anglais : « Didon et*

B) *THE MEN AND THEIR WORKS*

The first famous name in English music is probably Dunstable, as the medieval authors of gregorian chants and of the first **polyphonic** *compositions have for the most part remained anonymous.*

It is the Renaissance which is the golden age of music across the Channel. It is the time of **airs** *(solos or* **duets** *) and of* **madrigals** *; the theatre has its* **incidental music**, *its* **songs, interludes, postludes** *and* **dances**.

Among the latter may be noted :

the pavan.

« A kind of staid music, ordained for grave dancing and most commonly made of three straines [1], whereof every straine is played or sung twice. »

(Th. Morley)

**the galliard
the coranto
the alman**

and later there will be **bourrées, chacon(n)es, gavottes** *and* **sarabands**.

Instrumental music *also makes its appearance and little orchestras (consorts) are formed.*

The XVIIth century will see the gradual growth of all this (thus interludes with dancing will become first **masques**, *then, under the influence of the French « comédies-ballets »,* **dramatic operas** *) but it will not be until the Restoration (the Puritans were not exactly* **music-lovers** *) that music in England is gloriously revived again. It is H. Purcell who dominates this period, even more than W. Byrd had dominated the Elizabethan age. Master of the King's Chapel for Charles II and later for James II, he wrote* **cantatas** *with full orchestral score, the first true English*

---

(1) *Refrain.* L'orthographe moderne du mot anglais est *strain.* Termes plus fréquents = *burden, refrain.*

334 mélomane : personne qui est passionnée de musique classique.

Enée », une multitude de **pièces de circonstance**, **mit en musique de chansons**, etc...

Au XVIIIe, avec G.-F. Haendel qui composa, entre autres, le fameux **oratorio** « Le Messie », l'Angleterre tend à perdre son originalité propre. Il y a bien la réaction de l'**opéra-ballade** (J. Gay — Ch. Pepush : « L'Opéra du Gueux »), mais l'influence allemande et italienne ne cesse de croître. Comment en irait-il autrement, songez à Bach, ses **toccatas**, ses **fugues**, son **clavecin bien tempéré**, ses **concertos** brandebourgeois, ses **passions** ; à Mozart, ses **symphonies**, ses **sonates**, ses **menuets**...

Au XIXe, il y aura nombre de **compositeurs** indigènes de valeur : ainsi un J. Field, le précurseur de Chopin pour les « **nocturnes** ». Le plus célèbre est le victorien Arthur Sullivan dont les **opérettes**, écrites en collaboration avec le **librettiste** Gilbert continuent à attirer les foules britanniques vers l'Albert Hall ou Sadler's Wells :

« H.M.S. Pinafore a toujours été mon opérette favorite, celle de mon père aussi... Chaque année, pour l'anniversaire de papa, nous allons la voir en **matinée**. Je regardai le long de la rangée et vis son visage éclatant de bonheur et souriant, la main **battant la mesure** avec le **programme-souvenir**, les lèvres formant les paroles en sourdine et quelquefois plus fort, lorsqu'on en arrivait au neuvième **bis** ou aux refrains entraînants. »

Depuis, les grands noms se sont multipliés ; les œuvres aussi :

aubades
barcarolles
caprices
divertissements
études
fantaisies
impromptus
marches
poèmes symphoniques
quatuors de musique de chambre
quintettes
rondos
scherzos
sextuors
septuors
suites.

opera (« Dido and Aenas »), a host of **occasional pieces**, and **set songs to music**...

In the XVIIIth century, with G.F. Handel, who composed, among other things, the famous **oratorio** « The Messiah », England tends to lose her native originality. It is true there is the reaction of the **ballad opera** (J. Gay — Ch. Pepush : « The Beggar's Opera ») but the German and Italian influence continues to grow. How could it be otherwise ? Think of Bach, his **toccatas**, his **fugues**, his Brandeburg **concertos**, his **passions** ; think of Mozart, his **symphonies**, sonatas, minuets...

In the XIXth century there will be a number of talented native **composers**, like J. Field, the precursor of Chopin in the composition of **nocturnes**. Best known is the Victorian composer Arthur Sullivan whose **operettas**, written in collaboration with the **librettist** Gilbert still draw English crowds to the Albert Hall or Sadler's Wells.

« H.M.S. Pinafore was always my Dad's special favourite... So every year, when Dad's anniversary comes round, we go off to the **matinée** to see it. I glanced along the row and saw his face shining and smiling, and his hand **beating time** with his **programme-souvenir**, and his lips forming the words just underneath his breath — and sometimes above it, too, when it came to the ninth **encore**, or the rousing choruses. »

(C. MacInness)

Since then there have been famous names in plenty ; and compositions too :

aubades
barcarolles
caprices
divertimentos
studies
fantaisies
impromptus
marches
symphonic poems
chamber music quartets
quintets
rondos
scherzos
sextets
septets
suites.

¹ librettiste = parolier (pour opéras cg.)

L'Angleterre, néanmoins, ne semble pas avoir le culte du modernisme outré : elle fuit plus volontiers la **dissonance** que le continent et n'a guère d'adeptes de **musique dodéca-phonique**, ou **concrète**.

Quant à l'Amérique, une de ses contributions les plus originales à l'art qui nous intéresse ici est, à n'en pas douter, le **jazz**. A en croire les purs, il devrait toujours être « hot ». Ne pas confondre donc avec :

« Ces rengaines langoureuses qui évoquent le déroulement lubrique d'un python somnolent à travers une plantation de canne à sucre, et répandent dans les airs leurs borborygmes familiers et leur sirupeuse douceur. »

Mais cela non plus ne justifie pas l'anathème. Après tout, il en faut **pour tous les goûts**...

England nevertheless, does not seem to have much liking for the ultra-modern ; she is less ready than the continent to accept **dissonance** and probably has fewer masters of **twelve-tone music** or **concrete** music.

As for America, one of her most original contributions to the art considered here is, without doubt, **jazz**. According to the purists, it should always be « hot », and so not to be confused with :

« Those sentimental pieces that, oozing like a sleepy python through a grove of sugar canes, fill the air with abdominal colloquialisms and an almost diabetic sweetness. »

(E. Linklater)

But that doesn't justify our denouncing it. After all, there must be music **to suit all tastes**...

' anathème : condamnation totale excommunication majeure prononcée contre les hérétiques ou les ennemis de la foi catholique.

CHAPITRE 26

LA LITTÉRATURE
ET LA VIE LITTÉRAIRE

I – LES DIFFÉRENTS GENRES

A) *LE ROMAN ET LA NOUVELLE*

De nouveaux **ROMANS** *sortent chaque semaine des* **presses** *avec une profusion déconcertante :* **des romans historiques,** *psychologiques, des* **histoires à sensation,** *des* **romans policiers,** *des* **romans de cape et d'épée,** *de la* **science-fiction,** *des romans sociaux...*

De nombreux **courants** *ont servi à former le roman tel qu'il s'est peu à peu développé :*

« Ces courants étaient brièvement **l'épopée** qui relatait les aventures collectives d'un groupe ou d'une nation généralement impliqués dans la guerre ; la **pastorale** qui créa un monde imaginaire et **utopique** ; la veine **picaresque** qui retraçait les pérégrinations de quelque inadapté social ; les **mémoires anecdotiques** évoquant quelque intrigue mondaine ou politique ; les recueils d'**anecdotes** scandaleuses concernant les écarts sexuels ou autres... La **fable,** qui racontait une histoire pour inculquer une leçon ; le **conte de fée.** »

Sa **fonction** *est sérieuse. Ce qui explique sans doute pourquoi tant de grandes œuvres romanesques ont* **soulevé des controverses** *et de l'hostilité et obligé le romancier à expliquer son* **propos** *et à justifier son travail.*

Sérieux dans son propos, le « bon » roman l'est aussi le plus souvent dans sa **technique.**

Tel romancier a insisté sur **l'intrigue** :

« Définissons l'intrigue. Nous avons défini l'histoire comme une suite d'**événements** présentés dans **l'ordre chronologique.** Une intrigue est également un **récit** d'événements mais l'accent est mis sur la causalité. "Le roi mourut et la reine aussi" est une **histoire.** "Le

---

CHAPTER 26

LITERATURE
AND LITERARY LIFE

I – THE VARIOUS GENRES

A) *THE NOVEL*
AND THE SHORT STORY

New **NOVELS** *pour out from the printing* **presses** *every week in bewildering profusion ;* **historical novels,** *psychological novels,* **thrillers, detective stories, cloak and dagger novels, science-fiction,** *novels of social criticism...*

Many **strains** *have fed the novel as it gradually evolved :*

« These strains were, briefly : **the epic,** which depicted the collective adventures of a group or nation, usually involved in war ; the **pastoral,** which created a **utopian** dreamworld ; the **picaresque** tale, which recounted the wandering of some social misfit ; **anecdotal memoirs** about political and social intrigue ; collections of scandalous **anecdotes** about sexual or other misdemeanours ; the **fable,** which told a story to point a moral, and the **fairy-tale.** »

(J.W. Weightman)

It has a serious **function.** *That is perhaps why so many great novels have* **aroused controversy** *and hostility, so that the novelist has had to explain his* **purpose** *and justify his work.*

A good novel is not only serious in its purpose but also, in most cases, in its **technique.**

Some novelists have placed emphasis on **plot** :

« Let us define a plot. We have defined a story as a narrative of **events,** arranged in their **time-sequence.** A plot is also a **narrative** of events, the emphasis falling on causality. "The king died and then the queen died"

roi mourut et la reine mourut de chagrin", est une intrigue. »

Tel autre sur les **personnages**, *(qui peuvent avoir* **une ou plusieurs dimensions***)* :

« C'est pour dépeindre les caractères et non pour **prêcher** des doctrines, chanter des chansons ou célébrer la grandeur de l'Empire Britannique, que le genre romanesque — si **gauche**, si **verbeux**, si peu dramatique — mais si riche aussi, si **souple**, si vivant — s'est développé. »

Le roman peut être « dramatique » ou « panoramique », adopter un point de vue unique ou multiple, être écrit à la première, à la troisième ou même — voyez Michel Butor — à la deuxième personne, être direct ou oblique, faire appel à la technique du **courant de conscience** *pour dépeindre les pensées et les sentiments qui s'écoulent avec un illogisme apparent dans l'esprit d'un personnage.*

La question se pose aussi de savoir si un **romancier** *doit être* **impliqué** *dans son récit,* **commenter**, **expliquer**, **analyser** *les motifs comme Balzac, ou y demeurer étranger...* **subjectivité, objectivité** *?*

*Et l'*engagement *? On l'a défini comme étant :*

« L'acceptation par l'écrivain d'un programme d'action et de croyance extra-artistique — généralement politique qui se trouve derrière sa tentative de création. »

Certains méprisent l'écrivain l'écrivain **engagé** *; George Orwell, par contre, se fondant sur sa propre expérience, affirme :*

« C'est invariablement là où il me manquait un but politique que j'écrivais des livres **ternes** et que je me laissais en général aller à des **morceaux de bravoure**, des phrases vides de sens, des **adjectifs décoratifs** et des **balivernes**. »

Le débat reste ouvert...

Dans ce domaine du roman vous noterez encore les mots suivants :

antagoniste
composition
autobiographie
best-seller

is a **story**. "The king died and then the queen died of grief" is a plot. »

(E.M. Forster)

Others on **characters ("flat" or "round"** *as the case may be)* :

« It is to express character — not to **preach** doctrines, sing songs, or celebrate the glories of the British Empire, that the form of the novel, so **clumsy**, **verbose** and undramatic, so rich, **elastic** and alive, has been evolved. »

(V. Woolf)

The novel can be « dramatic » or « panoramic », adopt a single or several points of view, be written in the first, third or even (Michel Butor for example) second person, present things in a direct or oblique way, use the « stream-of-consciousness » technique for the depiction of the thoughts and feelings which flow, with no apparent logic, through the mind of a character.

Then the question arises whether a **novelist** *should become* **involved** *with his narrative,* **commenting, explaining, analysing motives,** *like Balzac, or remain outside... Is* **subjectivity** *the goal, or* **objectivity** *?*

And what about **commitment** *? It has been defined as :*

« The acceptance by the writer of an extra-artistic, usually political, programme of action and belief which lies behind his creative endeavour. »

(A. Hook)

Some people show only contempt for the **committed** *writer ; George Orwell, on the other hand, drawing on his own experience, states :*

« It is invariably where I lacked a political purpose that I wrote **lifeless** books and was betrayed into **purple passages**, sentences without meaning, **decorative adjectives** and **humbug** generally. »

(G. Orwell)

The debate continues...

In considering the novel you will find the following words useful :

antagonist
arrangement
autobiography
best-seller

roman sur l'enfance	« bildungsroman » *(German term)*
prière d'insérer	(publisher's) blurb
expurger	to bowdlerize, to expurgate, to expunge
captivant	captivating
livret de colportage	chapbook
psychologie	characterization
relation circonstanciée	circumstantial method
« copyright »	copyright
dépeindre	to depict
décrire	to describe
dialogue	dialogue
didactique	didactic
didactisme	didacticism
distrayant	entertaining
épisode	episode
roman épistolaire	epistolary novel
(rédigé sous forme de lettres)	*(cast in the form of letters)*
fictif	fictitious
retour en arrière	flashback
roman noir	gothic novel
héro, héroïne	hero(es), heroine
humoristique	humorous
livraisons, fascicules	instalments
(d'un ouvrage qui paraît par tranches)	
instruire	to instruct
monologue intérieur	interior monologue
couleur locale	local colour
engouement	mania, craze
raconter, narrer	to narrate
naturalisme	naturalism
bon sauvage	noble savage
pseudonyme d'auteur	nom de plume
roman de la terre	novel of the soil
parabole	parable
pastiche	pastiche
émouvant	pathetic
picaro	picaroon
ouvrage alimentaire	potboiler
protagoniste	protagonist
morceau de bravoure	purple patch
réalisme	realism
un réaliste	a realist
réaliste *(adj.)*	realistic
régionalisme	regionalism
ridiculiser	to ridicule
roman à clef	roman à clef
roman de chevalerie, courtois, histoire romanesque	romance
saga	saga
roman feuilleton	serial
cadre d'un récit	setting
à gros effets	slapstick
tranche de vie	slice of life

intrigue secondaire
dénouement inattendu
« suspense »
conte
thème
roman à thèse
tour de force
traiter
vraisemblance.

subplot
surprise ending
suspense
tale
theme
thesis novel
tour de force
to treat, to deal with
verisimilitude.

Les NOUVELLES *sont généralement moins populaires que les romans. Peut-être sont-elles plus difficiles :*

« Contrairement au romancier, celui qui écrit des nouvelles ne peut miser sur l'effet cumulatif des **chapitres** succédant aux chapitres. Pour cette raison son art doit être plus **dense**, plus riche de matière et rigoureusement **discipliné**. »

Il existe aussi des différences fondamentales :

« Le plus souvent, ce qui se présente au romancier, au moment où il saisit son **thème**, c'est un personnage et son destin. Une nouvelle, nous semble-t-il, part d'un rien, du moindre **brin de vie**... Même quand une nouvelle a l'air de "**durer**", ce n'est pas à la manière lente et imprévisible du roman. Née d'un aspect parfois très **fugitif** de la vie, elle garde une **instantanéité** constante. »

(« Roman »)

SHORT STORIES *are usually less popular than novels. Probably because they are more difficult :*

« Unlike the novelist, the short-story writer cannot rely on the cumulative effects of **chapter** after chapter. His writing, for this reason, must be more **taut**, highly charged and rigorously **controlled**. »

(J. Hadfield)

And there are more fundamental differences :

« Most often, what comes into the novelist's mind when he hits upon his **theme** is a character and what happens to him. A short story it seems to us, springs from a mere nothing, from the tiniest **fragment of life**. Even when a short story seems **to have "duration"** it isn't in the slow and unpredictable manner of the novel. Born of what is often a very **fleeting** aspect of life, it retains a constant **instantaneousness**. »

B) *LE THÉÂTRE*

C'est dans le rituel de l'église qu'il faut chercher les ORIGINES *du théâtre moderne, et les premiers* **miracles**, **moralités**, *et* **mystères** *furent fondés sur des histoires tirées de la Bible ; beaucoup de* **conventions dramatiques**, *par contre, ont été empruntées aux classiques, par exemple le* **monologue**, *le* **chœur**, *l'*aparté *; il en est de même pour les parties étrangères au drame telles que le* **prologue**, *l'*épilogue *et les divisions formelles en* **actes** *et en* **scènes**.

Certains aspects du genre dramatique ont également donné lieu à des discussions animées au cours de son HISTOIRE *: son immoralité (on sait que les* **acteurs** *et les* **actrices** *ont été longtemps excommuniés, par exemple), ses formes et ses lois...*

B) *DRAMA*

The BEGINNINGS *of modern drama lie at the heart of the ritual of the church, and the early* **miracles**, **moralities** *and* **mysteries** *were based on stories from the Bible ; but many* **dramatic conventions** *have been borrowed from the classics, for example the* **soliloquy**, *the* **chorus**, *the* **aside**, *together with such extraneous parts as the* **prologue** *and* **epilogue**, *and the formalities of division into* **acts** *and* **scenes**.

In the course of its HISTORY *there have been furious arguments over aspects of this genre too : its immorality (we know, for example, that* **actors** *and* **actresses** *were for a long time excommunicated), its structure and its laws...*

Il y a eu la querelle des **unités**.

At one time there was the quarrel of the **unities**.

« Les trois unités dramatiques sont l'**action**, le **temps**, le **lieu**. Dans la **Poétique**, Aristote a dit qu'une pièce devrait imiter une seule action dont les différents épisodes seraient articulés de telle façon que si l'un d'entre eux était supprimé ou déplacé, le tout en souffrirait. Il a indiqué aussi que l'action de la **tragédie** était limitée à une seule journée. Dans le **drame** anglais, les unités n'ont généralement pas été observées, mais il arrive parfois à un écrivain de les suivre dans un but de **tension** dramatique. »

« The three unities of the drama are **action**, **time**, and **place**. In the **Poetics**, Aristotle said that a play should be the imitation of a single action, the parts of which were to be so arranged that if any of them were removed, or shifted, the whole would suffer. He also indicated that the action of **tragedy** was limited to a day... In English **drama**, the unities have not usually been observed, although a writer will sometimes follow them for dramatic **intensity**. »
(K. Beckson & A. Ganz)

Il n'en alla pas de même en France où les **règles** *eurent la vie dure : les Français ne se sont jamais remis d'avoir produit un Boileau. Les Romantiques, après la bataille d'Hernani, n'en furent pas moins victorieux comme dans la question de la* **séparation des genres**, *Victor Hugo affirmant :*

It was not the same in France, where the **rules** *died hard : the French have never recovered from Boileau. Nevertheless the Romantics, after the battle of Hernani, won the day as in the question of the* **separation of the genres**, *Victor Hugo maintaining that :*

« Le réel résulte de la combinaison toute naturelle de deux types, **le sublime** et le **grotesque**, qui se croisent dans le drame comme ils se croisent dans la vie. »
(V. Hugo)

« The effect of reality is achieved by the natural blending of two elements, **the sublime** and **the grotesque**, which are found side by side in the drama as they are in life. »

A côté de TYPES *bien définis (tragédie,* **tragi-comédie**, **comédie de caractères**, **de mœurs**, **d'intrigue**, **farce**) *se développèrent alors quelques genres hybrides :* **comédie larmoyante**, **comédie romanesque**, **mélodrame** *:*

Side by side with fairly well-defined TYPES *(tragedy,* **tragi-comedy**, **comedy of characters**, **of manners**, **intrigue**, **farce**) *some hybrid genres developed,* **sentimental comedy**, **romantic comedy**, **melodrama** *:*

« mélange de tragédie, de comédie larmoyante, de **drame bourgeois**, de **pantomime**. »
(J. Giraud)

« a blend of tragedy, sentimental comedy, **bourgeois drama** and **pantomime**. »

Ce ne sont pas là les seuls types de pièces.

Notez encore :

And those are not the only types of plays.

Note also :

la comédie de boulevard
une farce musicale
une pièce historique
la commedia dell'arte
un lever de rideau

à ne pas confondre avec le **lever de rideau**.

le guignol.

boulevard drama
a burletta
a chronicle play
commedia dell'arte
a curtain-raiser

not to be confused with the **rise of the curtain**.

guignol, **Punch and Judy show**.

« Maurice et Lambert ont fabriqué un théâtre de **marionnettes**, qui est vraiment quelque chose d'étonnant... »
(George Sand)

« Maurice and Lambert have constructed a **puppet** theatre which is really an astonishing thing... »

le drame héroïque
le masque et l'antimasque
la comédie musicale
le théâtre « Nô ».

« Sous l'influence du théâtre quasi-**hiératique** du Japon, le théâtre « Nô », W. B. Yeats a fait représenter des **allégories** que la vie semble avoir désertées, même en leurs passages **lyriques**. Tout y est sacrifié à une **diction** solennelle, presque religieuse, à des **poses** immobiles d'acteurs, symboles anonymes derrière leurs **masques**. L'impression est rituelle, nous allions dire **liturgique**, plus que théâtrale. »

(A. Rivoallan)

la tragédie de la Vengeance
revue
vaudeville

etc...

La STRUCTURE D'UNE PIÈCE *est plus ou moins* **lâche** *selon le type auquel elle appartient. C'est la tragédie classique en cinq actes qui connaît la progression la plus stricte, exprimée dans la* **pyramide de Freytag** *(1863) :*

---

heroic drama
masque and antimasque
musical comedy
Nô (Noh) drama.

« Under the influence of the quasi-**hieratic** Japanese theatre, the Nô theatre, W. B. Yeats has staged **allegories** from which life seems to have departed, even in their **lyrical** passages. Everything has been sacrificed to a solemn, almost religious **diction,** static **poses** of the actors, anonymous symbols behind their **masks**. The impression is ritualistic — we almost said **liturgical** — rather than theatrical. »

Revenge tragedy
revue
vaudeville

etc...

The STRUCTURE OF A PLAY *is more or less* **loose** *according to the type to which it belongs. It is the classical tragedy in five acts which has the severest progression, illustrated in* **Freytag's pyramid** *(1863) :*

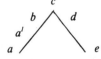

---

a introduction
a¹ départ de l'action (des péripéties)
b montée
c nœud
d retombée
e catastrophe.

*Notez que l'introduction s'appelle aussi l'*exposition*, le nœud (l'apogée) : la* crise *; la dernière partie de la pièce : le* **dénouement**.

« La tragédie opère une purgation des passions (**catharsis**) par la pitié et la crainte. »
(Aristote)

Le levier dramatique des autres pièces est souvent moins psychologique : quelque coup de théâtre provoque la crise, quelque « Deus ex Machina » vient établir la **justice poétique**.

Il peut enfin y avoir une pièce dans la pièce comme dans « Hamlet » ou « Cyrano de Bergerac ».

---

a introduction
a¹ inciting moment
b rise (rising action)
c climax
d fall (falling action)
e catastrophe.

Note that the introduction can also be called exposition *; the climax,* **crisis** *; the last part of the play, the* **dénouement** (*unknotting, unravelling*).

« Tragedy through pity and fear effects a purgation (**catharsis**) of emotions. »
(Aristotle)

The dramatic motivation in other plays is often less psychological : some unexpected dramatic turn brings about the crisis, some « Deus ex Machina » arrives to see that « poetic justice » is done.

There may be a « play within the play » as in « Hamlet » or « Cyrano de Bergerac ».

¹ hiératique : qui concerne les choses sacrées, le formalisme religieux (immobilisme, rituel)

La TEXTURE *varie dans des proportions aussi considérables : On trouve des héros ayant une individualité propre ou bien des* types conventionnels *qui ont parfois un* nom-étiquette *(fols, bouffons, matamores, soubrettes, pures héroïnes, traîtres, etc.) ; de la prose ou des vers, et toutes sortes de* procédés *(stylistiques :* tirade, stichomythie,[2] calembours,[3] pataquès *et* lapsus *; structuraux :* ironie dramatique, péripétie, *brusques* renversements de situations, *etc.).*

Lorsque, après avoir « chaussé le cothurne » *ou caressé la* muse *comique, un* dramaturge *a eu beaucoup de succès* sur scène, *il publie sa pièce en volume. Certains y donnent des* didascalies *détaillées et une longue préface (cf. B. Shaw), et l'on y trouve toujours une liste des* personnages.

The TEXTURE *varies just as greatly : you can have individual heroes or* stock characters *sometimes with* label-names *(fools, buffoons, braggarts, soubrettes, bashful heroines, villains, etc.) ; prose or verse, and all sorts of* devices *(stylistic :* tirade, stichomythia, puns, malapropisms *or* spoonerisms *; structural :* dramatic irony, peripeteia *: sudden* reversal of situation, *etc.).*

When, after « donning the buskin » *or wooing the comic* muse, *a* playwright *has been successful* on the stage, *he publishes his play in book form. Some give elaborate* stage directions *and a lengthy preface (e.g. B. Shaw), and a list of the* Dramatis Personae *is always to be found.*

[handwritten: cothurne = symbole du genre tragique (chaussure théâtre antique)]

C) *LA POÉSIE*

C) *POETRY*

La FONCTION *de la poésie et du* poète *a été définie et redéfinie par les générations successives.*

The FUNCTION *of poetry and the* poet *has been defined and redefined with every succeeding generation.*

Aussi nombreux que les définitions ont été les GENRES ET les ÉCOLES POÉTIQUES.

As numerous as the definitions have been the POETIC GENRES and SCHOOLS.

Citons :

Let us mention :

la poésie anacréontique
les anagrammes
l'aubade
la ballade

anacreontic verse
anagrams
the aubade
the ballad

populaire au Moyen-Age et reprise par les **Romantiques,**

popular in the Middle Ages and readopted by the **Romantics,**

la chanson de geste
la complainte
la complainte funèbre
l'églogue
l'élégie
  (adj. : élégiaque*)*
l'épopée
l'épître
l'épigramme
l'épitaphe
l'épithalame
l'épode
une épopée antique
la géorgique
l'idylle
le libelle
le lai

the chanson de geste
the complaint
the dirge
the eclogue
the elegy
  (adj. : elegiac*)*
the epic
the epistle
the epigram
the epitaph
the epithalamion
the epode
an epos
the georgic
the idyll
the lampoon
the lay

[1] matamore (vieilli) : faux brave, menteur
[2] stichomythie : débat tragique où les locuteurs se répondent d'1 façon symétrique (vers pour vers,...).
[3] calembour : jeu de mots fondé sur la différence de sens des mots qui se prononcent de manière identique ou rapprochée.

le limerick (poème absurde)	the limerick
les contes en vers	metrical romances
les poèmes héroï-comiques	mock-heroic pieces
la monodie	the monody
le vers narratif	narrative rhymes
les poésies enfantines (comptines)	nursery rhymes
les vers de circonstance	occasional verse
les odes	odes
les sonnets	sonnets

souvent disposés en recueils comme l'«Astrophel et Stella» de Sir Philip Sidney.

often arranged in sequences like Sir Philip Sidney's «Astrophel and Stella».

la villanelle	the villanelle
le virelai	the virelay.

         etc...   *etc...*

Un ou plusieurs de ces genres a été exploité par chacun des membres des écoles et mouvements successifs : grands rhétoriqueurs, Pléiade, poètes pétrarquistes, baroques, « métaphysiques », classiques, néo-classiques, pré-romantiques, lakistes, pré-Raphaelites, parnassiens, symbolistes, adeptes de l'esthétisme (décadence, fin de siècle), du crépuscule celtique, de l'imagisme, etc...

One or more of these genres were cultivated by each of the members of the successive shools and movements : the « grands rhétoriqueurs », the Pléiade, Petrarchist, baroque and methaphysical poets, classical, neo-classical and pre-romantic poets, the Lake poets, the pre-Raphaelites, the « parnassiens », and symbolists, those who practised the cult of aestheticism (decadence, « fin de siècle »), of the celtic twilight, imagism, etc...

C'est la PROSODIE qui étudie tout ce qui a trait à la versification : mètre, rythme, rime, moules poétiques.

PROSODY is the theory of versification : meter, rhythm, rhyme, patterns.

Les principaux mètres anglais qu'il faut connaître pour pouvoir scander sont les suivants :

The main English metres which one must know in order to scan, are the following :

le trochée	trochee
le spondée	spondee
le dactyle	dactyl
l'iambe	iamb *(or iambus)*
l'anapeste.	anapaest.

Dans une mesure iambique, trochaïque ou spondaïque, il y a deux temps. Dans une mesure dactylique ou anapestique, trois temps.

In an iambic, trochaic or spondaic foot there are two beats. In a dactylic or anapestic, three beats.

Le rythme du vers est affaire de longueur (nombre de syllabes en français, d'où les termes : décasyllabe, etc. ; nombre de mètres en anglais, d'où les termes : pentamètre, etc.) Un pentamètre à cinq accents.

The rhythm of the line is a matter of length (the number of syllables in French, hence the terms decasyllabic, etc... the number of metrical units in English, hence the terms : pentameter, etc.). A pentameter has five stressed syllables.

Le rythme est encore affaire de coupes (l'alexandrin *français a une* **césure** *unique et deux hémistiches*), **d'enjambements**, *de choix de mono ou de polysyllabisme.*

Il est enfin fonction du groupement des vers en **strophes**.

La rime est moins tyrannique en anglais qu'en français : non seulement les vers **libres** (ou **blancs**) de l'époque moderne mais même le « **blank verse** », dans lequel ont été écrites toutes les tragédies élizabethaines, l'ignorent. L'époque classique, par contre, avec ses **distiques héroïques**, en fit grand usage.

Notez :

rime orthographique
rime interne
ottava rima
rime royale
agencement des rimes
terza rima.

Mais ce sont peut-être surtout les IMAGES *et les* PROCÉDÉS ESTHÉTIQUES *qui font la poésie :*

allitération *(jeu de consonnes)*
allégorie
antithèse
aphorisme
apostrophe
archétype
concetti
hyperbole
litote
métaphore
métonymie
onomatopée
oxymoron
paradoxe
parallélisme
prolepse
comparaison
symbole
correspondances
synecdoque
assonances
zeugma
etc...

et les excès (**enflure ou pathos, grandiloquence**) *qui la défont.*

Rhythm also depends on how the line is divided (the French **alexandrine** *has a single* **caesura** *and two hemistiches*), on **run on lines** *and on the choice of monosyllabic or polysyllabic diction.*

And finally it depends on the **stanza** *form.*

Rhyme is less of a tyrant in English than in French; no only the « **vers libre** » (**free-verse**) of modern times, but even the **blank verse** in which all the Elizabethan tragedies were written, disregard it. The classic age, on the other hand, with its **heroic couplets**, made great use of it.

Note :

eye-rhyme
internal rhyme
ottava rima
rhyme royal (ababbcc)
rhyme scheme, rhyme pattern
terza rima.

But perhaps it is chiefly IMAGERY *and* AESTHETIC DEVICES *which make poetry :*

alliteration *(a play of consonants)*
allegory
antithesis
aphorism
apostrophe
archetype
conceits
hyperbole
litotes
metaphor
metonymy
onomatopoeia
oxymoron
paradox
parallelism
prolepsis
simile
symbol
synaesthesia
synecdoche
vowel colouring, assonances
zeugma
etc...

and excesses (**bathos, bombast**) *wich are its deadliest enemies.*

II – AUTEURS, LECTEURS ET CRITIQUES

A) *LES ÉCRIVAINS*

« Tous les écrivains sont vaniteux, égoïstes et paresseux. »

Il est humain, que voulez-vous, que le **succès** *monte à la tête. Comment résister aux* **articles dithyrambiques**' *que vous consacrent les journaux, aux* **photos** *vous montrant dans votre bureau Empire ou votre ranch du Texas, aux* **prix** *littéraires, aux cocktails, aux invitations, aux séances d'***autographes**, *aux gigantesques* **droits d'auteur** *?*

La prétendue paresse de l'écrivain est plus douteuse. Voyez Balzac à l'œuvre :

« Pour solder ses dettes, Balzac dut **produire** incessamment. Il se couche à six heures "avec son dîner dans le bec", il se lève à minuit, prend du café et travaille jusqu'à midi. »
(G. Lanson)

Je sais bien que les inventions modernes dont le **traitement de texte** *facilitent les choses et que demain quelque «* **littératron** *» fournira peut-être sur demande n'importe quel roman.*

En attendant ces lendemains qui chantent, néanmoins, l'écrivain qui veut voir son œuvre lui **survivre** *doit travailler à la sueur de son front pour éviter les défauts et atteindre à une perfection au moins relative.*

Quelques **défauts** *:*

Un style

affecté (emphatique)
ampoulé
boursouflé
chargé
compliqué
criard
diffus
ennuyeux
froid
lourd
mièvre
négligé
obscur (abscons)
précieux
prosaïque
verbeux
vulgaire ;

' *dithyrambique : qui loue, qui exalte avec emphase.*

346

II – AUTHORS, READERS AND CRITICS

A) *THE WRITERS*

« All writers are vain, selfish, and lazy. »
(G. Orwell)

It is only natural, I suppose, that **success** *should go to a man's head. How can one remain unaffected by the* **dithyrambics** *in the press, the* **photographs** *showing you in your period study or on your Texas ranch, the literary* **awards**, *the cocktail-parties, the invitations, the* **autograph** *sessions, the huge* **royalties** *?*

As for the writer's alleged laziness, that is more questionable. Observe Balzac at work :

« To pay off his debts Balzac had to be **producing** work incessantly. He goes to bed at six, "swallowing his last mouthful of dinner", he gets up at midnight, has some coffee and works until mid-day. »

I am fully aware that modern inventions, particulary **word-processors**, *have made things easier and perhaps, to-morrow, some* **novel-computer** *or other will provide on order any sort of novel.*

Until the dawn of these happy days, however, the writer who wishes to see his work **survive** *him must work by the sweat of his brow to avoid faults and achieve at least a relative perfection.*

A few **blemishes** *:*

a **bombastic** *style*
high-flown
inflated
overwrought, too heavily coloured
involved
gaudy
diffuse
tedious
frigid
ponderous
maudlin, mawkish
slipshod, slovenly
abstruse
affected, mannered *(obs. :* **euphuistic***)*
matter of fact, prosaic, pedestrian
wordy, verbose
coarse ;

une composition	
lâche ;	*a* **loose** *arrangement* ;
des expressions	
banales	**commonplace, trite** *phrases*
rebattues ;	**hackneyed** ;
des images	
discordantes ;	**grating, jarring** *images* ;
des	
inconsistences *de pensée* ;	**inconsistencies, discrepancies** *in thought* ;
des notations	
superficielles	**superficial** *observations*
tirées par les cheveux ;	**far-fetched** ;
des remarques	
sans rapport avec le sujet	**irrelevant** *remarks*
décousues ;	**rambling** ;
du	
remplissage ;	**padding** ;
etc...	*etc...*

Quelques **qualités** :　　　　　　*A few* **good qualities** :

Un style	
agréable	*a* **pleasant** *style*
allusif	**allusive**
animé	**lively, racy, spirited**
ardent	**glowing**
concis, net	**terse**
équilibré	**balanced**
frappant	**striking, telling**
inspiré	**inspired**
nerveux	**pithy**
original	**original**
prenant	**stirring**
sobre	**sober, economical**
soutenu	**lofty**
vigoureux ;	**forcible, forceful** ;
une grande	
facilité d'expression ;	*a sound* **command of words** ;
des notations	
exactes	**accurate** *notations*
subtiles ;	**subtle (full of subtlety)** ;
çà et là des	
pointes d'ironie ;	**touches of irony** *here and there* ;
des points de vue	
inspirants	**stimulating** *viewpoints*
ingénieux	**ingenious**
mordants	**pungent**
paradoxaux	**paradoxical**
sprirituels ;	**witty, pointed** ;

une psychologie

pénétrante ;

des remarques

**justes
chargées de sens** ;

des tours

heureux.

Mais on ne saurait garder tout le monde sous le charme : **intellectuels** *et grand public ni, sans danger,* **forcer le naturel**...

penetrating *psychology (characterization)* ;

apposite *remarks*
fraught with, instinct with, pregnant with sense ;

felicitous *turns.*

But one can't keep everyone under the spell : **highbrows** *and* **lowbrows** *nor, without danger,* **strain after affect.**

B) *LE PUBLIC DES LECTEURS*

*Quand un livre a été accepté par l'*éditeur, *il faut ensuite l'*imprimer, *lire les* épreuves, *dessiner la* jacquette, *le brocher ou le* relier... *Mais il sort enfin en* LIBRAIRIE. *C'est là que le feuillette l'acheteur éventuel, de la* page de garde *à la conclusion, jetant un coup d'œil hâtif à l'*avant-propos, *la préface, la* dédicace, *les divers chapitres, la* table des matières... *Il prend un livre sur le* rayon *parce qu'il a lu une critique favorable dans la presse ou parce que le nom de l'*auteur *est familier ou qu'il est attiré par le* titre.

B) *THE READING PUBLIC*

When a book has been accepted by the **publisher,** *there comes all the business of printing,* **proof** *reading, designing of* **dust cover,** *sewing or* **binding** *it. But finally it appears in the* BOOKSHOP. *There the prospective buyer will look through it from* **fly-leaf** *to conclusion, glancing at the* **foreword,** *preface,* **dedication,** *various chapters and* **table of contents.** *He takes the book from the* **shelf,** *either because he has seen it favourably reviewed in the press, or the* **author's** *name is familiar, or he is attracted by the* **title.**

A propos de :	« LIVRE » *Notez*
livre, ouvrage	**book, work**
livre broché	**paperback**
livre de poche	**pocket edition**
livre relié	**bound book**
brochure	**booklet, pamphlet**
pamphlet	**tract**
manuel	**handbook, textbook**
livre *(argent)*	**pound-note**
livre *(poids)*	**pound**
livrer *quelque chose*	**to deliver**
livrer *quelqu'un*	**to betray**

La librairie moderne est très différente de celle du siècle dernier qui était généralement mal éclairée et poussiéreuse, remplie de **volumes** *impressionnants et épais, la plupart* **d'occasion,** *et le tout dirigé par un* **bibliophile** *distrait.*

Encore au début du XXe siècle, la **devanture** *de cette librairie :*

« renfermait seulement des **éditions** bon marché, avec leurs couvertures en papier, de

The modern bookshop is a very different place from the bookshop of the last century which was usually a dimly lit, dusty establishment, stocked with solid-looking, formidable volumes, mostly **second-hand** *and presided over by an absent-minded* **bibliophile.**

Even in the early XXth century, the **front window** *of that book-shop :*

« held only cheap **editions,** in their paper jackets, of popular modern novels. The side

romans populaires modernes. Dans la vitrine de côté, étaient disposés de vieux livres, des premières éditions reliées en veau, ou en **maroquin**, d'écrivains renommés et sérieux dont les œuvres étaient passées par des décennies de critiques, pour parvenir au paradis inexpugnable de l'estime universelle. »

Aujoud'hui, les librairies sont gaiement éclairées, les rayons garnis de livres faits pour attirer l'œil d'un public de lecteurs toujours plus nombreux, bien que Raymond Williams observe tristement :

« Moins de la moitié de la population adulte lit généralement des livres. La plus grande partie de nos lectures vient des **journaux**, des **magazines**, des **réclames**, des annonces, des circulaires et autre littérature éphémère. »

*Et même lorsqu'ils lisent des livres, ceux-ci ont une **valeur douteuse**, semble-t-il :*

« La demande croissante du **consommateur** a été étudiée et prise en main par des sociétés d'éditeurs, des **guildes** du livre, et des associations de lecteurs qui, organisés en entreprises commerciales, ont conduit à une standardisation déprimante du goût. »

La majorité des lecteurs n'achètent pas de livres, ils les empruntent à des BIBLIOTHÈQUES MUNICIPALES *où l'on peut également consulter les ouvrages rares ou* **épuisés**. *On a le droit de garder un livre quinze jours, la date de retour étant imprimée à la première page et une* **amende** *infligée en cas de retard. Dans une bibliothèque, les ouvrages documentaires sont* **classés par sujet** *; les romans sont* **disposés par ordre alphabétique** *d'auteurs.*

Les bibliothèques plus importantes ont, outre le **service de prêt**, *une* **salle de lecture**, *une* **salles des usuels**, *une* **salle des périodiques**, *et un* **catalogue** *(fichier).*

C) *POURQUOI DES CRITIQUES ?*

« Quelle que soit l'époque, c'est d'une infime minorité que dépend **l'appréciation** avertie de l'art et de la littérature. A cette minorité nous devons la possibilité de profiter de la plus belle expérience humaine du passé. Elle maintient en vie la partie la plus subtile et la plus périssable de la tradition. »

window was set out with old books, first editions in calf or **morocco** of renowned and serious writers whose works had passed through decades of criticism into the impregnable paradise of universal esteem. »

(A. Bennett)

These days the shops are brightly lit, stocked with books designed to attract the eye of an ever-increasing reading public — though Raymond Williams observes sadly :

« Rather less than half the adult population habitually reads books. The bulk of our reading is contained in **newspapers**, **magazines**, **advertisements**, notices, circulars and similar occasional material. »

(R. Williams)

And even when they read books, it seems, the books are of **doubtful value** *:*

« **Consumer** demand has been surveyed and manipulated by booksocieties, fiction **guilds** and readers' unions, which, devised as a commercial enterprise, have led to a depressing standardization of taste. »

(R. Williams)

The majority of readers do not buy books, they borrow them from PUBLIC LIBRARIES, *where one may also consult works which are rare or* **out of print**. *One is allowed to keep a book for a fortnight, the date of return being stamped in the front, and a* **fine** *imposed if it is returned after that date. In the library, non-fiction is* **classified according to subject-matter** *; fiction is* **arranged alphabetically** *under authors.*

In addition to the **lending department**, *major libraries have a* **Reference Library**, *a* **Reading Room**, *a* **Periodical Room** *and a* **catalogue**.

C) *DO WE NEED THE CRITIC ?*

« In any period it is upon a very small minority that the discerning **appreciation** of art and literature depends. Upon this minority depends our power of profiting by the finest human experience of the past ; they keep alive the subtlest and most perishable parts of tradition. »

(F.R. Leavis)

Il semble donc que **le critique** *soit néces-saire. Il est :*

« Le médiateur entre l'artiste et le public des lecteurs sérieux ; sa critique est la formulation de **réactions** justes et d'un **jugement** exercé. »

Malheureusement, sur la nature même de la **critique***, les avis divergent déjà :*

« Autrefois séparés par le mythe usé du "*superbe créateur et de l'humble serviteur, tous deux nécessaires, chacun à leur place, etc.*" l'écrivain et le critique se rejoignent dans la même condition difficile, face au même objet : le langage. »

(R. Barthes)

Quant aux méthodes, n'en parlons pas, ou plutôt, si, parlons-en : il y a la **méthode biographique***.*

Il y a les écoles qui ont insisté sur l'importance de la **race***, du* **moment***, du* **milieu***.*

Ceux qui croient à la possibilité d'une **critique objective***.*

Et ceux qui la nient farouchement :

« La critique ne peut jamais être une science. Nous jugeons une œuvre d'art selon l'**effet** qu'elle produit sur nos émotions sincères et profondes, et rien d'autre. Tout le **bla-bla-bla** sur le style et la forme, toutes les classifications pseudo-scientifiques et l'analyse des livres à la manière de la botanique n'est qu'impertinence et, surtout, insupportable jargon. »

La « **nouvelle critique** » *anglo-saxone moderne (qui précède de plusieurs décennies nos* « *nouveaux critiques* » *français, disciples de Bachelard, structuralistes, psycho-critiques, sémioticiens, etc.) a insisté sur quelques points pour elle essentiels :* l'**analyse des textes***, l'organisation linguistique de la poésie, le* **langage symbolique***,* l'**ambiguïté** *(William Empson en relève sept types), les* **niveaux d'interprétation** *(I.A. Richards distingue : le* **sens***, le* **sentiment***, le* **ton***, l'* **intention***). Ils ont aussi dénoncé un certain nombre d'héré-sies dont celle du* « **message** » *(Cleanth Brooks) car :*

« Un poème ne dit point.
Il est. »

It would seem then that **the critic** *is necessary. He is :*

« The mediator between the artist and the serious reading public ; his criticism is the articulation of adequate **responses** and trained **evaluation**. »

(R. Williams)

Unfortunately opinions differ about the very nature of **criticism** *:*

« At one time separated by the worn-out myth of the "*proud creator and the humble servant, both necessary, each knowing his place, etc.*" writer and critic find themselves side by side in the same difficult situation, confronting the same problem : language. »

As for methods, let's not discuss them — or rather, yes, let's. — There's the **biographical approach***.*

There are schools wich have emphasized the importance of a writer's **race***,* **period** *and* **background***.*

Those who believe that **objective criticism** *is possible.*

And those who fiercely deny this :

« Criticism can never be a science. We judge a work of art by its **effect** on our sincere and vital emotions, and nothing else. All the critical **twiddle-twaddle** about style and form, all the pseudo-scientific classifying and analysis of books in an imitation botanical fashion is mere impertinence and mostly dull jargon. »

(D. H. Lawrence)

The modern Anglo-Saxon « **new criticism** » *(which preceded by several decades the* « *new critics* » *of France, the followers of Bachelard, structuralists, psycho-critics, semioticians, etc.) insisted on certain fundamental points :* **textual analysis***, the linguistic organization of poetry,* **symbolic language***,* **ambiguity** *(there are seven types according to William Empson),* **different meanings** *(I.A. Richards distinguishes :* **sense***,* **feeling***,* **tone***,* **intention***). They have also denounced a certain number of heresies : the heresy of* **communication** *for instance (Cleanth Brooks) for :*

« A Poem should not mean.
But be. »

(A. MacLeish)

*Le **journal** moyen se présente ainsi :*

« Un journal est divisé en **colonnes** et en **rubriques**. Souvent une **manchette** attire l'attention du lecteur sur un évènement très important. L'**article de fond** ou l' **éditorial** traite généralement un **sujet** politique ou social. Les autres articles sont des **comptes rendus** des conférences internationales, congrès, salons de peinture et de sculpture, séances des divers parlements, etc... Les crimes sensationnels qui passionnent l'opinion publique y sont racontés tout au long et les « **faits divers** » relatent les accidents d'aviation ou d'autos, les morts subites, les attaques nocturnes, les vols, les cambriolages, etc...

(E. Billaudeau)

On y notera aussi :

*la **critique des livres**, des films, de la T. V., du théâtre, les **prévisions météorologiques**, la **chronique sportive**, le **courrier des lecteurs**, la **page financière**, les **dessins humoristiques**, les **petites annonces** et, bien sûr, à l'occasion, l'inévitable **coquille**.*

*Mais, en fait, il est difficile de décrire un journal typique. Il y a le journal pour les gens bien, avec des titres discrets, contenant surtout des **nouvelles**. Il y a le **quotidien** populaire, avec des titres criards, qui s'intéresse surtout aux histoires de particuliers, aux sports, aux **potins**, à la mode féminine, etc... Et plus la « **feuille de chou** » est mauvaise, plus grande sera la part faite au **courrier du cœur**...*

*En plus des grands quotidiens du matin et du soir, il y a beaucoup de journaux provinciaux, d'**hebdomadaires**, en Angleterre de **journaux du Dimanche**, de **magazines mensuels**, d'**illustrés**, de **revues trimestrielles**, etc...*

*L'Angleterre se distingue de la France par la consommation beaucoup plus grande de journaux (cf. le **tirage** des « News of the World » : plus de 6 millions d'**exemplaires** chaque dimanche) ; l'Amérique par le nombre de pages. Pour le reste, les trois pays se ressemblent. On y trouve les mêmes **correspondants**, les mêmes **éditorialistes**, les mê-*

*Here is a description of the **average newspaper** :*

« A newspaper is divided into **columns** grouped under **headings**. A **headline** will often draw the reader's attention to an important event. The **leading article (leader)** or **editorial** generally deals with some political or social **topic**. The other articles are **reports** of international conferences, congresses, exhibitions of painting or sculpture, the sittings of the various parliaments, etc... The sensational crimes that so greatly interest the general public are recounted in detail and the « **news in brief** » reports plane and car accidents, sudden deaths, night attacks, thefts and burglaries, etc... »

You will also find in it :

reviews of books, *films*, **T.V. and theatre**, **weather report**, **sports page**, **correspondance column**, *stock exchange prices*, **cartoons**, **classified advertisements**, *and, of course, the occasional* **misprint**.

*But it is in fact difficult to describe a typical newspaper. There is the paper for « top people », with sober headlines and concerned mainly with **news**. There is the popular **daily** with screaming headlines and concerned largely with « human interest » stories, sport, **gossip**, women's fashion etc... And the cheaper the « **rag** » the greater the space devoted to the **agony column**...*

*In addition to the big national dailies (morning and evening) there are many provincial papers, **weeklies**, **Sunday papers**, **monthly magazines**, comics, **quarterly journals** and **reviews**, etc...*

*England differs from France in that many more newspapers are read (see the **circulation** of the « News of the World » : more than 6 millions **copies**) ; in America the newspapers have many more pages. In other respects the three countries are much the same. You will find the same **reporters**, the same **correspondents**, the same **leader-writers**, the*

mes **enquêtes** *sensationnelles, les mêmes petits évènements grossis pour* **faire de la copie,** *des* **rédacteurs en chef** *éminents et des* **journalistes**... *parfois moins éminents :*

« Incorruptible autant qu'intègre
Est, Dieu merci, le journaliste anglais.
Mais vu ce que tout seul il fait,
Le corrompre ne servirait guère. »

same sensational **investigations,** *the same minor events inflated to* **make copy,** *eminent* **chief editors** *and... sometimes, far less eminent* **journalists** *:*

« You cannot hope to bride or twist,
Thank God ! the British journalist.
But seeing what the man will do
Unbribed, there's no occasion to. »

(H. Wolfe)

CHAPITRE 27

LES DISTRACTIONS : THÉÂTRE, CINÉMA, SPECTACLES

ENTERTAINMENTS : THEATRE, CINEMA, SHOWS

I – FÊTES ET FOIRES

I – FESTIVALS AND FAIRS

A) *FÊTES*

A) *FESTIVALS*

C'est pour beaucoup de gens une consolation que le modernisme n'ait pas réussi à tuer complètement, dans les villages et les villes de province, les fêtes annuelles, **carnavals***, etc... avec leurs* **parades** *et leurs* **cortèges** *du passé, leurs* **fanfares***, leurs* **majorettes***, leurs* **défilés** *de* **chars fleuris***, leurs groupes folkloriques, leurs* **concerts en plein air** *qu'on écoute assis sur les chaises de fer qui entourent le* **kiosque.**

For many people there is comfort in the fact that, in country towns and villages, modernization has not succeeded in killing the annual festivals and **carnivals***, etc... with their* **parades** *and their* **pageants** *of the past, their* **brass-bands***, their* **drum-majorettes***, their* **processions** *of* **decorated floats***, their groups in traditional costume, their* **open-air concerts** *that one listens to sitting on iron chairs round the* **band-stand.**

Les maisons sont **pavoisées.** *Partout* **drapeaux, bannières, oriflammes** *et* **guirlandes** *ajoutent leurs taches de couleur. On déroule des* **serpentins***, on lance des* **confetti***, on fait partir des* **pétards.** *La foule des badauds est compacte :*

The houses are **gay with bunting. Flags, banners, oriflammes** *and* **garlands** *lend their colours to the scene. People throw paper* **streamers** *and* **confetti***, let off* **crackers.** *An idly sauntering crowd throngs around :*

« Partout s'étalait, se répandait, **s'ébaudissait** le peuple en vacances... Pour les petits, c'est un **jour de congé**, c'est l'horreur de l'école renvoyée à vingt-quatre heures. Pour les grands, c'est un armistice conclu avec les puissances malfaisantes de la vie, un **répit** dans la contention et la lutte universelle. L'homme du monde lui-même, et l'homme occupé de travaux spirituels échappent difficilement à l'influence de ce **jubilé** populaire. Ils absorbent, sans le vouloir, leur part de cette **atmosphère d'insouciance.** »

(Ch. Baudelaire)

« Everywhere the holiday-makers sprawled, roamed about, **made merry**... For the children it is **a day off**, the horrid thought of school put out of mind for twenty-four hours. For the grown-ups it is a truce signed with life's hostile forces, a moment of **respite** from the universal struggle and strife. Even the man of the world, and the man engaged in spiritual work find it hard to remain unaffected by this popular **jubilee**. They absorb, in spite of themselves, their share of this **carefree atmosphere.** »

Le soir venu, il y aura un **bal champêtre** *animé par un* **accordéoniste** *ou un orchestre ; on* **dansera** *la java et la valse ou quelque danse plus « dans le vent ». Puis ce sera l'heure d'allumer des* **feux de joie** *et de tirer les* **feux d'artifice** :*

With the coming of evening there will be **country dancing** *to the lively strains of an* **accordeon player** *or an orchestra : they will* **dance** *the Javanaise, or the waltz or some dance that is more "in". Then it will be time to light the* **bonfires** *and let off the* **fireworks** :*

« Les **fusées** montent dans l'air. Elles sifflent, éclatent. A chaque miracle part de la foule un murmure d'admiration : "La belle ! Oh ! la

« The **rockets** shoot up into the air. They whistle, burst. At each new wonder there is a murmur of admiration from the crowd : "A

belle !" Les **roues ardentes** tournent, les moulins de feu balaient la nuit, les cercles lancent des **étincelles** et se changent en fontaines, les fontaines en oriflammes, les oriflammes en **corbeilles.** »

(C. Sainte-Solline)

et les **réjouissances** *se termineront.*

B) *FOIRES*

C'est sur les **solennités** *dont nous venons de parler que*

« pendant un long temps, comptent les **saltimbanques**, les **faiseurs de tours**, les montreurs d'animaux et les boutiquiers ambulants, pour compenser les mauvais temps de l'année. »

(Ch. Baudelaire)

beauty ! Oh ! a beauty !" The **Catherine wheels** spin, the fiery windmills sweep away the dark, the circles shoot out **sparks** and change into fountains, the fountains into oriflammes, oriflammes into **corbels.** »

and the **jollifications** *will come to an end.*

B) *FUN-FAIRS*

It is on the **celebrations** *we have just been describing that*

« the **showmen**, the **conjurers**, the men with their performing animals, the itinerant stallholders rely for a long period to make up for the lean months of the year. »

A propos de	« **TOURS** » *Notez*
un tour de prestidigitation	**a conjuring trick**
un tour *(outil)*	**a lathe**
un tour de potier, etc.	**a wheel**
tour de clef (donner)	**to turn the key**
tour de force	**feat**
tour de main	**knack**
tour du monde	**a world tour, a trip (voyage) around the world**
tour de piste	**lap**
tour de poitrine	**chest measurement**
tour de reins	**a strained back**
à qui le tour ?	**whose turn is it ?**
à tour de rôle tour à tour	**in turn**
bon tour	**good turn**
mauvais tour	**nasty trick, mean trick**
(aller) faire un tour	**to go for a stroll**
une tour	**a tower**

*Une fête se conçoit mal, en effet, sans sa foire, sans son accompagnement d'*avaleurs **de sabres**, **bateleurs**, **bohémiens**, **colporteurs**, **comédiens ambulants**, **diseuses de bonne aventure**, *ses* **baraques de tir**, *ses* **roulottes**, *ses* jeux, *ses* **manèges** *et ses* **stands** *divers :*

« Les **forains** installaient leurs **baraques** sur le boulevard... Du jour au lendemain toute la rue fut vouée aux musiques discordantes des **carrousels**, aux harangues monotones des

Indeed one cannot imagine a fête without its fun-fair, its **sword-swallowers**, *its* **mountebanks**, *its* **gipsies**, **pedlars**, **strolling players**, **fortune-tellers**, *its* **shooting galleries**, **caravans**, **games**, **roundabouts** *and various* **stalls** *:*

« The **stall-holders** set up their **booths** along the boulevard... Overnight the entire street had been given over to the discordant music of the **roundabouts**, the monotonous patter

camelots, aux pétérades de tir et aux hurlements des filles sur les grandes **balançoires à vapeur**... mille lumières brillaient... »

(H. Troyat)

« Il y avait deux manèges de chevaux de bois. Trois orgues de Barbarie jouaient et l'on entendait de temps en temps les claquements des coups de pistolet, le grincement inquiétant de la **crécelle** de l'homme aux noix de coco, les cris du forain tenant le stand du **jeu de massacre**, et les piaillements de la femme qui passait les vues stéréoscopiques. »

« Tenant chacun un **cornet de crème glacée**, ils montèrent sur les le **Tapis Roulant** où ils se retrouvèrent piétinant, cahotant, progressant parmi les rires sur l'appareil mouvant qui grinçait à chaque vibration... Après le « Cake Walk » Arthur suggéra le **Grand Toboggan**, haute tour de bois flanquée d'un glissoir à l'air libre... Ils prirent des nattes au passage et entrèrent. »

*Il y a aussi les **parcs d'attraction** qu'on pourrait appeler des foires fixes, ou les **jetées-promenades**, où se rendent les **vacanciers d'un jour** :*

A force de contention, d'infinie patience, ils retiraient de cette longue journée un soupçon de plaisir : le soleil, la musique, le grincement des **autos miniatures**, le **train fantôme** plongeant entre les squelettes qui ricanaient sous la promenade de l'Aquarium, les bâtons de **sucre d'orge**, les bérets de marins, en papier. »

*Parmi les **attractions** foraines, notez encore :*

les autos tamponneuses
les chenilles
les montagnes russes

*Tout le monde n'approuve pas les foires et les **kermesses** :*

« Certains considèrent que les foires sont entièrement immorales, et les évitent eux, leurs domestiques et leurs enfants. »

Mais qui peut nier leur charme ?

---

of the **hawkers**, the crackle of rifle fire and the shrieks of the girls on the big **swing-boats**... a thousand lights glittered. »

« There were two sets of horses. Three organs were grinding, and there came odd cracks of pistol shots, fearful screeching of the cocoanut man's **rattle**, shouts of the **Aunt Sally** man, screeches from the peepshow lady. »

(D. H. Lawrence)

« Each with an **ice-cream cornet** they stepped on to the **Cake Walk**, shuffling, jogging, laughing along the shaking rattle of moving machinery... From the Cake Walk, Arthur suggested the **Helter Skelter**, a tall wooden tower with an outside flyway... Collecting mats they entered. »

(A. Sillitoe)

*There are also the **pleasure gardens** that one might call permanent funfairs, or the **piers**, where the **day-trippers** all go :*

« With immense labour and immense patience they extricated from the long day the grain of pleasure : this sun, this music, the rattle of the **miniature cars**, the **ghost train** diving between the grinning skeletons under the Aquarium promenade, the sticks of **Brighton rock**, the paper sailor's caps. »

(G. Greene)

*Among the **attractions** of the fair, there are in addition :*

the dodg'ems
the giant caterpillar
the switchbacks

*Not everyone approves of fairs and **fêtes** [1] :*

« Some people consider fairs immoral altogether, and eschew such, with their servants and families. »

(W.M. Thackeray)

But who can deny their magic ?

---

(1) *Aussi "wake" (archaïque).*

C) LE CIRQUE

Le cirque a toujours fait la joie des jeunes et des moins jeunes :

« Le spectacle passait trop vite au gré d'Elizabeth qui écarquillait les yeux par crainte de ne pas tout voir. A peine avait-on fini de trembler pour les **acrobates**, volant d'un trapèze à l'autre, qu'il fallait s'attendrir devant les chiens costumés, en équilibre sur une **balançoire**, admirer le **dompteur** dont le fouet claquant sec, obligeait les tigres à rugir en baissant la tête, envier l'écuyère au dos nu, toute en **paillettes**, en plumes et en sourires, et céder au vertige des **quilles** argentées que se renvoyaient les **jongleurs** chinois. »

(H. Troyat)

On notera encore :

l'**arène**
le **chapiteau**
le **clown tout grimé**
la **corde raide**
le **filet**
le **maître de manège**
le **masque**
la **ménagerie**
les **phénomènes**
   (**femmes à barbe**,
   nains,
   culs-de-jatte, *etc.*).

C) THE CIRCUS

The circus has always delighted the young and the not so young :

« The show was passing too quickly for Elizabeth, who gazed wide-eyed for fear of missing something. You had barely stopped trembling for the **acrobats**, flying from one trapeze to the other, when you had to grow sentimental over the dressed-up dogs, balancing on a **see-saw**, or admire the **lion-tamer**, whose **whip**, sharply craking, made the tigers roar and lower their heads, or envy the bare-backed rider, all **sangles**, feathers and smiles, and grow dizzy at the silvery **skittles** that the Chinese **jugglers** sent flying to and fro. »

You should also note the following :

the **ring**
the **big top**
the **painted clown**
the **tight-rope**
the **safety net**
the **ring master**
the **mask**
the **menagerie**
the **freaks**
   (the **bearded Lady**, **midgets (dwarfs)**,
   legless cripples (the **Legless Wonder**),
   etc.).

II – SOIRÉES EN VILLE

Les habitants des capitales et des grandes villes qui veulent se distraire et dont le portemonnaie est convenablement garni n'ont que l'embarras du choix. Un coup d'œil sur « L'officiel des Spectacles » ou « What's on in London » par exemple, un coup de téléphone ou un saut à une **agence** *pour* **retenir des places** *(à moins qu'ils n'aient un abonnement ou ne préfèrent* **faire la queue***) et ils sont prêts à se rendre dans l'un des lieux que nous allons examiner.*

A) LE MUSIC-HALL ET LE CABARET

Le MUSIC-HALL *est une autre sorte de cirque intimiste où se donnent aussi des* **tours de chants** *et divers* **numéros** *ainsi que les*

II – NIGHTS OUT

When they want entertainment, those who live in capital towns and big cities have plenty to choose from, if they have the necessary cash. A glance at the « Officiel des Spectacles » or « What's on in London » for example, a phone-call or a quick trip to the **agency** *to* **book seats** *(unless they have a season ticket or would rather* **queue***) and they are all set to visit one of the places we are now going to look at.*

A) MUSIC-HALLS AND NIGHT CLUBS

THE MUSIC-HALL *is one sort of small scale circus which also puts on* **songs recitals** *and other* **items** *such as* **reviews** *and the*

revues *et les* variétés *qu'appréciait, parmi tant d'autres, le poète Dylan Thomas :*

« Fervent, de longue date, des music-halls londoniens, Dylan gloussait d'enthousiasme à propos de tout : des "Petty-Girls" aux longues jambes, dont les sauts et les trémoussements aboutissaient à une nudité de statue et à l'éclair du cache-sexe... comme du jeune premier vêtu d'un complet croisé, qui souriait éperdument, en chantant des extraits de "Rio Rita"... »

Les CABARETS *comportent le plus souvent, eux aussi, un spectacle (chansonniers,* strip-tease, *etc...). Mais les* clients *y sont assis à une table où ils dînent ou prennent une consommation : whisky ou demi-bouteille de Champagne et ceci pour une somme qui n'est jamais modique ! Dans un cabaret on peut aussi généralement se bécoter ou s'éclater comme ça se fait dans les* discos.

B) LE BALLET, L'OPÉRA, LES CONCERTS

Si l'on préfère voir danser magnifiquement plutôt que de danser soi-même plus ou moins mal, on peut aller au BALLET *admirer les petits rats de l'Opéra ou quelque danseuse-étoile dans une* chorégraphie *romantique ou moderne. L'art de Terpsichore est un art difficile (cf. les* arabesques, battements, chassés-croisés, écarts, entrechats, pointes, sauts, *etc.), complet, qui a ses lois propres :*

« Le ballet-spectacle doit allier la musique de l'oreille à la musique des yeux. C'est la raison pour laquelle nous nous montrons si exigeants envers les maîtres du décor lorsqu'ils s'attaquent au ballet. En effet, le décor ne doit pas absorber la danse par l'éclat de ses couleurs... Et le costume ? Il doit également être conçu d'après les lois de la danse... Sans une gamme colorée, élaborée dans ses plus fines transitions, il est impossible d'obtenir une vue harmonieuse des évolutions du corps de ballet, qui accompagne par la souplesse de ses lignes les solos... »

(N. Volkov)

Complet aussi est l'art du théâtre lyrique ou OPÉRA (sérieux, comique, bouffe, *etc.), au moins de nos jours :*

« Les représentations d'opéra ont changé. Autrefois, il s'agissait d'une représentation

varieties *which Dylan Thomas, along with so many others, delighted in :*

« A long-time devotee of London music-halls, Dylan chuckled with enthusiasm about everything — the long-limbed "Petty-Girls", whose bumps and grinds ended finally in statuesque nudity and the flip of a G-string... the desperately smiling juvenile in a double-breasted suit (who) sang selections from "Rio Rita"... »

(M. Brinin)

NIGHT-CLUBS *too, put on a show as a rule («chansonniers», a* strip-tease act, *etc...). But here the* patrons *sit at tables where they dine or have a drink : whisky or a half-bottle of Champagne, for which they pay through the nose ! In a night-club you can also usually smooch around or work yourself into a frenzy as they do in* discos *!*

B) BALLET, OPERA, AND CONCERTS

If you prefer watching superb dancing rather than dancing indifferently yourself, you can visit the BALLET. *There you can admire the young ballet-dancers, or perhaps a star in a romantic or modern* choreography. *The Terpsichorean art is difficult (*arabesques, high kick, chassés-croisés, *the* splits, entrechats, dancing on points, *leaps, etc...), comprehensive and governed by its own laws :*

« The ballet as spectacle should combine music for the ear with music for the eyes. That is why we appear so exacting towards the scenery designers when they tackle ballet. Indeed, the settings must not overshadow the dancing with the brilliance of their colour... And the costume ? That, too, must be conceived in accordance with the laws of the dance. Without a range of colours of the most elaborate and subtle gradations it is impossible for the movements of the corps de ballet to provide a harmonious sight as its fluid outline accompanies the solo dancers... »

Comprehensive too, is the art of the lyric drama or OPERA (grand opera, comic opera, opéra bouffe, *etc.), nowadays at least :*

« Opera performances have changed. They used to consist of star performances almost

donnée par une **vedette** presque sans répétitions ; et maintenant elles visent à interpréter la partition, non seulement en fonction de la musique, mais aussi en fonction des décors et du jeu scénique, le tout s'appuyant sur la musique du compositeur. »

Celui qui préfère la musique pure peut aller à l'un des nombreux CONCERTS *qu'on donne dans les grandes villes : concerts spirituels des églises,* **récitals** *des petites salles,* **concerts symphoniques** *du Royal Festival Hall,* **concerts-promenades** *du Royal Albert Hall, etc...*

On y attend le **chef d'orchestre** *dans une atmosphère assez mouvementée :*

« Cependant, les bougies de l'**orchestre** s'allumèrent ; le **lustre** descendit du plafond, versant, avec le rayonnement de ses facettes, une gaîté subite dans la salle ; puis les **musiciens** entrèrent les uns après les autres, et ce fut d'abord un long **charivari** de basses ronflant, de violons grinçant, de pistons trompettant, de flûtes et de flageolets qui piaulaient. »
(G. Flaubert)

Mais quand commence le premier **morceau** *au programme, tous les* **mélomanes** *dignes de ce nom se taisent et écoutent religieusement, réservant leurs opinions pour la conversation qui les réunira à leurs amis, pendant l'*entracte*, au* **foyer** *ou au* **bar***, ou devant le* **vestiaire** *à la fin.*

unrehearsed, and now they aim at the interpretation of the music not merely in terms of scenery and acting, everything based on the music of the composer. »
(J. Christie)

The person who prefers music alone can go to one of the many CONCERTS *that are performed in the big towns : concerts of sacred music in churches,* **recitals** *in the smaller halls,* **symphony concerts** *at the Royal Festival Hall,* **promenade (prom) concerts** *at the Royal Albert Hall, etc...*

The audience is noisy and restless, waiting for the **conductor** *to appear :*

« Meanwhile the candles were lit in the **pit**, the **chandelier** lowered from the ceiling, its glittering facets throwing a sudden gaiety over the place ; then the **musicians** came in one after the other ; and at first there was a protracted **hubbub** : the hum of the basses, the violins squeaking, cornets trumpeting, flutes and flageolets whining. »

But when the first **item** *on the programme begins, all the genuine* **music-lovers** *fall silent and dutifully listen, reserving their comments for the conversation during the* **interval***, when they will meet their friends in the* **foyer** *or in the* **bar***, or at the* **cloak-room** *after the concert.*

C) *LE THÉÂTRE*

La mention d'entracte, le foyer, le bar, nous rappelle utilement qu'en ce qui concerne L'ÉDIFICE*, il n'y a pas, le plus souvent, de différences sensibles entre les salles de concert, de music-hall, parfois même de cinéma, et le théâtre.*

A l'entrée, se trouvent les **guichets** *et les vendeurs de* **programme***.*

A l'intérieur :

« Voici les noms des différentes places mises à la disposition du public : le **parterre** ; les **fauteuils d'orchestre** ; les **baignoires** ; les **loges** d'avant-scène ; les **première**, **seconde** et **troisième galeries (balcons)** ; et enfin le **poulailler**. »
(E. Billaudeau)

C) *THE THEATRE*

Mention of the interval, foyer and bar serves as a useful reminder that as far as THE BUILDING *itself is concerned, there is, in most cases, no very great difference between the concert-hall, music-hall, or even the cinema — and the theatre.*

At the entrance are the **box-offices** *and* **programme** *sellers.*

Inside :

« These are the names of the seats placed at the disposal of the public : the **pit** ; the **orchestra stalls** ; the **ground floor boxes** ; the stage **boxes** ; the **dress circle**, the **balcony**, the **upper circle** ; and finally the **gallery**, also known as the **gods**. »

*Avant la représentation (***matinée et soi-rée***) et pendant l'entracte, le* **rideau** *baissé (et éventuellement le* **rideau de fer**) *cache en partie la* **scène** *au spectateur qui n'entrevoit guère que la fosse d'orchestre, le* **trou du souffleur***, et le dos de la* **rampe***.*

DERRIÈRE LA SCÈNE

« Le **régisseur** est là avec son équipe, maudissant ou louant les conditions techniques du lieu. »

Dans les petits théâtres provinciaux, et les **compagnies régionales***, le* **metteur en scène** *et le* **directeur** *ne sont souvent qu'un seul et même homme ; le menuisier aide aussi peut-être aux* **changements de décor***, la* **cos-tumière** *est chargée des* **accessoires***. Les modernes ont, en ce qui concerne les* **décors***, des problèmes que ne se posaient pas les Elizabethains. Voyez « Le Songe d'une Nuit d'Eté » :*

« *Bottom* : "L'un ou l'autre d'entre nous re-présentera le mur : on lui mettra du plâtre, ou de la terre glaise ou de l'argile, pour figurer cela — il n'aura qu'à écarter les doigts, comme ça, pour que Pyrame et Thisbé chu-chotent par l'ouverture". »

C'est également derrière la scène ou sur les côtés que se trouvent les **coulisses** *et les* **loges***.*

*Les décors (***toile de fond***, etc.) ont été mis en place, les acteurs et actrices grimés, fardés, transformés grâce à des* **perruques** *postiches et à des* **costumes** *d'époque, sont fin prêts. Un dernier coup d'œil à leur* **rôle** *et ils vont affronter les* **feux de la rampe***, les* **projec-teurs***, les critiques dramatiques et le public pour la* **générale***,* **la première** *ou* UNE RE-PRÉSENTATION *ordinaire de la nouvelle pièce. S'ils ont le trac, l'enfant qui pénètre pour la première fois dans le sanctuaire est ému lui aussi :*

« L'**ouvreuse** nous introduisit dans une loge toute rouge qui s'ouvrait sur une vaste salle bourdonnante d'où partaient les sons inhar-monieux des instruments que les musiciens accordaient. La solennité des **trois coups** frappés sur la scène et suivis d'un profond silence m'émut. Le lever du rideau fut vrai-

*Before the start of the performance (***mati-née***, or* **evening performance**), *and during the interval, the lowered* **curtain** *(and on occasion the* **safety curtain**) *partly hides the* **stage** *from the audience, who can merely see the orches-tra-pit, the* **prompter's box** *and the back of the* **footlights***.*

BACKSTAGE

« The **stage-manager** is there with his staff, cursing or praising the mechanical faci-lities. »

(N. Marsh)

In the smaller provincial, and **repertory** *theatres, the* **producer** *and* **director** *are often one and the same ; the stage carpenter may also help with the* **scene shifting***, the* **ward-robe mistress** *might be in charge of the* **pro-perties (props)***. These days* **scenery** *presents problems which the Elizabethans did not have to face, as we see from « A Midsummer Night's Dream » :*

« *Bottom* : "Some man or other must present wall ; and let him have some plaster, or some loam, or some rough-cast about him, to signify wall ; and let him hold his fingers thus, and through that cranny shall Pyramus and Thisby whisper". »

(W. Shakespeare)

And behind the stage and on each side are the **wings** *and the* **dressing rooms***.*

*The scenery (***back-cloth***, etc.) has been placed in position, the actors and actresses made up with grease paint and powder, trans-formed with the aid of* **wigs** *and period* **cos-tumes***, are all set. A final glance at their* **parts** *and then they will be facing the* **limelight***, the* **projectors***, the dramatic critics and the public. It may be a* **dress-rehearsal***, a* **first night***, or routine* PERFORMANCE *of a new play. And if they are scared, the little boy entering this holy of holies for the first time is just as agitated :*

« The **usherette** showed us into a box all in red, which gave on to a huge hall, humming with noise, from which there came the unmu-sical sounds of the instruments being tuned up. The solemnity of the **three knocks** on the stage, and the absolute silence which follow-ed, moved me. The raising of the curtain was

ment pour moi le passage d'un monde à un autre. »

(A. France)

Les dés sont jetés. *L'œuvre va-t-elle être un* **succès** *qui fera crouler une salle comble sous les* **applaudissements**, *connaîtra plusieurs* **rappels** *et plusieurs* **bis** *et tiendra l'affiche pendant des saisons (les principaux acteurs devant alors alterner avec leurs* **doublures** *) ? Ou va-t-elle être* **sifflée** *par les spectateurs ?*

Et si c'est un **four**, *qui est à blâmer ? Le* **dramaturge**, *le metteur en scène, la* **distribution** *?*

D) *LE CINÉMA*

Le CINÉMA *est au XX*ᵉ *siècle la* DISTRACTION *favorite du public. C'était vrai des villages d'hier :*

« Nous subissions dans la salle une attente interminable, parmi les banquettes vides... Puis nous voyions l'**opérateur** monter dans son réduit. Puis les ténèbres nous noyaient. Enfin l'**écran** nous renvoyait sa trouble clarté où s'agitaient des hommes. »

(M. Van des Meersch)

*Ce l'est toujours dans les grands cinémas d'***exclusivité** *des villes d'aujourd'hui, avec séances* **permanentes**, **air conditionné**, *écran panoramique géant,* **stéréophonie, écouteurs** *de traduction instantanée ; et, à travers* **le muet** *et le* **parlant**, *ce le sera encore demain du cinéma sentant et de contact... si l'on en croit Aldous Huxley.*

Le CINÉMA *reste d'abord une* INDUSTRIE.

Tourner, *monter, montrer une* **bobine** *d'un grand film moderne, payer leur cachet aux «* **stars** *» et aux* **starlettes** *exige une mise de fonds considérable. Il est donc normal que beaucoup de producteurs de films aient l'œil sur le tiroir-caisse et ne produisent de* **longs métrages, westerns, policiers, films de terreur, dessins animés, films à grand spectacle, comédies musicales**, *etc.* [1] *qu'avec la*

truly for me the passage from one world to another. »

The die is cast. *Will the play be a* **success**, *with* **applause** *that brings the house down, will there be many* **curtain calls** *and* **encores**, *and will it run for years (in which case the stars have to alternate with their* **stand-ins**), *or will it be* **booed** *by the audience ?*

And if it's a **flop**, *who is to blame ? The* **playwright**, *the producer, or the* **casting** *?*

D) *THE CINEMA*

The CINEMA *is the favourite* ENTERTAINMENT *of the XXth century public. It was true of the villages not long ago :*

« Inside the hall, we would endure an endless wait among the empty seats... Then we would see the **projectionist** go up into his tiny room. Then the darkness would close in on us. Finally from the **screen** came a dimly flickering light, in which figures moved quickly about. »

It is still true of the towns today whith their big cinemas for **first-run** *pictures,* **continuous** *performances,* **air conditioning**, *wide screen,* **stereophonic sound, headphones** *for instantaneous translation ; and passing through the days of* **the silent films** *and the* **talking films**, *it will still be true in the future with the «* **feelies** *» and the «* **smellies** *»... if we are to believe Aldous Huxley.*

But the CINEMA *is first and foremost* AN INDUSTRY.

To **shoot**, *produce and show a* **reel** *of a big modern film, pay the* **stars** *and* **starlets** *their fees, requires considerable capital. It is therefore not unnatural that many film producers have an eye on the box-office takings and produce their* **full-length** *films, their* **westerns, thrillers, horror-films, cartoons, spectaculars, musical comedies**, *etc... only when they are pretty certain to appeal to the*

---

(1) Parmi les autres types de films on notera :
Les *actualités* – newsreels (un *cinéac* est un *news theatre*).
Une *bande d'annonce* = *trailer* ; le *documentaire* = *educational*.

quasi certitude de séduire le public le plus large possible. Cela explique qu'il y ait tant de navets...

Et pourtant le CINÉMA *n'en est pas moins, aux mains des plus doués,* UN ART, *le septième, plus éphémère peut-être, plus collectif, plus technique que les autres, mais tout aussi grand. Art collectif, il est le fruit d'un travail d'équipe qui comprend :*

acteurs
cameraman
décorateur
figurants
metteur en scène
monteur
musiciens
scénariste
script-girl

etc...

et lorsque les **prises de vue** *sont terminées, tous les techniciens de la dernière heure :*

« ... Arrive le jour où la **copie** standard du film est projetée : après qu'on y a mis une dernière main pour le titrage, le **générique**, les ultimes retouches et le dernier polissage... Le polissage se fait dans un laboratoire peuplé d'ingénieurs et de techniciens qui traitent les pellicules avec le plus grand soin. C'est là aussi que s'effectuent les **trucages**, les **effets** spéciaux (**ralenti**, **accéléré**, etc.). »
(G. Marchall)

Parmi les autres procédés, notons encore :

le découpage.

« Techniquement, l'innovation la plus déconcertante de *L'Année Dernière à Marienbad* réside en son découpage ; il n'y a pas de **fondus-enchaînés** qui aideraient à la compréhension du film. L'action plonge brusquement dans le passé, puis revient au présent... »

le doublage
un gros plan
un panoramique
le travelling

etc...

---

widest possible public. Which explains why there are so many films that are just tripe.

For all that the CINEMA, *in the hands of men of talent, is none the less* AN ART, *the seventh, more ephemeral, more collective, more technical than the other arts, but no less great. A collective art, it is the product of teamwork which involves :*

actors
cameraman
designer
extras
director
cutter
musicians
scenario writer
continuity-girl (script-girl)

etc...

and when the **shooting** *of the film is completed, all the technicians needed for the final stages :*

« ... Comes the day when the standard **version** of the film is run on the screen : after the final work of inserting the titles, **credit titles**, the finishing touches and the final polish... This polish takes place in a laboratory staffed with engineers and technicians who handle the film with extreme care. It is here too that the **trick photography** is done, and the special **effects** (**slow motion**, **speeded-up sequences**, etc.). »

Some of the other processes are :

cutting.

« Technically the film's (*Last Year at Marienbad*) most disconcerting innovation is in its cuttings : there are no helpful **slow-fades** ; the action cuts sharply to the past, **then** back to the present... »
(D. Prouse)

dubbing
a close-up
panning
travelling

etc...

A) *LA PHOTOGRAPHIE*

Parmi ceux qui préfèrent rester au coin du feu, en pantoufles, la photographie a ses amateurs. Grâce à un **projecteur**, on passe sur un écran les **diapositives** qu'on a prises, pendant les vacances, avec un **appareil** plus ou moins perfectionné. C'est un **passe-temps** agréable... sauf pour les étrangers à qui l'on impose de voir trente six fois le même groupe familial, le même bébé souriant aux anges ou la même jeune femme en minijupe.

Notez :

agrandissement
bobine, pellicule
chambre noire
cliché
déclencheur
développer
diaphragme
épreuve
exposition
filtre
flash
flou *(adj.)*
instantané
mettre au point
négatif
net
objectif
plaque
pose
profondeur de champ
tirer
viseur.

A) *PHOTOGRAPHY*

Among those who prefer to stay at home by the fire, in their slippers, some are keen on photography. With a **projector** you can show on a screen the **colour-slides** you have taken on holiday with a **camera**, more or less brought to perfection. It's a nice **hobby** – though not for the visitors who are obliged to watch the same family group umpteen times, the same angelically smiling baby, the same young wife in her mini-skirt.

Note :

enlargement
spool, film
dark room
negative
shutter
to develop
diaphragm stop
proof
lighting
filter
flash-light
blurred
snap
to focus
negative
sharp
lens
(photographic) plate
exposure
depth
to snap
viewfinder.

B) *LA RADIO ET LA TÉLÉVISION*

La RADIO est née en 1922. Mais que de chemin parcouru depuis les **postes à galène** et leurs **écouteurs** et les premières installations :

« Se rappelant les années 20, les anciens se souviendront de la façon dont une forêt de poteaux surgit dans chaque jardin de derrière. Ils portaient des **antennes** reliées au complexe de boites, de batteries, de fils et d'écouteurs qu'on appelait "**la radio**". Les auditeurs d'aujourd'hui ont des **postes à transistors** dans leurs poches, des postes de radio dans

B) *RADIO AND TELEVISION*

RADIO was born in 1922. But we have come a long way since the days of **crystal sets** and **headphones**, and those wireless sets :

« Looking back to the twenties, an older generation will remember how a forest of poles sprang up in every back garden. They carried the **aerials** which connected with the complex of boxes, batteries, wires and headphones that was called "**the wireless**". The listeners of today have **transistor sets** in their pockets, radios in their cars and apply them-

leurs voitures et disposent des perfectionnements de la **Haute Fidélité**. »

« *L'*auditeur *a maintenant un vaste choix d'*émissions *sur les différents postes d'*ondes *courtes, petites ondes, longues ondes et modulation de fréquence.*

*Il suffit d'ouvrir un poste, de tripoter le bouton pour prendre la bonne longueur d'onde et placer l'*aiguille *au bon endroit du* cadran, *et l'on se met à l'écoute...*

On peut aussi entendre ses disques *favoris (classiques ou de variétés) en branchant le* pick up *ou en se servant d'un* électrophone *muni d'un* plateau, *d'un* bras, *d'un* saphir *ou d'un* diamant, *d'un ou plusieurs* hauts parleurs. *Ici encore l'invention du* microsillon *est un net progrès sur les 78 tours et celle des* cassettes *sur le disque.*

Notez aussi :

amplificateur
émetteur
informations
interférences
lampe
pile
prise de terre
réseau
speaker
  (f. : **speakerine***).*

Le niveau intellectuel et artistique de la TÉLÉVISION *dans certains pays que nous ne nommerons pas, fait pâlir les prévisions les plus pessimistes. Bonne ou mauvaise, d'ailleurs, la télévision peut se voir reprocher d'être une cause d'*uniformisation *et une arme politique dangereuse, de nuire à la conversation, à la vie familiale, à la lecture... C'est, néanmoins, un merveilleux* moyen d'information *et demain, qui sait, ce sera peut-être un véritable* instrument de culture.

En attendant, n'en abusez pas, comme on a accusé les Américains et les Anglais de le faire.

selves to the perfection of **V.H.F.** reception. »

(« Radio Times »)

Now the **listener** *has a vast choice of* **programmes** *from various short, medium and long* **wave** *stations and V.H.F.*

You simply switch on, fiddle with the knob to select the right wave band, and move the **tuning pointer** *to the correct point on the* **dial**, *and you can start listening...*

You can also listen to your favourite **records** *(classical or popular) by connecting up (plugging in) the* **record-player** *or using a* **gramophone** *which will have a* **turn-table**, **playing-arm** *with* **sapphire** *or* **diamond** *stylus and one or more* **loudspeakers**. *The invention of the* **L.P.** *was a decided improvement on the old 78 and that of* **cassettes** *on records.*

Note also :

amplifier
transmitter
news *(singular)*
interference
valve
battery
earth
mains
announcer.

The intellectual and artistic level of television in certain countries which shall be nameless is worse than the most pessimistic forecasts predicted. Moreover, good or bad, T.V. is accused of being a cause of **standardization** *and a dangerous political weapon, of destroying conversation, family life, reading... Nevertheless it is a wonderful* **medium for spreading information** *and one day perhaps – who knows – it will become a* **vehicle of culture**.

Meanwhile, don't misuse it, in the way the English and Americans are accused of doing.

CHAPITRE 28

LES JEUX ET LE SPORT

SPORTS AND GAMES

I – LES JEUX

I – GAMES

A) *JEUX D'INTÉRIEUR*

A) *INDOOR GAMES*

Les plus populaires sont les JEUX DE CARTES :

Most popular are the various CARD-GAMES :

A propos de :	« CARTE » *Notez*
carte à jouer	**playing card**
(*notez :* sept de carreau	(*note :* **seven of diamonds**
huit de cœur	**eight of heart**
neuf de pique	**nine of spades**
dix de trèfle	**ten of clubs**
brelan)	**brelan)**
château de cartes	**house of cards**
connaître le dessous des cartes	**to be in the know**
jouer sa dernière carte	**to play one's last card**
mettre carte sur table	**to put all one's cards on the table,** **to deal squarely**
carte de visite, bristol	**visiting card**
cartel (envoyer un –	**challenge**
i.e. : provoquer en duel)	
carte-lettre	**letter-card**
carte postale	**postcard**
laisser carte-blanche	**to give someone carte blanche** **(a free hand)**
carte d'état-major	**ordnance survey map**
carte marine	**sea-chart**
carte grise	**car licence**
carte de restaurant	**menu, bill of fare**
carte des vins	**wine list**
carton	**cardboard, a cardboard box**

le bridge *(*contrat *ou* enchère*)*.

bridge *(*contract *or* auction*)*.

Le **jeu** *se compose de quatre* **couleurs :** trèfles, carreaux, cœurs, piques. *On* **bat** *les cartes, on* **coupe** *et on* **fait une donne** *à chaque* **joueur.** *Un joueur est le* **mort.** *Un* **beau jeu** *comporte beaucoup d'*atouts *et de belles cartes (*as, roi, reine, valet*). Un grand* **chelem** *comporte treize* **plis.**

The **pack** *consists of four* **suits :** clubs, diamonds, hearts, spades. *You* **shuffle, cut,** *and* **deal each player a hand.** *One player is* **dummy. A good hand** *will have plenty of* **trumps** *and court cards (*ace, king, queen, jack*). A grand* **slam** *consists of thirteen* **tricks.**

le whist.

whist.

« Un feu joyeux, un âtre propre, et la rigueur du jeu. Tel était le désir célèbre de la vieille

« A clear fire, a clean hearth, and the rigour of the game. This was the celebrated wish of

Sarah Battle (maintenant rappelée à Dieu), qui, dévotions exceptées, n'aimait rien tant qu'une bonne **partie** de whist. »

old Sarah Battle (now with God), who, next her devotions, loved a good **game** of whist. »

(Ch. Lamb)

Et il y a aussi :

la bataille
la belote
l'hombre
la manille
la patience
le poker
le rummy

etc...

And there are also :

beggar-my-neighbour
belote
ombre
manille
patience
poker
rummy

etc...

Parmi les AUTRES JEUX *on choisira :*

le billard

pour lequel il faut une table, une **queue,** *des* **boules** ;

Among OTHER GAMES *let us select :*

billiards

for which a table, **cue** *and* **balls** *are necessary ;*

les dames
les dominos
les échecs

que l'on joue sur un **échiquier** *avec des* **pièces** *: le* **roi,** *la* **reine,** *les* **fous,** *les* **cavaliers,** *les* **tours** *et les* **pions.**

draughts *(Am. :* **checkers***)*
dominoes
chess

played on a **chess board** *with* **chessmen** *:* **king, queen, bishops, knights, rooks (castle),** *and* **pawns.**

Notez aussi :

échec !
échec et mat !

les jeux de dés
le ping-pong.

Note also :

check !
checkmate !

dice games
table-tennis (ping-pong).

Un jeu très populaire dans les pubs anglais est le **jeu de fléchettes.**

Very popular in pubs are **darts.**

B) *JEUX D'ENFANTS*

Cette petite fille en mentionne quelques-uns :

« Moi je jouais au **cerceau**
A la **balle au chasseur**
Je jouais à la **marelle**
Je jouais avec un seau
Je jouais avec une pelle
Je jouais au papa et à la maman
Je jouais **à chat perché**
Je jouais avec mes **poupées**
Je jouais avec une ombrelle
Je jouais avec mon petit frère
Avec ma petite sœur
Je jouais **au gendarme
    et au voleur**
Mais c'est fini fini fini
Je veux jouer à l'assassin !

(J. Prévert)

B) *CHILDREN'S GAMES*

This little girl mentions a few :

« I used to play with my **hoop**
I used to play **ball-tag**
I played **hopscotch**
I played with a bucket
I played with a spade
I played mothers and fathers
I played **be-off-the-ground**
I played with my **dolls**
I played with a sunshade
I played with my little brother
I played with my little sister
I played **at cops
    and robbers**
But that's all over and done with
I want to play... murderers ! »

366

Parmi les JEUX D'INTÉRIEUR *citons en outre :*

les énigmes
le jeu de la puce
le jeu de l'oie
le jeu de loto
le monopoly
les mots croisés.

Il y en a divers autres, dont certains comportent des **gages**.

Les enfants peuvent également s'amuser avec leurs **jouets** *:*

jeux de construction
jeux de patience
meccano
soldats de plomb
trains mécaniques
trains électriques

ou jouer avec des **crayons de couleur**, *des chiffons, de la* **pâte à modeler**, *ou rien...*

Les enfants préfèrent presque toujours les JEUX DE PLEIN AIR *:*

« A la campagne, les enfants prennent leurs ébats dans les prairies, dans les forêts et même dans les rues. Dans les grandes villes ils doivent se contenter des jardins publics et des **terrains de jeux**. Ils jouent à **colin-maillard**, **aux barres**, à **cache-cache**, à **saute-mouton**, aux **palets**, à la **toupie**, aux **billes**, aux **quilles**, aux **boules**... Ils lancent aussi des **cerfs-volants**, se balancent... **sautent à la corde** et trottent sur leurs **patinettes**. »

(E. Billaudeau)

Il y a aussi les **jeux d'équipe** *qu'organisent, par exemple, les louveteaux dans leurs sorties ou les moniteurs de colonies de vacances, etc...*

C) *JEUX D'ARGENT*

Les jeux d'argent sont presque tous des jeux de cartes ou de **hasard**, *bien qu'un jeu* **d'adresse** *(le billard par exemple) puisse comporter un* **enjeu**.

On peut s'adonner à ce **passe-temps** *risqué chez soi ou dans un établissement de jeu, casino, etc... On dépose une* **mise** *(qu'on peut doubler ensuite) et l'on attend en regardant le* **croupier** *promener son* **râteau** *sur le tapis*

Among INDOOR GAMES *let us name also :*

riddles
tiddlywinks
snakes and ladders
lotto
monopoly
cross-words.

There are various others, some involving forfeits.

Or children can play with their **toys** *:*

constructions
puzzles
meccano-sets
tin soldiers
(miniature) clockwork trains
(model) electric trains

or play with **crayons**, *bit of material,* **modelling clay** *− or with nothing at all...*

Children almost always prefer OUTDOOR GAMES *:*

« In the country the children play in the meadows, in the woods, and even in the streets. In the large towns they have to make do with parks and **play-grounds**. They play **blind man's buff**, **release**, **hide and seek**, **leap frog**, **quoits**, **whip and top**, **marbles**, **skittles**, **bowls**... They fly **kites** as well, and they swing..., **skip** and ride their **scooters**. »

Then there are **team games** *which wolf-cubs organize for example, or monitors at children's holiday camps, etc...*

C) *GAMBLING*

Gambling games are nearly all card games or games of **chance**, *although a game of* **skill** *(like billiards) can be played for a* **wager**.

You can indulge in this risky **hobby** *at home or in a gambling establishement, casino, etc... You put down your* **stake** *(which you can later double) and you wait, watching the* **croupier** *moving his* **rake** *over the gam-*

367

vert, en surveillant les autres joueurs, en espérant gagner.

Notez aussi :

le baccarat
le bingo
la boule
le poker
la roulette
banque
banco
miser
un tricheur.

Si ce sont surtout les riches qui fréquentent Monte Carlo, l'homme de la rue prend sa revanche avec les **paris** *(particulièrement pour les courses de chevaux, cf. le tiercé dans lequel le* **parieur** *doit désigner les trois chevaux qui arriveront en tête). Le prise des paris se fait par l'intermédiaire des* **bookmakers,** *y compris sur les champs de course, ou dans les agences (en France P.M.U.). En Angleterre la* **course de chevaux** *la plus célèbre est le Derby. Il y a aussi des* **courses de lévriers,** *etc...*

ing-table, or observing the other gamblers, hoping to win.

Note :

baccarat
bingo
« boule »
poker
roulette
bank
(to go) banco
to stake (lay)
a cheat, card sharper.

While it is mostly the rich who go to Monte Carlo, the man in the street compensates for this by **betting** *(especially on horse-races, cf. a treble where the* **punter** *must pick three winners). Bets are placed with* **bookmakers (bookies),** *either at the race-course or at a betting-shop (the P.M.U., in France). In England the most famous* **horse-race** *of the year is the Derby. There are also* **greyhound races,** *etc...*

II – LES SPORTS INDIVIDUELS OU FAMILIAUX

A) *LES LOISIRS VESPÉRAUX*

A la belle saison, les BOULES *sont très populaires ainsi que, dans le midi de la France, la variante provençale de ce jeu, appelée pétanque.*

En Angleterre, on joue aux boules sur un **boulingrin** *parfaitement uni avec de lourdes boules en bois qui ont un décentrement. Le but est de voir qui se rapproche le plus du* **cochonnet.** *On ne saurait décerner de plus vif éloge à une pelouse que de dire que « c'est un vrai boulingrin ».*

Dans les pays anglo-saxons et même dans les pays latins, le BOWLING *tend à remplacer les boules avec lesquelles, d'ailleurs, il n'a de ressemblance que le nom. En fait, c'est un jeu de* **quilles,** *amélioré.*

B) *LE REPOS DU WEEK-END*

L'automne offre les plaisirs de la CHASSE À TIR *et de la* CHASSE À

II – INDIVIDUAL AND FAMILY SPORTS

A) *EVENING LEISURE*

In summer, BOWLS *are very popular and, in the South of France, so is the provençal version of the game, known as « pétanque ».*

In England you lay bowls on a perfectly smooth **bowling-green** *with heavy wooden balls ("woods") that have a bias. The aim is to see who comes nearest to the* **jack.** *There is no higher praise for a lawn than to say it is « like a bowling green ».*

In Anglo-Saxon, and even Latin countries, TEN-PIN BOWLING *is tending to replace bowls which it resembles however in nothing but the name. In fact it's a more elaborate version of* **skittles.**

B) *WEEK-END RELAXATION*

Autumn brings the pleasures of SHOOTING AND HUNTING. *A* **game licence** *en-*

COURRE. *Un* **permis de chasse** *donne le droit de tuer le faisan, la perdrix, le coq de bruyère, le lièvre, le lapin, la bécassine et le cerf, avec une* **carabine** *et un* **fusil**.

Notez aussi :

une cartouche
une cartouchière
un fusil à deux coups
canon du fusil
chien du fusil
chien de chasse
détente
du plomb
une gibecière
un garde-chasse
une chasse gardée
un braconnier
tomber en arrêt
lever
charger
épauler
mettre en joue
viser
tirer
manquer
atteindre
poser des collets

« On les voyait revenir, les chasseurs crottés, les chiens tirant la langue ; et des **carniers** au treillis ensanglanté tombaient, sur la table de la cuisine, les perdreaux aux pattes grises, les cailles rondes... et de grands lièvres. »

(P. Margeritte)

Par chasse à courre on entend générale-ment la **chasse au renard** *:*

« Un petit animal roux se coula sur le sentier et s'arrêta l'espace d'un éclair pour nous regarder. »

Lorsque le renard est signalé, on crie : « **vue** *». La* **meute empaume la voie** *:*

« Les chiens déferlaient comme les eaux d'un fleuve, tiraient la langue, et s'égaillaient dans toutes les directions, en agitant la queue. »

Jadis on trouvait beaucoup plus de vie animale en Angleterre et :

« La loutre était **harponnée**, le blaireau **pris au piège**, le lièvre **couru** par des châtelains qui menaient chacun leur petite meute. »

titles you to kill pheasant, partridge, grouse, hares, rabbits, wood-cock, snipe and deer, using a **rifle** *or* **shot-gun**.

Note also :

a cartridge
a cartridge-box
a double-barrelled shot gun
barrel
cock
hound
trigger
small shot
a game-bag
a game-keeper
a game preserve
a poacher
to set, to point
to start
to load
lo lift
to raise (to one's shoulder)
to aim
to fire
to miss
to hit
to snare.

« We used to see them coming back, the men mud-covered, the dogs with lolling tongues ; and out of the bloodstained canvas **games-bags** would come tumbling, on to the kitchen table, grey-legged partridges, plump quails... and big hares. »

Hunting means − usually − **fox-hunting** *:*

« A small russet animal stole out on to the path and stopped for a photographic instant to take a look at us. »

(S. Sassoon)

When the fox is sighted there is a cry of « **View Halloo** *». The* **pack of hounds pick up the scent** *:*

« Out they streamed like a flood of water, throwing their tongues and spreading away in all directions with waving sterns. »

(S. Sassoon)

In the old days there was much more wild life in England and :

« The otter was **speared**, the badger **trapped**, the **hare coursed** by squires who each led his own little pack. »

(G. Trevelyan)

369

Sport traditionnel et aristocratique, la chasse à courre conserve un cérémonial compliqué.

An aristocratic sport with a long tradition, hunting retains its elaborate ceremonial.

Le costume est important quand on va à un rendez-vous de chasse. Voyez ce **chasseur** *qui porte :*

Dress is important when you go to a meet. Look at this **huntsman** wearing :

« une élégante **culotte** de buffle et de pimpantes **guêtres** brunes... Il tient un **fouet** à lanière de cuir noir... Son melon noir lui donne un air de froide efficacité, accentuée par sa cravate blanche soigneusement nouée et par des **éperons** courts, émoussés, brillants, qui ajoutent la note finale. »

« smart buff **breeches** and natty brown **gaiters**... He carries a small **crop** with a dark leather thong... An air of self-possessed efficiency begins with his black bowler hat, continues in his neatly tied white stock and gets its finishing touches in the short, blunt, shining **spurs**. »

(S. Sassoon)

Le vocabulaire de la **vénerie** *échappe aisément au non-initié.*

The vocabulary of **hunting (venery)** is almost incomprehensible to the layman.

Notez :

un piqueur
un rabatteur
sonner l'hallali
Taïaut

etc...

Note :

a whipper-in
a beater
to sound the mort
Tally, ho !

etc...

L'ÉQUITATION *aussi semble réservée sinon à une élite, du moins à la classe fortunée :*

HORSE-RIDING *seems to be reserved, if not for the upper classes, at least for the moneyed people :*

« En quoi consiste donc l'équitation ? A apprendre d'abord à un jeune **cavalier** à se servir d'un cheval **dressé** ; puis, cela acquis, à continuer le **dressage** d'un cheval déjà apte à être monté ; ensuite à dresser totalement un cheval qui n'a jamais été monté ; enfin, et ceci demande alors des années, à parfaire une éducation équestre dans les exercices les plus compliqués de l'équitation savante. »

(R. Amiot)

« What then does horse-riding consist of ? First, teaching the young **rider** to manage a horse that has been **broken in** ; then, when that has been done, continuing the **training** of a horse already accustomed to be ridden ; then, fully training a horse which has never been mounted ; and finally, and this takes years, perfecting a training in horsemanship by the most difficult exercices of horse show riding. »

Notez :

arçon
désarçonner
assiette
broncher
se cabrer
cabriole
caracoler
chevaucher
cravache
éperon
étrier
galop
galoper
parader

Note :

saddle (-bow)
to unseat, throw
seat
to stumble (shy)
to rear
to capriole
to caracol(e)
to ride
riding-whip
spur
stirrup
gallop
to gallop
to put (a horse) through its paces

pas	pace
aller au pas	to ride at walking-pace
piaffer	to paw the ground
regimber	to jib
ruer	to lash out
selle	saddle
trot	trot
trotter	to trot
ventre à terre.	at full speed.

On joue au GOLF *sur un* **terrain de golf,** *avec des* **clubs.**

GOLF *is played on* **gold links** *(a golf* **course***) with* **clubs.**

On dit qu'on « fait un **parcours de golf** *».*

One talks of having a **round of golf.**

Même si l'on n'est pas joueur de golf, on peut s'amuser à lire les histoires désopilantes de P.G. Wodehouse : « The Heart of a Goof », par exemple. Mais qu'est-ce qu'un « **goof** *» ?*

Even if you are not a golfer you can enjoy the hilarious golfing stories of P.G. Wodehouse : « The Heart of a Goof », for example. But what is a « **goof** *» ?*

« Un de ces êtres infortunés qui ont laissé le plus noble de tous les sports prendre une trop grande emprise sur eux, qui lui ont permis de ronger leur âme comme une tumeur maligne. »

« One of those unfortunate beings who have allowed this noblest of sports to get too great a grip on them, who have permitted it to eat into their souls, like some malignant growth. »

(P.G. Wodehouse)

Ces golfeurs sont malheureux car ils ne parviennent pas à acquérir la maîtrise du jeu. Ils **envoient la balle trop à gauche, ou trop à droite,** *ou ils la* **'toppent** *"*[1]. *Leur* **position** *est mauvaise, ils tiennent mal leur club. Ils passent la plupart du temps dans l'herbe à chercher des balles perdues. Le bon* **golfeur** *reste sur le parcours et il évite les* **banquettes.**

Such golfers are unhappy because they cannot master the game. They **pull** *or* **slice** *or* **top** [1] *their* **drives** *; their* **stance** *is wrong, their grip incorrect. They spend most of their time in the rough, looking for lost balls. The good* **golfer** *keeps on the fairway, avoiding the* **bunkers.**

Avant de décrire la PÊCHE EN EAU DOUCE *ou* EN MER, *écoutons le point de vue du poisson, que nous avons rarement l'occasion d'entendre.*

Before we describe ANGLING OR FISHING *let's have the fish's point of view, seldom represented :*

« La pêche est un vilain péché d'ermite,
Quelque chant qu'elle ait pu inspirer à
Walton ;
Dans son gosier, d'ailleurs, ce sadique bar-
bon
Mériterait d'avoir un **hameçon**
Sur lequel tirerait une truite. »

« And angling, too, that solitary vice,
Whatever Izaak Walton sings or says ;
The quaint, old, cruel coxcomb, in his gullet
Should have a **hook**, and a small trout to pull
it. »
(Lord Byron)

Pour l'homme moyen, la pêche signifie la pêche en eau douce. Peu de gens attrapent des baleines, ou des sardines par esprit sportif.

For the average man fishing means fresh water fishing. Few people catch whales, or sardines, for sport.

Si c'est un brochet qui vous intéresse :

If you are after pikes :

« Prenez une petite ablette, ou un gardon, ou un goujon et **amorcez-le** ; mettez le vivant au milieu de vos **cannes**, à moins d'un mètre du

« Take a small bleak, or roach, or gudgeon, and **bait** it, and set it alive among your **rods**, two feet deep from the **cork**, with a little red

---

(1) = frappent le dessus de la balle.

bouchon, avec un petit **ver** rouge sur la pointe du hameçon. Puis prenez quelques-unes des amorces de fond et saupoudrez-en l'eau entre vos cannes. »

On rencontre rarement des pêcheurs peu enthousiastes. Tous, sans exception, sont des mordus qui avancent toutes sortes de raisons pour leur amour de ce sport :

« Il y a une sorte de paix même dans le nom des poissons communs : gardon, rotengle, vandoise, ablette, bardeau, brême, goujon, brochet, chabot, tanche. Ce sont là des noms bien solides. »

Voici l'instant palpitant où

« votre **flotteur** donne une secousse et plonge sous l'eau et vous sentez la canne fléchir et le poisson tirer sur la **ligne**. »

*Et si le pêcheur n'a rien pris, il peut toujours passer à la poissonnerie, de peur que sa femme ne lui reproche le prix de son **atti-rail**, et décrire à ses amis quelque **prise** homérique... Et puis qu'importe ce que l'on prend quand on cherche seulement à se distraire : le vrai sport, comme l'art, est gratuit !...*

C) *LES DISTRACTIONS DES VACANCES*

Quelle muse nos inspirera pour chanter les congés payés ?

Il y a d'abord les plaisirs de L'AUTO... *plus ou moins exaltants selon la **vitesse**, plus ou moins dangereux aussi.*

*Il advient, néanmoins, qu'on arrive à bon port, à n'importe quelle allure, en tacot ou en **décapotable** et ceci malgré le mauvais temps, les haltes, les **motards** et les **chauffards**.*

C'est le moment pour les amateurs de CAMPING *de monter leur **tente** :*

« Elle est détrempée et lourde, claque au vent, s'écroule sur vous, s'accroche à votre cou, vous rend enragé. Et la pluie continue de tomber à flot, sans répit. Il est déjà assez difficile de monter une tente par temps sec. Quand il pleut, cela devient l'un des travaux d'Hercule. »

*Il est vrai que les **campeurs** modernes, s'ils ont conservé les **sacs de couchage**, matelas*

worm on the point of the hook ; then take some of the ground-bait and sprinkle it gently among your rods. »

(I. Walton)

One rarely meets half-hearted fishermen. They are enthusiasts to a man, advancing all sorts of reasons for their love of the sport :

« There's a kind of peacefulness even in the names of English coarse fish : roach, rudd, dace, bleak, barbel, bream, gudgeon, pike, chub, tench. They're solid kinds of names. »

(G. Orwell)

And here's that exciting moment when

« your **float** gives a bob and plunges under and you feel the rod bending and the fish tugging at the **line**. »

(G. Orwell)

*And if our angler has caught nothing he can always call at the fishmonger's if he's afraid his wife will grumble about the cost of his **tackle**, and he can describe to his friends his Homeric battle to land a **catch**. And anyway, what does it matter what you catch when you only do it for the sport ; real sport, like art, is its own reward !...*

C) *HOLIDAY AMUSEMENTS*

What muse will inspire us to sing of holidays with pay ?

First, there are the pleasures of MOTOR-ING... *more intoxicating as the **speed** increases.*

*However, it can happen that you arrive safely, whatever the speed, in your old crock or your **open tourer** and in spite of bad weather, stops, **traffic-cops** and **road-hogs**.*

This is the time when CAMPING *enthusiasts start puting their **tents** up :*

« It is soaked and heavy, and it flops about, and tumbles down on you and clings round your head and makes you mad. The rain is pouring steadily all the time. It is difficult enough to fix a tent in dry weather ; in wet the task becomes herculean. »

(J.K. Jerome)

*It is true that modern **campers**, while retaining **sleeping-bags**, inflatable **mattres-***

pneumatiques *et batteries de camping, ont généralement troqué la tente contre la* caravane...

Une fois installés, nourris et logés, nos vacanciers *vont chercher à tuer le temps. La manière varie selon les lieux. A la montagne il y a, l'été, les joies de* L'ESCALADE *qui ne sont néanmoins ni sans danger ni sans fatigue :*

« En frappant avec les pieds et grâce à nos crampons, nous nous maintenons suffisamment... Couchés sur nos piolets nous essayons de rétablir notre respiration et de calmer les coups de notre cœur qui bat à tout rompre. »

(M. Herzog)

Pendant une course *difficile,* les alpinistes s'unissent en cordée. *Ils font étape à un* refuge *avant de gagner un* sommet. *Moins ardus que la varappe sont les promenades en montagne à vaches et les* SPORTS D'HIVER. *Le* ski *gagne en popularité d'année en année.*

Il existe aussi, on le sait, un ski nautique, et ceci nous amène aux SPORTS DE LA PLAGE, *l'endroit où la densité de population au mètre carré est la plus forte en été. Les sportifs les moins convaincus se dorent au soleil, en* maillot de bain, *et regardent brunir les jolies filles. Les arriérés mentaux, ici comme ailleurs, se promènent, un transistor, hurlant, en bandoulière. Les enfants font des* châteaux de sable *ou* ramassent les coquillages. *Les vieilles dames font trempette. Les actifs* se baignent et plongent.

Les nageurs *portent souvent des* palmes *et des* lunettes *pour les aider à nager sous l'eau.*

Entre deux bains on peut faire du canotage, *de la* voile, *de la* planche à voile, *de l'*aviron.

III – LES GRANDS SPORTS

A) *SPORTS DE BASE*

En ATHLÉTISME *il faut d'abord mentionner* la course à pied. *Les* coureurs *sortent sur la* piste *cendrée, font le tour au petit trot pour s'échauffer les muscles. Ils ôtent leurs*

ses *and camp cooking outfits, have generally swopped their tent for a* caravan...

Once they have settled in, had some food and a night's sleep, our holiday-makers *are looking round for something to do, and what it is depends on where they are. In the mountains, in summer, there are the pleasures of* MOUNTAIN-CLIMBING *though they are not without danger and fatigue :*

« By kicking steps, and with the help of our crampons we were able to manage... Leaning on our ice-axes we tried to recover our breath and calm down our hearts which were thumping as if they would burst. »

For a difficult climb, the mountaineers rope themselves together. *They break their journey at a* shelter *before going on to the* summit. *Less arduous than climbing a rock-face are hill-climbing and* WINTER-SPORTS. Ski-ing *is becoming more popular every year.*

There is also, as you know, water ski-ing, *which brings us to* SPORT AT THE SEA-SIDE *where the density of the population per square yard is greatest in summer. Those who are not enthusiastic about sport bask in the sun, in a* bathing costume, *acquiring a tan and watching the girls sunbathing. The feeble-minded, here as everywhere else, carry a blaring transistor slung over their shoulder. The children build* sand-castles *or* gather shells. *The old ladies paddle ; the more energetic* bathe and dive.

Swimmers *often wear rubber* flippers *and* goggles *to help them to swim under the water.*

In the interval between bathes you can go boating, sailing, wind-surfing, *and* rowing.

III – THE MAJOR SPORTS

A) *BASIC SPORTS*

In ATHLETICS *we must deal first with* running. *The* runners *come out on to the cinder* track, *jog around, loosening muscles. They strip off their* track-suits. « To your

survêtements. « A vos marques ! Prêts ! », *le coup de pistolet claque et les corps tendus s'élancent d'un bond.*	marks ! Get set ! » *and the pistol cracks, and tensed bodies spring into action.*
La télévision nous a tous familiarisés avec cette procédure de départ et avec la lutte que se livrent les participants des **courses de fond**.	*We are all familiar, in this age of television, with the procedure at the start of a race, and with the struggle in the* **long distance events**.
« Sur la piste, au milieu des vagues de bruit et de l'éclat des lumières, les trois silhouettes, légèrement vêtues, avançaient en parfaite harmonie comme les roues motrices couplées d'une locomotive. »	« Down on the track, amid the billowing noise and the glare of lights, the three scantily-clad figures moved in harmony like the linked driving wheels of a locomotive. »
	(W.R. Loader)
Lorsque la course touche à sa fin, il faut du courage et des réserves d'endurance. Un athlète célèbre évoque cette phase d'une épreuve âprement disputée :	*As the race nears its end, courage and deep reserves of stamina are needed. A famous athlete recalls such a moment in a gruelling race :*
« Mes yeux voient seulement les pieds de Zatopek marteler le sol en mesure... La cloche (pour le dernier **tour**) retentit et je m'élance en **tête**. Mes poumons protestent, mes muscles s'engourdissent. Les poings travaillent comme ceux d'un boxeur et les jambes avancent lourdement... **Le fil** se rompt sur ma poitrine ».	« My eyes see only Zatopek's rhythmically pounding feet... The bell (for the last **lap**) rings and I shoot forward into the **lead**... My lungs are protesting, my muscles numbing... fists working like a boxer's and legs pounding... The **tape** snaps on my chest. »
	(G. Pirie)
Notez aussi : le « cross » les courses de haies coureur de vitesse, « sprinteur ».	*Note also :* cross-country race hurdle-race sprinter.

Outre les courses (100 mètres, etc...) il y a les **concours** *:*
lancement du disque
lancement du marteau
lancement du poids
lancer du javelot
saut en hauteur
saut en longueur
saut à la perche
            etc...
	Apart from the track events (100 yards, etc...) there are **field events** *:*
	throwing the discus
	throwing the hammer
	putting the shot
	throwing the javelin
	high jump
	long jump
	pole vault
	            etc...

*L'*entraînement *se fait sous la direction d'un* entraîneur. *On peut aussi s'exercer dans un* gymnase *(cf. :* barre fixe, barres parallèles, haltères, *etc.).*	**Training** *is under the direction of a* **coach**. *One can also practise in a* gym(nasium) *(note :* horizontal bar, parallel bars, dumb bells, *etc.).*
C'est également dans les sports de base qu'il faut mentionner la NATATION. *Mais alors qu'on pratique l'athlétisme dans un* gymnase *ou sur un* stade, *c'est évidemment la* piscine *qui est ici le lieu d'entraînement.*	**It is among the basic sports too, that we must place SWIMMING.** *But whereas athletics are practised in a* gym(nasium) *or a* stadium, *the training for swimming is obviously done in a* swimming-pool.
Les trois nages les plus populaires sont le crawl, *la* brasse *sur le ventre, et la brasse sur le dos. On* chronomètre *les temps des nageurs avec, bien sûr, un* chronomètre.	*The three most popular strokes are* crawl, breast-*stroke, and* back-*stroke. The swimmers are* timed *with a* stop-watch.

Il y a les SPORTS *qu'on pourrait appeler* MILITAIRES *comme de nos jours,* **le saut en parachute** *ou les* **tournois** *d'antan dont mainte page de l'auteur « d'Ivanhoe » nous présente les splendeurs :*

« La **lice** offrait un spectacle véritablement somptueux... Les hérauts terminèrent leur proclamation... Les barrières s'ouvrirent et cinq **chevaux tirés au sort**, s'avancèrent lentement dans l'enceinte. Un seul **champion** chevauchait en tête, les quatre le suivaient deux à deux. Tous portaient des armures magnifiques. »

Ce n'est, néanmoins, plus tellement cela qu'évoque la mention de sports de combats, mais la BOXE, *l'*ESCRIME, *le* **judo**, *la* LUTTE, *le* **catch**...

En **boxe**, *bien que les combats de* **poids lourds** *reçoivent le plus de publicité, il ne faut pas oublier les autres catégories :* **poids léger, poids mi-moyen, poids coq, poids plume.**

Voici un soigneur décrivant le début d'un combat :

« Ils allèrent dans leurs coins respectifs. J'enlevai le **peignoir** de Jack ; il s'appuya sur les **cordes**, plia plusieurs fois les genoux et frotta ses semelles dans la résine. Le **gong** retentit et Jack se tourna brusquement et s'avança vers son adversaire. »

En général, un **boxeur gagne par knock-out** *ou aux* **points**.

*A propos de l'*escrime, *notez ensuite les termes suivants :*

bretteur
une botte
pousser une botte
coup d'arrêt
coup fourré
croiser le fer
une estocade
une feinte
un fleuret moucheté
un maître d'escrime
un masque d'escrime
un moulinet
une parade
parer

B) *COMBAT SPORTS*

There are the sports which might be called MILITARY SPORTS, *like* **parachute-jumping** *in our day or the* **tournaments (tourneys)** *in the old days. Their splendour is described time and again in the novels of the author of « Ivanhoe » :*

« The **lists** presented a most splendid spectacle... The heralds finished their proclamation... The barriers were opened, and five **knights, chosen by lot**, advanced slowly into the arena ; a single **champion** riding in front, and the other four following in pairs. All were splendidly armed. »

(W. Scott)

It's not so much that, however, which the words « combat sports » bring to mind but BOXING, FENCING, **judo**, WRESTLING *and* **all-in-wrestling**...

In **boxing** *although the* **heavy weight** *contests attract most publicity, we must not forget the other classifications :* **light weight, welter weight, bantam weight, feather weight.**

Here is a second describing the start of a fight :

« They went to their corners. I lifted the **bathrobe** off Jack and he leaned on the **ropes** and flexed his knees a couple of times and scuffed his shoes in the rosin. The **gong** rang and Jack turned quick and went out. »

(E. Hemingway)

As a rule a **boxer wins by a knock-out**, *or on* **points**.

A propos of **fencing**, *note the following terms »*

swashbuckler
a thrust
to thrust : **to make a thrust**
stop-thrust
exchanged hit
to cross swords
thrust
feint
a buttoned foil
a fencing master
a fencing mask
twirl (moulinet)
a parry
to parry

un plastron
rompre
une tierce
toucher.

En ce qui concerne la **lutte** *(libre, à* **main plate***, etc.), il serait difficile d'entrer dans le détail de la teminologie des diverses* **prises**...

C) *SPORTS NATIONAUX*

L'Espagne a LA CORRIDA *ou course de taureaux. Une* **corrida** *se déroule aux* **arènes**.

Notez :

Une estocade
un matador
un torero.

L'attitude des Anglais à l'égard du sport est notoire :

« La bataille de Waterloo fut gagnée sur les **terrains de sport** d'Eton. »

et aucun sport n'est plus profondément enraciné dans l'esprit national que LE CRICKET.

Il y a plus de cent ans, J. Love écrivit un poème à la louange de ce jeu, commençant ainsi :

« Gloire au cricket ! Jeu britannique glorieux et **viril** ! »

et plus récemment nous trouvons :

« Ne développe-t-il pas des qualités aussi hautement désirables que le courage, la générosité, l'abnégation, l'esprit de décision, la retenue, la bienveillance, la **sportivité**, et l'énergie, l' **impartialité** et beaucoup d'autres caractéristiques également admirables ? »

Peut-on demander plus à un jeu ?

Il n'entre pas dans le cadre de ce livre de tenter d'expliquer les subtilités du jeu. En bref, pourtant :

« Un joueur se tient devant trois **piquets** (formant ce qu'on appelle un **guichet** : ou **but**), armé d'une **batte**. A vingt mètres, juste devant lui, se trouve un autre membre de son équipe, ayant lui aussi une **batte** à la main, et un guichet derrière lui. Les neuf autres membres de leur équipe se reposent dans le

376

---

fencing-jacket (plastron)
to step back
tierce
to wound *(hit, touch, score a hit).*

As for **wrestling** *(***loose, flat-handed***, etc.), it would be difficult to give a detailed list of the names of the various* **holds**...

C) *NATIONAL SPORTS*

Spain has its BULL-FIGHTING. *A* **bull-fight** *takes place in an* **arena**.

Note :

a stab-wound
a matador
a bull-fighter, torero.

The Englishman's attitude to sport is notorious :

« The Battle of Waterloo was won on the **playing-fields** of Eton. »

(The Duke of Wellington)

and no sport has embedded itself more deeply in the national consciousness than CRICKET.

More than a hundred years ago John Love wrote a poem in praise of this game, beginning :

« Hail Cricket ! glorious, **manly** British game ! »
(J. Love)

and more recently we read :

« Does it not foster such eminently desirable qualities as courage, generosity, unselfishness, resolution, restraint, friendliness, **sportsmanship**, fortitude, **fairmindedness**, and many other equally admirable characteristics ? »

(Lt. Col. the Hon. E. G. French)

Can one ask more of a game ?

It is outside the scope of this book to attempt an explanation of the intricacies of the game, but, briefly :

« One man stands in front of three **sticks** or **stumps** (known as the **wicket**) armed with a **bat**. Twenty-two yards in direct line from him stands a fellow member of his team, also with a bat in his hand and a wicket behind him. The other nine members of their team are lying about in the pavilion... Nine of the

pavillon. Neuf des onze membres de l'équipe adverse sont dispersés sur le **terrain**, et on dit qu'ils **occupent le terrain**. L'un des deux autres lance la balle en direction du batteur et s'efforce de toucher le guichet ou d'obliger le **batteur** à frapper la balle de telle façon que l'un des joueurs sur le terrain puisse l'attraper avant qu'elle ne rebondisse. Quand l'une ou l'autre de ces éventualités se produit, le batteur est **éliminé**, et cède sa place à un de ses équipiers ; et ainsi de suite jusqu'à ce que les onze membres de l'équipe aient pris leur tour de batte... Le onzième membre de l'équipe occupant le terrain, le « **wicket keeper** » ou « **stumper** », porte des **jambières** et des gants, et se tient derrière le but. »

Quand les **tours de batte** *d'une équipe sont terminés, l'autre équipe la remplace, et celle dont les batteurs effectuent le plus grand nombre de parcours entre les deux buts gagne. Les « **bowlers** »* [1] *peuvent être « rapides », « lents » ou « moyens ». Les « bowlers » lents donnent de l'effet à la balle.*

Dans de nombreux livres, vous trouverez des descriptions émues du **match de cricket** *« mémorable », ou tout simplement du match habituel qui se déroule sur le pré communal, l'un et l'autre surveillés par d'impassibles* **arbitres**.

Chaque école a au moins une équipe de cricket.

Les **rencontres internationales** *– particulièrement les matchs contre l'Australie – mettent le pays au comble de la surexcitation, le conduisent aux extrêmes de la joie ou du désespoir. Chaque balle est commentée à la radio pendant les quatres jours que durent les matchs.*

Certaines expressions sont passées dans le vocabulaire quotidien :

tenir bon
ce n'est pas du jeu (... loyal)
sécher sur une question.

Quel est le sport national de la France ? Les repas, disent les mauvais esprits. L'amour, rectifient les libertins. Ils ont tort les uns et les autres, c'est LE CYCLISME.

Les Français suivent en effet les **étapes** *du Tour de France avec le même enthousiasme*

eleven members of the opposing team are disposed about the **field** and are said **to be fielding**. One of the remaining two is bowling the ball at the man with the bat, with the object of hitting the wicket or causing the **batsman** to strike the ball in such a way that one of the men in the field can catch it. When either of these things happens, the batsman is **out** and he gives way to another member of the team , and so on until all eleven of the team batted... The eleventh member of the fielding side, the **wicket-keeper (stumper)**, wearing **pads** and gloves, stands behind the wicket.

(C. E. Eckersley and L.C.B. Seaman)

When **the innings** *is ended the other side bats, and the side which scores the most runs wins. The* **bowlers** [1] *may be fast, slow, or medium-paced. Slow bowlers are spin bowlers.*

In book after book you will find loving descriptions of the « memorable » **cricket match**, *or just the ordinary match on the village green, both supervised by imperturbable* **umpires**.

Every school in England has at least one cricket team.

The **test matches**, *especially those against Australia, rouse the country to a fever pitch of excitement, to extremes of joy or despair. A ball by ball radio commentary is given for the whole of the four day period of play.*

Certain phrases have passed into the vocabulary of everyday life :

to keep one's end up
it's not cricket
to be stumped.

And what is the national sport of France ? Eating, some uncharitable people say. No, love-making, say the cynics. They are both wrong. It's CYCLING.

For the French follow each **lap** *of the Tour de France with the same enthusiasm as the*

---

(1) Joueurs lançant la balle vers le but.

que les Anglais les « test-matches » de cricket. Pendant ce temps, par monts et par vaux :

« le **peloton** s'égrène. Le peloton musarde. Le peloton peine. Le peloton se regroupe. Le peloton tricote. »

(P. Daninos)

Qui donc aura le **maillot jaune** *?*

Le FOOTBALL *est devenu le sport le plus populaire du monde.*

Une **équipe** *comprend onze joueurs :*

« La composition de l' **équipe** rappelle un dispositif militaire complet d'attaque et de défense. »

(J.-B. Pieri)

Chaque **joueur** *a son rôle particulier :*

« A chacun sa spécialité. Les **arrières** et le **goal**, dans une équipe de foot, n'ont pas besoin de l'esprit d'attaque qui est indispensable aux **avants**. »

(H. de Montherlant)

Mais tous doivent être en pleine forme car ni le public ni les journaux n'épargneront leurs sarcasmes aux mauvais... pas plus d'ailleurs qu'ils ne tariront d'éloges sur les bons :

« Rapide et gracieux dans ses mouvements, il couvrait le terrain avec un sens inné du placement. Si bien que toutes les **balles perdues** semblaient lui parvenir. Quand il **jouait en retrait**, il désorganisait la défense adverse par ses **passes** inspirées ; quand il montait à l'attaque, il achevait de la mettre en déroute par l'assurance insolente avec laquelle il **marquait ses buts**. »

*Outre les joueurs, on trouve dans un match l'***arbitre***, les* **juges de touche***, les spectateurs (composés des* **supporters** *des deux clubs) qui poussent des acclamations, des huées, ou conspuent l'arbitre. Un grand match peut attirer* **un public** *de plus de 50 000 personnes.*

Quelques autres termes à noter :

bloquer le ballon
le coup d'envoi
un coup franc
un demi
dribbler
irrégularité
match nul
penalty.

English do a Test Match, while, up hill, down dale :

« The **group** spreads out. The group dawdles. The group labours. The group bunches up again. The group scorches along. »

Who will have the **yellow jersey** *?*

ASSOCIATION FOOTBALL (Soccer) *has become the world's most popular game.*

A **team** *is made up of eleven players :*

« The composition of the **side** reminds us of the disposition of troops perfectly placed for attack and defence. »

Each **player** *has his particular part to play :*

« Each **man** specializes in his own way. The **backs** and the **goal-keeper**, in a football team, do not need the attacking spirit which is essential for the **forwards**. »

But all of them must be on top of their form, as neither public nor press will spare their sarcastic comments on those who are no good, any more than they will tire of praising those who are :

« A swift and graceful mover, he roamed the field with an instinctive sense of position, so that the **loose ball** always seemed to find him. **Lying deep** he destroyed the defence by his perceptive **passes** ; moving up he completed their rout by the cheeky assurance with which he **took his goals**. »

(« The Observer »)

Apart from the players the following people are to be seen at a match : the **referee***, the* **linesmen***, the spectators (composed of* **supporters** *of the two clubs) who cheer or boo, or barrack the referee. A big match may attract* **a gate** *of over 50,000.*

A few other terms to note :

to trap the ball
the kick off
a free kick
a half back
to dribble
infringement
draw
penalty (-kick).

378

Sous sa forme la plus courante LE RUGBY *se joue à quinze. Il y a un* **arrière**, *quatre* **trois-quarts**, *deux* **demis** *(le* **demi de mêlée** *; le* **demi d'ouverture***), huit* **avants**.

Voici un extrait de compte-rendu d'une partie :

« ... Il ramassa la balle perdue et évita deux adversaires pour marquer un essai qu'il convertit. Sharp envoya la balle à vingt mètres de haut entre les poteaux, marquant un drop qui provoqua le délire des spectateurs... Une bataille d'avants, dure, impitoyable, une succession de **touches**, d'**accrochages**, de **mélées**... »

D) *DIVERS*

Il nous reste à mentionner :

le base-ball
le basket *et*
le volley-ball
le hockey.

Ce jeu est pratiqué dans toutes les écoles anglaises de filles et l'on peut être sûr que dans la plupart des romans destinés aux écolières, l'héroïne fera de grandes prouesses sur le terrain de hockey.

L'essentiel est un bon maniement de la **crosse** *ainsi qu'un bon jeu de jambes, de la sûreté dans les mouvements, du sang-froid, et une bonne forme.*

le jeu de volant

le patinage à roulette
  sur glace
le tennis.

On peut jouer sur des **courts** *en terre battue ou sur gazon, des* **simples** *ou des* **doubles** *(doubles messieurs, doubles dames, doubles mixtes).*

Un autre journal nous présente les joueurs en action :

« Grâce à la qualité de ses **services**, de ses **volées** et de ses **lobs**, Matthews remporta le premier **set** et prit le service de l'adversaire pour gagner en 6-4 le second set. Une double faute et deux **revers** qui échouèrent lamentablement dans le **filet** lui firent perdre son avance, et il ne retrouva plus jamais l'occasion de mener. »

There are fifteen a side in the most popular form of RUGBY FOOTBALL *(***Rugger***). There are one* **fullback**, *four* **three-quarters**, *two* **half-backs** *(***scrum half** *and* **fly half***), eight* **forwards**.

Here is an extract from an account of a match :

« ... He swept up the loose ball and beat two defenders for a try which he converted... Sharp sent the ball soaring 70 feet high between the posts for a drop goal which had the supporters delirious... A tough, relentless forward battle, a succession of **line-outs**, **mauls** and **scrums**... »

(« The Observer »)

D) *VARIOUS*

There remain to be mentionned :

baseball
basket-ball *and*
volley-ball
hockey.

This game is played at all English girls' schools, and you can be sure that in most schoolgirl fiction the heroine will display great prowess on the hockey field.

The essentials are good **stick**-*work, combined with footwork, body-control, a cool head and fitness.*

badminton *(ancient :* **battledore**
and **shuttlecock***)*
roller-skating
ice-skating
tennis.

One may play on hard **courts** *or grass courts, and the game may be* **singles** *or* **doubles** *(men's doubles, ladies' doubles or mixed doubles).*

Another newspaper describes the players in action :

« Matthews, **serving, volleying** and **lobbing** well, took the first set and broke service for 6-4 in the second. A double fault and two **shots from the backhand** which landed dismally in the **net** helped to wipe out his lead and he never had the same chance of commanding the match again. »

(« The Guardian »)

Parmi les autres coups il y a :

le coup droit
la demi-volée
le smash.

Une **raquette** *de tennis est tendue de cordes faites en boyau ou en nylon.*

Other strokes include :

the fore-hand drive
the half volley
the smash.

A tennis **racquet** *is strung with gut or nylon.*

Pratiquer un sport, quel qu'il soit, est, paraît-il, la condition essentielle de survie :

« Sans corpore sano on va droit au sana. »
(P. Vialar)

C'est plus drôle, en tout cas, que d'apprendre le vocabulaire anglais ou français, encore que (c'est Shakespeare qui le dit) :

« S'il fallait à jouer passer toutes les heures
Le sport et le travail auraient mêmes couleurs. »

To play a game of some sorts is apparently an essential condition of survival :

« If the body's not sound
You'll soon be underground. »

In any case, it's more amusing than learning French or English vocabulary ; although, as Shakespeare reminds us :

« If all the year were playing holidays
To sport would be as tedious as to work. »
(W. Shakespeare)

TABLE DES MATIÈRES

I – VARIATIONS LEXICALES
ET PROCÉDÉS DE TRADUCTION

CHAPITRE 1

DIFFÉRENCES D'EXTENSION :
LA PARTICULARISATION, LA GÉNÉRALISATION

CHAPITRE 2

VARIATIONS SÉMANTIQUES : LES FAUX-AMIS

CHAPITRE 3

DIFFÉRENCES D'ESPÈCE.
DIFFÉRENCES DE CONCENTRATION

CHAPITRE 4

DIFFÉRENCES DE VISION

II – Lexique du thème et de la version
et de la rédaction littéraire

A – CE MONDE QUI NOUS ENTOURE
(The World around us)

CHAPITRE 5

CHAPITRE 8

VOYAGES AUTOUR DU MONDE

GOING ROUND THE WORLD

B – LES ÊTRES VIVANTS
(Live Beings)

CHAPITRE 9

CHAPITRE 11

<table>
<tr><td colspan="3" align="center">

LES SENS, L'ACTIVITÉ CORPORELLE   **SENSES AND BODILY ACTIVITY**

</td></tr>
</table>

CHAPITRE 12

CHAPITRE 13

LA VIE PSYCHOLOGIQUE

PSYCHOLOGY, MENTAL LIFE

CHAPITRE 14

LA VIE
SENTIMENTALE

FEELINGS AND
SENTIMENTAL LIFE

CHAPITRE 15

MORALE ET RELIGION	**ETHICS AND RELIGION**

NOS FRÈRES INFÉRIEURS : LES ANIMAUX	OUR DUMB FRIENDS	

C – L'ACTIVITÉ QUOTIDIENNE
(Daily Activities)

CHAPITRE 17

CHAPITRE 18

LA VIE URBAINE	LIFE IN TOWN	

CHAPITRE 19

CHAPITRE 20

CHAPITRE 21

CHAPITRE 22

D – CULTURE ET LOISIRS
(Culture and leisure)

CHAPITRE 23

CHAPITRE 24

CHAPITRE 25

L'ART ET LA VIE ARTISTIQUE

ART AND ARTISTIC LIFE

CHAPITRE 26

LA LITTÉRATURE	LITERATURE
ET LA VIE LITTÉRAIRE	AND LITERARY LIFE

CHAPITRE 27

LES DISTRACTIONS : THÉÂTRE, CINÉMA, SPECTACLES...

ENTERTAINMENTS : THEATRE, CINEMA, SHOWS...

Imprimé en France en septembre 2011 par EMD S.A.S.
N° d'impression : 24926 – Dépôt légal : janvier 2009